Translatio

Sous la direction de Gisèle Sᴀᴘɪʀᴏ

Translatio

Le marché de la traduction en France
à l'heure de la mondialisation

CNRS ÉDITIONS

15, rue Malebranche – 75005 Paris

Collection « culture & société »
dirigée par Gisèle Sapiro

© CNRS ÉDITIONS, Paris, 2008
ISBN : 978-2-271-06729-6

Cet ouvrage est issu en grande partie d'une enquête collective, menée au Centre de sociologie européenne (Université Paris-Panthéon-Sorbonne-EHESS-CNRS), en collaboration avec le laboratoire Culture et sociétés urbaines (Université Paris VIII-CNRS) et le Centre de recherche interdisciplinaire sur l'Allemagne (EHESS-CNRS). Elle a été réalisée avec le concours du ministère de la Recherche, dans le cadre d'une Action concertée incitative, programme « Terrains, techniques, théorie », et a donné lieu à un rapport : Gisèle Sapiro dir., *La Traduction comme vecteur des échanges culturels internationaux : circulation des livres de littérature et de sciences sociales et évolution de la place de la France sur le marché mondial de l'édition de 1980 à 2004*, CSE, septembre 2007.

L'équipe de recherche, coordonnée par Gisèle Sapiro, était composée d'Anaïs Bokobza, qui a réalisé une grande partie de l'analyse statistique, Johan Heilbron, Ioana Popa, Sandra Poupaud, Hervé Serry. Yves Gambier et Richard Jacquemond ont accepté d'enrichir ce volume en vue de la publication.

Ont également collaboré ponctuellement à l'enquête Christine Michel ainsi que Clément Beaufort, Mauricio Bustamante, Claire Ducournau, Camille Joseph, Cécile Rabot, Yehezkel Rahamim, Camelia Runceanu.

Bruno Auerbach et George Steinmetz ont relu le chapitre sur les sciences humaines et nous ont fait bénéficier de leurs judicieuses remarques. Itamar Even-Zohar a enrichi, par ses commentaires, l'analyse des traductions du français en hébreu. Michael Werner a suivi nos travaux. François Denord et Julien Duval nous ont prodigué des conseils pour la présentation des données statistiques.

Que soient également remerciés ici Pascal Fouché et l'équipe d'Electre pour nous avoir donné accès à la base de données bibliographique Electre, ainsi que les éditeurs, directeurs de collection, responsables de la politique du livre aux ministères de la Culture et des Affaires étrangères, chargés du livre, agents littéraires, traducteurs qui nous ont accordé des entretiens et fourni de précieuses informations.

Des versions antérieures de certains chapitres ont été présentées au colloque sur « Les contradictions de la globalisation éditoriale », organisé par Gisèle Sapiro, dans le cadre du réseau européen ESSE (Pour un espace des sciences sociales européen), à l'EHESS et à l'IRESCO du 23 au 25 mars 2005, et dont les actes (mis à part les contributions de ce volume) paraissent chez Nouveau Monde éditions en 2008. Une version antérieure du chapitre 3 a paru sous le titre : « Traduction et globalisation des échanges : le cas du français », dans Jean-Yves Mollier (dir.), *Où va le livre ?* nouvelle édition augmentée, Paris, La Dispute, 2007, pp. 227-262.

Introduction

par Gisèle Sapiro

La mondialisation favorise-t-elle les échanges culturels internationaux et l'hybridation des cultures ou est-elle avant tout l'expression d'un
impérialisme économique qui s'accompagne d'une hégémonie culturelle[1] ? Le marché de la traduction constitue un bon terrain d'observation pour apporter des éléments de réponse à cette question qui se pose
pour un nombre croissant d'espaces sociaux. D'une part, le livre demeure
un medium majeur de la diffusion culturelle. De l'autre, l'édition est un
univers où enjeux économiques, politiques et culturels sont étroitement
imbriqués. Or la circulation des œuvres et des idées, à la différence
d'autres biens symboliques comme les arts plastiques ou la musique[2],

1. La première thèse prévaut dans les *Cultural Studies*, qui insistent sur l'autonomie de la sphère culturelle et sur la diversité des modes d'appropriation et «d'indi-
génisation» des mêmes produits culturels ; voir par exemple, Arjun Appadurai, *Après
le colonialisme. Les conséquences culturelles de la globalisation*, trad. fr., Paris, Payot,
2001 [1996] ; elle s'oppose principalement à l'approche économiciste des théories
néomarxistes du développement et celle du système-monde développée par Immanuel
Wallerstein, *Comprendre le monde. Introduction à l'analyse des systèmes-monde*, trad.
fr., Paris, La Découverte, 2006 [2004] ; dans une perspective marxiste également, David
Harvey emploie quant à lui la notion de «rentes de monopole» pour expliquer l'intérêt
capitaliste croissant dans les biens culturels ; *Géographie de la domination*, Paris, Les
prairies ordinaires, 2008 [2001].
2. Pour une analyse sociologique des effets de la mondialisation sur le marché de
l'art, voir notamment Raymonde Moulin, *Le Marché de l'art. Mondialisation et nouvelles
technologies*, Flammarion, Champs, nouvelle édition 2003 ; Alain Quemin, *L'Art contemporain international. Entre les institutions et le marché*, Jacqueline Chambon/Artprice,
2002 et «Globalization and Mixing in the Visual Arts. An Empirical Survey of "High
Culture" and Globalization», *International Sociology*, vol. 21, n° 4, 2006, pp. 522-550.

se heurte non seulement aux frontières nationales mais aussi aux barrières linguistiques, qui ne se recoupent souvent pas. À la traduction revient la tâche de faire dialoguer les cultures par-delà les différences et les divergences.

La notion de traduction peut être employée dans un sens large ou restreint. La question de la « traductibilité » des œuvres culturelles dans un espace mondialisé se pose bien évidemment au-delà de la traduction au sens linguistique strict[3]. Néanmoins, traduire, en cette acception restreinte, qui sera la nôtre ici, suppose un travail spécifique, qui requiert des compétences et a un coût en temps, ainsi qu'en argent, depuis que cette activité s'est professionnalisée. Un ensemble d'agents et d'institutions y investissent des intérêts d'ordre culturel, politique et économique. En fonction de ces intérêts, les fonctions de la traduction peuvent être diverses, entre circulation des idées et rapports d'hégémonie, construction des identités collectives et influence politique, accumulation de capital symbolique et conquête de marchés[4]. Ces fonctions ne sont pas spécifiques à la traduction, elles peuvent s'observer au sein des aires linguistiques qui se structurent également selon des rapports de force entre centre et périphérie et où la circulation des biens symboliques répond à des enjeux culturels, économiques et politiques. Mais le marché international de la traduction a des logiques, des instances, des agents et une économie qui lui sont propres, lesquels nécessitent une étude spécifique.

Loin d'être un phénomène nouveau, la circulation mondiale des biens culturels s'inscrit dans un processus pluriséculaire d'échanges entre communautés[5]. Avant d'être un enjeu économique, la traduction fut un enjeu idéologique et culturel, comme l'illustrent notamment l'histoire des traductions de la Bible ou celle des traductions du grec en arabe

---

3. Emily Apter, « On Translation in a Global Market », *Public Culture*, vol. 13, n° 1, 2001, pp. 1-12.

4. Voir notamment Lawrence Venuti, *The Scandals of Translation. Towards an ethics of difference*, London, Routledge, 1998. Sur les enjeux littéraires, voir Pascale Casanova, *La République mondiale des lettres*, Paris, Seuil, 1999 et « Consécration et accumulation de capital littéraire. La traduction comme échange inégal », *Actes de la recherche en sciences sociales*, n° 144, septembre 2002, pp. 7-20.

5. Les jalons d'une telle approche ont été posés notamment par Johan Heilbron, « Échanges culturels transnationaux et mondialisation : quelques réflexions », *Regards sociologiques*, n° 22, 2001, pp. 141-154.

au Moyen-Age[6]. La traduction a également joué un rôle déterminant dans la construction des cultures nationales, par la stabilisation de normes linguistiques et l'introduction de modèles d'écriture[7]. La formation d'un marché de la traduction est ainsi liée historiquement à l'émergence d'une production intellectuelle en langue vernaculaire et au développement corrélatif du marché du livre. Étroitement contrôlé sous les régimes monarchiques, ce marché se libéralisa progressivement au 19e siècle, au moment de son industrialisation, les éditeurs en devenant les principaux acteurs[8]. La circulation transnationale des biens symboliques, encore peu réglementée, connut alors une forte expansion.

Comme celui du livre dans lequel il est encastré, le marché de la traduction est doublement structuré par les aires linguistiques et par les États-nations, qui non seulement ne se recoupent pas, mais sont eux-mêmes structurés par l'opposition entre centre et périphérie. Les centres éditoriaux se sont d'emblée concentrés autour de quelques villes comme Leipzig, Londres et Paris. Si le marché du livre s'est développé en lien étroit avec la formation des identités nationales, la logique économique de conquête de nouveaux marchés associée aux politiques impérialistes à visée culturelle a conduit à la formation d'espaces éditoriaux transnationaux dans les aires linguistiques hispanophone, anglophone, germanophone, francophone ou arabophone, dominés par ces mêmes centres. Née en partie d'une réaction à l'hégémonie culturelle exercée par ces centres[9], l'affirmation des cultures nationales, selon un modèle qui se

---

6. Voir par exemple Geneviève Contamine (dir.), *Traduction et traducteurs au Moyen âge*, Paris, Éditions du CNRS, 1989. Sur les enjeux politiques de la traduction de la Bible en Afrique, voir Jean-Loup Amselle, *Branchements. Anthropologie de l'universalité des cultures*, Paris, Flammarion, 2001, pp. 74-75.

7. Sur le rôle des transferts culturels dans la construction des identités nationales, Michel Espagne et Michael Werner (dir.), *Transferts. Relations interculturelles franco-allemandes (XVIIIe-XIXe siècle)*, Paris, Éd. Recherche sur les Civilisations, 1988, et *Philologiques,* Paris, Éditions de la Maison des Sciences de l'Homme, 1990-1994 (3 vol.), Itamar Even-Zohar, « The Position of Translated Literature within the Literary Polysystem » [1978], *Poetics Today*, vol. 11, n° 1, 1990 ; Gideon Toury, *Descriptive Translation Studies and Beyond*, Amsterdam/Philadelphia, John Benjamins, 1995 et Gustavo Sora, « Un échange dénié. La traduction d'auteurs brésiliens en Argentine », *Actes de la recherche en sciences sociales*, n° 145, 2002, pp. 61-70.

8. Roger Chartier et Henri-Jean Martin, *Histoire de l'édition française*, Paris, 1990, tomes 2 et 3.

9. Anne-Marie Thiesse, *La Création des identités nationales. Europe XVIIe siècle-XXe siècle*, Paris, Seuil, 1999.

diffusa de pays en pays, contribua à leur remise en cause, tant entre les aires linguistiques qu'en leur sein[10].

Dès la fin du 19e siècle se mirent en place des politiques de réglementation des marchés et des échanges visant à endiguer les effets du libéralisme économique et à protéger les marchés nationaux et les monopoles des éditeurs les plus puissants de la contrefaçon. En 1886 fut signée la Convention internationale de Berne sur le droit d'auteur, à laquelle de nombreux pays adhérèrent au début du 20e siècle. La circulation transnationale des biens symboliques, dotés d'une valeur à la fois symbolique et idéologique, s'inscrivait alors dans le cadre des relations diplomatiques entre États-nations[11]. Dans les régimes non libéraux, fascistes ou communistes, où la production culturelle était instrumentalisée à des fins de propagande, ainsi que dans les périodes de guerre, la politique d'exportation et d'importation des œuvres était subordonnée en priorité à des enjeux idéologiques[12].

Dans l'édition, le processus de formation d'un marché international de la traduction s'observe à travers une série de phénomènes. En premier lieu, le processus de spécialisation et de professionnalisation d'un ensemble d'agents, éditeurs, traducteurs, agents littéraires, dont témoigne la division du travail éditorial entre la production nationale et l'exportation ou l'importation, avec la création d'un secteur de vente et d'acquisition de droits, et le rôle croissant que jouent les agents littéraires dans l'intermédiation : ils vont fortement contribuer à la rationa-

---

10. La formation des États-nations d'Amérique latine a ainsi favorisé le développement d'une littérature et d'une édition locale qui ont pu s'épanouir pendant la période franquiste. Le centre de l'espace anglophone s'est progressivement déplacé depuis les années 1960 de Londres à New York. Longtemps défiée sans succès par les éditeurs belges, la domination de Paris est aujourd'hui contestée par l'édition québécoise qui a émergé après la Deuxième Guerre mondiale, favorisée, là encore, par les conditions politiques de l'Occupation allemande en France, qui a imposé une limitation des échanges avec les autres pays. Sur l'Amérique latine, voir notamment Gustavo Sora, *Traducir el Brasil. Una antropologia de la circulacion internacional de ideas*, Buenos Aires, Libros del Zorzal, 2003 ; sur l'édition en Belgique, Pascal Durand et Yves Winkin, « Des éditeurs sans édition. Genèse et structure de l'espace éditorial en Belgique francophone », *Actes de la recherche en sciences sociales*, n° 130, 1999, pp. 48-65.

11. Blaise Wilfert, *Paris, la France et le reste... Importations littéraires et nationalisme culturel en France, 1885-1930,* Thèse de doctorat d'histoire, sous la direction de Christophe Charle, Université Paris I, 2003.

12. Voir, notamment, Ioana Popa, « Un transfert littéraire politisé. Circuits de traduction des littératures d'Europe de l'Est en France 1947-1989 », *Actes de la recherche en sciences sociales*, n° 144, 2002, pp. 55-59.

lisation et à l'harmonisation des modes de fonctionnement de ce marché. Cette professionnalisation accompagne l'institutionnalisation des échanges culturels dans le cadre des relations diplomatiques entre les États-nations et des institutions internationales : la Convention de Berne de 1885 sur le droit d'auteur réglemente la circulation des livres ; en 1931, l'Institut pour la Coopération Intellectuelle de la Société des nations, ancêtre de l'UNESCO, constitue l'Index Translationum à la demande d'organisations internationales d'auteurs, d'éditeurs et de bibliothécaires.

Après la Deuxième Guerre mondiale, la libéralisation des échanges économiques, dans le cadre de l'*Accord général sur les tarifs douaniers et le commerce* (GATT), signé en 1947, va contribuer à l'unification progressive d'un marché mondial des biens culturels dans les domaines du disque, du livre et du cinéma, tout en favorisant le développement des industries culturelles nationales. Ce processus s'accélère avec le tournant néo-libéral des années 1970, marqué par l'abandon du thème du développement pour celui de la mondialisation, en vue de l'ouverture des frontières à la libre circulation des biens et des capitaux[13].

Dans l'édition, la multiplication des instances spécifiques comme les foires internationales du livre, sur le modèle ancestral des foires de Leipzig et de Francfort, est à la fois le signe et l'un des ressorts de l'unification et de la structuration du marché mondial de la traduction. Celle de Londres s'est tenue pour la première fois en 1964 et devient, à partir de 1971, l'une des plus importantes en Europe après Francfort ; aujourd'hui, chaque ville culturelle a désormais la sienne, de Pékin à Guadaljara, en passant par New Delhi, Ouagadougou et Tunis, tandis qu'un nombre croissant de pays participe à ces manifestations. Plus récemment, l'internationalisation de grands groupes tels que Bertelsman, Vivendi Universal ou Rizzoli, à la faveur de la concentration croissante de l'édition et du resserrement de la compétition entre eux[14], contribue

---

13. Voir notamment Immanuel Wallerstein, *Comprendre le monde*, *op. cit.*, p. 136.

14. Voir François Rouet, *Le Livre. Mutations d'une industrie culturelle*, Paris, La Documentation française, 1992, rééd. 2007 ; Fabrice Piault, « De la "rationalisation" à l'hyperconcentration », in Pascal Fouché (dir.), *L'Édition française depuis 1945*, Paris, Éditions du Cercle de la Librairie, 1998, pp. 628-639 ; Jean-Yves Mollier, « L'évolution du système éditorial français depuis l'*Encyclopédie* de Diderot » et Ahmed Silem, « Les deux géants du livre français : Havas Publications Édition et Hachette livre », in Jean-Yves Mollier (dir.), *Où va le livre ?* Paris, La Dispute, 2000, rééd. 2007, chap. 1 et 2 ; Jean-Yves Mollier, « Les stratégies des groupes de communication à l'orée du XXIᵉ siècle », in Gisèle Sapiro (dir.), *Les Contradictions de la globalisation éditoriale*, Paris, Nouveau Monde Éditions, 2008, chap. 1 (sous presse).

à la dénationalisation de ce marché, parallèlement à la critique intellectuelle des cultures nationales, qui se sont construites au détriment des
minorités, des étrangers, des femmes.

L'emprise croissante de la logique marchande sur les échanges
culturels internationaux a contraint les États à réorienter leurs politiques
d'exportation. Initialement inscrites dans le cadre des relations diplomatiques et destinées à assurer le rayonnement des cultures nationales
quand elles n'avaient une visée plus directement hégémonique dans le
cadre des luttes d'influences entre grandes puissances, les politiques
publiques spécifiques, comme les aides à l'exportation du livre et à la
traduction, ont également pour double objectif de favoriser les échanges
économiques et de contrecarrer les effets de la marchandisation dans le
domaine du livre. En France, si l'on peut faire remonter les prémices
d'une politique de promotion du livre français à l'étranger à la Première
Guerre mondiale, elle s'organise de façon plus systématique à partir de
1948 autour de deux principes : la défense de la langue française dans
le monde et la promotion de la culture française, dont le livre est considéré comme un des vecteurs les plus importants. Avec la mise en place
d'une politique du livre dans les années 1970 et la réorientation des
missions du Centre national des lettres (devenu Centre national du livre
en 1992), de l'aide à la création à l'aide à la production[15] s'ajoute le
soutien commercial à un secteur qui représente, dans les années 1980,
un quart du chiffre d'affaires de l'édition.

De nombreux pays ont élaboré des dispositifs d'aide à la traduction des œuvres de la littérature nationale, conçue comme « clé de voûte
de la présence culturelle à l'étranger » et « support d'échanges culturels »[16]. L'Allemagne a ainsi mis en place depuis 1978 un centre européen consacré à la traduction à Straelen. Depuis 1977, le Centre
d'information sur la littérature finlandaise propose six programmes de
traduction. Ce mouvement s'est intensifié depuis les années 1980 et se
poursuit à ce jour. L'Institut portugais du livre et des bibliothèques, créé
au début des années 1980, a promu la traduction de la littérature portugaise auprès des éditeurs français à une époque où celle-ci suscitait peu
d'intérêt. La Tunisie a créé en 2007 un Centre national de la traduction,

---

15. Yves Surel, *L'État et le livre : les politiques publiques du livre en France :
1957-1993,* Paris, L'Harmattan, 1997.

16. Conseil de l'Europe, « Les politiques publiques du livre en Europe », rapport
établi par Marc Olivier Baruch, 25 mars 1993.

qui a établi un programme de traductions de l'arabe et en arabe, supervisé par des commissions spécialisées.

Cependant, signe de l'emprise croissante de la logique économique, les organismes étatiques de promotion des cultures nationales tendent désormais, dans nombre de pays, à se transformer en agents littéraires intervenant auprès des acteurs du marché du livre. Ils ont été conduits à reconsidérer leur rôle en termes de médiation entre les éditeurs des deux pays. L'Institut de traduction de la littérature hébraïque, fondé en 1962, a par exemple réorienté son activité depuis les années 1980 dans cette direction. C'est aussi le cas de la politique française depuis les années 1990, comme on va le voir.

Le renforcement de ces politiques depuis les années 1980 est étroitement lié à la mondialisation et aux débats suscités par les négociations du GATT dans le cadre du cycle de l'Uruguay (1986-1994). Elles avaient pour objet d'étendre au domaine des services – et donc aux biens immatériels ou incorporels, produits culturels inclus – la libéralisation des échanges, réservés jusque là au commerce des marchandises. Cette extension menaçait le statut d'exception réservé dans nombre de pays aux biens culturels, et qui leur vaut d'être protégés de la logique mercantile pure, provoquant une vive réaction, en France notamment. Elle a entraîné l'adoption par le Parlement européen en 1993 d'une résolution de ralliement au principe de « l'exception culturelle », remplacé à la fin de la décennie par la notion de « diversité culturelle » à l'instigation de l'UNESCO, qui l'a proclamée officiellement en 2001[17].

Les débats concernaient en premier lieu l'audiovisuel, plus directement visé par les négociations. Cependant, l'Accord sur les aspects des droits de propriété intellectuelle touchant au commerce (ADPIC ou TRIPS en anglais), signé en 1994 dans le cadre de l'Organisation mondiale du commerce (GATT-OMC), adoptait la convention de Berne sur la protection de la propriété littéraire et artistique, à l'exception des dispositions relatives aux droits moraux, en particulier son caractère inaliénable, qui distingue le droit d'auteur français de la législation anglo-saxonne sur le copyright. Or le caractère cessible du droit moral contribue à faire des biens culturels des marchandises comme les autres, selon la conception qui prévaut dans le copyright.

---

17. Voir Bernard Gournay, *Exception culturelle et mondialisation*, Paris, Presses de Sciences Po, 2002 ; Serge Regourd, *L'Exception culturelle*, Paris, PUF, coll. « Que sais-je ? », 2002 et Id. (dir.), *De l'exception à la diversité culturelle*, Paris, La Documentation française, 2004.

Les négociations sur la libéralisation des échanges de service dans le cadre du cycle de l'Uruguay ont sans doute contribué à créer une conjoncture propice à l'intensification des échanges culturels internationaux. Bien que le livre ne fût pas directement concerné, on observe en effet une forte augmentation globale des flux de traduction à partir de cette période. L'analyse de leur évolution depuis les années 1980 montre que s'il y a bien intensification et diversification des échanges culturels par l'intermédiaire du livre, ceux-ci ne sont pas exempts de phénomènes de domination et de luttes d'hégémonie. Et si les rapports de force économiques sont de plus en plus prégnants, ces échanges sont inscrits dans un système de relations asymétriques entre cultures également régis par des enjeux politiques et intellectuels.

Instruments des luttes d'influence, les langues participent en effet de la structuration de ce système mondial des relations interculturelles[18]. Leur part dans les flux de traduction de livres constitue un bon indicateur de l'état des rapports de force constitutifs du système[19], à condition de prendre en compte la médiation du marché du livre[20]. Le cas de la langue française, autrefois hégémonique, est particulièrement intéressant de ce point de vue. L'évolution de sa position dans les flux de traduction est un révélateur des transformations du système et de sa reconfiguration à l'ère de la mondialisation.

L'examen des traductions en français depuis les années 1980 offre en retour un prisme pour appréhender les répercussions de la mondialisation sur le marché du livre national. Ceci soulève la question de l'autonomie relative du marché de la traduction dans différents pays par

---

18. *Cf.* Abram de Swaan, « The Emergent World Language System », *International Political Science Review*, vol. 14, n° 3, juillet 1993 ; *Words of the World : The Global Language System*, Cambridge Polity Press, 2001.

19. Johan Heilbron, « Towards a Sociology of Translation. Book Translations as a Cultural World System », *European Journal of Social Theory*, vol. 2, n° 4, 1999, p. 429-444 (une version remaniée de cet article paraît en français dans Gisèle Sapiro (dir.), *Les Contradictions de la globalisation éditoriale, op. cit.*).

20. Si l'on peut établir une corrélation entre le nombre de traductions qui sont faites d'une langue ou d'un pays et le nombre de titres produits dans cette langue ou ce pays, ainsi que l'a suggéré Anthony Pym, cette relation n'a cependant rien de mécanique et d'autres facteurs interviennent, comme on le verra au premier chapitre ; cf. Anthony Pym et Grzegorz Chrupala, « The quantitative analysis of translation flows in the age of an international language », in Albert Branchadell, and Margaret West Lovell (eds.), *Less Translated Languages*, Amsterdam/Philadelphia, John Benjamins, 2005, pp. 27-38.

rapport à deux marchés dans lesquels il est encastré : d'un côté, celui de l'édition locale, de l'autre, le marché mondial de la traduction. Il faudrait aussi pouvoir s'interroger plus qu'il n'a été possible de le faire ici sur la circulation des traductions entre la France et les autres espaces francophones, qui reflètent l'évolution des rapports de force entre centre et périphérie. Mais le marché de la traduction en France, tout en constituant un débouché pour des éditeurs francophones d'autres pays, jouit d'une certaine autonomie qui justifie de l'isoler comme objet d'étude.

Une analyse des catégories et genres de livres traduits permet par ailleurs de montrer que ce marché se structure, comme le marché du livre, autour de l'opposition entre un pôle de grande diffusion et un pôle de diffusion restreinte[21] : alors que le premier est régi par le mode de production industriel et par la logique du profit économique, le second fonctionne selon des méthodes artisanales et obéit à des logiques intellectuelles avant tout[22]. Un des résultats de la présente recherche est que le nombre de langues traduites, qui constitue un indicateur de la diversité culturelle, est beaucoup plus élevé au pôle de production restreinte qu'au pôle de grande production.

Ce livre est issu, en grande partie, d'une enquête collective réalisée entre 2003 et 2007 sur les flux de livres de littérature et de sciences humaines et sociales traduits en français depuis les années 1980[23]. Les travaux menés précédemment ou parallèlement par les chercheurs qui y ont contribué ont fourni une perspective historique de plus longue durée ainsi que des éléments sur les traductions du français vers d'au-

---

21. Pierre Bourdieu, « La production de la croyance : contribution à une économie des biens symboliques », *Actes de la recherche en sciences sociales*, n° 13, 1977, pp. 3-43 ; « Une révolution conservatrice dans l'édition », *Actes de la recherche en sciences sociales*, n° 126/127, mars 1999, pp. 3-28.

22. Les éditeurs qui combattent les effets de l'industrialisation du livre opposent « le livre produit de l'industrie de l'*entertainment* » au « livre issu de l'édition artisanale », selon les termes d'Eric Hazan, « Assez de larmes », in Roland Alberto et al., *Le Livre : que faire ?* Paris, La Fabrique, 2008, p. 7.

23. L'enquête, menée avec le soutien du ministère de la recherche dans le cadre d'une Action concertée incitative, programme « Terrains, techniques, théorie », a donné lieu à un rapport dont ce livre est une version largement remaniée et complétée par de nouvelles contributions ; Gisèle Sapiro (dir.), *La Traduction comme vecteur des échanges culturels internationaux : circulation des livres de littérature et de sciences sociales et évolution de la place de la France sur le marché mondial de l'édition de 1980 à 2004*, rapport de recherche, CSE, septembre 2007.

tres langues[24]. Par-delà l'étude du marché de la traduction en France, l'objectif de cette enquête était de développer une sociologie empirique de la mondialisation dans le domaine de la culture à travers une analyse concrète des enjeux, des instances, des agents et des types de produits qui circulent.

La première partie appréhende la structure des rapports de force constitutifs du marché mondial des traductions et la position du français sur ce marché à travers les flux de traduction et la hiérarchie des langues. Les différentes logiques, politique, économique et culturelle, à l'œuvre dans la circulation transnationale des livres, ainsi que les agents qui y participent, seront présentées au premier chapitre, lequel propose un cadre théorique et méthodologique pour une approche sociologique et historique de la traduction comme vecteur des échanges culturels. Comme le notait Esther Allen dans son rapport sur la traduction pour le PEN Club[25], une des difficultés auxquelles se heurtent les tentatives d'analyser l'évolution des traductions est l'absence de données fiables. C'est cette difficulté que nous avons tenté de surmonter. Le deuxième chapitre présente les principales sources utilisées dans ce rapport pour l'analyse quantitative des flux de traduction. Elles sont au nombre de quatre : l'Index Translationum de l'UNESCO, la base professionnelle de données bibliographiques Electre, les données du Syndicat national de l'édition (SNE), les catalogues d'éditeurs. Tout en tenant compte des biais bien connus de ces sources, et en n'utilisant les chiffres qu'à titre indicatif, il est possible, par recoupement des données, de faire apparaître des évolutions assez nettes du marché de la traduction dans ces deux dernières décennies. L'analyse quantitative a été complétée et affinée à l'aide d'une analyse qualitative des bases de données que nous avons constituées, d'une campagne d'entretiens réalisés auprès d'éditeurs, directeurs de collection, agents littéraires, représentants des politiques publiques, traducteurs, et d'une consultation de la presse nationale et professionnelle. Le chapitre 3 décrit la situation du français sur le marché mondial de la traduction, notamment face à la domination croissante de l'anglais. Le chapitre 4 est consacré aux traductions de livres de sciences humaines et sociales en français. L'importation de cette catégorie de livre présente des spécificités, qui témoignent d'une relative

---

24. Voir la bibliographie.
25. Esther Allen, *To be translated or not to be*, Pen/IRL report on the international situation of literary translation, Institut Ramon Lull, 2007.

autonomie par rapport aux tendances générales du marché et du poids des logiques intellectuelles dans la circulation transnationale des idées.

Il en va de même pour les traductions littéraires, auxquelles est consacrée la deuxième partie de l'ouvrage. Celles-ci ont connu une hausse très importante en France depuis les années 1980. Une description comparée de l'évolution des flux de traductions littéraires à partir de différentes langues (anglais, allemand, italien, espagnol, néerlandais, polonais, roumain, hongrois, tchèque, suédois et hébreu) est proposée au chapitre 5, tandis que le chapitre 6 analyse de manière transversale la structure de l'espace éditorial de la littérature traduite en français à travers les domaines et collections de littérature(s) étrangère(s). Suivent ensuite des études de cas par langues et/ou aires géographiques. Alors que l'engouement pour la littérature latino-américaine remonte aux années 1960-70, les littératures italienne et espagnole ont connu une vogue en France dans les années 80, qui tient à la fois à leur transformation et aux succès rencontrés par des auteurs comme Umberto Eco et Manuel Vazquez Montalbán (chapitres 7 et 8). La réception des littératures hispaniques est toutefois plus politisée. Les enjeux idéologiques ont largement déterminé la réception des traductions des littératures des pays d'Europe de l'Est jusqu'en 1989, leur intégration à l'économie de marché ayant entraîné un relatif désintérêt à leur égard ; leur cas permet aussi d'interroger les effets des crises politiques sur la circulation internationale des biens culturels (chapitre 9). Une étude spécifique a été consacrée au roman noir, genre qui a connu une forte croissance parmi les traductions et une diversification du point de vue des langues d'origine, signe de son implantation partout dans le monde. Les traductions ont participé de sa légitimation (chapitre 10).

La dernière partie aborde la question de la traduction comme vecteur des échanges culturels à partir de quatre études de cas. Tout en étant profondément ancrées dans des spécificités historiques dont les chapitres qui leur sont consacrés proposent un aperçu à différents niveaux, les échanges intellectuels entre la France et les Pays-Bas (chapitre 11), la Finlande (chapitre 12), les pays arabes (chapitre 13) ou Israël (chapitre 14) saisis à travers les flux de traduction dans les deux sens ont en commun d'être des relations asymétriques qui ont connu une évolution plus ou moins convergente dans la période considérée, avec d'un côté l'affirmation de ces cultures périphériques et leur accession à la reconnaissance en France, de l'autre la fragilisation de la position de la culture française en leur sein face à la présence accrue des traductions de l'anglais.

Si ces deux phénomènes sont liés, faut-il y voir un signe du déclin relatif de la position de la culture française dans le monde ? L'ouverture réelle aux littératures étrangères ne serait-elle qu'un trompe-l'oeil masquant la mort annoncée d'une culture autrefois hégémonique[26] ? Ou l'effet d'un impérialisme économique de plus en plus agressif, qui s'est emparé du domaine culturel ? L'analyse sociologique des agents, indi- vidus et institutions, ainsi que des intérêts spécifiques qui y sont investis permet de sortir de cette alternative réductrice qui tend à faire des échanges interculturels de simples reflets mécaniques de la force intrinsèque de ces entités abstraites que sont les cultures ou les marchés, et à proposer une vision plus nuancée des effets de la mondialisation sur le marché de la traduction.

---

26. Voir le *Time magazine* (édition européenne), 3 décembre 2007, et la réaction du *Monde* le 20 décembre 2007.

PREMIÈRE PARTIE

Flux de traduction
et hiérarchie des langues

Les flux de traduction constituent un indicateur de l'évolution des échanges entre cultures. S'ils font apparaître le caractère asymétrique de ces échanges entre langues centrales, semi-périphériques et périphériques, ces flux ne peuvent être réduits ni à un impérialisme économique, ni à un effet mécanique de la taille des marchés du livre (nombre de titres produits) dans chaque pays et langue, même si l'on observe une corrélation évidente. Le réductionnisme économique occulte, en effet, d'autres types de facteurs qui régissent ces échanges de même qu'ils conditionnent le fonctionnement du marché du livre et la production culturelle en général, à savoir ceux qui relèvent d'enjeux politiques et idéologiques, et ceux qui procèdent de logiques plus spécifiquement culturelles et plus ou moins propres à des domaines ou secteurs particuliers, comme la littérature, l'art ou la science. Trois logiques, économique, politique et culturelle, président donc aux échanges interculturels dans des proportions et selon des combinaisons qui varient dans l'espace, dans le temps et dans les différents domaines ou secteurs considérés. Elles sont incarnées par des agents, institutions et individus, et permettent de rendre compte de la diversité des fonctions sociales que remplit la traduction, comme il est expliqué au premier chapitre, qui propose un cadre théorique général.

Ces instances de médiation sont les principales productrices de données sur les flux de traductions. Les bases de données qu'elles ont constituées peuvent servir à une étude empirique de la circulation des livres traduits, à condition d'en bien comprendre la logique, laquelle varie selon qu'on passe des institutions étatiques (bibliographies nationales, bases de données constituées par les instituts de promotion des cultures nationales à l'étranger) ou interétatiques (Index Translationum de l'UNESCO), aux instances professionnelles du marché du livre (base de donnée bibliographique Electre, destinée aux libraires, données du Syndicat national de l'édition, catalogues d'éditeurs), ou encore aux bases constituées dans un cadre académique. Après une présentation de ces différentes sources, les usages qui peuvent en être faits et leurs limites, le chapitre 2 expose plus spécifiquement le travail de construction des bases de données réalisé dans le cadre de l'enquête collective et des recherches individuelles réunies ici, les variables retenues, les obstacles rencontrés. Par-delà le présent ouvrage, ce chapitre entend jeter les bases méthodologiques d'une analyse empirique des flux de traduction.

Le chapitre 3 propose une analyse globale de l'évolution de la structure du marché mondial de la traduction et de la place de la langue française sur ce marché, à partir des données de l'Index Translationum et de celles du Syndicat national de l'édition sur les contrats de cession et d'acquisition. L'augmentation des flux de traduction depuis les années 1980 révèle l'intensification des échanges interculturels. Marquée avant tout par la domination de l'anglais, cette intensification s'accompagne cependant d'une diversification des échanges. Si le français a maintenu sa position de deuxième langue centrale après l'anglais, suivi de très près par l'allemand, cette position a été fragilisée au cours des années 1990, et s'est rétablie notamment grâce à la mise en place de politiques spécifiques d'aide à l'extraduction en France et au Québec. La politique française d'aide à l'intraduction contribue en outre à faire du français une langue de médiation, notamment des langues périphériques vers les langues centrales comme l'anglais et l'allemand, ou semi-périphériques comme l'espagnol, et donc un facteur assurant la diversité culturelle et linguistique sur le marché mondial de la traduction.

Cette analyse d'ensemble doit cependant être nuancée selon les catégories de livres traduits, qui révèlent de fortes variations entre les langues. De telles variations reflètent à la fois la position de la langue sur le marché mondial de la traduction, la diversité des catégories de livres traduits croissant selon qu'on passe des langues périphériques ou langues centrales, et le capital symbolique spécifique accumulé par une langue (ou plutôt une culture) dans un domaine spécifique, comme la religion pour l'hébreu et l'arabe, ou la philosophie pour l'allemand.

L'analyse des livres de sciences humaines et sociales traduits pour la première fois ou retraduits en français entre 1985 et 2002, proposée au chapitre 4, montre ainsi l'autonomie relative de ce secteur par rapport aux logiques de marché. Non seulement l'anglais y est-il globalement sous-représenté par comparaison aux flux globaux de traduction, mais une simple répartition par disciplines fait apparaître des spécificités qui tiennent à des facteurs culturels : l'allemand arrive par exemple en tête parmi les ouvrages de philosophie traduits. Ces facteurs relèvent aussi bien du champ intellectuel que du champ académique, en raison notamment du rôle que joue en France l'édition de littérature générale dans la publication des livres de sciences humaines et sociales – rôle variable, certes, selon les disciplines, comme le confirme l'analyse des principaux éditeurs ayant fait paraître des traductions dans ce domaine. Ils ne sont pas non plus exempts, de ce fait, d'enjeux idéologiques comme en témoigne l'investissement de ce domaine par de petits éditeurs engagés.

G.S.

Chapitre premier

La traduction comme vecteur
des échanges culturels internationaux
par Johan Heilbron et Gisèle Sapiro

L'analyse sociologique des pratiques de traduction, telle qu'elle est apparue récemment dans un ensemble de recherches, est fondée sur une double rupture, avec l'approche interprétative du texte et de ses transmutations, et avec l'analyse économique des échanges transnationaux.

L'approche interprétative se subdivise en deux tendances : l'une, objectiviste, émane de la tradition herméneutique ; l'autre, subjectiviste, s'est développée depuis les années 1960 dans le cadre des *Cultural Studies*. Dans la problématique herméneutique, qui est au principe de plusieurs approches littéraires et philosophiques de la traduction, la production de traductions relève d'un « art de comprendre »[1] procédant, au même titre que l'interprétation, d'un « mouvement herméneutique »[2]

---

1. Hans Georg Gadamer, *Vérité et méthode. Les grandes lignes d'une herméneutique philosophique*, Paris, Seuil, 1976 (1ère édition allemande 1960).

2. George Steiner, *After Babel : Aspects of Language and Translation*, Oxford, Oxford University Press, 1975 (notamment pp. 296-303). L'analyse herméneutique que propose Steiner dans son essai, et qui s'oppose aux approches des linguistes centrées sur la notion d'équivalence des langues, remonte à Herder, Schleiermacher et aux romantiques allemands. Pour les textes historiques les plus importants sur la traduction (d'Hérodote et Cicéron jusqu'à Matthew Arnold et Nietzsche), voir l'anthologie de Douglas Robinson (éd.), *Western Translation Theory*, Manchester, St. Jerome Publishing, 1997.

qui a pour fin un accès au « sens » du texte et à son unicité. Le courant culturaliste place au contraire l'accent, dans une perspective relativiste, sur l'instabilité du sens, dû à la diversité des appropriations qui peuvent en être faites. Ces deux approches ont en commun de mettre entre parenthèses les conditions sociales de possibilité de la traduction, faisant l'impasse sur la pluralité des agents impliqués, ainsi que sur les fonctions effectives que peuvent remplir les traductions à la fois pour le traducteur, les médiateurs divers ainsi que pour les publics dans leurs espaces historiques et sociaux de réception.

La démarche économique, plus puissante socialement que l'approche interprétative mais beaucoup moins répandue dans les études de traduction, opère une réduction en quelque sorte inverse. Par opposition à l'obsession de la singularité textuelle ou de la fluidité de sa signification, la démarche économique identifie les livres traduits à la catégorie la plus générale des biens, à des marchandises produites et consommées selon la logique de marché, et circulant selon les lois du commerce, national et international. Or voir dans le livre traduit une marchandise comme une autre occulte la spécificité des biens culturels ainsi que les modalités propres de leur production et de leur valorisation. Le marché des biens symboliques a en effet des critères de hiérarchisation et une économie qui lui sont propres[3].

Rompant avec ces deux formes de réductionnisme, l'approche proprement sociologique prend pour objet l'ensemble des relations

---

3. Pierre Bourdieu, « La production de la croyance : contribution à une économie des biens symboliques », art. cité ; *Les Règles de l'art. Genèse et structure du champ littéraire*, Paris, Seuil, 1992. Plus récemment, les traductions ont été abordées dans le cadre d'une analyse économique de la diversité au sein la production éditoriale de livres. Cette démarche intéressante, qui fait appel aux principes mis en œuvre dans le cadre des études sur la biodiversité, à savoir la variété, l'équilibre et la disparité pour analyser la diversité offerte et la diversité consommée, prend comme nous le critère de l'origine linguistique en tant que mesure de la diversité culturelle, suivant en cela la définition de cette notion par l'UNESCO. Cependant, l'adoption de ce prisme occulte une des logiques spécifiques à l'édition et aux industries culturelles en général, à savoir la politique d'auteur comme mode d'accumulation de capital symbolique (pourtant prise en compte dans d'autres travaux d'une des auteures), qui contrebalance la tendance à la diversification des catalogues. Françoise Benhamou et Stéphanie Peltier, « Une méthode multicritère d'évaluation de la diversité culturelle : application à l'édition de livres en France », in Xavier Greffe (dir.), *Création et diversité au miroir des industries culturelles*, Paris, Ministère de la culture et de la communication, 2006. Françoise Benhamou, *L'Économie du star-system*, Paris, Odile Jacob, 2002.

sociales au sein desquelles les traductions sont produites et circulent. Elle rejoint, sous ce rapport, deux démarches voisines développées notamment par des comparatistes, des historiens de la littérature, des spécialistes d'aires culturelles et d'histoire intellectuelle : les *Translation Studi*es et les études des processus de «transfert culturel». Apparues dans les années 1970 dans des petits pays souvent plurilingues (Israël, Belgique, Pays-Bas)[4], les *Translation Studies*, tout en restant le plus souvent centrées sur les textes, réalisent un déplacement de la problématique : plutôt que de comprendre les traductions uniquement ou principalement par rapport à un original, texte-source ou langue-source, et d'inventorier de façon minutieuse les déviations dont il faudrait ensuite déterminer la légitimité, ou qui seraient inversement, selon la perspective culturaliste, ramenées au concept vague d'hybridation, elles se sont intéressées à des questions qui concernent le fonctionnement des traductions dans leurs contextes de production et de réception, c'est-à-dire dans la culture d'accueil[5]. Cette même question de la relation entre le contexte de production et de réception sous-tend l'étude des «transferts culturels», qui prend en compte les acteurs de ces transferts, institutions et individus, et leur inscription dans les relations politico-culturelles entre les pays étudiés, en laissant toutefois de côté les enjeux économi-

---

4. Les «*Translation Studies*» se sont constituées au cours des années 1970 et 1980 à travers des rencontres internationales de spécialistes se référant souvent aux travaux des formalistes russes et de leurs successeurs. Ce qui est généralement décrit comme le «colloque fondateur» s'est tenu à Louvain en 1976 ; James Holmes, José Lambert & André Lefevere (dir.), *Literature and Translation : New Perspectives in Literary Studies*, Université Catholique de Louvain, 1978. Il a été suivi notamment par la fondation en 1989 de la revue *Target : International Journal of Translation Studies* (publiée par John Benjamins Publishers), dirigée par Gideon Toury et José Lambert. Le label de «*Translation Studies*», au lieu de «traductologie» ou «science de la traduction», «*Uebersetzungswissenschaft*», a été proposé en 1972 par James Holmes, traducteur et poète américain à l'Université d'Amsterdam. Pour une introduction à ce domaine de recherche en quête de légitimité académique, voir, par exemple, l'anthologie de Lawrence Venuti (dir.), *The Translation Studies Reader*, London, Routledge, 2000 ; Mona Baker (dir.), *Routledge Encyclopedia of Translation Studies*, London, Routledge, 1998 ; Edwin Genzler, *Contemporary Translation Theories*, London, Routledge, 1993.

5. L'approche centrale, celle des «*Polysystem studies*», a été développée par Itamar Even-Zohar et Gideon Toury (Tel Aviv) ; voir en particulier Itamar Even-Zohar, «Polysystem Studies», *Poetics Today*, vol. 11, n° 1, 1990, et Gideon Toury, *Descriptive Translation Studies and Beyond*, Amsterdam/Philadelphie, John Benjamins, 1995. Voir aussi Anthony Pym (1992), *Translation and Text Transfer. An Essay on the Principles of Intercultural Communication*, Frankfurt/Berlin/Bern/New York/Paris/Wien, Peter Lang.

ques et le rôle de l'édition[6]. Le développement des travaux d'histoire
culturelle comparée a en outre donné lieu à une réflexion et à un débat
sur la manière adéquate d'articuler comparatisme et transferts[7].

Sortir d'une problématique intertextuelle, centrée sur le rapport
entre un original et sa traduction, conduit à poser une série de questions
proprement sociologiques, qui portent sur les enjeux et les fonctions des
traductions, leurs agences et agents, l'espace dans lequel elles se situent
et les contraintes, à la fois politiques et économiques, qui pèsent sur
elles. Une approche sociologique de la traduction doit prendre en compte
plusieurs aspects des conditions de circulation transnationale des biens
culturels, à savoir la structure de l'espace des échanges culturels internationaux, le type de contraintes – politiques et économiques – qui pèsent
sur ces échanges, les instances et agents de l'intermédiation, ainsi que
les processus d'importation et de réception dans le pays d'accueil[8]. On
abordera successivement ces aspects.

---

6. Voir notamment Michel Espagne et Michael Werner, *Philologiques,* Paris,
Éditions de la MSH, 1990-1994, 3 volumes. Jusqu'à une période récente, les historiens
du livre et de l'édition se sont peu intéressés à la traduction, sans doute en partie faute
de données fiables. Voir cependant la contribution de Jean-Yves Mollier, « Paris capitale éditoriale des mondes étrangers », in Pierre Milza et Antoine Marès (éds.), *Le Paris
des étrangers depuis 1945*, Paris, Publications de la Sorbonne, 1995, pp. 373-394, et
le chapitre rédigé par Gisèle Sapiro, « Traduction et mondialisation des échanges culturels : le cas du français », dans la réédition d'*Où va le livre*, sous la dir. de Jean-Yves
Mollier, Paris, La Dispute, 2007, chap. 10.

7. *Cf.* Christophe Charle, *Les Intellectuels en Europe au XIXe siècle. Essai d'histoire comparée*, Paris, Seuil, 1996. Michel Espagne, « Au-delà du comparatisme », in
Les Transferts culturels franco-allemands, Paris, Presses Universitaires de France,
1999, pp. 35-49 ; Michael Werner et Bénédicte Zimmerman (éd.), *De la comparaison
à l'histoire croisée*, Paris, Seuil, 2004.

8. On trouvera un aperçu des travaux sociologiques sur ces différents aspects dans
Johan Heilbron et Gisèle Sapiro (dir.), « Traduction, les échanges littéraires internationaux », *Actes de la recherche en sciences sociales*, n° 144, septembre 2002, et « La
circulation internationale des idées », *Actes de la recherche en sciences sociales*, n° 145,
décembre 2002. Voir aussi l'article de Joseph Jurt, « L'"intraduction" de la littérature
française en Allemagne », *Actes de la recherche en sciences sociales*, n° 130, 1999, pp.
86-89.

L'ESPACE INTERNATIONAL

En tant que transfert interculturel, la traduction dépend d'un espace de relations internationales, constitué à partir de l'existence des États-nations et des groupes linguistiques liés entre eux par des rapports de concurrence et de rivalité. La sociologie de la traduction s'inscrit ainsi plus généralement dans le programme proposé par Pierre Bourdieu sur les conditions sociales de la circulation internationale des biens culturels[9]. Pour comprendre l'acte de traduire, il faut donc, dans un premier temps, l'analyser comme imbriqué dans un système de relations entre des pays, leurs cultures et leurs langues. Dans ce système, les ressources économiques, politiques et culturelles sont inégalement distribuées, ce qui engendre des échanges asymétriques reflétant des rapports de domination[10].

Le système mondial des traductions peut par conséquent être décrit comme un ensemble de relations fortement hiérarchisées dont le fonctionnement révèle plusieurs mécanismes généraux[11]. Les données statistiques concernant le marché international des livres traduits permettent de dégager la structure des échanges dans ce domaine. Étant donné qu'environ la moitié des livres traduits mondialement le sont de l'anglais, cette langue occupe la position la plus centrale, qu'on peut appeler hyper-centrale. Viennent ensuite, loin derrière, tout en restant centrales, deux langues, l'allemand et le français, qui représentent entre 10 et 12 % du marché mondial des traductions. Huit langues ont une position semi-périphérique avec une part du marché international qui varie de 1 à 3 % (c'est le cas de l'espagnol et de l'italien par exemple). Les autres langues ont toutes une part de moins d'un pour cent du marché international, et peuvent donc être considérées comme périphériques. Ceci en dépit du fait que certaines entre elles, le chinois, l'arabe ou le japonais, repré-

---

9. Pierre Bourdieu, «Les conditions sociales de la circulation international des idées», *Actes de la recherche en sciences sociales*, n° 145, décembre 2002, pp. 3-8.

10. *Cf.* Abram de Swaan, "The Emergent World Language System", *art. cité*; *Words of the World, op. cit.*, et Armand Mattelart, *Diversité culturelle et mondialisation*, Paris, La Découverte, coll. «Repères», 2005, rééd. 2007.

11. Johan Heilbron, «Towards a Sociology of Translation. Book Translations as a Cultural World System», art. cité. et Johan Heilbron, Wouter de Nooy et Wilma Tichelaar (red.), *Waarin een klein land. Nederlandse cultuur in internationaal verband*, Amsterdam, Prometheus, 1995.

sentent des groupes linguistiques parmi les plus importants en nombre de locuteurs. Ce qui signifie que le nombre de locuteurs n'est pas un facteur explicatif déterminant de la hiérarchisation entre « langues centrales » et « langues périphériques ».

Cette structure hiérarchisée induit d'emblée certaines régularités dans les modalités de circulation des textes par voie de traduction. Premier constat : les flux de traduction vont du centre vers la périphérie plutôt que l'inverse. Deuxième constat : la communication entre langues périphériques passe très souvent par l'intermédiaire d'un centre. Plus une langue est centrale, plus elle a la capacité de fonctionner comme langue intermédiaire ou véhiculaire. La traduction anglaise ou française d'un ouvrage norvégien ou coréen est aussitôt annoncée par son éditeur, qui sait que la traduction dans une langue centrale sera immédiatement suivie d'une vague plus ou moins grande de traductions dans d'autres langues. Une autre tendance observable concerne la variété des ouvrages traduits. Plus une langue est centrale dans le système mondial de traduction, plus nombreux sont les genres de livres traduits de cette langue.

La part inégale que les différents pays consacrent à la traduction atteste également ces rapports de force. La caractéristique peut-être la plus saillante du point de vue du fonctionnement de cet espace concerne le rapport entre le degré de centralité et l'importance relative des traductions. En général, plus une langue est centrale dans le système de traduction, moins on traduit dans cette langue. Alors que les pays dominants « exportent » largement leurs produits culturels et traduisent peu dans leur langue, les pays dominés « exportent » peu et « importent » beaucoup de livres étrangers, par la traduction notamment : ainsi, au début des années 1990[12], la proportion des livres traduits représentait, aux États-Unis et en Angleterre, moins de 4 % de la production nationale des livres. En France et en Allemagne, cette proportion variait de 14 à 18 %. Pour l'Italie et l'Espagne elle s'élevait à près de 24 %. De même, au Pays-Bas ou en Suède un quart des livres publiés sont des traductions. Au Portugal ou en Grèce, le pourcentage atteint 35 %, voire même 45 %.

Tout semble ainsi indiquer un rapport inverse entre le degré de centralité d'une langue dans l'espace international des traductions et la part des traductions dans la production nationale des livres dans cette

---

12. Valérie Ganne et Marc Minon, « Géographies de la traduction », in François Barret-Ducrocq (dir.), *Traduire l'Europe*, Paris, Payot, 1992, p. 79. Voir aussi Joseph Jurt, « L'« intraduction » de la littérature française en Allemagne », art. cité.

langue. Plus la production culturelle d'un pays est centrale, plus elle sert de référence dans d'autres pays, mais moins on traduit dans cette langue. Ce n'est pas un hasard si les *Translation Studies* se sont développées plus particulièrement dans les petits pays (Pays-Bas, Belgique, Israël), où les traductions ont bien plus de poids que dans les pays occupant une position dominante dans cet espace. De ce fait, il y a peut-être dans les *Translations Studies* une propension à surestimer l'importance des traductions. Celle-ci varie selon les contextes nationaux et internationaux.

Analyser les flux de traduction à la lumière des rapports de force entre langues permet aussi de mieux comprendre les effets des changements historiques. La perte du prestige ou du pouvoir d'un pays et de sa langue sur la scène internationale a des conséquences sur le niveau des activités de traduction. Après l'effondrement des régimes socialistes, la position internationale du russe a connu un tel changement brutal : le nombre des traductions du russe a fortement baissé et cette baisse a été, en effet, accompagnée d'une forte hausse du nombre de traductions étrangères publiées en Russie. Le déclin relatif du français a été de la même manière accompagné d'une croissance du nombre des traductions dans cette langue (voir chapitre 3). La taille du marché national, qui est parfois considérée comme le facteur suffisant pour expliquer la part des traductions, est restée stable dans ces deux cas et ne peut expliquer ces changements. Et si la présence d'une langue sur le marché international de la traduction, notamment du point de vue du nombre de titres qui en sont traduits, est fortement liée à l'importance de la production éditoriale dans cette langue, cette variable elle-même n'est pas réductible à la logique économique, elle dépend aussi de facteurs culturels et politiques : c'est la libéralisation de l'imprimé qui a permis l'essor du commerce du livre dans le monde occidental à partir du 18e siècle ; à l'inverse, le contrôle étroit de la publication dans les régimes communistes a permis à l'URSS d'exercer un véritable impérialisme culturel en Europe de l'Est[13].

---

13. Voir sur ce point Ioana Popa, « Le réalisme socialiste un produit d'exportation politico-littéraire », *Sociétés & Représentations* n° 15, décembre 2002, pp. 261-292.

LES PRINCIPES DE DIFFÉRENCIATION
DES LOGIQUES D'ÉCHANGE

Les échanges culturels internationaux sont donc déterminés par trois principaux facteurs : les relations politiques entre les pays, le marché des biens cuturels (en l'occurrence, le marché du livre) et les échanges proprement culturels, qui peuvent jouir d'une relative autonomie dans les différents domaines artistique, littéraire et scientifique. Les contraintes externes qui pèsent sur la production et la circulation des biens symboliques et sur les échanges culturels internationaux sont de deux types : politiques (ou plus largement idéologiques) et économiques. Le mode de circulation des textes dépend de ces différentes logiques, selon la structure des champs de production culturelle dans les pays d'origine et d'accueil, leur degré d'autonomie par rapport à ces deux types de contraintes, et les modalités de l'exportation et de l'importation, qui conditionnent en partie le transfert.

Ainsi, dans des pays où le champ économique est subordonné au champ politique et où les instances de production culturelles ainsi que l'organisation des professions intellectuelles sont étatiques, comme dans les pays fascistes ou communistes, la production et la circulation des biens symboliques apparaissent d'emblée fortement politisées. Cette surpolitisation a largement déterminé l'importation des littératures d'Europe de l'Est en France pendant la période communiste, qu'il s'agisse de la circulation légale ou illégale des œuvres[14].

Au pôle opposé, certains transferts culturels peuvent paraître principalement régis par la logique de marché. Dans les cas d'extrême libéralisation du marché du livre, comme aux États-Unis, les biens culturels constituent avant tout des produits commerciaux soumis à la loi de la rentabilité : le processus de fabrication de *best-sellers* mondiaux standardisés en est l'illustration. Le champ éditorial est de plus en plus dominé par des grands groupes économiques, qui ont tendance à imposer des critères de rentabilité et des modes de fonctionnement commer-

---

14. Ioana Popa, « Un transfert littéraire politisé. Circuits de traduction des littératures d'Europe de l'Est en France, 1947-1989 », art. cité et *La Politique extérieure de la littérature. Une sociologie de la traduction des littératures d'Europe de l'Est (1947-1989)*, thèse de doctorat de sociologie, Paris, EHESS, 2004. Voir aussi chapitre 9.

ciaux au détriment de la logique littéraire et intellectuelle[15]. L'exemple
de l'importation de la littérature italienne en France montre l'impact
croissant des logiques économiques sur le transfert littéraire (voir
chapitre 7)[16]. Ce phénomène touche également des secteurs en principe mieux protégés, tels que l'édition universitaire, qui traverse actuellement une grave crise aux États-Unis et en Grande-Bretagne[17]. Mais
même la logique purement économique en matière d'édition doit être
décrite et analysée d'une façon plus fine que ne le font les modèles
standards de l'économie de la culture. L'offre et la demande ne sont
pas simplement données, elles sont des constructions sociales portées
par des groupes spécifiques, et dans ce travail de construction interviennent des instances non-marchandes, notamment des institutions
étatiques et des instances culturelles[18]. Contrairement à la définition
économique de l'économie, d'autres dimensions, notamment des dimensions politiques et symboliques, sont présentes et leur efficacité propre
ne peut être ignorée si l'on veut comprendre le fonctionnement effectif
des marchés[19].

---

15. Pierre Bourdieu, « Une révolution conservatrice dans l'édition », art. cité. Sur
les enjeux économiques de ces concentrations, voir notamment Bénédicte Reynaud,
« L'emprise de groupes sur l'édition française au début des années 1980 », *Actes de la
recherche en sciences sociales*, n° 130, décembre 1999, pp. 3-11 ; Claudia Schalke et
Markus Gerlach, « Le paysage éditorial allemand », *Actes de la recherche en sciences
sociales*, n° 130, décembre 1999, pp. 29-47 ; André Schiffrin, *L'Édition sans éditeurs*,
Paris, La Fabrique, 1999.

16. Voir aussi la thèse d'Anaïs Bokobza, *Translating literature. From Romanticized Representations to the Dominance of a Commercial Logic : the Publication of
Italian Novels in France (1982-2001)*, thèse de doctorat de sociologie, Institut Universitaire Européen de Florence, 2004.

17. John Thompson, *Books in the Digital Age. The Transformation of Academic
and Higher Education Publishing in Britain and the United States*, Cambridge, Polity
Press, 2005 et « L'édition savante à la croisée des chemins », *Actes de la recherche en
sciences sociales*, no. 164, 2006, pp. 93-98 ; André Schiffrin, *The Business of Books*,
New York, Verso, 2000, pp. 136-141.

18. Pierre Bourdieu, « La production de la croyance : contribution à une économie
des biens symboliques », art. cité.

19. *Cf.* Pierre Bourdieu, *Les Structures sociales de l'économie*, Paris, Seuil, 2000.
Neil J. Smelser and Richard Swedberg (eds), *The Handbook of Economic Sociology*,
Princeton & Oxford/NY, Princeton UP/Russel Sage Foundation, 2005 (2nd edition).

Entre ces deux logiques, politique et économique, qui ne déterminent jamais à elles seules les transferts culturels[20], on trouve une série
d'agencements possibles dans lequel le poids relatif de l'une et de l'autre
varie, selon le degré de protection du marché national et la fonction plus
ou moins idéologique attribuée à la culture. Qui plus est, interviennent
aussi généralement des facteurs proprement culturels, qui leur sont irréductibles.

L'autonomie relative des champs culturels a en effet été conquise
contre ces deux types de contraintes qui continuent à régir la production et la circulation des biens symboliques[21]. Les cultures nationales
sont elles-mêmes dotées d'un capital symbolique relativement autonome
par rapport aux relations de pouvoir économique et politique entre les
pays ou entre communautés linguistiques. Les échanges littéraires transnationaux sont l'expression de rapports de domination symbolique repo-
sant sur la distribution inégale du capital linguistico-littéraire[22]. Les
langues dominées sont des langues peu dotées en capital littéraire et en
reconnaissance internationale. Les langues dominantes, du fait de leur
prestige spécifique, de leur ancienneté, du nombre de textes déclarés
universels écrits dans ces langues, sont détentrices d'un capital littéraire
important. Cette accumulation différenciée de capital symbolique, qui
peut varier selon les domaines de création concernés, fonde un rapport
de force inégal entre les cultures nationales, qui a des conséquences sur
la réception des biens culturels ainsi que sur leur fonctions et usages :
ainsi, pour un champ littéraire national en voie de constitution, la traduction d'une œuvre canonique de littérature classique peut servir à accumuler du capital symbolique ; à l'inverse, la traduction d'un texte d'une
littérature dominée dans une langue dominante comme l'anglais ou le
français constitue une véritable consécration pour l'auteur.

---

20. Si les contraintes économiques dans ce domaine se font de plus en plus pres-
santes, la circulation des biens culturels ne peut être réduite uniquement à des facteurs
économiques tels que la conquête de nouveaux marchés et la recherche de «rentes de
monopole», comme le suggèrent les analyses marxistes, qui n'en demeurent pas moins
stimulantes ; voir notamment David Harvey, *Géographie de la domination, op. cit.*

21. Pierre Bourdieu, «Le marché des biens symboliques», *L'Année sociologique*,
vol. 22, 1971. pp. 49-126 et *Les Règles de l'art, op. cit.* Voir aussi Gisèle Sapiro, "The
Literary Field : between the State and the Market", *Poetics. Journal of Empirical
Research on Culture, the Media and the Arts*, vol. 31, n° 5-6, octobre-décembre 2003,
pp. 441-461.

22. Pascale Casanova, *La République mondiale des lettres, op. cit.*

Avec l'unification d'un marché mondial de la traduction, l'espace de la circulation des textes est de plus en plus structuré autour de l'opposition entre un pôle de grande production et un pôle de production restreinte. Si la fabrication de best-sellers mondiaux, rendue possible par la libéralisation des échanges, illustre la logique économique de la quête de rentabilité à court terme, une bonne part du processus d'importation des littératures étrangères relève de la logique de ce que Pierre Bourdieu a appelé la « production restreinte »[23], c'est-à-dire la production à rotation lente, qui se projette sur le long terme et vise la constitution d'un fonds, comme en témoignent les modes de sélection (souvent fondés sur des critères de valeur littéraire plutôt que sur les chances de succès auprès d'un large public) et les faibles tirages (voir chapitre 6). La catégorie des essais se répartit selon la même opposition entre l'actualité, les documents, les biographies, etc., qui visent le public le plus large, et les ouvrages de sciences humaines et sociales, à circulation restreinte et à rotation lente (voir chapitre 4). Les acteurs de l'intermédiation peuvent eux-mêmes être différenciés selon un clivage semblable, selon qu'ils interviennent plutôt à l'un de ces pôles qu'à l'autre, comme on va le voir.

L'espace de production restreinte s'appuie le plus souvent sur un système d'aides à l'édition et à la traduction. En France, un système d'aide à la traduction en français des littératures des petits pays a ainsi été mis en place à partir de la fin des années 1980 (voir chapitre 3). De tels systèmes d'aide relèvent des politiques culturelles qui se sont développées dans le cadre du processus de patrimonialisation des biens culturels au niveau national. À la différence des régimes politiques non libéraux où la régulation de la production culturelle a pour objet son contrôle et son orientation idéologique, comme ce fut le cas dans les régimes fascistes ou communistes, l'intervention de l'État en démocratie libérale est destinée à endiguer les effets des contraintes mercantiles dans une économie de libre-échange, notamment le risque de standardisation et d'uniformisation de produits culturels visant le plus grand nombre de consommateurs. Constitué sous l'impulsion des acteurs du champ litté-

---

23. Pierre Bourdieu, « La production de la croyance », art. cité, et « Une révolution conservatrice dans l'édition », art. cité. Voir aussi Gisèle Sapiro, "Translation and the field of publishing : A commentary on Pierre Bourdieu's 'A conservative revolution in publishing' from a translation perspective", *Translation Studies*, vol. 1, n° 2, 2008, pp. 154-167.

raire et du marché du livre, auteurs, éditeurs, libraires, ce système de protection du circuit de production restreinte, variable selon les pays, atteste la reconnaissance par les États d'une légitimité symbolique résultant du processus d'autonomisation des champs de production culturelle[24]. Fondé sur la croyance partagée que le livre n'est pas une marchandise comme les autres, il se traduit aussi dans certains cas par un cadre réglementaire, tels que le prix unique du livre ou l'interdiction de la publicité télévisée pour l'édition en France, réglementation aujourd'hui menacée par l'extension des principes du libre-échange aux services dans le cadre de l'OMC[25].

Un des cadres réglementaires qui a le plus cristallisé d'oppositions dans le domaine du livre concerne la législation sur le droit d'auteur. Selon la conception français du droit d'auteur, apparue en 1777, et adoptée au niveau international dès le 19e siècle, avec la Convention de Berne, première convention internationale de la propriété littéraire et artistique, signée en 1886, le droit moral (droit de divulgation, droit au respect, droit au repentir) est inaliénable : ainsi, une œuvre ne peut, par exemple, être coupée sans l'autorisation de l'auteur ou de ses ayant droits. C'est ce qui différencie le droit d'auteur de la législation américaine sur le copyright, qui considère le livre comme un bien commercial comme les autres (pour cette raison, les États-Unis ont longtemps refusé de signer le paragraphe sur le droit moral dans la convention internationale). Or les accords internationaux de 1994 sur la propriété intellectuelle (ADIPC) adoptent la Convention de Berne à l'exception du paragraphe sur le droit moral, devenu cessible, ce qui implique un changement de la conception dominante du livre, désormais considéré comme un bien commercial.

---

24. Vincent Dubois, *La Politique culturelle. Genèse d'une catégorie d'intervention publique*, Paris, Belin, 1999 ; et Gisèle Sapiro, "The Literary Field : between the State and the Market", art. cité.

25. Yves Surel, *L'État et le livre*, *op. cit.*, pp. 289-300. Voir aussi François Rouet et Xavier Dupin, *Le Soutien aux industries culturelles,* Paris, La Documentation française, 1991.

LES AGENTS DE L'INTERMÉDIATION

Les échanges culturels internationaux s'organisent à travers des institutions et des acteurs relevant des différentes logiques politiques (instituts culturels, instances d'attribution d'aides, attachés culturels, chargés du livre, etc.), économiques (éditeurs, agents littéraires) et culturelles (traducteurs, auteurs, prix littéraires, etc.), ces catégories n'étant évidemment pas étanches : ainsi les attachés culturels sont souvent recrutés parmi les agents culturels, nombre d'éditeurs se conçoivent souvent aussi comme des intermédiaires culturels, découvreurs et producteurs de goût, voire comme des intellectuels à part entière, et ainsi de suite.

Le processus de construction culturelle des identités nationales, étroitement lié à la formation des États-nations et à la concurrence entre eux du point de vue de leur sphère d'influence[26], impliquait en retour une régulation des échanges diplomatiques et culturels, prise en charge par un ensemble d'instances : ambassades, instituts culturels[27], instituts de traduction, revues destinées à présenter une littérature nationale à l'étranger, etc. Dès la fin du 18e siècle, la mise en place d'une législation sur le droit d'auteur vise à protéger le marché du livre régnicole des contrefaçons étrangères[28]. Avec l'industrialisation du marché du livre et la croissance du lectorat à la faveur de l'alphabétisation, puis avec la libéralisation des échanges culturels, ont émergé un groupe de spécialistes du commerce du livre traduit : maisons d'édition indépendantes,

---

26. Anne-Marie Thiesse, *La Création des identités nationales. Europe XVIIe siècle-XXe siècle*, Paris, Seuil, 1999.

27. Christophe Charle montre par exemple que la multiplication des Instituts culturels français à l'étranger sous la Troisième République procède d'une logique d'expansion dans laquelle la science et la culture sont censées jouer un rôle central ; voir Christophe Charle, « Enseignement supérieur et expansion internationale (1870-1930). Des instituts pour un nouvel empire ? », in Johan Heilbron, Remi Lenoir et Gisèle Sapiro (dir.), *Pour une histoire des sciences sociales. Hommage à Pierre Bourdieu*, Paris, Fayard, 2004, pp. 323-349.

28. Voir Laurent Pfister, *L'Auteur, propriétaire de son œuvre ? La formation du droit d'auteur du XVIe siècle à la loi de 1957*, thèse de droit, Université Strasbourg, 1999, Bernard Edelmann, *Le Sacre de l'auteur*, Paris, Seuil, 2004 et Roger Chartier, *Inscrire et effacer. Culture écrite et littérature (XIe-XVIIIe siècle)*, Paris, Gallimard/Seuil, 2005, pp. 177-192.

service des droits étrangers en leur sein, agents littéraires, foires internationales du livre. Le développement du marché des biens culturels et
la libéralisation des échanges depuis la fin de la Deuxième Guerre
mondiale ont contribué à marginaliser les instances étatiques, au profit
des acteurs économiques. Ayant renoncé à leurs circuits d'exportation
propres, les agents étatiques participent désormais à l'organisation des
échanges commerciaux : les instituts de traduction se comportent de plus
en plus comme des agents littéraire, les services destinés à promouvoir
les cultures nationales à l'étranger travaillent de plus en plus étroitement
avec les acteurs du marché, éditeurs et agents littéraires, les collectivités
locales peuvent prendre part à l'organisation des foires du livre, comme
dans le cas de la foire de Jérusalem. En même temps, leur pouvoir de
décision s'est largement réduit, et les éditeurs n'hésitent pas à contourner
ces intermédiaires officiels pour prendre des avis auprès d'acteurs du
champ littéraire du pays d'origine tels que les auteurs ou les critiques.

   En effet, au-delà de ces spécialistes de l'intermédiation, les échanges
littéraires dépendent aussi d'un ensemble d'agents spécifiques du champ
littéraire, auteurs, traducteurs, critiques auxquels le travail fondé sur des
ressources linguistiques et sociales propres procure des bénéfices spécifiques. Ces interrelations se prêteraient aisément à une analyse de réseau[29].
Les conditions d'importation de la science fiction américaine en France
après la Deuxième Guerre mondiale illustrent bien ces logiques[30]. L'apparition d'un groupe d'importateurs et leur spécialisation peut ainsi favoriser la traduction de la production littéraire d'un petit pays dans une
langue centrale, comme l'illustre le cas de l'importation de la littérature
hébraïque en France[31].

   Les traducteurs littéraires se distinguent sous beaucoup de rapports,
y compris sous le rapport économique, de l'ensemble des traducteurs
«techniques» et professionnels, clivage qu'illustre, par exemple, le fait
qu'ils soient organisés en deux associations professionnelles distinctes.

---

   29. Stanley Wasserman and Katherine Faust, *Social Network Analysis*, Cambridge,
Cambridge University Press, 1994.

   30. Jean-Marc Gouanvic, "Translation and the Shape of Things to Come : The
Emergence of American Science Fiction in Post-War France", *The Translator* 3:2, 1997,
pp. 123-132.

   31. Gisèle Sapiro, «L'importation de la littérature hébraïque en France : entre
communautarisme et universalisme», *Actes de la recherche en sciences sociales*, n° 144,
septembre 2002, pp. 80-98. Voir aussi chapitre 14.

L'organisation professionnelle des traducteurs est relativement récente : en France, la Société des traducteurs (SFT) a été fondée en 1947, et l'Association des traducteurs littéraires en 1973[32]. Encore faiblement différenciée en tant qu'activité au début du 20e siècle, le traducteur étant encore souvent lui-même un auteur, un commentateur, un enseignant et/ou un critique[33], la pratique de la traduction littéraire a connu un processus de spécialisation sous l'emprise de deux facteurs principaux : d'un côté, le développement et l'institutionnalisation de l'enseignement des langues qui a permis l'apparition de spécialistes dotés de compétences certifiées ; de l'autre, la demande éditoriale croissante en cette matière.

Le développement professionnel qui s'est amorcé à la suite de ce processus de spécialisation a cependant rencontré des obstacles. Du point de vue des conditions d'exercice du métier, le monde des traducteurs littéraires est fortement divisé entre le pôle académique et le pôle professionnel (éditorial), division qui recoupe en partie d'autres clivages sociaux comme le sexe[34]. Il se caractérise par un individualisme qui résulte autant des conditions d'exercice du métier que du principe de singularité vocationnel et élitiste importé du monde des lettres[35]. Comme dans le champ littéraire, les divisions liées aux conditions hétérogènes du métier associées à cet individualisme élitiste et aux logiques de concurrence ont longtemps fait obstacle à l'organisation corporative de ces spécialistes dans les pays d'Europe de l'Ouest, à la différence des régimes communistes où les professions intellectuelles étaient organisées dans un cadre étatique strict[36].

Ces éléments de division incitent d'aucuns à aborder l'activité de traduction comme un champ régi par une logique de concurrence pour le monopole de la légitimité fondée sur l'accumulation de capital symbo-

---

32. Nathalie Heinich, « Les traducteurs littéraires : l'art et la profession », *Revue française de sociologie*, n° 25, 1984, pp. 264-280.

33. Voir Blaise Wilfert, « Cosmopolis et l'homme invisible. Les importateurs de littérature étrangère en France, 1885-1914 », *Actes de la recherche en sciences sociales*, n° 144, 2002, pp. 33-46.

34. Voir Isabelle Kalinowski, « La vocation au travail de la traduction », *Actes de la recherche en sciences sociales*, n° 144, 2002, pp. 47-54.

35. Nathalie Heinich, *L'Élite artiste. Excellence et singularité en régime démocratique*, Paris, Gallimard, 2005 et Gisèle Sapiro, « Je n'ai jamais appris à écrire. Les conditions de la formation de vocation d'écrivain », *Actes de la recherche en sciences sociales*, n° 165, juin 2007, pp. 12-33.

36. Pour le champ littéraire, voir Gisèle Sapiro, « Entre individualisme et corporatisme : les écrivains dans la première moitié du xxe siècle », in Steven Kaplan et Philippe Minard, *La France malade du corporatisme ?* Paris, Belin, 2004, pp. 279-314.

lique[37]. Cette démarche a le mérite de rompre avec une approche en termes de sociologie des professions et de professionnalisation, dont les limites ont déjà été soulignées[38], mais elle risque de justifier l'autonomisation méthodologique d'un objet encore faiblement autonomisé dans la réalité. Il semble que sous des conditions qui restent à préciser, la traduction pourrait en effet constituer un sous-champ, c'est-à-dire un espace ayant un enjeu propre et connaissant un certain degré d'autonomie par rapport à d'autres champs : c'est le cas, par exemple, de la traduction littéraire dans des contextes nationaux où elle est très valorisée (comme l'indiquent l'existence des écoles spécifiques, un système de soutien et de subvention, des formes de reconnaissance et de consécration, etc.), mais même dans un tel cas de figure, la traduction littéraire reste dominée par des enjeux et des critères proprement littéraires, c'est-à-dire par ce qui constitue l'enjeu du champ littéraire lui-même, et seulement secondairement par celui du sous-champ de la traduction. En outre, si dans les petits pays, où la traduction rapporte des profits symboliques importants et où la concurrence est élevée du fait de l'étroitesse du marché, l'espace de la traduction tend à fonctionner comme un espace de concurrence relativement unifié, il est beaucoup plus fractionné (notamment entre les spécialités linguistiques) et cloisonné dans les grands pays, même s'il se structure selon des hiérarchies tacites (classiques vs. contemporains, hiérarchie des langues), et s'il tend à s'unifier autour d'instances professionnelles.

LES LOGIQUES DE RÉCEPTION

Ainsi, pour comprendre les logiques qui président à la traduction des littératures étrangères, il faut les rapporter non seulement à la struc-

---

37. Rakefet Sela-Sheffy, "How to Be a (Recognized) Translator : Rethinking Habitus, Norms, and the Field of Translation", *Target*, n° 17/1, 2005.

38. Voir notamment Jean-Michel Chapoulie, « Sur l'analyse sociologique des groupes professionnels », *Revue française de sociologie*, XIV-1, janvier-mars 1973, pp. 86-114 ; Johan Heilbron, « La professionnalisation comme concept sociologique et comme stratégie des sociologues », in *Historiens et sociologues aujourd'hui*, Paris, Éditions du CNRS, 1986, pp. 61-73 ; et Andrew Abbott, *The System of Professions. An Essay on the Division of Expert Labor,* Chicago-Londres, The University of Chicago Press, 1988.

ture de l'espace international décrit ci-dessus, mais aussi à la structure de l'espace de réception, suivant qu'il est lui aussi plus ou moins régi prioritairement par la logique de marché ou par une logique politique, et aux principes de fonctionnement de ses instances : contrôle de l'imprimé, structure du champ éditorial, collections spécialisées, politique éditoriale de chaque maison, espace des revues et périodiques, modes de consécration (prix littéraires, distinctions), etc.

Dans son article sur « les conditions sociales de la circulation internationale des idées », Pierre Bourdieu, reprenant une proposition de Marx, rappelait que « les textes circulent sans leur contexte », ce qui génère souvent des malentendus[39]. La réception est en partie déterminée par les représentations de la culture d'origine et du statut (central ou périphérique) de la langue. Les récepteurs les réinterprètent en fonction des enjeux propres à l'espace d'accueil. Les œuvres traduites peuvent être appropriées de façons diverses et parfois contradictoires, en fonction des enjeux propres au champ intellectuel de réception[40].

D'une manière plus générale, les fonctions de la traduction sont multiples : instrument de médiation et d'échange, elle peut aussi remplir des fonctions politiques ou économiques, et constituer un mode de légitimation, dont tant les auteurs que les médiateurs peuvent être les bénéficiaires. La valeur de la traduction ne dépend pas seulement de la position des langues, mais aussi de la position des auteurs traduits et de celle des traducteurs, ceci à la fois dans le champ littéraire national et dans l'espace littéraire mondial[41]. La traduction dans les langues centrales constitue une consécration qui modifie la position d'un auteur dans son champ d'origine. Elle peut être aussi un mode d'accumulation de capital littéraire pour des groupes, comme les romantiques allemands, et pour des littératures nationales en voie de constitution, ainsi que l'illustre le cas des traductions en hébreu dans les années 1920[42].

---

39. Pierre Bourdieu, « Les conditions sociales de la circulation internationale des idées », art. cité, p. 4.

40. Pour un bilan critique des travaux sur la réception et de nouvelles orientations, voir Isabelle Charpentier, (dir.), *Comment sont reçues les œuvres*, Paris, Creaphis, 2006.

41. Pascale Casanova, « Consécration et accumulation de capital littéraire. La traduction comme échange inégal », art. cité.

42. Voir Zohar Shavit, « Fabriquer une culture nationale », *Actes de la recherche en sciences sociales*, n° 144, 2002, pp. 21-33 et chapitre 14.

On retrouve cette double fonction de la traduction au niveau des instances, maisons d'édition ou revues : si les éditeurs détenteurs d'un important capital littéraire ont un pouvoir de consécration des auteurs qu'ils traduisent, la traduction est un moyen d'accumuler du capital symbolique pour une maison dépourvue de capitaux économique et culturel à l'origine[43]. Les stratégies des auteurs représentent un large continuum de possibilités. Les auteurs dominés dans un champ dominant peuvent, par exemple, essayer d'améliorer leur position en traduisant des auteurs dominants des champs dominés. Les débutants ou les auteurs ayant une position relativement en marge sont souvent tentés par la traduction des auteurs prometteurs encore inconnus : on peut penser à Larbaud traduisant *Ulysse* de Joyce pour ne citer qu'un exemple canonique. Au niveau des médiateurs, les usages de la traduction varient là encore de la consécration de l'auteur traduit à l'auto-consécration du traducteur et selon le type de valorisation de ressources spécifiques qu'elle permet[44]. Toutes ces fonctions ont des effets sur les stratégies textuelles et les choix stylistiques en matière de traduction, mais celles-ci sont aussi le fruit d'un ajustement entre d'un côté des contraintes normatives dépendant du cadre national et éditorial, du genre, du degré de légitimité du texte, etc.[45], de l'autre, l'habitus du traducteur, qui inclut son rapport aux langues concernées[46].

---

43. Voir Hervé Serry, « Constituer un catalogue littéraire. La place des traductions dans l'histoire des Éditions du Seuil », *Actes de la recherche en sciences sociales*, n° 144, septembre 2002, pp. 70-79.

44. Le cas récent de la nouvelle traduction de la Bible en français chez Bayard, qui associait des agents issus du monde littéraire (écrivains reconnus) et religieux (exégètes attitrés), constitue un exemple intéressant, quoique assez exceptionnel, de convergence d'intérêts spécifiques très distincts ; voir Pierre Lassave, « Sociologie de la traduction, l'exemple de la "Bible" des écrivains », *Cahiers internationaux de sociologie*, vol. CXX, 2006, pp. 133-154. Voir aussi Isabelle Kalinowski, *Une Histoire de la réception de Hölderlin en France*, thèse de doctorat, Paris, Université Paris XII, 1999.

45. La dimension socio-culturelle des contraintes qui pèsent sur l'acte de traduire, et qui dépend très largement de la culture-cible, a été mise en avant par Gideon Toury, « The nature and Role of norms in Translation », *Descriptive Translation Studies*, *op. cit.*, pp. 53-69 ; les pratiques de traduction se différencient cependant aussi selon le type de contrainte sociale qui pèsent sur elle ; cf. Gisèle Sapiro, « Normes de traduction et contraintes sociales », in Anthony Pym (dir.), *Beyond Descriptive Translation Studies*, Benjamins Press, sous presse.

46. Daniel Simeoni, "The Pivotal Status of the Translator's Habitus", *Target*, Vol. 10:1, 1998, pp. 1-39. Pour une étude de cas, voir Jean-Marc Gouanvic, *Pratique sociale de la traduction. Le roman réaliste américain dans le champ littéraire français (1920-1960)*, Arras, Artois Presses Université, 2007.

Enfin, la traduction littéraire peut jouer un rôle dans la création des identités collectives. La littérature, l'art et la musique ont joué un rôle central dans la création culturelle des identités nationales en Europe[47]. Nous avons déjà évoqué, à propos des traductions en hébreu dans les années 1920, le rôle des traductions dans la constitution des cultures nationales. Autre exemple, l'affirmation des identités nationales du Brésil et de l'Argentine s'est effectuée à travers un processus d'échanges culturels concurrentiels dans lesquels les traductions d'ouvrages brésiliens en Argentine ont joué un rôle important, tout au long du 20e siècle[48]. Un usage semblable des biens symboliques s'observe également dans la construction des identités sociales, identité religieuse, identité de genre, identité locale (régionalisme), identité de groupe social (littérature prolétarienne)[49]. Ce travail de construction est souvent d'autant plus important que le groupe est dominé. La réception transnationale de biens symboliques peut ainsi avoir une fonction de maintien identitaire de communautés d'immigrés ou de minorités religieuses.

Pour comprendre la traduction comme pratique sociale et comme vecteur des échanges culturels internationaux, il est nécessaire de réintégrer dans l'analyse tous les acteurs – individus et institutions – qui en sont partie prenante. Il faut tout d'abord la resituer dans l'espace international de circulation des textes, espace hiérarchisé dans lequel les échanges sont inégaux. Cette hiérarchie résulte de la structure des rapports de force selon trois principales logiques, politique, économique et culturelle. L'analyse sociologique permet de rendre justice à la spécificité de chacune de ces logiques et des différentes modalités de leur interaction dans des conditions historiques données. Ces logiques confèrent aux produits de cette activité leur valeur sociale et symbolique et la diversité de ses fonctions, de la consécration à l'accumulation de capital

---

47. Anne-Marie Thiesse, *La Création des identités nationales. Europe XVIIe siècle-XXe siècle*, Paris, Seuil, 1999.

48. Gustavo Sora, «Un échange dénié. La traduction d'auteurs brésiliens en Argentine», art. cité ; et *Traducir el Brasil. Una antropologia de la circulacion internacional de ideas*, Buenos Aires, Libros del Zorzal, 2003.

49. Voir le numéro dirigé par Hervé Serry sur «Littératures et identités», *Sociétés contemporaines*, n° 44, 2001, et Anne-Marie Thiesse, *Écrire la France. Le mouvement régionaliste de langue française entre la Belle Epoque et la Libération*, Paris, PUF, 1991.

symbolique, ou encore la construction des identités collectives. Chacune
de ces logiques est portée par un ensemble d'acteurs plus ou moins
spécialisés dans l'intermédiation, qui concourent à l'activité de traduction tout en luttant pour préserver ou subvertir la hiérarchie des valeurs
de cet espace. La spécialisation et la professionnalisation de la pratique
de la traduction s'inscrit dans le développement de cet espace avec l'essor
des industries culturelles et l'intensification des échanges internationaux. Ce cadre d'analyse permet de mettre en place un programme de
recherche comparatif qui aurait pour objet la sociologie historique de la
formation d'un espace international de circulation des textes traduits et
de ses acteurs, et auquel l'étude qui suit, centrée sur les traductions en
français et du français, se veut une contribution.

Chapitre 2

L'analyse des flux de traductions
et la construction des bases de données
par Anaïs Bokobza et Gisèle Sapiro

Pour analyser, aussi bien qualitativement que quantitativement, l'évolution des flux de traduction en français, plusieurs types de données sont nécessaires. Celles sur lesquelles s'appuient les enquêtes présentées dans ce volume proviennent de plusieurs sources, qui permettent de varier les échelles et le niveau d'analyse. Une première approche concerne les flux internationaux de livres : combien de livres sont traduits, de et en quelle langue, dans quelles catégories de livres. Une seconde consiste à analyser très précisément certains types de flux, par exemple les traductions d'une langue donnée en français, ou encore l'évolution des traductions, en français toujours, d'une catégorie de livres, d'un genre littéraire particulier ou d'une discipline.

C'est sur les livres traduits en français et du français, dans le domaine de la littérature et des sciences humaines et sociales en particulier, que nous nous sommes concentré-e-s. Le support du livre a été privilégié car il présente des données quantifiables, qui renseignent sur le marché de la traduction, lequel a ses éditeurs, ses circuits de distribution, ses logiques et dynamiques propres, même s'il interfère avec les champs littéraire, intellectuel ou scientifique, par le biais desquels s'opèrent les traductions en revue. Si les revues doivent être prises en compte dans les études qualitatives portant sur la réception d'un auteur étranger, le rôle de médiation qu'elles ont pu jouer par le passé dans le processus de traduction des œuvres de littératures et de sciences humaines et sociales semble s'être atténué, pour le champ littéraire à tout le moins (et bien qu'elles conservent un rôle central dans le champ scientifique, il ne semble pas déterminant dans la prise de décision de traduire un auteur). Il faut néanmoins préciser ce que l'on entend par « livres », car les défi-nitions de ce support varient selon les sources : on appellera ici « livres » les imprimés publiés qui ne sont pas périodiques, à l'exclusion des brochures.

Ce chapitre ne se bornera pas à présenter les sources et les méthodes employées. Il s'agit aussi d'attirer l'attention sur les questions soule-vées par l'utilisation des chiffres. La production de chiffres est une pratique sociale. Dans une perspective sociologique, la question n'est pas seulement « comment utiliser ces données ? » mais « qui produit quoi et pour qui ? ». Afin de ne pas tomber dans le fétichisme du chiffre, il faut se donner les moyens de comprendre les conditions de production et la validité des données utilisées.

La première partie du chapitre est consacrée à l'Index Transla-tionum de l'UNESCO, seule source donnant accès aux données natio-nales d'un grand nombre de pays, et donc permettant l'analyse des flux internationaux de livres. Son utilisation n'est pas sans poser des problèmes, mais on montrera que cette base de données reste très utile pour certaines comparaisons. La deuxième partie traite des données nationales françaises. On évoquera les données de la Bibliothèque nationale de France (BNF) et celles du Syndicat national de l'édition (SNE) sur les livres publiés en français, en montrant les avantages et les inconvénients de ces sources. Une troisième partie est consacrée à la construction des données de l'enquête sur les flux de traduction d'ouvrages de littérature et de sciences humaines en français pour les langues étudiées.

LES FLUX DE TRADUCTIONS :
L'INDEX TRANSLATIONUM

Histoire et fonctionnement de l'Index Translationum

L'Index est né en 1931, sur l'initiative de l'Institut pour la Coopération Intellectuelle de la Société des nations, à la demande d'organisations internationales d'auteurs, d'éditeurs et de bibliothécaires, qui
réclamaient un inventaire des traductions. L'Index sortit d'abord sous
la forme d'un bulletin trimestriel où figuraient les traductions publiées
dans six pays : l'Allemagne, l'Espagne, la France, le Royaume Uni,
l'Italie et les États-Unis. Quand la publication fut suspendue, en
janvier 1940, il avait déjà élargi l'information à 14 pays. Et il fallut
presque dix ans pour que l'Index réapparaisse sous les auspices de
l'UNESCO. Suite à une réunion des Ministres de l'Éducation des Alliés
à Londres en 1945, le projet fut relancé. Leurs recommandations furent
approuvées par la Première Conférence Générale de l'UNESCO (récemment créée), qui eut lieu à Paris en novembre et décembre 1946, puis
à nouveau à la Troisième Conférence Générale, en décembre 1948. À
cette occasion, le Directeur Général de l'UNESCO fut mandaté pour
reprendre les publications de l'Index Translationum. La nouvelle série
sortit sous forme d'un unique volume publié chaque année. Le premier,
en 1948, regroupait environ 8 570 traductions publiées dans 26 pays
dont le Brésil, le Canada, le Chili, l'Égypte et la Turquie. L'après-guerre
fut marqué par un important changement d'échelle dû, d'une part, au
développement mondial de l'activité éditoriale et, de l'autre, au nombre
croissant d'États.

Chaque année, l'UNESCO envoie des formulaires aux 184 institutions nationales chargées de fournir les données, généralement la bibliothèque nationale, parfois une bibliothèque universitaire. Celles-ci sont
censées les renvoyer avant une certaine date, qui permet la saisie et la
mise à jour rapide des données.

Depuis 1979, l'Index existe en version informatisée et les mises à
jour annuelles se cumulent donc avec les données des années précédentes. Récemment, il a été partiellement mis à jour pour les années
antérieures, mais on n'a aucune indication sur la fiabilité de l'actuali-

sation ni sur celle des données. L'Index est la plus grosse base de données de l'UNESCO en termes de volume d'information. C'est le Secteur culturel qui est en charge du recueil, de la mise aux normes, de la saisie et du contrôle des données, ainsi que de leur mise à jour.

Aujourd'hui, la base de données de l'Index Translationum (XTRANS), comporte plus de 1 400 000 références issues de plus d'une centaine de pays, de l'Albanie au Zimbabwe, et ce dans tous les domaines : agriculture, architecture, art, biographie, droit, économie, éducation, gestion, histoire, littérature, médecine, philosophie, psychologie, religion, sciences et technologie, sciences exactes et naturelles, sciences sociales, sport, etc. En tout, 250 000 auteurs et plus de 500 langues sont répertoriés. Chaque notice indique l'auteur, le titre de l'ouvrage traduit, le traducteur, l'éditeur, l'année de publication, la langue originale, souvent le titre original et le nombre de pages. Le thème est mentionné selon les catégories de la Classification décimale universelle (CDU). Tous les ans, environ 100 000 nouvelles références sont ajoutées. L'Index est disponible sur Internet[1] et permet de faire des tris croisés selon plusieurs critères : langue d'origine, langue de traduction, pays d'origine, pays de publication, auteur, traducteur, éditeur, genre et date.

Le schéma ci-dessous illustre le processus d'élaboration des données de l'index pour la France.

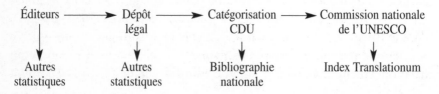

Avantages et limites de l'Index Translationum

Le principal avantage de l'Index est qu'il permet de mesurer et comparer les flux de traduction entre langues (ou d'une langue vers toutes les autres), par année ou pour une période donnée. Qui plus est, pour la langue cible, le lieu de publication peut être précisé, permettant la distinction entre langues et pays.

----

1. http://databases.unesco.org/xtrans/xtra-form.html

Ainsi, les traductions en français peuvent être ventilées selon le pays d'accueil, principalement la France, la Belgique, la Suisse et le Canada, l'édition en Afrique francophone étant moins développée et pratiquant moins la traduction.

Bien que le regroupement de données provenant de sources hétérogènes multiplie les biais et risques d'erreur (voir *infra*), nous avons choisi de privilégier la langue comme unité de comparaison. En effet, c'est une des particularités de la logique de marché, accentuée par la mondialisation, que de tendre vers une expansion par-delà le territoire national par des réseaux de distribution, des filiales ou des coéditions, ce qui rend la variable du lieu de publication de la traduction moins pertinente que celle de la langue, laquelle dessine plus clairement un marché potentiel. Héritage de l'impérialisme économique, politique ou culturel, ces marchés éditoriaux transnationaux formés par la langue se structurent selon une opposition centre-périphérie. Ainsi, entre 1980 et 2002, parmi l'ensemble des livres traduits en français, plus de trois quarts ont paru en France.

Nous nous sommes donc concentré-e-s sur les traductions en français, sans les limiter à celles publiées en France, sauf mention explicite, ceci pour ne pas exclure certaines maisons étrangères francophones (comme L'Âge d'homme en Suisse) qui distribuent leurs livres en France. Leur inclusion s'imposait d'autant plus pour aborder la question des traductions que les éditeurs suisses ou belges jouent parfois un rôle important dans l'introduction sur le marché français d'ouvrages traduits de certaines langues comme l'allemand ou le néerlandais. C'est moins le cas des traductions publiées au Québec, mais leur part dans l'ensemble était inférieure à 10 % durant la période étudiée (situation qui est en train d'évoluer, les éditeurs québécois développant des stratégies multiples pour s'imposer dans l'espace francophone[2]). Le choix inverse – ne s'occuper que des traductions publiées en France – aurait eu l'inconvénient de ne pas prendre en compte tous les livres accessibles aux lecteurs français et d'écarter des médiateurs importants dans un espace francophone en pleine recomposition[3].

---

2. Voir par exemple les études d'Hélène Buzelin, « Traduire un concept ou la *coédition* de l'Ancien au Nouveau Monde » et de Martin Doré, « Stratégie d'un éditeur canadien dans le champ éditorial francophone international », in Gisèle Sapiro dir., *Les Contradictions de la globalisation éditoriale*, Paris, Nouveau Monde Édition, 2008 (sous presse).

3. Voir Luc Pinhas, *Éditer dans l'espace francophone*, Paris, Alliance des éditeurs indépendants, 2005 et « La Francophonie face à la globalisation éditoriale : politiques publiques et initiatives privées », in Gisèle Sapiro dir., *Les Contradictions de la globalisation éditoriale, op. cit.*

La richesse de ces données et des analyses qu'elles permettent ne doivent pas faire oublier les problèmes qu'elles posent et leurs limites. Première limite à laquelle se heurte la tentative d'exploitation statistique de l'Index pour mesurer les flux de traduction : l'Index répertorie de la même façon, sans possibilité de les trier, les nouveautés, les rééditions et les réimpressions, puisque c'est le Dépôt légal qui est pris en compte. C'est, avec le choix de ne pas restreindre le lieu de publication au territoire national, une des raisons du décalage avec les données de la base Electre, comme on le verra ci-dessous. À quoi s'ajoute le fait que, comme les bibliographies nationales à partir desquelles il est constitué, il inclut aussi des livres publiés par des instances à vocation non lucrative et non commercialisées, contrairement à la base Electre.

Deuxième difficulté, la classification en domaines. Parmi la série de transactions qui permet la transmission de l'information de l'éditeur à l'Index Translationum, la plus problématique est la catégorisation CDU des données. Quand un livre arrive à la Bibliothèque Nationale, il est enregistré et la personne chargée du référencement doit décider quel code CDU lui attribuer. Dans certains cas, l'opération ne pose aucun problème (les manuels scolaires, l'histoire de l'art, les sciences…), mais il existe aussi un certain nombre de cas situés à la frontière entre plusieurs catégories. Par exemple, un livre de philosophie de la religion peut être classé en 1 (philosophie, psychologie) ou 2 (religion, théologie). De même, un roman traitant de voyage peut être classé en 823 (romans, nouvelles, récits, contes) ou en 91 (géographie, voyage). Ces deux exemples montrent que le choix ne se fait pas toujours au sein d'une même catégorie de premier niveau, ce qui ne poserait alors pas de problème pour l'Index puisqu'il n'offre pas de classification plus détaillée. Ceci explique pourquoi ces difficultés de catégorisation se retrouvent même dans l'Index. On touche ici au problème plus général de la classification des livres.

Par ailleurs, l'Index Translationum soulève un autre problème, qui ne concerne pas particulièrement la France. En effet, la question de la construction des statistiques du livre peut avoir, selon les pays, un caractère plus ou moins sensible. Par exemple, dans certains pays en pleine « transition » démocratique, le fait de fournir une liste exhaustive peut être interprété comme la preuve d'une adaptation aux exigences des organisations internationales. Pour d'autres pays, cela peut témoigner du soin accordé à la construction des statistiques nationales, dont les enjeux diffèrent d'un pays à l'autre.

Enfin, signalons que les données étaient moins fiables avant 1988. Cette date ne correspond pas à une rupture, à un changement net dans le mode de recueil et de saisie des données, mais seulement à une reformulation de la lettre adressée chaque année aux institutions nationales chargées de recenser les livres. Depuis 1988, cette lettre spécifie que « *tous* les documents entrés à la Bibliothèque Nationale au cours de l'année » doivent être référencés. Auparavant, l'obligation d'exhaustivité n'était pas formulée. Quoi qu'il en soit, il est difficile de mesurer l'impact de ce changement. Pour la France, ceci s'ajoute aux problèmes de fiabilité propres à la catégorisation de la BNF avant 1991. Les données de l'Index Translationum sont par conséquent à prendre avec beaucoup de précautions.

Malgré ces difficultés, l'Index Translationum demeure un outil irremplaçable. En premier lieu, il présente l'avantage de permettre l'analyse des flux de traductions non seulement vers le français, mais aussi vers toutes les autres langues. En outre, notre enquête nécessitait de comparer les flux des traductions en français en fonction des différentes langues d'origine. Pour ceci, il aurait fallu une base française unifiée, or il n'en existe pas, notamment du fait que le catalogue de la BNF n'est pas utilisable dans ce sens, comme on va le voir. Electre, catalogue à l'usage des professionnels auquel nous avons eu accès pour construire nos bases de données, présente deux inconvénients : d'une part son utilisation est très lourde (le moteur de recherche n'est pas conçu pour isoler un grand nombre de données à la fois) ; d'autre part, il n'offre pas la possibilité de regrouper toutes les traductions (toutes langues d'origine confondues), mais seulement les traductions de telle ou telle langue donnée. Il fallait donc trouver un outil plus adapté à l'analyse de flux plus larges.

L'Index Translationum constitue donc un outil utile, puisqu'il n'a pas d'équivalent, mais aussi délicat, comme en témoignent les problèmes liés à sa construction que l'on vient d'évoquer. Dans notre enquête, il sera utilisé pour indiquer des tendances, voire comparer des flux entre eux, mais il faudra garder constamment à l'esprit ses limites, ses biais (inclusion des rééditions et réimpressions, ainsi que de publications non commercialisées), les erreurs qu'il contient et son manque d'exhaustivité.

LES DONNÉES NATIONALES FRANÇAISES

La Bibliographie Nationale Française

La principale source publique nationale est la Bibliographie Nationale Française qui existe sous la forme d'un CD-rom consultable à la Bibliothèque Nationale de France. Tous les livres y figurant sont ceux pour lesquels il y a eu un dépôt légal par l'éditeur. Aujourd'hui, le dépôt légal en France est régi par la loi n° 92-546 du 20 juin 1992, selon le décret d'application n° 93-1429 du 31 décembre 1993. Son but est de permettre la conservation de tous les documents publiés, produits ou distribués en France, la constitution et la diffusion de la bibliographie nationale, et enfin la consultation publique de tous ces documents, à moins qu'ils ne soient soumis au secret. Pour chaque livre, l'éditeur a l'obligation de fournir cinq copies (quatre pour la Bibliothèque Nationale, une pour le Ministère de l'Intérieur), et en plus l'imprimeur doit fournir deux copies (à la BN s'il est à Paris, sinon à une bibliothèque locale assignée). En tout, sept copies de chaque livre doivent donc être fournies pour le dépôt légal. Ceci peut être contraignant dans le cas de livres chers (notamment les livres d'art), ou encore si l'éditeur est une petite maison au capital économique faible, et constitue donc une limite à l'exhaustivité du critère du dépôt légal. Notons qu'avant 1993, seules deux copies devaient être remises, ce qui était moins contraignant pour l'éditeur.

Cependant, les données de la Bibliographie nationale ne pouvant être exportées sous forme de tableau Excel, leur usage est limité à des tris croisés par langue d'origine. Cette base présente un deuxième inconvénient : les données ne sont pas fiables pour les livres traduits avant 1992. En effet, avant cette date, la catégorie «langue d'origine» ne figurait pas parmi les entrées à remplir obligatoirement lors de la saisie d'un livre, et elle n'était donc généralement pas précisée. Elle n'a figuré parmi les champs à remplir obligatoirement qu'à partir de 1992. Le troisième inconvénient tient au fait que la base recense toutes les catégories de livres, qu'il s'agisse de nouveautés, de rééditions ou de réimpressions. On ne peut donc pas isoler les nouveautés.

La BNF a également un catalogue informatisé, le catalogue BN Opale Plus, accessible notamment sur Internet, qui répertorie tous les livres qui y sont conservés, mais le moteur de recherche ne permet pas de faire de tris croisés, ni d'exporter des données pour pouvoir en faire un traitement statistique. Nous ne l'avons donc utilisé que pour des vérifications ponctuelles des bases construites et pour des compléments.

La base de données bibliographiques Electre

La deuxième source existante pour les données françaises est la base Electre. Filiale commerciale du Cercle de la Librairie, organisme interprofessionnel de promotion du livre créé en 1847, Electre produit les outils d'information de référence des professionnels du livre : la revue *Livres Hebdo*, des ouvrages spécialisés édités par les Éditions du Cercle de la Librairie et la base bibliographique Electre. La base est constituée à partir des informations recueillies auprès des éditeurs, et dépend donc de leur déclaration. Y figurent principalement les éditeurs commerciaux.

D'abord éditée sous forme papier, cette base a été informatisée dans sa forme actuelle en 1984. Les ouvrages indisponibles sont alors conservés ainsi que les résumés des ouvrages. À l'occasion du Salon du Livre de 1986, le Cercle de la Librairie présente le service Minitel Electre, «nouvel outil informatique des professionnels du livre». Par la suite, Electre ne cesse d'innover et de s'adapter aux nouvelles technologies. En octobre 1989, le CD-Rom Electre Biblio est créé. Trois cent mille titres sont alors disponibles. La base est enrichie de nouvelles fonctionnalités en 1995. La classification par niveau de lecture fait son apparition ainsi que la recherche par table des matières pour les ouvrages de Sciences, Techniques, Médecine et Droit. Enfin, en octobre 1997, la première version du site Internet electre.com voit le jour. Aujourd'hui, elle est mise à jour quotidiennement et compte près de 900 000 titres, dont 12 000 «à paraître».

Electre collecte les programmes des éditeurs (livres «à paraître») et les ouvrages eux-mêmes afin de produire une notice bibliographique complète. Les informations des distributeurs interviennent après parution, permettant la mise à jour des prix et des disponibilités. Les informations disponibles sont immédiatement intégrées à la base, qui recense les ouvrages publiés en langue française dans 76 pays et ceux paraissant en France quelle que soit la langue de publication. Ces ouvrages doivent être ou avoir été disponibles dans les circuits de distribution du livre – ce qui exclut les ouvrages publiés par des institutions et associations hors du circuit commercial – et répondre aux critères de référencement d'Electre.

Electre assure le respect des règles bibliographiques ainsi que la cohérence et la clarté des différents fichiers de la base : auteurs, éditeurs, collections… Pour des données homogènes et des accès normalisés, des fichiers « autorité » ont été créés : un auteur, un éditeur, une collection ont une seule entrée dans la base avec d'éventuels renvois. Chaque livre est catalogué dans le strict respect de la norme Afnor Z 44-073. Notons enfin qu'Electre est la seule base bibliographique en France à fournir deux niveaux d'indexation thématiques (Dewey et Rameau)[4].

Outre sa fiabilité élevée, la base de données Electre présente l'avantage de permettre un tri par langue d'origine. L'équipe d'Electre nous ayant donné accès gracieusement à la base de données, elle a constitué une de nos principales sources pour l'enquête quantitative, dont nous exposerons les principes ci-dessous, en évoquant les problèmes et les limites.

Les données du Syndical national de l'édition

Les données statistiques produites par le Syndicat national de l'édition (SNE) sont également issues de la déclaration des éditeurs, variable d'une année sur l'autre, ce qui induit un biais qu'il faut prendre en compte lorsqu'on les utilise. Ces données ne distinguent pas les traductions des ouvrages écrits en français. Nous les avons utilisées néanmoins pour comparer l'évolution des flux de traduction à l'évolution de la production globale en français par catégorie (littérature et sciences sociales), par genre (roman, polar, poésie, etc.), et tous domaines confondus. Cette source a le mérite de différencier les grands formats des formats de poche, et au sein de chacune de ces catégories, les nouveautés, nouvelles éditions, rééditions et réimpressions. Cependant, la classification a varié au cours de la période, les nouveautés ayant été parfois regroupées avec les nouvelles éditions, ce qui complexifie la comparaison et la construction de séries longues. En outre, les découpages des catégories de premier niveau et les principes de ventilation ont aussi changé (dans le cas de sciences humaines en particulier[5]), ce qui nécessite d'opérer des regrou-

---

4. Toutes ces informations sont disponibles sur le site www.electre.com
5. Voir Bruno Auerbach, « *Publish and Perish*. La définition légitime des sciences sociales au prisme du débat sur la crise de l'édition SHS », *Actes de la recherche en sciences sociales*, n° 164, septembre 2006.

pements à partir des catégories de deuxième niveau (genres littéraires ou disciplines), sans être certain que cela recouvre toujours le même type de production.

Par ailleurs, le SNE produit depuis les années 1990 des données sur le nombre annuel de contrats de cession et d'acquisition de droits pour la traduction d'ouvrages signés par des éditeurs français avec leurs confrères étrangers, par langue et par genre, les catégories ayant été peu à peu affinées (aux langues s'ajoutent depuis 1996 une classification par pays). Ces données offrent une autre perspective sur les traductions. En premier lieu, elles restituent le sens concret de la notion d'« échange », tel qu'il est conçu et perçu par les acteurs eux-mêmes, et permet de calculer le ratio des contrats de cession-acquisition avec les autres langues et/ou pays pour les nouveautés. Ces données donnent donc la mesure des échanges économiques par la traduction. Elles sont en outre utilisées comme instrument de travail et de réflexion sur l'état du marché de la traduction, leur permettant de s'ajuster en fonction des tendances observées. Enfin, les livres traduits ne paraissent qu'au terme d'un processus d'acquisition et de travail de traduction qui prend entre quelques mois et plusieurs années. Si l'on peut tenir compte de ce décalage dans le cadre d'une approche qualitative centrée sur des études de cas, il est impossible de mesurer ces écarts de manière systématique en l'absence de données dont le recueil et le codage serait extrêmement fastidieux et complexe, pour un résultat incertain. C'est pourquoi, sans qu'on puisse les croiser avec les données sur la publication, l'évolution des acquisitions et des cessions donne des indications précieuses sur l'état des échanges entre langues et pays, ainsi que sur les moments d'accroissement de l'intérêt pour la littérature d'un pays particulier, ou pour un genre particulier.

LA CONSTRUCTION ET LE TRAITEMENT
DES DONNÉES DE L'ENQUÊTE

Outre l'utilisation des données de l'Index Translationum et du Syndicat national de l'édition, l'enquête s'est appuyée sur plus d'une centaine d'entretiens avec des éditeurs, directeurs de collection, agents

littéraires, représentants des pouvoirs publiques, traducteurs[6], sur des
sources documentaires (la presse nationale et professionnelle notamment) et sur des bases de données que nous avons construites à cette fin,
à partir de sources diverses, la principale étant le catalogue Electre.

Ces bases ont été constituées pour les nouveautés et nouvelles
éditions de livres de littérature et de sciences humaines traduits en français en grand format entre 1985 et 2002 (les livres en format poche ont
été isolés et traités séparément quand il y avait lieu ; de même, la littérature pour la jeunesse a été traitée séparément). Pour les sciences
humaines, où les logiques disciplinaires prévalent sur les origines linguistiques, la base analysée au chapitre 4 réunit les titres traduits des différentes langues. En revanche, en littérature, où le nombre de titres traduits
est plus important et où ce sont les logiques identitaires qui priment, une
base a été construite pour chaque langue d'origine : anglais, allemand,
espagnol, italien, hébreu, néerlandais, suédois, russe, roumain, tchèque,
slovaque, hongrois, polonais. Après une vue d'ensemble sur les évolutions globales comparées au chapitre 5, des études de cas, étayées par
des analyses quantitatives et/ou qualitatives (entretiens, presse), sont
proposées pour l'italien, l'espagnol, les littératures d'Europe de l'Est,
le néerlandais, le finnois, l'arabe et l'hébreu. Ces études particulières
selon la langue d'origine sont complétées par une analyse transversale
de l'espace de la littérature traduite fondée sur l'examen des collections
et domaines de littérature(s) étrangère(s) à partir de catalogues de quelques maisons et d'entretiens avec des éditeurs et directeurs de collection ; ceci afin de dégager les logiques éditoriales et la concurrence entre
les langues au sein des maisons d'édition, en prenant en compte des
langues absentes de notre étude (chapitre 6). Dans la même optique, un
chapitre est consacré à un genre qui a connu un grand essor pendant la
période étudiée : le polar, et pour lequel une base spécifique, non limitée
aux langues retenues, a été construite (chapitre 10). Enfin, le chapitre 3
et les études sur les échanges intellectuels qui composent la troisième

---

6. Sauf mention contraire, les entretiens ont été réalisés par l'auteur du chapitre
où ils sont cités. Certains ont été effectués dans le cadre d'enquêtes antérieures ou parallèles des membres de l'équipe. Leur exploitation dans ce volume n'est que très partielle,
car elle eût impliqué des études spécifiques sur des maisons d'éditions ou des trajectoires de médiateurs qui dépassent notre propos et qui font l'objet de travaux indivi-
duels achevés ou en cours, cités ci-dessous. Nous avons choisi, dans la plupart des cas,
de maintenir l'anonymat des personnes citées.

partie s'appuient aussi sur des bases de traductions du français en d'autres langues dans une perspective de plus longue durée (anglais, néerlandais, finnois, arabe, hébreu).

Pour les traductions en français, la principale source était, comme déjà indiqué, la base de données Electre, que nous avons retraitée en apportant des compléments. Mais nous avons pu également, pour certaines langues (l'italien, l'hébreu, le polonais, le hongrois, le tchèque et le roumain), nous appuyer sur des bases de données construites dans le cadre de recherches antérieures ou parallèles. Dans ces cas-là, les sources sont variables.

Pour l'italien, Anaïs Bokobza a utilisé la *Bibliographie des traductions de l'italien depuis 1900* de Danièle Valin, ainsi que l'Index Translationum de l'UNESCO et la Bibliographie Nationale française[7]. Une vérification croisée avec Electre a été réalisée (voir chapitre 7).

Pour les langues des pays d'Europe de l'Est (roumain, polonais, tchèque, slovaque, hongrois ; voir chapitre 9), Ioana Popa a construit les bases de données[8] en confrontant systématiquement plusieurs sources : l'Index Translationum, *La Bibliographie européenne des travaux sur l'URSS et l'Europe de l'Est* (MSH-Institut d'Études Slaves), *La Bibliographie de France*, les fichiers de la Bibliothèque Nationale de France, des catalogues des maisons d'édition, certains recensements partiels (notamment *L'Œil de la lettre*, établi par le syndicat des libraires pour la littérature de chaque pays) ou des bibliographies d'ouvrages d'histoire littéraire. Pour certaines périodes (notamment celles qui sont antérieures aux années 1990), des données ont également pu être vérifiées auprès de différents informateurs et enquêtés. Les données Electre ont été ajoutées à ces différentes sources dans le cadre de la présente recherche.

---

7. Anaïs Bokobza, *Translating literature. From romanticised representations to the dominance of a commercial logic : the publication of Italian novels France 1982-2001*, thèse citée.

8. Pour les choix et les problèmes spécifiques que la construction de ces données a impliqués en raison des contraintes politiques qui pèsent sur la traduction des livres en provenance des pays de l'Est avant la chute des régimes communistes, voir Ioana Popa, *La Politique extérieure de la littérature*, thèse citée et « Translation Channels. A Primer on Politicized Literary Transfert », *Target. International Review of Translation Studies*, n° 18 (2), 2006, pp. 205-228.

Pour l'hébreu (chapitre 14), la base de données a été constituée par Gisèle Sapiro d'après les bibliographies périodiques de l'Institut de traduction de la littérature hébraïque et complétée par une vérification systématique dans les catalogues de la BNF et de la bibliothèque de l'Alliance israélite universelle[9].

Pour les autres langues (anglais, allemand, espagnol, néerlandais, suédois)[10], nous nous sommes appuyé-e-s sur la base de données d'Electre, qui permet une recherche par langue d'origine du livre, par catégorie et par date. Elle nous a également permis de vérifier et compléter les données recueillies précédemment.

Anaïs Bokobza a constitué par ailleurs une base de données de polars traduits, à partir des bases que nous avons extraites d'Electre, complétées, pour les autres langues, par les catalogues en-ligne de certains éditeurs (notamment Gallimard) et par d'autres sources comme le catalogue de la Bibliothèque des littératures policières et les sites Internet spécialisés dans le polar (chapitre 10)[11].

Les catalogues d'éditeurs ont été explorés par Gisèle Sapiro (chapitre 6), soit pour l'ensemble des littératures traduites dans telle ou telle maison (Le Seuil, Fayard), soit ponctuellement, en consultant le catalogue en ligne. Hervé Serry a constitué une base de données de la littérature traduite par les éditions du Seuil[12]. Les éditions Fayard et Albin Michel nous ont aimablement communiqué la base correspondant à leur catalogue de littératures étrangères.

Pour les traductions du français vers d'autres langues, les sources sont encore plus diverses.

---

9. Elle a été construite avec le concours de Dorrit Shilo, dans le cadre d'un programme de coopération « Arc-en-ciel » entre Gisèle Sapiro (Centre de sociologie européenne) et Zohar Shavit et Gideon Toury (The Unit for Culture Research de l'Université de Tel-Aviv) ; elle a également bénéficié d'un financement de l'Israël Science Foundation. *Cf.* Gisèle Sapiro, « L'importation de la littérature hébraïque en France : entre universalisme et communautarisme », art. cité.

10. À l'exception de l'arabe, pour lequel Richard Jacquemond a retraité les données de l'Index Translationum en comparant l'évolution des traductions en français à celle en d'autres langues.

11. Par exemple, europolar.eu.com et noircommepolar.com.

12. Hervé Serry, « Constituer un catalogue littéraire », art. cité.

Johan Heilbron a mis à jour les résultats d'une enquête antérieure sur les traductions en néerlandais de 1900 et 1997 (voir chapitre 11), fondée sur les données annuelles produites par la Stichting Speurwerk betreffende het Boek, fondation pour la recherche du livre et sur les bibliographies de la Bibliothèque royale à La Haye[13].

La base des traductions du français en finnois de 1951 à 1990 analysée au chapitre 12 a été constituée par Yves Gambier à partir de la bibliographie nationale *Fennica*[14], disponible sous forme de livre et de Cédérom avant 2000, puis en ligne après 2000, des catalogues bibliothèques universitaires (celle d'Helsinki notamment, où s'effectue le dépôt légal), des bibliographies spécialisées (sur les romans policiers et d'espionnage par exemple)[15], les catalogues des dix plus grands éditeurs (les petits souvent disparaissant sans laisser de traces ni d'archives), quelques histoires des littératures.

Pour les traductions du français en arabe, Richard Jacquemond a procédé à un retraitement des données de l'Index Translationum selon des principes détaillés au chapitre 13, ainsi que par une exploration de la base (incomplète) construite par le Bureau du livre de l'Ambassade de France à Beyrouth dans le cadre du «Plan traduire» du ministère des Affaires étrangères.

Les données sur les traductions du français en hébreu proviennent de deux bases constituées par l'Ambassade de France en Israël, l'une, sans doute lacunaire, qui va du début du siècle à 1995, l'autre couvrant la décennie 1995-2005. Elles ont été retraitées et exploitées par Gisèle Sapiro (chapitre 14)[16].

---

13. Johan Heilbron, «Nederlandse vertalingen wereldwijd. Kleine landen en culturele mondialisering», in Johan Heilbron, Wouter de Nooy, Wilma Tichelaar (éd.), *Waarin een klein land. Nederlandse cultuur in internationaal verband*, Amsterdam, Prometheus, 1995, pp. 206-252.

14. *Fennica / Suomen Kansallisbibliografia* (Bibliographie nationale de Finlande): http://fennica.linneanet.fi

15. Simo Sjöblom, *Rikoskirjallisuuden bibliografia 1864-1984*, Hämeenlinna, Karisto, 1985.

16. Ces données ont fait l'objet d'un traitement plus détaillé, bien qu'encore provisoire, dans Gisèle Sapiro, «De la construction d'une culture nationale à la mondialisation : les traductions du français en hébreu», in Anna Boschetti (dir.), *Pour un comparatisme réflexif*, à paraître.

La période étudiée va de 1985 à 2002. La raison principale est que les données antérieures ne sont pas fiables : la base Electre n'inclut pas les livres épuisés avant cette date[17]. Pour réinscrire ces évolutions dans un cycle un peu plus long, nous avons cependant utilisé les données de l'Index Translationum à partir de 1980. Concernant la fin de la période, lorsque nous avons entrepris cette recherche en 2004, les données ultérieures à 2002 n'étaient encore à jour ni pour la base Electre ni pour l'Index. Dans quelques cas, nous avons pu toutefois ajouter des données pour 2003 et 2004 afin de donner une idée des évolutions plus récentes.

Les deux grandes catégories retenues sont la littérature et les sciences humaines. Elles ont été circonscrites comme suit :

– « Littérature » : tous les livres de fiction ainsi que les témoignages et les essais participant de l'œuvre d'un écrivain, à quoi s'ajoute la critique littéraire, classée en « littérature » et non en « sciences humaines » parce qu'elle est souvent intégrée aux collections de littératures étrangères dans les catalogues d'éditeurs et rarement dans les collections de sciences humaines. On a en revanche écarté les anthologies, plus rares, et qui nécessitent un traitement qualitatif plutôt que quantitatif, en raison de la particularité de ce type de projet, ainsi que les correspondances. Si l'on a retenu la littérature pour la jeunesse pour en mesurer le poids relatif dans l'augmentation des traductions, on a exclu cette catégorie du traitement statistique des bases de littérature (voir chapitre 5). En effet, même si les frontières de ce genre ne sont pas clairement délimitées, le marché de la littérature pour la jeunesse suit des règles bien particulières, et le traitement isolé de la littérature pour adultes permet une analyse plus fine des différences entre genres et entre langues. Ces genres sont, outre la littérature pour la jeunesse, déjà évoquée, le roman, le roman noir, la science fiction, les nouvelles, le théâtre, la poésie, la critique, les essais (reportages, essais témoignages).

– « Sciences humaines » : les bases ont été triées pour ne retenir que les ouvrages à visée scientifique, dans la mesure du possible. Ont été écartés les essais, documents, actualité, biographies et correspon-

---

17. Nous avons supprimé aussi, en cours de route, l'année 1984 pour les bases provenant des données Electre, parce que le recensement nous est apparu incomplets.

dances, qui relèvent de logiques éditoriales distinctes. On n'a pas retenu non plus la géographie, catégorie « limite » en ce sens qu'elle incluait trop de textes non universitaires (livres de voyage, guides touristiques, etc.). La critique littéraire, comme déjà spécifié, est classée avec la littérature. Les sous-catégories de classement d'Electre renvoient ici aux disciplines : philosophie, histoire, politique (science politique, politique, administration), sociologie (sociologie, ethnologie, anthropologie), psychologie (psychologie, psychiatrie), économie (théorie de l'économie), droit (théorie et philosophie du droit). Il a fallu souvent opérer des reclassements, en raison des nombreuses erreurs de codage (voir chapitre 4).

Dans le cadre de la présente enquête, nous nous sommes limité-e-s à l'exploitation de douze variables principales : la langue d'origine ; le pays d'origine ; le nom de l'auteur ; le genre (ou la discipline) du livre traduit ; l'année de publication de la traduction ; le nombre de rééditions pendant la période ; l'éditeur ; la collection ; l'existence d'une édition de poche ; la date de l'édition de poche ; le nom du ou des traducteurs et son (leur) sexe.

En dépit de sa fiabilité, la base Electre soulève plusieurs problèmes pratiques. Certains tiennent en partie au fait qu'Electre est une base professionnelle à destination des libraires, et que nous en avons fait un usage pour lequel elle n'était pas prévue. Tout fichier Excel extrait d'Electre nécessite d'être travaillé et mis en forme pour être facilement lisible et utilisable. Par-delà les questions techniques se posent des problèmes de fond.

En premier lieu, Electre enregistre toutes les éditions d'un même livre, ce qui oblige à opérer des tris pour distinguer les rééditions et les livres en format de poche. Or pour mesurer l'évolution des flux de traductions, il faut pouvoir isoler les nouveautés et nouvelles éditions ou traductions. Une partie du travail de tri et de retraitement à donc consisté à construire, pour les sciences humaines et pour les littératures dans chaque langue, deux bases : l'une de nouveautés et nouvelles éditions parues entre 1985 et 2002 en grand format (le nombre de rééditions pendant la période étant transformé en variable) ; une seconde comprenant les rééditions en grand format, en semi-poche ou en poche (les réimpressions n'ont pas été prises en compte). Cette solution n'est pas entièrement satisfaisante, car nombre de nouveautés paraissent directement en poche, mais cette pratique s'est développée plutôt à la fin de la période considérée, d'abord dans des genres comme le polar, où nous l'avons prise en considération, et elle reste statistiquement marginale pour les traductions en littérature et en sciences humaines jusqu'en 2002.

Deuxième problème, certains classements opérés par la base Electre sont instables ou erronés. Ainsi, la distinction entre anglais et américain s'est révélée fausse pour un nombre d'ouvrages tellement important qu'il a fallu prendre le parti d'y renoncer et de fusionner les bases en langue anglaise, en attendant de pouvoir y consacrer une recherche plus approfondie. Le classement par genre était quant à lui fluctuant, un même livre pouvant apparaître sous plusieurs catégories. La combinaison des variables « genre » et « indice Dewey » permet cependant de classer le livre dans une catégorie. Pour les sciences humaines, la ventilation par discipline s'est aussi révélée erronée ou problématique dans bien des cas, nous avons donc procédé à des reclassements.

Troisième problème, lorsqu'on compare les bases ainsi constituées avec d'autres sources (l'Index Translationum, les catalogues d'éditeurs, etc.), on ne trouve quasiment jamais les mêmes chiffres par année. En procédant à des sondages par langue et par année, on a pu identifier certains problèmes et expliquer nombre d'écarts :

– À la différence de l'Index Translationum, nos bases excluent les réimpressions et les publications hors du circuit commercial, ce qui explique en partie le décalage entre nos données et celles de l'Index, décalage bien connu des spécialistes de l'édition : il est du même ordre que celui qui ressort de la comparaison entre les données du Dépôt légal et celles du Syndicat national de l'édition[18].

– La comparaison avec l'Index Translationum a permis de soulever un autre problème : le fait d'avoir inclus certaines catégories seulement (romans, théâtre…) rend plus difficile la comparaison avec des bases qui prennent en compte l'ensemble la catégorie 8 de l'index Dewey (« Littérature et rhétorique »). Par exemple, les bandes dessinées ne figurent pas dans nos bases, mais notre choix correspond à l'évolution actuelle des recensements du SNE, qui tendent à isoler les bandes dessinées dans

---

18. Hervé Renard et François Rouet, « L'économie du livre, de la croissance à la crise », in Pascal Fouché (dir.), *L'édition française depuis 1945*, *op. cit.*, pp. 684-685.

une catégorie à part, séparée de la littérature pour la jeunesse, puisque c'est devenu un genre important notamment dans les échanges internationaux.

– Les publications des toutes petites maisons d'édition (comme par exemple Caractère) ne figurent pas toujours dans la base Electre qui est un service payant. Par contre ce sont des items qui existent dans d'autres bases comme la Bibliographie nationale française et l'Index Translationum, ces éditeurs respectant le dépôt légal pour tous leurs livres. En revanche, ils ne déclarent pas toutes leurs publications à Electre.

– On a remarqué que les nouveautés figurent parfois sur Electre à des dates postérieures à celles qu'on trouve pour un même titre dans l'Index, voire dans les catalogues d'éditeurs. Par recoupements, on suppose que dans le cas où un livre est réimprimé, Electre prend en compte la date de la dernière réimpression. De même, quand un livre existe en plusieurs éditions dont les premières sont épuisées, il arrive qu'Electre ne prenne en compte que la dernière édition[19].

– Enfin, s'il permet de saisir les nouveautés, le système qu'on a adopté ne permet pas de connaître le nombre exact de parutions annuelles, puisqu'on a exclu les rééditions successives, transformées en variable (nombre de rééditions pendant la période, sans indication de date pour faciliter les comptages).

Au final, nous avons pu néanmoins expliquer la majorité des différences entre nos bases et l'Index Translationum, ainsi qu'avec les catalogues d'éditeurs, et le croisement des sources réduit de beaucoup la marge d'erreur. Ce bilan attire l'attention sur la nécessité de prendre un certain nombre de précautions dans l'interprétation de ces données, et surtout de toujours définir précisément son objet pour analyser les bases construites à partir du catalogue Electre. L'important est de garder une cohérence d'ensemble, c'est-à-dire de faire les mêmes choix pour toutes les langues. S'il ne faut donc donner aux chiffres que nous produirons qu'une valeur indicative, cela ne devrait pas remettre en cause la validité des tendances que nous avons repérées ni des analyses que nous proposons.

---

19. Il convient de garder à l'esprit qu'Electre est une base destinée avant tout aux libraires, qui ont besoin de connaître la référence de la version d'un livre disponible à la vente.

Rappelons en outre qu'on a mis en évidence plusieurs définitions du livre, institutionnelles ou empiriques. Ainsi, le dépôt légal adopte la définition la plus large de la publication, puisqu'il inclut tous les éditeurs de livres mais aussi les brochures et les revues. La base Electre ne prend en compte que les livres publiés chez les éditeurs qui se déclarent eux-mêmes, et n'inclut donc pas les publications de tous petits éditeurs hors du circuit commercial. Ces différences peuvent avoir des conséquences sur les statistiques du livre : par exemple, la proportion de livres traduits par rapport à l'ensemble des publications est plus faible avec les chiffres de la BNF qu'avec ceux d'Electre, puisque les premiers sont par définition plus larges. Il faut donc garder à l'esprit que la nature des données que l'on utilise peut intrinsèquement modifier les statistiques que l'on en tire.

D'une manière plus générale, ce chapitre visait à mettre en évidence les difficultés inhérentes à l'utilisation des données quantitatives concernant les livres. On a montré qu'il n'existe pas de données exhaustives, et donc pas de statistiques exactes, ni sur les traductions ni sur les publications. Pour toutes les analyses statistiques qui figurent dans cette enquête, on indiquera très précisément de quelles données il s'agit (nouveautés, rééditions ou ensemble des livres publiés, grand format ou poches, dates, sources, etc.), et les résultats ne pourront être lus que dans un contexte donné. Il nous semblait indispensable d'attirer l'attention d'une part sur ces précautions à prendre, d'autre part sur les enjeux à la fois méthodologiques et théoriques des questions soulevées par la construction des statistiques du livre.

Chapitre 3

Situation du français sur le marché mondial de la traduction
par Gisèle Sapiro

L'évolution des flux de traduction depuis le début des années 1980 révèle deux grandes tendances de ce marché en voie d'unification. Tout d'abord, une hausse globale du nombre de traductions. Ensuite, sur le plan linguistique, se dessine une double orientation : d'une part, la domination croissante de l'anglais, de l'autre, la diversification des échanges. Deuxième langue centrale après l'anglais, le français a vu sa position fragilisée pendant cette période.

L'analyse qui suit s'appuie sur les données de l'Index Translationum et sur celles du Syndicat national de l'édition (SNE). Tout en tenant compte des biais de ces sources (voir chapitre 2) et en n'utilisant les chiffres qu'à titre indicatif, il est possible, par recoupement, de faire apparaître des évolutions assez nettes du marché de la traduction dans ces deux dernières décennies, et de la situation de la langue française sur ce marché.

Intensification et diversification
des échanges culturels internationaux

Premier constat, l'ensemble des traductions dans toutes les langues a augmenté de 50 %, passant de 50 000 à près de 75 000 livres traduits (rééditions incluses) entre 1980 et 2000, selon l'Index Translationum. La moyenne annuelle de livres traduits augmente de 20 % entre les années 1980 et 1990.

La hausse des flux de traduction est une bonne mesure de l'intensification des échanges culturels internationaux. Différents facteurs, on l'a vu au chapitre 1, concourent à ces échanges : les relations politiques et diplomatiques, les intérêts économiques, les enjeux identitaires et proprement culturels. Les intérêts économiques ont sans conteste une part de plus en plus importante dans la hausse des flux de traduction. Expression directe des processus de concentration de l'édition autour des centres du marché international du livre et de la volonté de conquérir de nouveaux marchés, ces intérêts s'inscrivaient plus indirectement dans une conjoncture propice à l'intensification des échanges culturels, à la faveur notamment des négociations du GATT entamées en 1986 dans le cadre du cycle de l'Uruguay en vue de la libéralisation des échanges commerciaux dans le secteur des services, donc des biens culturels.

Ces intérêts économiques ne sont pas exempts d'enjeux idéologiques : les représentants du livre des pays périphériques mentionnent aussi, lors d'entretiens, la volonté d'hégémonie, voire de « colonisation culturelle », pour reprendre les termes d'un éditeur, des groupes et maisons d'édition situés dans les centres des aires linguistiques comme l'Espagne par rapport à l'Amérique latine, ou la France par rapport aux autres pays francophones. Les petits éditeurs d'Amérique latine ont engagé un combat pour « récupérer en Amérique latine un espace de traduction et avoir un vrai échange entre les pays de la langue [d'origine], et pas seulement à travers une seule voix, de l'Espagne vers l'Amérique latine [...]. Comme si l'Amérique latine ne produirait pas d'idées ou des traductions, par exemple, qui évidemment – les traductions – jouent un rôle important aussi dans la littérature locale et dans l'exercice de la création », ainsi que nous l'a expliqué un éditeur chilien (entretien réalisé le 26 mars 2008).

L'emprise croissante de la logique commerciale sur la circulation des biens culturels a suscité des résistances et des oppositions qui ont contribué à leur tour à l'intensification des relations éditoriales. Ainsi la mobilisation pour la défense de «l'exception culturelle», visant à soustraire, ou à tout le moins protéger du libre-échange les produits culturels, au motif qu'ils ne sont pas des marchandises comme les autres. Mené par la France, le combat pour la défense de l'exception culturelle a favorisé le développement, dans certains pays, de politiques d'aide à la diversification des échanges culturels : la politique française d'aide à l'intraduction mise en place à partir de 1989, sur laquelle on reviendra ci-dessous, en est un exemple. En 1993, le Parlement européen a adopté une résolution de ralliement à ce principe de «l'exception culturelle». Jugée trop défensive et protectionniste, privilégiant en outre les œuvres culturelles consacrées par la tradition occidentale, au détriment des autres cultures nationales ou régionales, la notion d'«exception culturelle» a été toutefois remplacée par celle de «diversité culturelle», qui renvoie plus largement aux systèmes de valeurs, aux pratiques et aux productions des différentes sociétés. Cette notion a été adoptée par l'UNESCO dans sa «Déclaration universelle sur la diversité culturelle» du 2 novembre 2001[1].

L'intensification des échanges s'est accompagnée d'une diversification, qui justifie qu'on parle de mondialisation au sens géographique. Elle peut s'observer à travers le nombre de langues traduites : en français, il varie de 25 à 42 par an, à tout le moins, entre 1997 et 2002[2] ; de 2001 à 2005, les éditeurs français ont acquis les droits pour la traduction de titres en 55 langues différentes, selon les données du SNE. On remarque en particulier l'accroissement des flux vers et à partir de langues autrefois peu présentes sur le marché de la traduction, notamment les langues asiatiques. Le nombre annuel de traductions du chinois en français a augmenté de 50 %, passant d'une moyenne de 192 livres par an dans les années 1980 à 288 dans les années 1990. Inversement, des traductions du français en Thaï, en Hindi, en Bengali et en Khmer ont été engagées dans la période récente. Cette évolution concerne aussi les

---

1. Bernard Gournay, *Exception culturelle et mondialisation, op. cit.* ; Serge Regourd, *L'Exception culturelle, op. cit* ; *id.* (dir.), *De l'exception à la diversité culturelle, op. cit.*

2. Selon les données constituées par Germain Barré à partir des données de l'Index, qui incluent aussi les publications hors commerce, le nombre de langues et dialectes traduits en français passerait d'une soixantaine en 1980 à environ quatre-vingt dans les années 2000.

langues des petits pays. Par exemple, à partir des années 1990, la littérature hébraïque est traduite dans un nombre de langues de plus en plus élevé, le chinois, le turc, le coréen s'ajoutant aux langues européennes. Un tel essor tient au développement de l'édition dans ces pays, sous l'effet de la dynamique enclenchée par la formation d'un marché éditorial mondialisé et de la mise en place de politiques d'aide à la traduction dans beaucoup de cas (c'est le cas par exemple en Corée, en Grèce, en Pologne, et tout récemment en Tunisie). Pourtant, malgré une réelle diversification des échanges, l'expansion du marché international de la traduction ne profite pas à toutes les langues de manière égale.

DOMINATION DE L'ANGLAIS ET DIVERSIFICATION DES LANGUES TRADUITES

La traduction est un échange asymétrique : du point de vue économique, politique et culturel, le rapport de force entre les langues est, comme on l'a vu, inégal. Conquête de marché, influence politique, hégémonie culturelle, les fonctions de la traduction peuvent être multiples selon les types d'intérêts qui sont investis dans cette activité. C'est pourquoi il ne suffit pas de rapporter les écarts entre les langues traduites du point de vue du nombre de titres à la taille du marché de la culture source. Comme les exportations, le taux d'extraductions est un indicateur de la centralité d'une langue – ou plus précisément du pôle éditorial qu'elle représente – sur le marché international du livre : plus une langue est centrale, plus on traduit d'ouvrages de cette langue ; plus elle est périphérique, moins de livres en sont traduits (voir chapitre 1).

Au début de la période étudiée, environ la moitié des livres traduits dans toutes les langues l'étaient de l'anglais, placé en position hypercentrale[3]. Loin derrière, l'allemand, le français et le russe représentaient entre 10 % et 12 % du marché mondial des traductions. Huit langues, dont l'espagnol et l'italien, occupaient une position semi-périphérique, avec une part variant entre 1 % et 3 %. Avec une part de moins d'un pour cent du marché, toutes les autres langues se situaient dans une position périphérique.

---

3. Johan Heilbron, « Towards a Sociology of Translation », art. cité.

En une décennie, les écarts se sont creusés. La domination de l'anglais s'est accrue, approchant désormais les deux tiers des parts du marché, selon l'Index Translationum : les traductions de l'anglais passent en effet d'une moyenne de 45 % dans la décennie 1980 à 59 % dans la décennie 1990 (voir tableau 1). Ce taux de 59 % est atteint dès 1992, et continue d'augmenter, dépassant les 60 % à partir de 1995[4]. Entre 1980 et 2000, le nombre de traductions de l'anglais a doublé. L'évolution des traductions de l'anglais suit la même courbe que l'évolution globale des traductions, ce qui atteste le poids de cette langue dans l'intensification des échanges culturels internationaux (voir graphique 1). Notons que si la contribution de pays anglophones autres que les États-Unis et le Royaume Uni à cette hausse est indéniable, elle demeure statistiquement très marginale et donc inapte à l'expliquer.

La langue qui a subi le plus grand effondrement est évidemment le russe, passant d'une part moyenne de 11,5 % de l'ensemble des livres traduits dans les années 1980 à 2,5 % dans les années 1990. Il est ainsi relégué du statut de langue centrale à celui de langue semi-périphérique, sa part tombant en dessous de l'italien et de l'espagnol. Provoquée par la fin du régime communiste, cette chute commence en 1990. En 1991, la part des traductions du russe tombe brusquement à 3,9 %, puis, en 1992, à 2,3 %, et elle continue à décliner jusqu'en 2000 (1,4 %). Ces années étant exactement celles de la progression de l'anglais dans la même proportion, on peut en déduire que la chute du russe a contribué à renforcer la position hypercentrale de l'anglais.

Seules deux des trois langues centrales, l'allemand et le français, ont maintenu leur position, qui représente respectivement 9 % et 10 % de l'ensemble. Mais l'analyse de leur évolution pendant la période signale une progression pour l'allemand, qui passe d'une moyenne de 8,6 % dans les années 1980 à 9,3 % dans les années 1990, tandis que le français connaît un léger déclin, de 10,8 % à 10 % en moyenne (ce taux tombe en dessous de 9 % en 2001 et 2002, il s'établit à 9 % en 2003 et à 8 % en 2004, tandis que l'allemand continue sa progression et reste en tout cas supérieur à 9 %). Qui plus est, si le nombre de traductions de l'allemand croît dans la même proportion que l'ensemble des traductions, soit un peu plus de 50 %, l'évolution des traductions du français

---

4. Pour une analyse plus détaillée des évolutions entre 1988 et 1999, selon une périodisation différente, voir la thèse d'Anaïs Bokobza, *Translating literature*, *op. cit.*

est plus irrégulière : après une hausse au début des années 1990, leur nombre chute au milieu de la décennie, pour remonter ensuite, la progression moyenne entre 1980 et 2000, de moins de 20 % seulement, étant très inférieure à celle de l'allemand (voir graphique 2).

Marginalisées par la domination écrasante de l'anglais, les traductions du français sont également concurrencées par les langues latines, notamment dans le domaine de la littérature. On assiste, en effet, au renforcement de la position de certaines langues semi-périphériques comme l'espagnol et l'italien. La première connaît l'augmentation la plus spectaculaire, à la faveur de l'essor de l'édition en langue espagnole après la fin des dictatures : elle passe d'une moyenne de 1,7 % de la part de l'ensemble des traductions dans les années 1980 à 2,5 % dans les années 1990, pour atteindre 3,3 % en 2003, avec une progression de près de 160 % du nombre de traductions entre 1980 et 2000. L'italien s'est maintenu autour de 2,9 % durant les deux décennies, mais il atteint, à partir de 1997, 3 % et plus, tendance qui se confirme jusqu'en 2004 (avec un pic de 3,4 % en 2003).

Tableau 1. Évolution de la moyenne annuelle de livres traduits dans les années 1980 et 1990, par langues d'origine.

Langue	1980-1989*	1990-1999*	Hausse**
Anglais	24251	39808	*64 %*
%	*44,7*	*59,1*	*32 %*
Allemand	4678	6234	*33 %*
%	*8,6*	*9,3*	*7 %*
Espagnol	893	1737	*94 %*
%	*1,6*	*2,6*	*57 %*
Français	5853	6609	*13 %*
%	*10,8*	*10*	*– 8 %*
Italien	1595	1963	*23 %*
%	*2,9*	*2,9*	*– 1 %*
Russe	6213	1565	*–75 %*
%	*11,5*	*2,5*	*– 78 %*
Total trads	**54138**	**66964**	**24 %**

Source : Index Translationum

* Moyennes arrondies. Pourcentage en colonne.
** Pourcentage en ligne calculé à partir des moyennes avec décimales.

**Graphique 1. Évolution du nombre de livres traduits de l'anglais
et de toutes les langues, 1980-2002.**

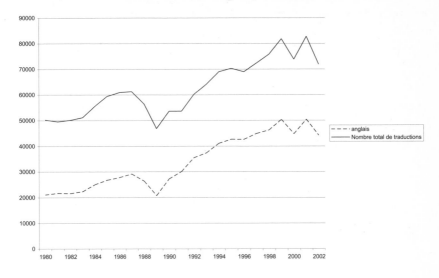

Source : Index Translationum

**Graphique 2. Évolution du nombre global de livres
traduits de l'allemand, de l'espagnol, du français,
de l'italien et du russe, 1980-2002.**

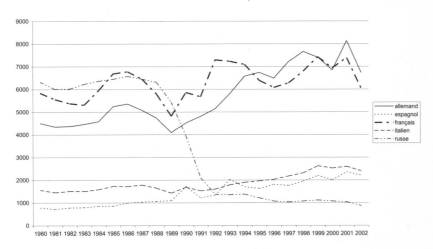

Source : Index Translationum

La domination croissante de l'anglais est visible à tous les niveaux linguistiques et nationaux, au centre comme à la périphérie, avec des variations dues à des facteurs géopolitiques et culturels. Entre les décennies 1980 et 1990, la proportion des traductions de l'anglais dans l'ensemble des livres traduits en français augmente d'une moyenne annuelle de 58 % à 66 % (le taux, de 57 % en 1980, atteint un pic de 67 % en 2000) ; si l'on ne considère que les traductions en français publiées en France, cette part avait déjà atteint la moyenne de deux tiers dans les années 1980 et s'y est maintenue[5]. La progression est encore plus importante pour les traductions de l'anglais en allemand et en espagnol, qui passent respectivement de 56 % à près de 70 % et de 47 % à 59 % entre 1980 et 2000.

Dans les petits pays fortement orientés vers les États-Unis, comme les Pays-Bas et Israël, la part de l'anglais atteint, voire dépasse les trois quarts des livres traduits, au détriment de l'allemand et du français : ce taux est atteint pour les traductions de l'anglais en néerlandais en 1997 (voir chapitre 11) ; entre 1980 et 2000, la part de l'anglais passe de 74 % à 90 % des traductions en hébreu, dont le nombre a doublé (voir chapitre 14). Au Brésil, le nombre de livres traduits de l'anglais a presque doublé pendant la période considérée, quand l'évolution des traductions du français n'a été que de +25 % (ce qui fait passer le rapport entre traductions de l'anglais et du français de 5 à 8 pour 1)[6].

La hausse s'observe aussi dans les contrées autrefois fermées aux productions anglo-américaines, comme les pays arabes et ceux d'Europe de l'Est. En arabe, la part de l'anglais augmente progressivement d'une moyenne de 35,1 % dans la décennie 1980 à 55,3 % dans la décennie 1990 pour atteindre les deux tiers entre 2000 et 2005 (voir chapitre 13 qui propose une réévaluation de ces données). La hausse la plus spectaculaire concerne les pays d'Europe de l'Est : en Hongrie, par exemple, on passe d'une moyenne de 22,3 % dans la décennie 1980 à 57 % dans la décennie 1990, alors que les traductions de l'allemand ne

---

5. En 1998, la part de l'anglais dans le nombre de titres acquis pour la traduction en français s'élevait également à deux tiers, ce qui corrobore le constat du point de vue des nouveautés et non plus seulement de l'ensemble des livres publiés. Jacqueline Favero, « Les cessions de droits à l'étranger », *L'Édition 1998-1999*, Paris, Syndicat national de l'édition, 2000, p. 51.

6. Marta Pragna Dantas, « La traduction de la littérature française au Brésil dans le contexte de la globalisation éditoriale », in Gisèle Sapiro (dir.), *Les Contradictions de la globalisation éditoriale, op. cit.*

progressent que de 12,5 % à 20 %, que le français stagne autour de 7 %, et que le russe chute de 17,5 % à 1,5 %. S'il faut, comme pour les pays arabes[7], imputer cette augmentation brutale à un processus de « rattrapage » après une longue période de fermeture à la production anglo-américaine, la rapidité du « rééquilibrage » n'en est pas moins frappante.

Ainsi, la diversification des échanges accompagne la domination croissante de l'anglais, qui, malgré les tentatives du français et de l'allemand de maintenir leur position, apparaît, de plus en plus, comme un règne sans partage. Le tableau 2 récapitule de manière synthétique l'évolution de la part globale des traductions des trois langues centrales dans diverses langues pour les décennies 1980 et 1990, avec une comparaison des années 1980 et 2002 qui donne une estimation de la progression.

LE FRANÇAIS, DEUXIÈME LANGUE CENTRALE

La position de la langue française sur le marché mondial de la traduction peut être estimée à partir de plusieurs indicateurs. Premièrement, la part des traductions du français dans les flux de traduction en toutes langues ; deuxièmement, la part des traductions en français dans ces flux ; troisièmement, le rapport entre extraduction et intraduction. Pour les deux premiers indicateurs, nous nous appuyons sur l'Index Translationum ; pour le troisième, sur les données du SNE.

On vient de voir que malgré la domination croissante de l'anglais, le français est resté une langue centrale. Première langue traduite aux États-Unis et au Royaume Uni (suivie de très près par l'allemand), le français arrive dans beaucoup de pays en deuxième position après l'anglais du point de vue du nombre de titres traduits. C'est surtout le cas, d'après les statistiques de l'Index Translationum, dans les pays de langue latine, Italie, Espagne, Brésil, Argentine, Roumanie, ainsi que dans les pays arabes et en Israël. En revanche, aux Pays-Bas, en Suède et, depuis 1989, dans la plupart des pays d'Europe de l'Est (Pologne, Hongrie, Tchécoslovaquie), le français arrive en troisième position après l'an-

---

7. Pour une mise en perspective historique des enjeux de la traduction en arabe, voir Richard Jacquemond, « Translation and cultural hegemony : the case of France-Arabic translation », in Lawrence Venuti (dir.), *Rethinking Translation. Discours, Subjectivity, Ideology*, London and New York, Routledge, 1992, pp. 139-158.

glais et l'allemand. Le français et l'allemand occupent une position très proche au Japon et en Corée, où leur part est dix fois inférieure à celle de l'anglais.

Après une chute au milieu des années 1990, le nombre de traductions de livres du français en d'autres langues a repris sa courbe ascendante. Le français semble avoir regagné sa centralité sur le marché mondial de la traduction, par un renforcement de sa position au niveau européen (les traductions en espagnol, en italien et en allemand, premières langues traductrices du français au niveau européen, semblent avoir augmenté) et par une conquête du marché asiatique.

Cette position centrale semble cependant menacée à terme. On enregistre en effet en deux décennies un net recul de la part des traductions du français dans différentes langues, au profit de l'anglais, qui progresse partout. Même lorsqu'elle augmente, comme dans les pays d'Europe l'Est, dont les marchés se sont ouverts à la traduction après la chute du mur, c'est dans une proportion très inférieure à l'anglais, comme l'illustre l'exemple du hongrois (voir tableau 2). Les tentatives de percée sur ce marché, où la concurrence avec l'anglais, pour occuper la place qui était celle du russe, est rude, restent inégales. La Pologne et la Tchécoslovaquie semblent plus réceptives que la Roumanie ou la Hongrie, pays qui se caractérisaient pourtant par leur «francophilie» par le passé. Pour la Russie elle-même, si le pourcentage de traduction du français a doublé entre les décennies 1980 et 1990, cette augmentation est moindre que pour l'anglais, dont la part augmente de 24 % à 59 % ; en outre, très élevée après la chute du mur (près de 18 % entre 1990 et 1995), la part des traductions du français a décru, pour retomber à 7,7 % dans la deuxième moitié de la décennie ; elle était de 7 % en 1999, contre 67 % pour l'anglais, celle de l'allemand s'établissant à 5,5 %[8].

Vivement ressentie dès la fin des années 1980, cette menace de marginalisation du livre en français sur un marché international en pleine expansion a entraîné la rationalisation des politiques d'aide à l'exportation et la mise en place de politiques spécifiques d'aide à la traduction dans les pays francophones, en particulier la France et le Québec. On se concentrera ici sur le cas de la France.

---

8. Les chiffres concernant les traductions en russe en 2000 sont étonnement bas, ce qui est sans doute dû à un problème de recensement cette année-là. C'est pourquoi nous préférons nous appuyer sur l'année 1999, qui enregistre 3 625 traductions en russe, chiffre plus plausible par rapport aux autres années.

Tableau 2. Part des langues centrales dans les traductions en allemand, espagnol, arabe, hébreu, hongrois et russe : comparaison des décennies 1980 et 1990 et des années 1980 et 2000.

Langues	1980-1989	1990-1999	80-89 %	90-99 %	1980	2000	1980 %	2000 %
Nb trads en allemand	91451	104902			8644	10574		
dont de l'anglais	51321	70243	56,1 %	67,0 %	4826	7335	55,8 %	69,4 %
dont du français	11645	11105	12,7 %	10,6 %	1206	1063	14,0 %	10,1 %
Nb trads en espagnol	77463	66137			6470	8415		
dont de l'anglais	40318	38589	52,0 %	58,3 %	3016	4948	46,6 %	58,8 %
dont du français	13810	10127	17,8 %	15,3 %	1348	1179	20,8 %	14,0 %
dont de l'allemand	7673	6057	9,9 %	9,2 %	709	670	11,0 %	8,0 %
Nb trads en arabe	3167	2874			374	774		
dont de l'anglais	1111	1589	35,1 %	55,3 %	166	540	44,4 %	69,8 %
dont du français	425	431	13,4 %	15,0 %	47	72	12,6 %	9,3 %
dont de l'allemand	132	124	4,2 %	4,3 %	16	24	4,3 %	3,1 %
Nb trads en hébreu	2720	1940			226	775		
dont de l'anglais	2010	1589	73,9 %	81,9 %	166	697	73,5 %	89,9 %
dont du français	217	107	8,0 %	5,5 %	18	31	8,0 %	4,0 %
dont de l'allemand	177	89	6,5 %	4,6 %	16	15	7,1 %	1,9 %
Nb trads en hongrois	9570	17702			766	2821		
dont de l'anglais	2136	10114	22,3 %	57,0 %	111	1623	14,5 %	57,5 %
dont du français	681	1373	7,1 %	7,8 %	60	259	7,8 %	9,2 %
dont de l'allemand	1198	3552	12,5 %	20,1 %	91	607	11,9 %	21,5 %
dont du russe	1681	268	17,6 %	1,5 %	183	18	23,9 %	0,6 %
Nb trads en russe	23977	32791			2294	429		
dont de l'anglais	5804	19326	24,2 %	58,9 %	605	134	26,4 %	31,2 %
dont du français	1651	4589	6,9 %	14,0 %	128	14	5,6 %	3,3 %
dont de l'allemand	1835	2296	7,7 %	7,0 %	176	42	7,7 %	9,8 %

Source : Index Translationum

L'aide à l'extraduction, avait été transférée en 1976 du ministère des Affaires étrangères à la nouvelle Direction du livre et de la lecture (DDL), rattachée au ministère de la Culture. Elle a été confiée, en 1998, au Centre national du livre (CNL), qui en dépend. En 1991, les missions concernant les aides à l'exportation, qui étaient jusque-là éclatées entre différents organismes (Fonds culturel, Opef, regroupements par spécialités), furent attribuées à France-Édition[9]. En 2003, l'Office de promotion internationale est devenu le Bureau international de l'édition française (BIEF), structure associative soutenue par les ministères de la Culture et de la communication et des Affaires étrangères, qui travaille en colla-

---

9. Yves Surel 1997, *L'État et le livre*, *op. cit.*, pp. 289-300 ; François Rouet, *Le Livre. op. cit.*, pp. 351 *sq.*

boration avec le Syndicat national de l'édition, le Centre d'exportation du livre français (CELF) et la Centrale de l'édition. Outre le soutien à la distribution du livre français à l'étranger par la réduction des coûts de transport et les subventions aux libraires, ces aides incluent la promotion de projets de co-édition avec des éditeurs étrangers et d'évènements comme les foires et salons. En 1998, des subventions à l'extraduction ont été accordées à 376 ouvrages pour un montant de près de 4,6 millions de francs. Actuellement, le CNL consacre 1 million d'euros, soit 4 % de son budget global pour aider plus de 500 ouvrages par an[10].

Le ministère des Affaires étrangères (MAE), qui privilégiait traditionnellement la défense de la langue française dans le monde, a mis en place en 1990 un Programme d'aide à la publication (PAP) de traductions d'ouvrages français, en particulier du 20e siècle, dans tous les domaines : littéraire, artistique, technique et scientifique. Ce programme s'appuie sur trois principaux moyens : la prise en charge des droits d'auteurs, les aides à la traduction et le soutien promotionnel comme, par exemple, l'invitation de l'auteur[11]. La réorientation de la politique de diffusion du livre français à l'étranger s'est effectuée en étroite coopération avec les acteurs du marché du livre. Outre le bureau du livre français, mis en place à New York en coopération avec le ministère de la Culture et le Syndicat national de l'édition, dans nombre de pays (comme la Turquie ou Israël) des postes de chargés du livre ont été créés au sein des services culturels français, des enquêtes ont été menées sur le marché éditorial local et sur la situation du livre français dans ces pays[12]. Au vu du rééquilibrage de la part des traductions du français sur le marché mondial et plus particulièrement dans les pays où elle a été mise en place, on peut penser que cette politique a porté ses fruits, ce que confirment la plupart des éditeurs qui en ont bénéficié, parmi ceux qui nous ont accordé un entretien[13].

---

10. Voir le rapport réalisé par Marie Blondiaux, *Les Aides à l'extraduction du Centre national du Livre*, rapport pour le CNL, novembre 2007.

11. Entretiens avec Yves Mabin, directeur de la division de l'écrit et des médiathèques au ministère des Affaires étrangères, juillet 2005 et Roselyne Déry, attachée pour le livre et l'écrit auprès de l'Ambassade de France en Israël, 26 mai 2005.

12. Par exemple, sur l'édition israélienne (1994) et sur l'édition anglaise (2006). Ces rapports m'ont été aimablement communiqués par Roselyne Déry et Hervé Ferrage.

13. Notamment des éditeurs de petites maisons d'édition aux États-Unis, dans les pays arabes, en Israël et au Chili.

L'ÉVOLUTION DES TRADUCTIONS EN FRANÇAIS

La part des livres traduits en français dans le marché mondial des traductions est passée de 10 % à 13 %, soit une hausse d'un tiers (graphique 3). Le nombre de traductions annuelles en français, rééditions et réimpressions incluses, a doublé entre 1980 et 2002, passant, d'après les données de l'Index Translationum, de 5 000 à 10 000 environ. Environ trois quarts de ces traductions ont paru en France : 3 698 et 7 833 respectivement.

Cette hausse de 100 % est deux fois plus élevée que le taux d'augmentation de l'ensemble des traductions dans le monde, qui est de 50 % comme on l'a vu. La progression a été cependant irrégulière. La part des traductions en français s'est réduite de moitié au début de la période, passant de 10 % en 1980 à 5 % en 1986, avant de remonter dans les années 1990. L'écart tient au fait que le nombre global de traductions tend à augmenter jusqu'en 1986, alors que le nombre de traductions en français a diminué, passant de 5 000 en 1980 à 3 300 en 1986 ; cette chute est due aux traductions publiées en France, qui se divisent par deux, tombant à 1 800 titres en 1986 (mis à part une hausse en 1984). Ce n'est qu'à partir de 1987 que l'augmentation est constante (voir graphique 4), au point d'inverser le rapport dans les années 1990, le nombre de traductions en français croissant plus que l'ensemble des traductions.

Graphique 3. Évolution de la part des traductions en français dans le nombre total des livres traduits : littérature et tous domaines confondus, 1980-2002.

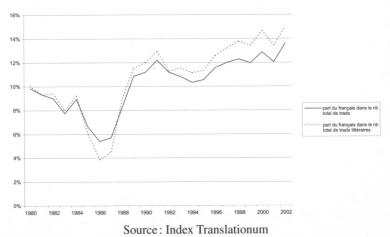

Source : Index Translationum

Graphique 4. Évolution du nombre de traductions en français par comparaison à l'ensemble des traductions dans le monde, 1980-2002.

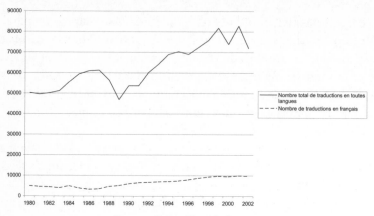

Source : Index Translationum

Que la courbe de l'évolution des traductions en français ne coïncide pas avec celle de l'évolution globale du nombre de traductions dans le monde montre bien que la croissance de ce marché au niveau national n'est pas le reflet mécanique de la conjoncture internationale. Cette évolution ne semble pas non plus être le simple reflet de la croissance du marché français. En premier lieu, la part des traductions dans la production nationale a sensiblement augmenté, passant de 10 % au plus dans les années 1960 (moins de 2 000 titres[14]) à 14 % en 1970[15] et de 15 % à 18 % entre 1985 et 1991, ce qui renvoie pour cette dernière période à une hausse de plus de 50 % de livres traduits par an (d'environ 3 000 à 4 400 nouveaux titres)[16]. Ce taux a continué d'augmenter avant de retomber au début du deuxième millénaire : en 2005, il se situait à 15,9 %, ce qui représente néanmoins deux fois plus de nouveaux titres traduits qu'au début des années 1990 (8 512)[17].

---

14. *La Quinzaine littéraire*, 1er avril 1966. Il n'est pas précisé si le chiffre concernant les traductions inclut les réimpressions, mais si c'est le cas, la proportion est encore moindre.

15. Claire Girou de Buzareingues, « Les traductions en 1979 », *Livre-Hebdo*, n° 7, 17 février 1981.

16. Valérie Ganne et Marc Minon, « Géographies de la traduction », in François Barret-Ducrocq (dir.), *Traduire l'Europe*, Paris, Payot, 1992, p. 79.

17. Fabrice Piault, « Littérature étrangère : la pente anglaise », *Livres-Hebdo*, n° 646, 19 mai 2006, p. 7.

Par ailleurs, à l'exception du pic de 1984, la courbe du nombre de traductions diverge de l'évolution du marché du livre national, qui a vu le nombre global de livres (nouveautés et réimpressions) chuter au début des années 1980 pour remonter de façon constante de 1981 à 1986 – avec cependant une baisse du nombre de réimpressions en 1985[18] –, alors que le nombre de traductions continue de dégringoler jusqu'en 1983, puis à nouveau après 1984. En revanche, à partir de 1987, l'évolution des traductions semble coïncider plus étroitement avec la conjoncture du marché national, qui a connu une hausse soudaine entre 1988 et 1990 (+8,8 % et +7 %), puis un léger recul en 1992 (-2,2 %) et en 1999 (-2,2 %), la progression au milieu des années 1990 ayant été ralentie, selon les données du SNE.

On peut émettre l'hypothèse que les traductions ont accusé un retard par rapport à la croissance du marché éditorial français au début des années 1980, retard qui tient non seulement aux délais de traduction mais aussi à la spécificité de ce secteur, plus coûteux, caractérisé, de ce fait, par une plus grande prudence. En revanche, pris dans la dynamique internationale, ce secteur a connu un très fort développement à partir de 1987, avec un pic au début des années 1990, puis un autre à la fin de la décennie. Cette dynamique, sans doute favorisée par la conjoncture économique des négociations du cycle de l'Uruguay, par la multiplication des discours sur la mondialisation et sur la diversité culturelle, par la perspective politique de la construction européenne, a été soutenue par la mise en place de la politique d'aide à l'intraduction et investie par un ensemble d'acteurs (éditeurs, agents littéraires, traducteurs).

Outre la politique d'aide à l'extraduction de livres français, dont on trouve des équivalents dans de nombreux pays, un système d'aides à l'intraduction d'ouvrages de littérature et de sciences humaines et sociales a en effet été institué en 1987, à l'initiative de Jean Gattégno, alors directeur du livre et de la lecture, lui-même traducteur de l'anglais (notamment de Lewis Carroll et Oscar Wilde)[19]. L'enveloppe globale du CNL est passée de 4 millions de francs en 1990 à 7 millions en 1991. Les éditeurs pouvaient désormais compter sur des aides importantes à

---

18. Voir le tableau « Production en titres : total, nouveautés et nouvelles éditions, réimpressions. Évolution 1977-1986 », in Syndical national de l'édition, *Données statistiques sur l'édition de livres en France. Année 1986*, Cercle de la librairie, 1987, p. 22.

19. Entretien avec Marc Olivier Baruch, directeur d'études à l'EHESS, ancien chef du département du livre et des bibliothèques du CNL, 7 mars 2006.

la traduction : le CNL a, par exemple, contribué à l'édition de 209 traductions en 1990 et 271 en 1991[20]. On note cependant une baisse relative
de la part des ouvrages traduits au sein des ouvrages subventionnés, de
près de la moitié en 1992 à un tiers en 1998. Ce système, qui inclut la
prise en charge d'une partie des frais de traduction, après examen par
les commissions spécialisées du Centre national du livre, et l'organisation de manifestations comme « Les Belles étrangères », consacrées tous
les deux ans à la littérature d'un pays, est une spécificité française. En
effet, lorsque de telles aides existent, comme en Israël, elles sont généralement réservées aux classiques érigés au rang de chefs-d'œuvre de
la littérature universelle. S'il ne contribue que pour une part très limitée
à l'augmentation de nombre de traductions, le soutien à l'intraduction
a un poids qualitatif très important dans la diversité de l'offre, notamment du point de vue des langues d'origine.

    En effet, si l'on s'interroge à présent sur les langues traduites, il
apparaît que, conformément à la tendance mondiale, c'est le nombre de
traductions de l'anglais en français qui a connu la plus forte hausse en
chiffres absolus : leur nombre (rééditions comprises) a plus que doublé,
passant de 2 800 en 1980 à 6 400 en 1999, chiffre qui se maintient au
début des années 2000 (la progression a été régulière après une chute
en 1986). Si l'on ne considère que les traductions publiées en France,
l'évolution est un peu moindre (on passe de 2 373 à 5 665). En effet,
alors que la part des traductions de l'anglais en français dans le monde
a globalement augmenté, de 57 % à 66 % environ (pourcentage atteint
dès 1988), pour les traductions parues en France elle s'élevait d'ores et
déjà à deux tiers au début des années 1980 et n'a donc pas varié, même
si un record de 73 % a été atteint en 1988. Le décalage d'environ 10 %
avec la moyenne mondiale, qui est passée, rappelons-le, de 45 % dans
la décennie 1980 à 59 % dans la décennie 1990, s'explique par la place
que les traductions du français occupent sur ce marché, dont elles représentent précisément environ 10 %. En revanche, la France se singula-
rise donc par la stabilité relative de la part des traductions de l'anglais.
Le fait que ce pourcentage n'ait pas évolué tient sans doute en bonne
partie à la politique active d'aide à l'intraduction par le Centre national
du livre (CNL) qui a, depuis la fin des années 1980, permis de main-

---

20. Valérie Ganne et Marc Minon, « Géographies de la traduction », art. cité, p. 68.
Voir aussi Dominique Colas, « Les politiques d'aide », in François Barret-Ducrocq
(dir.), *Traduire l'Europe, op. cit.*, p. 97-124.

tenir, voire d'accroître la diversité culturelle sur le marché du livre, au pôle de production restreinte (voir chapitre 4 et 6) : ainsi, par exemple, entre 2003 et 2006, le CNL a accordé des aides à des ouvrages traduits de plus de trente langues.

L'allemand est, de loin, la langue la plus traduite en français après l'anglais : elle représente 10 % des traductions en français pendant la période, avec une moyenne annuelle de 672 livres (rééditions et réimpressions comprises), soit six fois moins que l'anglais (4 100). De l'italien proviennent 5 % des traductions (321 par an en moyenne), de l'espagnol et du russe 3 % (224 et 215). Cette répartition correspond à la structure du marché mondial de la traduction, exposée ci-dessus, à ceci près que l'italien et l'espagnol, langues latines proches du français, sont légèrement surreprésentées (mais l'écart est surtout, comme pour l'anglais, un effet mathématique de la redistribution entre les langues en l'absence des traductions du français). Viennent ensuite le japonais (106), l'arabe (50), l'hébreu (36) et le suédois (32) (voir tableau 3).

Tableau 3. Nombre annuel moyen de traductions en français, par langues d'origine, 1980-2002.

Langue d'origine	Nombre annuel moyen de traductions en français
Anglais	4 100
Allemand	672
Italien	321
Espagnol	224
Russe	215
Japonais	106
Arabe	50
Hébreu	36
Suédois	32

Source : Index Translationum

Ces moyennes masquent toutefois la forte évolution qui s'est opérée pendant cette période (voir graphique 5). Similaires pour les traductions en français de l'allemand, de l'italien et de l'espagnol, les courbes suivent nettement l'évolution générale, avec une baisse d'un peu plus d'un tiers entre 1980 et 1986[21], puis une progression régulière. À la fin de la période, le nombre annuel de traductions atteint environ 1 000 pour l'allemand, près de 600 pour l'italien et 400 pour l'espagnol, soit presque le double de la moyenne de la période pour ces deux dernières langues. L'augmentation s'est cependant effectuée dans des proportions différentes, les traductions de l'allemand n'ayant augmenté que de 50 % entre 1980 et 2002, contre 150 % pour l'italien et plus de 200 % pour l'espagnol. Les traductions de langues asiatiques sont parmi celles qui ont connu le plus fort développement, tandis que celles d'Europe de l'Est ont chuté à la suite des évènements de 1989[22].

Graphique 5. Évolution du nombre de traductions de l'italien, l'espagnol et l'allemand en français, 1980-2002.

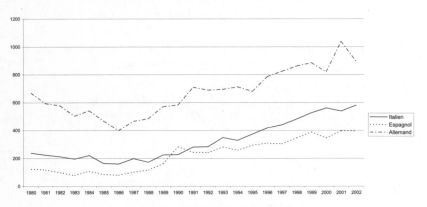

Source : Index Translationum

---

21. Pour l'allemand, le nombre de traductions passe de 670 en 1980 à 400 en 1986. Pour l'italien, ce nombre baisse de 240 à 160, soit une diminution d'un tiers, ce qui est un peu moins que l'allemand (baisse de 40 %) et l'anglais (baisse de 37 %). De même, le nombre de traductions de l'espagnol passe de 124 en 1980 à 80 en 1986, soit une baisse de 35 %. Rappelons qu'on ne peut pas tirer de conclusions sur les différences entre ces pourcentages, en raison de la fiabilité très limitée des données de l'Index (voir chapitre 2).

22. Pour une analyse détaillée de l'évolution des traductions d'Europe de l'Est, voir le chapitre 9.

POSITION DU FRANÇAIS PAR RAPPORT AUX AUTRES LANGUES

L'évolution du ratio des flux de traductions entre le français et les langues centrales ou semi-périphériques constitue un indicateur de stabilité ou au contraire de variation. Le ratio des traductions de l'anglais en français et du français en anglais a quasiment doublé entre 1980 et 2002, ce qui signifie que la hausse des premières n'a pas eu d'équivalent dans l'autre sens ; la progression est encore plus marquée pour les traductions littéraires, qui ont donc fortement contribué à creuser l'écart entre les flux dans les deux sens (voir graphique 6). Le ratio des traductions du français en allemand et de l'allemand en français s'est en revanche presque divisé par deux au cours de la période (voir graphique 7). Avec l'espagnol, l'écart entre le début et la fin de la période est encore plus important (voir graphique 8). Les trois courbes montrent que le creux des traductions en français au milieu des années 1980 était un phénomène conjoncturel spécifique au marché français. En revanche, la tendance générale est bien à un relatif affaiblissement de la centralité du français. On notera la croissance spectaculaire du flux des traductions littéraires de l'anglais en français par rapport au flux en sens inverse. Si la présence de la littérature française en Allemagne demeure plus importante que celle de la littérature allemande en France, les auteurs espagnols sont parvenus à s'imposer sur le marché français pendant la période.

Graphique 6. Évolution du ratio des traductions de l'anglais en français et du français en anglais, 1980-2002 – littéraires et tous domaines confondus.

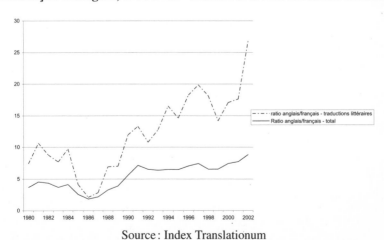

Source : Index Translationum

**Graphique 7. Évolution du ratio des traductions du français
en allemand et de l'allemand en français, 1980-2002 –
littérature et tous domaines confondus.**

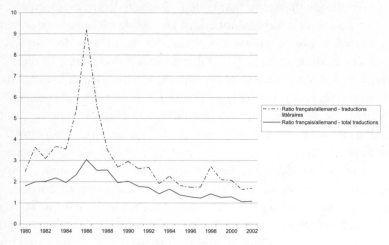

Source : Index Translationum

**Graphique 8. Évolution du ratio des traductions du français
en espagnol et de l'espagnol en français, 1980-2002 –
littérature et tous domaines confondus.**

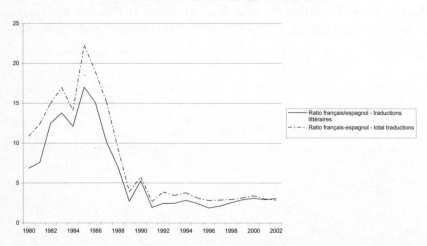

Source : Index Translationum

Le ratio entre le nombre annuel de contrats de cession et d'acquisition de droits pour la traduction signés par les éditeurs français, à partir des données recueillies par le SNE, permet de compléter ces indicateurs concernant la position de l'édition française sur le marché mondial de la traduction, en donnant une idée plus précise des échanges concernant la production contemporaine (les classiques étant libres de droits).

Dans toutes les langues, l'anglais excepté, les éditeurs français vendent plus de titres pour la traduction qu'ils n'en acquièrent, signe de leur position à la fois centrale et dominante sur ce marché, même si cette position se trouve fragilisée par la part croissante de la production en langue anglaise. À part l'anglais pour lequel il est inférieur à 1, le ratio des cessions/acquisitions est, pour toutes les langues, supérieur à 2, et peut atteindre jusqu'à 95 (c'était le cas avec le portugais en 2004).

La comparaison du nombre de titres dont les droits de traduction ont été cédés et acquis par les éditeurs français en 1993 et 2004 permet d'évaluer de manière plus précise les variations au cours de la période qui nous intéresse (voir tableaux 8 à 10). Ces années nous serviront de référence, mais il ne faut cependant pas surinterpréter les chiffres qui ne sont présentés ici qu'à titre indicatif des tendances générales, en l'absence de données antérieures, surtout pour l'année 1993 : les variations conjoncturelles d'une année sur l'autre sont trop importantes, et dues en partie au fait que la liste des éditeurs ayant fourni les renseignements nécessaires est variable, pour qu'on puisse leur accorder une signification en tant que telles. Afin de pondérer ces données assez aléatoires et de distinguer les variations conjoncturelles des évolutions structurelles, on a établi des moyennes sur cinq ans (1996-2000[23] et 2001-2005) qui permettent d'appréhender les évolutions au cours de la décennie 1996-2005 (tableaux 4, 6 et 10).

Le nombre de titres dont les droits ont été cédés par des éditeurs français pour la traduction a presque doublé entre le début des années 1990 (3 359 en 1993) et le début des années 2000, moment où il se stabilise autour de 6 000[24]. Cette augmentation concerne toutes les langues

---

23. Faute de données concernant les acquisitions pour l'année 1996, nous avons calculé cette moyenne sur quatre ans (1997-2000).

24. 5 956 en 2003, 6 077 en 2004 ; l'année 2002 a cependant connu une baisse, avec 4 698 cessions. Voir Jean Mattern, « Stabilités », *Repères statistiques. International*, Syndicat national de l'édition, 2004. Ces chiffres n'ont qu'une valeur indicative, rappelons-le, parce que le nombre d'éditeurs les déclarant varie d'une année sur l'autre, ce qui entraîne de fortes variations, renforcées également par les acquisitions en série.

à l'exception de l'anglais, où l'on constate une baisse très importante : alors que 505 titres avaient été cédés en 1993 pour la traduction en anglais, il n'y en avait plus que 304 en 2004. Intervenue dès le milieu des années 1990, cette chute n'a rien de conjoncturel, semble-t-il. Le nombre annuel moyen de titres cédés entre les années 1996-2004 et 2001-2005 tombe de 378 à 347. La baisse des traductions du français en anglais est largement compensée par l'augmentation des titres cédés pour les autres langues, comme en témoigne le fait que la part de l'anglais parmi les contrats de cessions tombe de 15 % en 1993 à une moyenne de 7 % de 1997 à 2004, soit la moitié.

Tableau 4. Évolution de la moyenne annuelle de titres cédés par les éditeurs français : 1996-2000 et 2001-2005.

Langues	1996-2000*	2001-2005*	Progression**
Anglais	378	347	*– 8,3 %*
Allemand	357	321	*– 10,1 %*
Arabe	49	70	*43,4 %*
Bulgare	77	87	*13,0 %*
Chinois	218	371	*70,0 %*
Coréen	323	425	*31,4 %*
Espagnol	562	665	*18,3 %*
Grec	247	231	*– 6,5 %*
Hongrois	70	71	*1,4 %*
Italien	509	550	*8,1 %*
Japonais	220	204	*– 7,3 %*
Néerlandais	181	173	*– 4,6 %*
Polonais	165	177	*7,4 %*
Portugais	463	520	*12,4 %*
Roumain	212	200	*– 5,5 %*
Russe	123	213	*73,5 %*
Serbe	39	75	*92,3 %*
Tchèque	103	118	*15,0 %*
Turc	159	173	*9,1 %*
Total langues	**5 259**	**5 697**	*8,3 %*

Source : SNE

* Moyenne arrondie à l'unité
** Pourcentage calculé à partir des moyennes avec décimales

Le constat d'une augmentation des traductions du français vers d'autres langues doit cependant être relativisé dans la mesure où elle est nettement inférieure à la croissance de la production en nombre de titres : celle-ci a plus que triplé pendant la période, passant de 20 709 en 1993 à 65 745 en 2003 selon les données du SNE, alors que le nombre de cessions n'a évolué que de 80 % (il passe de 3 359 à 6 077).

En outre, étant donné le rôle de l'anglais comme langue de médiation dans certains pays, rôle accru du fait du recul général de la maîtrise du français, elle risque d'avoir des répercussions, à terme, sur les traductions du français en d'autres langues. En effet, la rareté des compétences linguistiques joue en faveur de l'anglais : le vivier des traducteurs est plus important et la compétition entre eux plus serrée, ce qui permet d'abaisser les coûts de traduction pour des produits équivalents (le calcul inverse intervient, toutefois, notamment pour les petits éditeurs, lorsque les droits d'acquisition de l'anglais sont trop coûteux).

Le rôle de médiation, sinon pour la traduction, du moins pour l'accès premier à un texte, est une propriété des langues centrales. Deuxième langue centrale, le français reste une langue de médiation, notamment vers l'anglais et l'espagnol. Pour accéder à des œuvres écrites en langues périphériques, les éditeurs du continent américain ont en effet souvent recours à la traduction en français, qui sert de premier contact avec l'œuvre, avant de rechercher un lecteur et/ou un traducteur compétent dans la langue. « Si on me soumet un livre en néerlandais, j'attends qu'il soit traduit en français. Et je le lis », raconte cette éditrice de la marque (imprint) littéraire d'un grand groupe américain, qui explique que l'allemand joue le même rôle pour les livres d'Europe de l'Est (entretien réalisé le 5 octobre 2007 ; traduit de l'anglais). De même cet éditeur d'une petite maison chilienne évoque l'exemple d'ouvrages en danois et en arabe pour lesquels le français a servi de médiation :

> « […] une bonne partie de nos traductions vient de la lecture du français avant, particulièrement en littérature. L'anglais évidemment, il y a plusieurs [personnes] dans le comité éditorial qui le parlent, mais la plupart des traductions du russe que l'on a faites, la plupart des traductions de l'allemand que l'on a faites, on a lu les livres en français. » (entretien réalisé le 26 mars 2008).

Sous ce rapport, on peut dire que, en partie grâce à la politique d'aide à l'intraduction évoquée ci-dessus, le français contribue au maintien d'une certaine diversité linguistique sur le marché mondial de la traduction, au pôle de production restreinte. Avec l'essor de l'édition en Espagne, la langue espagnole joue de plus en plus un rôle équivalent, notamment dans l'édition américaine, où elle commence à supplanter le français.

Depuis le milieu des années 1990, ce n'est plus l'anglais qui arrive en tête du point de vue du nombre de titres d'ouvrage en français cédés pour la traduction, mais l'espagnol, avec 713 titres acquis en 2004, soit deux fois plus qu'en 1993. Sa part s'est cependant maintenue à 11 % des cessions en moyenne. Le nombre moyen de titres cédés annuellement pour être traduits en espagnol passe de 550 entre 1996 et 2000 à 665 entre 2001 et 2005.

Il est suivi, pour la période, de l'italien (11 % des cessions en moyenne) et du portugais (9 % des cessions en moyenne). Dans les deux cas, le nombre moyen de titres cédés annuellement est en hausse : entre 1996-2000 et 2001-2005, on passe de 520 à 462 titres cédés pour la traduction en portugais (dont 60 % au Portugal et 40 % au Brésil), et de 500 à 550 pour l'italien.

La part de l'allemand dans l'ensemble des cessions est équivalente à celle de l'anglais pour la période, 7 % en moyenne, avec une légère tendance à la baisse : entre 1996-2000 et 2001-2005, on passe d'une moyenne de 357 à 321 titres cédés annuellement.

L'augmentation la plus spectaculaire du nombre de contrats de cession de droits pour la traduction du français concerne les langues asiatiques, le coréen (6 % des cessions en moyenne) et le chinois (4 %), pour lesquels ils ont été multipliés par cinq ou six (ils passent respectivement de 61 et 73 à 389 et 368). Entre 1996-2000 et 2001-2005, la moyenne annuelle passe de 323 à 425 titres cédés pour le coréen et de 218 à 371 pour le chinois. Cette évolution les a hissées en quatrième et cinquième position des langues traduisant le plus de français, à la place qu'occupaient auparavant l'allemand et l'anglais (voir tableau 5).

En revanche, au Japon, où le marché éditorial est plus développé et les traductions du français déjà bien implantées, notamment grâce au travail du Bureau des copyrights en français (BCF), fondé en 1952, la hausse du nombre de titres cédés n'a pas été significative, sa part se maintenant autour de 4 % de l'ensemble des cessions. On relève même

plutôt une tendance à la baisse, le nombre moyen de titres cédés annuellement était tombé de 220 entre 1996 et 2000 à 204 entre 2001 et 2005,
alors que le nombre de traductions du japonais en français a été multiplié par quatre, à la faveur de la vogue des mangas, notamment, atteignant près de 100 titres par an (soit environ 7 % des acquisitions contre
1 % auparavant). Pourtant, nombre de petites et moyennes maisons d'édition nées dans les années 1980 ont investi dans la littérature française,
à la suite du retentissement de *L'Amant* de Marguerite Duras. Les écrivains contemporains y trouvent un public : *La Salle de Bain* de Jean-
Philippe Toussaint y a eu un écho sans équivalent ailleurs, y compris en
France ; les tirages des traductions d'Hubert Mingarelli dépassent ceux
des éditions originales, et si la littérature à grande diffusion n'est pas
négligée, les éditeurs japonais recherchent aussi des œuvres plus
exigeantes comme celles de Marie NDiaye[25]. En sciences humaines et
sociales, l'intérêt pour les ouvrages en français est médiatisé, ici comme
ailleurs, par le succès aux États-Unis de la *French Theory*, dont les
auteurs-phares sont traduits dans le monde entier : Baudrillard – qui fait
l'objet d'un véritable culte au Japon –, Foucault, Deleuze, Derrida,
Barthes, auxquels s'ajoute Bourdieu, à côté d'ouvrages pour le grand
public, comme ceux du philosophe Comte-Sponville.

Les traductions du français en arabe et en hébreu ont également
connu un important développement pendant la période : le nombre de
contrats a été multiplié par quatre entre 1993 et 2004 (de 10 à 45 et de
18 à 80 respectivement). Entre 1996-2000 et 2001-2005, la moyenne
annuelle de titres cédés est passée de 49 à 70 pour l'arabe et de 27 à 44
pour l'hébreu.

Comme pour l'espagnol et le portugais, cette évolution n'est pas
conjoncturelle, mais correspond à une tendance de longue durée, due
au développement des marchés éditoriaux dans les pays concernés, sur
lesquels les livres français trouvent des débouchés, notamment chez les
petits éditeurs indépendants. Elle est également le fruit de la mise en
place du Programme d'aide à la traduction (PAP) par le ministère des
Affaires étrangères, comme on le verra pour le cas des traductions du
français en hébreu (voir chapitre 14).

En Europe, l'accroissement de la demande de traductions du français varie entre 20 % et 200 % : c'est en Grèce, au Portugal et en Espagne

---

25. Entretien avec Corinne Quentin, directrice du Bureau des copyrights français
de Tokyo, 26 mars 2007.

qu'elle est la plus élevée (le nombre de titres cédés double ou triple entre 1993 et 2004), en rapport avec le développement de l'édition dans ces pays à partir des années 1990. Il en va de même, mais plus modérément, dans certains pays d'Europe de l'Est, à la faveur de l'ouverture de leurs marchés après la chute du communisme : le nombre de titres cédés pour être traduits en russe, en serbe et, dans une moindre mesure, en tchèque, est en hausse. En revanche, pour les autres langues, il n'y a pas de véritable évolution : le nombre de titres cédés stagne autour de 200 en moyenne pour le roumain et varie entre 100 et 200 par an pour le polonais, entre 60 et 80 pour le hongrois.

Enfin, en Amérique latine, pour laquelle nous ne disposons de ventilation par pays que depuis 1996, la situation semble se caractériser par une évolution très modérée, due aux limites auxquelles se heurte la volonté d'expansion de l'édition dans les pays hispanophones face à la domination croissante de groupes espagnols comme Planeta sur le marché latino-américain. On note cependant, sans doute à la faveur de la mise en place du PAP, une augmentation des traductions du français dans les centres éditoriaux, au Mexique, où elle paraît significative et durable (avec une moyenne de 46 titres par an), malgré de fortes variations, et en Argentine où, après une hausse très substantielle entre 1996 et 1998, de 22 à 91, le nombre de titres cédés est retombé à une soixantaine, puis à une quarantaine (pour une moyenne de 54 titres par an). Cette hausse semble avoir eu des répercussions dans d'autres pays (Chili, Colombie), mais celles-ci sont demeurées ponctuelles.

Au Chili, pays où, en l'absence d'une politique publique jusqu'à une date récente[26], et du fait de la TVA de 19,6 %, le livre coûte cher (son prix est trois fois plus élevé qu'en Argentine) et se vend peu, le PAP Neruda aide à la traduction d'environ six ou sept ouvrages du français par an, ce qui représente la moitié du nombre annuel de nouveaux titres traduits du français dans ce pays (ce chiffre inclut les classiques libres de droit, il est donc supérieur

---

26. Une telle politique a été adoptée à la suite de la création d'un ministère de la Culture, à l'instigation de l'association des éditeurs indépendants, universitaires et autonomes, qui ont élaboré une proposition, mais elle n'a pas encore été véritablement mise en place. Editores de Chile, *Una política de Estado para el libro y la lectura. Estrategia integral paral el fomento de la lectura y el desarrollo de la industria editorial en Chile*, Santiago, Fundación Chile Veintiuno et Asociación de Editores de Chile, 2005 ; Consejo Nacional de la Cultura y las Artes, *Política nacional del libro y la lectura*, Chile, 2006.

aux nombres de contrats de cession)[27]. Les droits des ouvrages de littérature contemporaine les plus demandés étant acquis par les maisons espagnoles, à quelques exceptions près (les éditions Lom ont ainsi acheté récemment les droits de traduction d'un récit de Laurent Mauvignier), cette politique a été recentrée depuis quelques années sur les sciences humaines et sociales, en fonction de la demande des éditeurs, et, plus récemment, sur les livres illustrés pour la jeunesse.

Face aux grands groupes espagnols, les petits éditeurs indépendants d'Amérique latine tentent de former un réseau et de profiter des aides de l'État français là où elles sont le plus avantageuses, pour diffuser l'ouvrage dans les autres pays, ce qui limite la signification des variations par pays. Plutôt que de véritables coéditions d'un même livre, il s'agit souvent d'un cofinancement de la traduction, chaque maison faisant ensuite sa propre édition et la diffusant sur le territoire national, comme nous l'a expliqué un éditeur chilien. En effet, la circulation des livres sur l'ensemble du marché latino-américain est loin d'être acquise. La France a mis en place une politique visant à favoriser la régionalisation des activités culturelles dans le cône sud, notamment les coéditions et la circulation des traductions du français, ainsi que les aides à la publication[28].

Au Brésil, en revanche, on note une progression assez régulière, bien que légère, du nombre de contrats de cession, qui dépasse les 200 depuis 1998. On a vu cependant que la progression du nombre de traductions du français était bien inférieure à celle de l'anglais.

Concernant les acquisitions, les résultats sont encore plus aléatoires, en l'absence de chiffres de certains éditeurs ayant une importante activité de traduction, et en l'absence de données pour l'année 1996 : nous avons donc calculé cette fois la moyenne pour les années 1997-2000. En outre, comme le signalait le président de la commission internationale du Syndicat national de l'édition, Jean Mattern, les variations de ce marché sont très importantes en raison de l'achat de séries (en BD et en jeunesse, notamment).

La part d'acquisitions de titres de l'anglais s'établissait en moyenne à deux tiers (dont la moitié en provenance des États-Unis et un tiers de

---

27. Entretien avec Alain Bourdon, attaché culturel auprès de l'Ambassade de France à Santiago du Chili, 31 mars 2008.

28. Entretien avec Laurent Bonneau, conseiller régional de coopération à Santiago du Chili, 26 mars 2008.

Grande-Bretagne), soit le même pourcentage que nous avons relevé pour l'ensemble des traductions (rééditions comprises) publiées dans les années précédentes. Mais cette moyenne masque de fortes variations pendant cette période : dans les années 1990, la part de l'anglais avait atteint les trois quarts du nombre total de titres dont les droits ont été acquis pour être traduits en français ; cette part chute brusquement à partir de 1998, tombant à un tiers en 2002, pour remonter l'année suivante à deux tiers, puis à 70 % en 2004. Cette baisse est aussi significative en valeurs absolues : le nombre de titres acquis de l'anglais s'est divisé par deux entre 1993 et 2000 (de 1 224 à 630), pour remonter ensuite, sans dépasser les mille. D'une moyenne annuelle de 847 entre 1997 et 2000, il a baissé à 822 entre 2000 à 2005 (voir tableau 6).

**Tableau 5. Les vingt langues arrivant en tête des cessions
(par ordre décroissant).**

1996-2000	2001-2005
Espagnol	Espagnol
Italien	Italien
Portugais	Portugais
Anglais	Coréen
Allemand	Chinois
Coréen	Anglais
Grec	Allemand
Japonais	Grec
Chinois	Russe
Roumain	Japonais
Néerlandais	Roumain
Polonais	Polonais
Turc	Néerlandais
Russe	Turc
Tchèque	Tchèque
Bulgare	Bulgare
Hongrois	Serbe
Catalan	Hongrois
Danois	Catalan
Arabe	Arabe

Source : SNE

Tableau 6. Évolution de la moyenne annuelle de titres acquis par les éditeurs français entre 1997-2000 et 2001-2005.

Langues	1997-2000*	2001-2005*	Progression*
Allemand	79	103	*30,8 %*
Anglais	847	822	*− 3 %*
Arabe	5	8	*77,8 %*
Chinois	8	28	*273,3 %*
Espagnol	36	75	*111,3 %*
Grec	3	14	*366,7 %*
Hébreu	4	12	*200 %*
Hongrois	3	8	*166,7 %*
Italien	152	92	*− 39,3 %*
Japonais	40	106	*165 %*
Néerlandais	8	29	*262,5 %*
Norvégien	4	7	*86,7 %*
Polonais	3	8	*146,2 %*
Portugais	7	28	*314,8 %*
Roumain	2	8	*255,6 %*
Russe	5	25	*426,3 %*
Suédois	6	16	*178,3 %*
Tchèque	3	10	*300 %*
Turc	4	8	*88,2 %*
Total	**1 244**	**1 474**	*18,5 %*

Source : SNE

* Moyenne arrondie à l'unité
** Pourcentage calculé à partir des moyennes avec décimales

La baisse proportionnelle des traductions de l'anglais en 2002, année où le nombre total d'acquisitions a été inhabituellement élevé (2 216), est due à une augmentation en valeurs absolues des traductions d'autres langues, et tout particulièrement les langues asiatiques : 200 contrats d'acquisition pour des titres japonais ont été signés cette année-là par des éditeurs français, une centaine de titres chinois et une centaine de coréens (contre entre un et vingt d'ordinaire). 163 des 200 titres japonais acquis cette année-là sont des bandes dessinées (sans doute des mangas), environ la moitié des titres chinois et coréens sont des livres pour la jeunesse. Pour le Japon, la hausse est tendancielle, grâce aux mangas précisément : le nombre de titres acquis par an est passé d'une vingtaine au début de la période à plus de cinquante à partir de 2001, la moyenne annuelle des contrats d'acquisition étant supérieure à cent dans les années 2001 à 2005. La part des titres japonais parmi l'ensemble des acquisitions a augmenté de 1 % à 7 % en moyenne, comme on l'a vu.

Si celle des titres allemands achetés reste stable (autour de la moyenne de 7 %), la part des traductions de l'italien est en baisse, tandis que celle des traductions de l'espagnol augmente. Pour l'italien, on ne peut dire si la baisse est le simple contrecoup du pic de 183 titres acquis en 2002, année où l'Italie était l'invitée d'honneur du Salon du livre, ou si elle marque la fin de la « mode italienne » (voir chapitre 7). Le relatif désintérêt pour les pays d'Europe de l'Est est manifeste dès le début de la période : seuls quelques titres publiés dans ces pays sont achetés chaque année, à l'exception de l'année 2002, qui marque une augmentation comme pour toutes les langues. Ce désintérêt est illustré par la chute du nombre de contrats signés pour des traductions du tchèque, de 22 en 1993, puis 16 en 1994, à moins de six par an (à part en 2001 et 2002, où respectivement 11 et 30 titres sont acquis). Néanmoins, la moyenne a nettement remonté pour tous ces pays dans les années 2000-2005.

Le ratio entre cessions et acquisitions semble avoir été particulièrement bas en 1993 (2). Doit-on y voir le signe d'un affaiblissement de la position du français sur le marché mondial de la traduction, ou d'un surinvestissement des éditeurs français dans la traduction à cette époque ? Il est impossible de trancher en l'absence de chiffres pour les années antérieures. Toujours est-il que ce ratio est monté à 4,2 dans la deuxième moitié des années 1990, pour redescendre légèrement à 3,9. L'écart entre l'accroissement du nombre de cessions et la relative baisse des acquisitions explique la hausse du ratio cessions/acquisitions au milieu des années 1990. En revanche, la croissance des acquisitions a été deux fois plus élevée que celle des cessions dans la période 2000-2005 (18,5 % contre 8,3 %).

Ce ratio n'est pas seulement fonction de la taille des marchés respectifs. Comme on l'a vu, des facteurs conjoncturels ou structurels, d'ordre politique ou culturel, peuvent l'expliquer en partie. En outre, les échanges entre pays ne peuvent être appréhendés isolément, les langues entrant en concurrence dans le choix éditoriaux. Bien que les données réunies ici ne permettent pas encore de dégager de règle générale, on peut en tirer quelques observations.

Tableau 7. Les vingt langues arrivant en tête des acquisitions (par ordre décroissant).

1997-2000	2001-2005
Anglais	Anglais
Italien	Japonais
Allemand	Allemand
Japonais	Italien
Espagnol	Espagnol
Néerlandais	Néerlandais
Chinois	Chinois
Portugais	Portugais
Suédois	Russe
Russe	Suédois
Arabe	Grec
Turc	Hébreu
Hébreu	Tchèque
Norvégien	Arabe
Polonais	Hongrois
Grec	Polonais
Hongrois	Roumain
Tchèque	Turc
Roumain	Norvégien

Source : SNE

En premier lieu, il en ressort clairement que l'intensification des échanges ne s'opère pas de manière symétrique. L'augmentation des contrats de cession et d'acquisition ne se fait pas en parallèle. En comparant les courbes des cessions et des acquisitions, on constate un décalage assez régulier entre les deux : aux pics de vente de titres succèdent des périodes d'achat plus intensif. Ce décalage peut s'expliquer en partie par des raisons économiques : les éditeurs réinvestissent dans l'importation les gains réalisés sur les exportations. Mais ces réinvestissements

ne s'effectuent pas nécessairement – et évidemment pas proportionnellement – dans les pays qui ont acheté les droits d'ouvrages français,
même si on peut parler de véritables échanges au sens où les éditeurs
des pays périphériques parviennent, à travers les contrats de cession, à
nouer des contacts avec ceux des pays centraux, et sans doute à susciter
leur intérêt.

Ainsi, pour les marchés en expansion, comme les marchés asiatiques (la Chine notamment), les vagues d'acquisition semblent succéder
à une forte poussée des cessions, entraînant une diminution du ratio. La
remontée spectaculaire des traductions du russe, qui ont été multipliées
par cinq dans la dernière période, tandis que le nombre de titres français acquis par les éditeurs russe doublait, semble correspondre également à une expansion de ce marché, qu'on observe aussi, dans une
moindre mesure, pour les autres pays d'Europe de l'Est. Mais cette hypothèse demanderait à être vérifiée sur une durée plus longue ; elle n'est
en tout cas qu'un facteur explicatif parmi d'autres, les échanges devant
être resitués dans l'espace de concurrence entre les langues. En outre,
avec les marchés établis comme l'italien, l'évolution peut être dispa-
rate, le nombre de cessions augmentant tandis que le nombre d'acquisitions baissent, sans doute au profit de l'espagnol (voir tableau 10).
Enfin, là où la concurrence avec l'anglais est la plus rude, à savoir les
pays nordiques, le ratio des cessions/acquisitions est très bas : entre 3 et
4 pour le suédois et le norvégien, soit l'équivalent de l'allemand et de
l'italien, comme le montre le tableau 11, qui établit le ratio des cessions-
acquisitions pour la période 1997-2004.

L'analyse doit également tenir compte des catégories d'ouvrages
traduits. Il apparaît ainsi que la part de la littérature, qui constituait près
de la moitié des cessions et plus de la moitié des acquisitions au début
des années 1990, a significativement baissé, tombant au-dessous d'un
tiers, au profit d'autres genres, notamment les essais en sciences
humaines et sociales (environ 25 %)[29] ; les livres pour la jeunesse, dont
le marché se développe fortement à cette époque, sa part passant de
moins de 10 % à plus de 15 % des cessions (voir chapitre 4) ; la bande

---

29. Jusqu'en 1998, cette catégorie inclut la religion et le spiritualisme (qui représente en moyenne 3 % des contrats de cession), ce qui conforte notre constat d'une
augmentation des exportations dans ce domaine.

dessinée (environ 8 %)[30] ; et les livres d'actualité, documents et biographies (environ 7 %)[31].

**Tableau 8. Nombre de contrats de cessions et d'acquisition signés
par les éditeurs en France : comparaison 1993 et 2004*.**

Langues	Cessions			Acquisitions		
	1993	2004	Variation	1993	2004	Variation
Anglais Total	515	304	– 41 %	1 224	983	– 20 %
dont américain	165	161	– 2 %	722	555	– 23 %
dont anglais	350	222	– 37 %	502	387	– 23 %
Allemand	280	338	21 %	118	89	– 25 %
Espagnol	357	713	100 %	57	45	– 21 %
Italien	431	594	38 %	146	54	– 63 %
Arabe	18	80	344 %	5	4	– 20 %
Chinois	73	368	404 %	1	12	1 100 %
Coréen	61	389	538 %	2	2	0 %
Grec	87	225	159 %	3	4	33 %
Hébreu	10	45	350 %	10	11	10 %
Hongrois	62	77	24 %	7	0	– 100 %
Japonais	174	216	24 %	18	98	444 %
Néerlandais	115	174	51 %	11	17	55 %
Polonais	114	207	82 %	6	4	– 33 %
Portugais	182	569	213 %	2	6	200 %
Roumain	164	216	32 %	1	2	100 %
Russe	145	207	43 %	9	20	122 %
Suédois	31	37	19 %	8	16	100 %
Tchèque	81	151	86 %	22	2	– 91 %
Total Langues**	**3 359**	**6 077**	81 %	**1 671**	**1 404**	– 16 %

Source : SNE

** Nous n'avons retenu que les langues pour lesquelles les échanges sont les plus significatifs.
** Le total correspond à l'ensemble des droits acquis ou cédés cette année-là, et non à la somme de la colonne.

---

30. La bande dessinée n'est isolée dans les données du SNE qu'à partir de l'année 1998. Elle passe rapidement de 250 à plus de 500 titres cédés annuellement, soit environ 8 % de l'ensemble des contrats de cession.

31. Cette catégorie n'est isolée dans les données du SNE qu'à partir de 1994 : nous ne savons pas si ce type d'ouvrage était auparavant classé en littérature ou en sciences humaines. Dans le premier cas, cela relativiserait notre constat sur la baisse de l'exportation de la littérature, dans le second, cela renforcerait celui sur l'augmentation des contrats de cession pour des ouvrages de sciences humaines.

La baisse de la part de la littérature dans les acquisitions est plus tardive : elle se maintient à plus de la moitié jusqu'en 1998, pour tomber à un tiers à partir de 2000. Cette chute n'est pas seulement relative : elle est due à un véritable effondrement du nombre de titres acquis, qui a été divisé par deux entre le début et la fin de la période. C'est donc à un désintérêt pour les littératures étrangères qu'est due la diminution globale du nombre de contrats d'acquisition. En effet, la part des livres pour la jeunesse est restée à peu près stable (autour de 18 %), comme celle des sciences humaines et sociales (autour de 7 %, hormis un pic de 15 % en 2001-2002). En revanche, les acquisitions de livres et guides touristiques, d'encyclopédies et dictionnaires sont en progression. Il reste à s'interroger sur la place que les différents genres occupent parmi les traductions de chaque langue.

Tableau 9. Ratio du nombre de titres cédés et acquis par les éditeurs en France en 1993 et en 2004, par langues.

Langues	Cessions 1993	Acqui-sitions 1993	Ratio 1993	Cessions 2004	Acqui-sitions 2004	Ratio 2004
Anglais Total	515	1 224	*0,4*	304	983	*0,3*
dont Américain	165	722	*0,2*	161	555	*0,3*
dont Anglais	350	502	*0,7*	222	387	*0,6*
Allemand	280	118	*2,4*	338	89	*3,8*
Espagnol	357	57	*6,3*	713	45	*15,8*
Italien	431	146	*3*	594	54	*11*
Arabe	18	5	*3,6*	80	4	*20*
Chinois	73	1	*73*	368	12	*30,7*
Coréen	61	2	*30,5*	389	2	*194,5*
Grec	87	3	*29*	225	4	*56,3*
Hébreu	10	10	*1*	45	11	*4,1*
Hongrois	62	7	*8,9*	77	0	*77*
Japonais	174	18	*9,7*	216	98	*2*
Néerlandais	115	11	*10,5*	174	17	*10*
Polonais	114	6	*19*	207	4	*51,8*
Portugais	182	2	*91*	569	6	*94,8*
Roumain	164	1	*164*	216	2	*108*
Russe	145	9	*16,1*	207	20	*10,4*
Suédois	31	8	*3,9*	37	16	*2,3*
Tchèque	81	22	*3,7*	151	2	*75,5*
Total langues	**3 359**	**1 671**	*2*	**6 077**	**1 404**	*4,3*

Source : SNE

**Tableau 10. Moyenne annuelle et ratio des titres acquis et cédés
par les éditeurs en France, par langues :
comparaison 1997-2000 et 2001-2005.**

Langues	Cessions 1996-2000*	Acqui-sitions 1997-2000*	Ratio**	Cessions 2001-2005*	Acqui-sitions 2001-2005*	Ratio**
Allemand	378	79	4,8	347	103	3,4
Anglais	357	847	0,4	321	822	0,4
Arabe	49	5	10,8	70	8	8,8
Chinois	218	8	29,1	371	28	13,3
Espagnol	562	36	15,8	665	75	8,9
Grec	247	3	82,3	231	14	16,5
Hongrois	70	3	23,3	71	8	8,9
Italien	509	152	3,4	550	92	6
Japonais	220	40	5,5	204	106	1,9
Néerlandais	181	8	22,7	173	29	6
Polonais	165	3	50,7	177	8	22,1
Portugais	463	7	68,6	520	28	18,6
Roumain	212	2	94,0	200	8	25
Russe	123	5	25,9	213	25	8,5
Tchèque	103	3	41,0	118	10	11,8
Turc	159	4	37,3	173	8	21,6
Total	**5 259**	**1 244**	**4,2**	**5 697**	**1 474**	**3,9**

Source : SNE

* Moyenne arrondie à l'unité
** Ratio calculé à partir des moyennes non arrondies

**Tableau 11. Ratio des cessions-acquisitions 1997-2004
(moyenne annuelle par langues).**

Langues	Cessions*	Acquisitions*	Ratio**
Anglais	382	836	0,5
Japonais	217	72	3,0
Suédois	34	11	3,1
Allemand	343	95	3,6
Norvégien	25	6	4,1
Italien	542	128	4,2
Hébreu	38	9	4,2
Arabe	57	7	8,1
Néerlandais	183	18	10,2
Espagnol	625	59	10,6
Hongrois	71	6	11,8
Chinois	298	21	14,2
Tchèque	113	7	16,1
Russe	169	8	21,1
Coréen	387	18	21,5
Turc	152	7	21,7
Polonais	169	7	24,1
Grec	245	10	24,5
Portugais	535	20	26,7
Roumain	207	6	34,5
Bulgare	83	2	41,7

Source : SNE

* Moyenne arrondie à l'unité
** Ratio calculé à partir des moyennes non arrondies

LES CATÉGORIES DE LIVRES TRADUITS DU ET EN FRANÇAIS

Outre le nombre de traductions faites à partir d'une langue, la diversité des catégories de livres traduits constitue un autre indicateur de sa centralité[32]. Le classement proposé par l'Index Translationum permet de comparer les différentes langues sous ce rapport. On peut le compléter, pour la période récente, par les données du Syndicat national de l'édi-

---

32. Johan Heilbron, « Towards a sociology of translation », art. cité.

tion concernant les contrats de cession et d'acquisition signés par les éditeurs français pour différentes catégories de livres.

Le tableau 12 présente la répartition par genre des traductions du français vers d'autres langues et de huit langues en français (indépendamment du lieu de publication) parues entre 1980 et 2002 selon l'Index. L'anglais, le français et l'allemand sont les seules langues à partir desquelles est traduit un nombre significatif d'ouvrages relevant de toutes les catégories. L'hébreu apparaît sans surprise comme la langue la plus périphérique de toutes. Il faut cependant prendre en compte le fait que dans les petits pays comme les Pays-Bas ou Israël, une partie significative de la production scientifique, y compris dans les sciences humaines et sociales, se fait directement en anglais : cela vaut non seulement pour les articles mais aussi pour les livres.

Tableau 12. Répartition par catégories des ouvrages traduits en français de différentes langues 1980-2002.

Caté-gories	Anglais	All.	Italien	Esp.	Hébreu	Néérl.	Russe	Roum.	Toutes trads en français	Trads. du fran-çais vers autres langues	Trads. dans le monde
Littérature	55 %	31,7 %	36,3 %	54,0 %	25,1 %	12 %	33,4 %	44,1 %	51,6 %	46,7 %	48,9 %
Philo, Psycho	4,9 %	9,2 %	5,9 %	3 %	1,3 %	3,9 %	1,9 %	1,3 %	5,1 %	7,0 %	6 %
Droit, Éducation, Sciences Soc.	6 %	9,8 %	4,8 %	5,5 %	1,8 %	7,2 %	38,8 %	14,1 %	7,4%	8,8%	9,1%
Histoire, Géo, Biographies	6,9 %	12,7 %	11,9 %	13 %	5,5 %	10,5 %	2,9%	4,8%	8,2%	11,1%	6,7%
Sciences naturelles exactes	4 %	3,5 %	3,6 %	0,9 %	0 %	3,2 %	5,9 %	12,3 %	3,6 %	2,7 %	4,1 %
Sciences appliquées	11,4 %	15,7 %	10,1 %	2,9 %	0,4 %	13,7 %	8,8 %	16,4 %	9,8 %	7,8 %	11,5 %
Arts, Jeux, Sports	6,9 %	10,7 %	17,9 %	14,2 %	0,7 %	44,1 %	6,3 %	3,9 %	7,8 %	7,9 %	5,9 %
Religion, Théologie	3,9 %	6,1 %	9,1 %	6,1 %	65,2 %	4,6 %	1,9 %	1,2 %	5,8%	7,2%	6,7%
Généralités, Bibliogra-phies	1,0 %	0,6 %	0,4 %	0,4 %	0 %	0,8 %	0,2 %	1,9 %	0,8 %	0,8 %	1,1 %
Nombre total titres traduits	90 998	15 254	7 367	5 023	822	1 337	4 963	689	155 088	150 611	1 465 059

Source : Index Translationum

Les variations entre les langues accusent cependant des écarts importants. Elles indiquent non seulement la position plus ou moins centrale de la langue sur le marché mondial des traductions, mais aussi la composition du capital symbolique accumulé par chaque langue ou espace linguistique, comme la religion pour l'hébreu et l'arabe (voir chapitre 13), les sciences humaines, en particulier la philosophie pour l'allemand et le français, l'art pour le néerlandais et l'italien.

Le genre de livres le plus traduit du français et en français est, comme pour l'ensemble des traductions dans le monde, la littérature. La part des traductions du français dans ce domaine, de 46,7 %, est à peu près équivalente à sa part sur le marché mondial des livres traduits pendant la même période. La littérature est en revanche légèrement surre-présentée parmi les traductions parues en langue française (51 %), et atteint 59 % pour les traductions en français publiées en France. Sa part varie toutefois selon la langue d'origine de 55 % pour celles de l'anglais et de l'espagnol, taux supérieur à la moyenne de 51 %, à 12 % pour le néerlandais, en passant par 25 % pour l'hébreu, l'italien, l'allemand et le russe se situant autour d'un tiers. La littérature arrive largement en tête des genres de livres traduits pour la plupart des langues d'origine, à l'exception notable de l'hébreu, du néerlandais et du russe.

Des variations s'observent aussi pour les essais, qui constituent la deuxième catégorie la plus importante de livres traduits, après la litté-rature. Selon les données de l'Index Translationum, ils représentent environ 22 % de l'ensemble des livres traduits (à partir de toutes les langues confondues) entre 1980 et 2002, si l'on additionne les catégo-ries « Droit, éducation, sciences sociales », « Philosophie, psychologie » et « Histoire, géographie, biographies ». Pour les traductions faites à partir de langues qui ont une tradition intellectuelle ancienne dans ces domaines, comme l'allemand et le français, les proportions sont même supérieures à cette moyenne. Ainsi, près d'un tiers des ouvrages traduits de l'allemand et plus d'un quart (27 %) de ceux traduits du français en toutes langues de 1980 à 2002 sont des essais incluant les sciences humaines et sociales, contre un livre sur cinq pour l'anglais et l'espa-gnol. On retrouve la part de 25 % à 26 % de titres de sciences humaines en moyenne parmi les contrats de cessions de droit de traduction signés par les éditeurs français entre 1993 et 2004 (voir tableau 13 ; le pour-centage varie légèrement selon qu'on le calcule en ligne ou en colonne, du fait qu'il s'agit de moyennes arrondies). La hausse du nombre de titres de sciences humaines cédés tient sans doute en partie au développement des aides avec la mise en place du PAP du ministère des Affaires étrangères, qui s'ajoute au soutien du CNL, dont 40 % des subventions à l'extraduction sont allouées aux essais. Mais il reflète – les entretiens menés avec des éditeurs de divers pays l'ont confirmé – une véritable demande, notamment pour les auteurs-phare de la *French Theory*, dont la diffusion mondiale, médiatisée par leur réception aux États-Unis, s'opère avec un certain décalage temporel.

Tableau 13. Nombre total de titres cédés par les éditeurs français pour la traduction

Année	Total	dont Litt	% Litt	dont SHS	% SHS
1993	3 359	1 580	*47 %*	768	*23%*
1994	4 619	1 489	*32%*	1 091	*24%*
1996	5 109	1 468	*29%*	1 604	*31%*
1997	4 732	1 348	*28%*	1 791	*38%*
1998	5 085	1 492	*29%*	1 560	*31%*
1999	5 423	1 706	*31%*	1 658	*31%*
2000	5 947	1 689	*28%*	1 185	*20%*
2001	5 736	1 302	*23%*	1 313	*23%*
2002	4 698	1 099	*23%*	993	*21%*
2003	5 956	1 620	*27%*	1 139	*19%*
2004	6 077	1 817	*30%*	1 285	*21%*
Moyenne	**5 158**	**1 510**	***29 %***	**1 308**	***25 %***

Source : Syndicat national de l'édition

Les pays les plus exportateurs dans ce secteur semblent en revanche leur réserver une part moindre parmi les livres qu'ils traduisent, comme l'indique l'exemple de la France : la part des traductions de sciences humaines et sociales publiées en France tombe à 17 % (contre 20,7 % pour l'ensemble des traductions en français), les traductions relevant de la catégorie « Droit, éducation, sciences sociales » étant sous-représentées. On a vu ci-dessus que les contrats d'acquisition dans ce domaine ne représentaient que 7 % de l'ensemble des titres achetés annuellement par les éditeurs déclarant leurs données au SNE (sauf en 2001-2002), l'écart révélant l'importance des classiques dans ce marché. L'analyse comparée de la part des genres doit cependant être relativisée au regard des chiffres absolus, qui font apparaître le faible nombre de traductions en anglais publiées aux USA (145 titres par an en moyenne), par comparaison à l'Allemagne (470) et même à la France (200) (voir tableau 14).

Tableau 14. Part des traductions de livres de «Droit, éducation, sciences sociales», 1980-2002.

Langue de traduction	Total	Droit, Éducation, Sciences sociales	%
Traductions en anglais (USA)	34 536	3 329	9,6 %
Traductions en allemand (Allemagne)	189 337	10 810	5,7 %
Traductions en français (France)	118 795	4 621	3,9 %

Source : Index Translationum

Au sein des traductions en français, la part des essais est plus élevée parmi les traductions de l'allemand, dont ils représentent un tiers si l'on additionne les catégories «histoire, géographie et biographies» (13 %), «droit, éducation, sciences sociales» (10 %) et «philosophie, psychologie» (9 %), alors qu'ils ne constituent en moyenne qu'un cinquième des livres traduits toutes langues confondues. La catégorie «droit, éducation, sciences sociales» arrive en tête pour les traductions du russe (39 %), surpassant à elle seule la littérature, ce qui s'explique par l'abondance des ouvrages traitant de politique.

Dans le domaine scientifique, les ouvrages de science appliquée circulent deux fois plus que les ouvrages de sciences naturelles et exactes (12 % contre 4 %) mais cet écart tient en partie au fait que la production scientifique de recherche privilégie la diffusion des résultats par voie d'articles et non de livres. Leur part est moindre pour les traductions faites du français et en français, et elle est encore plus faible pour les traductions faites en France (8 % et 3 % respectivement). Dans ce domaine, certaines langues, comme l'espagnol et l'hébreu, sont hors jeu (mais il faut tenir compte du fait que les publications se font plus souvent en anglais directement). Si les traductions de l'anglais arrivent largement en tête en chiffre absolu, l'allemand est la langue dont provient le taux le plus élevé d'ouvrages de science appliquée (15 %), ce taux étant également élevé (14 %) pour le néerlandais.

Enfin, les catégories « religion, théologie » et « arts, jeux, sports » représentent respectivement 7 % et 6 % de l'ensemble des traductions pendant cette période, le français privilégiant plutôt la deuxième (8 % contre 6 %, ce taux baissant à 7 % et 5 % pour les traductions parues en France). Le domaine religieux arrive en tête des genres d'ouvrages traduits de l'hébreu, dont il représente deux tiers. Le néerlandais se distingue par la surreprésentation de la catégorie « art, sports, jeux » (44 %), qui recouvre essentiellement des livres sur l'art, en particulier la peinture. De même, la part des ouvrages d'arts parmi les traductions de l'italien (18 %) est plus élevée que pour les autres langues, ce qui reflète le poids du patrimoine culturel du pays. On peut toutefois émettre l'hypothèse que cette surreprésentation des catégories « religion » et « art » tient en bonne partie aux rééditions et réimpressions, incluses dans la base de l'Index Translationum, et qu'elle serait moins significative si l'on ne considérait que les nouveautés.

Les traductions en français ont connu, pendant la période considérée, une évolution générale comparable au mouvement global du marché mondial de l'édition : hausse du nombre de traductions, domination croissante de l'anglais, diversification des langues traduites. Cependant, comme on l'a vu, leur évolution n'est pas strictement parallèle à cette tendance globale, il y a des fluctuations qui leur sont propres. Le phénomène le plus marquant de la période concerne l'intensification des échanges avec les pays asiatiques, en particulier la Chine, mais c'est sans doute celui qui est le plus directement l'effet de l'encastrement dans le marché mondial des traductions. La densification des relations avec les langues latines, l'italien et l'espagnol notamment (voir chapitres 7 et 8), est beaucoup plus spécifique, puisqu'elle s'ancre dans une tradition lettrée ancienne, même si l'essor de l'édition espagnole s'inscrit dans le processus de concentration et de conquête de marchés, en Amérique latine notamment. Elle compense l'affaiblissement de la position du français dans les pays nordiques face à la domination croissante de l'anglais. Adossé à une politique d'aide de l'État, le développement des échanges avec les pays périphériques obéit à la même logique de compensation, mais selon des modalités différentes qu'il faut étudier pour chaque cas (voir chapitres 11-14). La chute et la remontée de l'intérêt pour les pays de l'Europe de l'Est nécessite une explication articulant des facteurs politiques et économiques (voir chapitre 9).

De manière générale, si la politique d'aide à l'extraduction a permis de conserver ou de reconquérir la position du français comme deuxième ou troisième langue centrale dans nombre de pays, le soutien à l'intraduction joue un rôle significatif dans le maintien de la diversité des langues traduites non seulement en France mais sur le marché mondial de la traduction, du fait de son rôle de médiation. Cette diversité, variable selon les catégories de livre, concerne principalement le pôle de production restreinte, qui jouit d'une relative autonomie par rapport aux contraintes économiques, comme on va le voir à présent à travers un examen des traductions en français de livres de sciences humaines et sociales (chapitre 4) et de littérature (chapitre 5 et 6).

Chapitre 4

Traduire les sciences humaines et sociales : logiques éditoriales et enjeux scientifiques

par Gisèle Sapiro et Ioana Popa

À la différence de la littérature, fortement liée à la langue et à la nation, dont elle contribue à construire l'identité culturelle, la science revendique son caractère transnational et tend à adopter un langage commun plus ou moins formalisé, l'anglais servant, comme autrefois le latin, de langue de communication privilégiée. Même si cette polarisation doit être nuancée historiquement, elle prévaut tant sur le plan institutionnel que sur le plan des représentations. Les sciences humaines et sociales occupent une position intermédiaire entre ces deux pôles, la proximité à l'un ou à l'autre variant selon les disciplines. Certaines disciplines (comme l'économie) ou sous-disciplines (comme la littérature comparée) se caractérisent par une circulation internationale élevée. Néanmoins, l'ancrage de la plupart d'entre elles dans des traditions nationales, soit sur le plan théorique, soit du point de vue des objets, demeure indéniable. Qui plus est, comme pour la littérature, certaines langues ont accumulé un capital symbolique spécifique dans certains domaines, à l'instar de l'allemand en philosophie.

Les facteurs qui pèsent sur la circulation internationale des ouvrages de sciences humaines et sociales par voie de traduction, dépendent de deux logiques : éditoriale et académique. Dans la production éditoriale, ils relèvent de la catégorie des essais (ou « non fiction »), qui arrive, comme on l'a vu, en deuxième position parmi les livres traduits en français (environ un livre traduit sur cinq est un essai selon l'Index Translationum, cette part étant un peu moindre – 17 % – pour les livres publiés en France). Au sein de cette catégorie, les ouvrages de sciences humaines et sociales se situent au pôle de circulation restreinte et de rotation lente[1]. L'économie éditoriale dans ce secteur repose donc en grande partie sur les subventions[2]. Le coût de la traduction et la faible rentabilité des livres à court terme font que le taux d'intraduction y est bas, autour de 10 %, contrairement à la littérature, où il est trois à quatre fois supérieur[3]. On peut penser que ce taux est particulièrement réduit en France, où il existe une importante production de sciences humaines en langue originale.

Les traductions d'ouvrages de sciences humaines et sociales ne dérogent pas aux spécificités de l'édition dans ce secteur en France. Une des particularités françaises tient au fait que l'édition de littérature générale joue un rôle prépondérant dans la publication de cette catégorie de livres, à côté de l'édition savante plus ou moins spécialisée (comme les PUF ou Vrin)[4], les presses universitaires étant moins développées et dotées d'une moindre légitimité culturelle et scientifique que dans l'aire anglophone[5]. Ceci contribue à l'éclatement de l'édition dans ce secteur et n'est pas sans conséquences sur les logiques de sélection[6]. La

---

1. Dominique Desjeux, Isabelle Orhant, Sophie Taponier, *L'Édition en sciences humaines. La mise en scène des sciences de l'Homme et de la Société*, Paris, L'Harmattan, 1991 et Marc Minon, « L'édition en sciences humaines et sociales face aux modifications de son environnement », in Pascal Fouché (dir.), *L'Édition française depuis 1945, op. cit.*, pp. 109-117.

2. Voir le rapport de Sophie Barluet, *Édition de sciences humaines et sociales : le cœur en danger*, Paris, PUF, 2004.

3. Valérie Ganne et Marc Minon, « Géographies de la traduction », in François Barret-Ducrocq (dir.), *Traduire l'Europe, op. cit.*, p. 70.

4. L'investissement des éditeurs de littérature générale dans les sciences humaines a débuté dans les années 1950-1960 ; voir Remi Rieffel, « L'édition de sciences humaines et sociales », in Pascal Fouché (dir.), *L'Édition française depuis 1945, op. cit.*, pp. 88-108.

5. Leur rôle dans l'introduction d'ouvrages de l'étranger est en outre très limité.

6. Comme l'a montré Bruno Auerbach, *L'Édition en sciences sociales, une approche socio-épistémologique : production et marchés, évaluation et sélection, mise en texte et mise en livre*, thèse de sociologie, sous la direction de Jean-Louis Fabiani, EHESS, 2006.

dispersion tient également à la moindre concentration autour d'un petit nombre d'auteurs par comparaison avec la littérature. En effet, la production d'ouvrages en sciences humaines et sociales est généralement plus coûteuse en temps, et elle n'est pas l'unique moyen de restitution des résultats scientifiques, puisque l'article joue un rôle prépondérant – l'importance relative du livre et de l'article étant variable selon les disciplines.

Comme les ouvrages littéraires dotés d'une légitimité culturelle, les livres de sciences humaines et sociales paraissent très souvent dans des collections ayant plus ou moins accumulé un capital symbolique par la publication de grands noms ou de titres devenus classiques, ce capital fonctionnant comme un label de qualité pour les nouveaux titres qui y paraissent. Toutefois, à la différence du secteur littéraire, où le nombre de titres traduits est beaucoup plus élevé, les collections ne séparent pas les livres en langue française des traductions, ce qui décloisonne ces dernières, mais participe aussi de leur dispersion. La concurrence éditoriale autour des auteurs à fort capital symbolique constitue un facteur de dispersion supplémentaire, comme l'illustre récemment le cas de Judith Butler, dont dix titres ont été traduits par cinq éditeurs depuis 2002[7].

La circulation internationale des ouvrages de sciences humaines et sociales est, comme on l'a dit, relativement autonome des logiques de marché, sans y échapper complètement. La traduction impliquant un coût élevé et une faible rentabilité à court terme, on traduit plutôt des ouvrages ayant subi un certain processus de sélection. Si les presses universitaires anglo-américaines sont elles-mêmes de plus en plus soumises à des impératifs de rentabilité économique[8], leur fonctionnement relève de logiques propres au champ académique, dont l'autonomie est également relative[9]. En France, en raison de l'inscription des ouvrages de sciences humaines et sociales dans l'édition littéraire, ils sont tiraillés entre deux logiques, celle du champ académique, qui se caractérise par la spécialisation et le cumul des connaissances, et celle

---

7. Les éditions Leo Scheer, La Découverte et PUF ont fait paraître un titre. Deux ont vu le jour chez EPEL. Ce sont les éditions Amsterdam qui concentrent le nombre le plus élevé, avec quatre titres (dont un livre d'entretiens) et un cinquième annoncé pour 2008.

8. J. B. Thompson, *Books in the Digital Age. Op. cit.*, André Schiffrin, The Business of Books, *op. cit.*, pp.136-141.

9. Pierre Bourdieu, *Homo Academicus*, Paris, Minuit, 1984.

du champ intellectuel, qui tend à valoriser l'originalité de la pensée, l'inscription dans des débats d'actualité et le style.

Ce tiraillement concerne plus directement les disciplines dites « littéraires » par leur rattachement historique aux « humanités » – devenues « sciences humaines »[10] –, comme la philosophie, la critique, l'histoire, qui sont également celles où le livre joue, par rapport à l'article, un rôle prépondérant. Il s'atténue à mesure qu'on évolue vers celles qui ont adopté le modèle de restitution des résultats scientifiques des sciences de la nature, telles que l'économie ou la psychologie, modèle allant de plus en plus souvent de pair avec l'adoption de l'anglais comme langue de communication[11].

Il faut aussi prendre en compte la relative autonomie des disciplines les unes par rapport aux autres, même si les frontières entre elles sont parfois floues. En effet, certains auteurs comme Habermas, dont les œuvres s'inscrivent pour partie en philosophie et en sociologie, sont difficiles à classer. Il en va de même de certaines spécialités, comme la philosophie politique, qui relève à la fois de la philosophie et de la science politique. Ces difficultés de classement reflètent le caractère inachevé du processus de différenciation de ces disciplines par rapport à la philosophie. Elles tracent les limites de tout classement en vue d'un traitement statistique et imposent la prudence dans l'interprétation des résultats.

---

10. Rappelons qu'à la différence de l'économie, née dans les facultés de droit, la philosophie, l'histoire et la sociologie étaient rattachées en France aux facultés de lettres, qui furent autorisées à partir de 1958 à ajouter « sciences humaines » à leur titre officiel. Si dès leur institutionnalisation, l'histoire et la sociologie ont tenu à se démarquer de la culture littéraire en important le modèle scientifique allemand, elles sont restées imprégnées de la tradition lettrée, la sociologie ayant cependant évolué à partir des années 1950 suivant l'exemple des sciences sociales étasuniennes. La philosophie s'est subdivisée dès la fin du 19e siècle entre un pôle humaniste et un pôle plus tourné vers les sciences de la nature (épistémologie, histoire des idées). Voir Jean-Louis Fabiani, *Les Philosophes de la République*, Paris, Minuit, 1988. Sur le premier moment de l'institutionnalisation de la sociologie, voir Wolf Lepenies, *Les Trois cultures. Entre science et littérature, l'avènement de la sociologie*, trad. fr., Paris, Ed. de la MSH, 1990.

11. Sur les conditions de l'imposition du paradigme « scientifique » dans les sciences sociales, voir, pour la France, Michael Pollak, « La planification des sciences sociales », *Actes de la recherche en sciences sociales*, n° 2, 1976, pp. 105-121 (en ligne : http://www.persee.fr) et, pour les États-Unis, George Steinmetz (ed.), *The Politics of Method in the Human Sciences. Positivism and its epistemological others*, Durham/London, Duke UP, 2005.

À ceci s'ajoute le fait que le classement par discipline peut se modifier dans le cadre de la circulation internationale des œuvres, les textes circulant sans leur contexte, comme le suggérait Bourdieu à la suite de Marx. Ainsi, Habermas est perçu en France comme un philosophe plutôt que comme un sociologue. L'œuvre de Charles Tilly, professeur de sociologie, a été reçue en France par les historiens et les politistes plutôt que par les sociologues.

Une étude approfondie des conditions de circulation et de réception des ouvrages de sciences humaines et sociales nécessiterait non seulement une enquête sur le champ éditorial, mais aussi une analyse de la structure du monde académique et de la hiérarchie des disciplines dans les différents espaces nationaux pris en compte, ainsi que des échanges scientifiques, analyse qui dépasse le cadre de cette recherche[12]. Notons seulement, à titre d'exemple, que le prestige dont jouissent les traductions de philosophie allemande en France ne tient pas uniquement au rôle tout à fait central de l'édition littéraire dans cette importation, mais aussi à la position dominante de la philosophie dans la tradition académique française, où elle constituait la discipline de couronnement[13], position sans équivalent dans le continent américain où l'anthropologie occupe, en revanche, une position de surplomb par rapport aux autres disciplines de sciences humaines et sociales. Même si la place prépondérante de la philosophie a été remise en cause depuis les années 1960 au sein du champ académique français, elle reste marquée par ce prestige passé et demeure un atout dans les rapports de force constitutifs du champ intellectuel.

L'étude qui suit s'appuie principalement sur la base de données Electre pour onze langues : anglais, allemand, espagnol, italien, russe, néerlandais, polonais, tchèque, hongrois, roumain, suédois. Ces données, comme celles de l'Index, n'incluent pas uniquement les ouvrages savants, mais aussi les livres de vulgarisation, les essais et les livres pratiques. Nous avons procédé à un tri de manière à ne retenir, dans la mesure du possible, que la production scientifique ou académique, même si les frontières avec les essais non académiques demeurent dans certains cas floues. C'est pourquoi les données en valeurs absolues ne doivent être

---

12. Voir Johan Heilbron, Remi Lenoir et Gisèle Sapiro (dir.), *Pour une histoire des sciences sociales. Hommage à Pierre Bourdieu*, Paris, Fayard, 2004.

13. Jean-Louis Fabiani, *Les Philosophes de la République*, *op. cit.*

lues qu'à titre indicatif. Comme pour la littérature, nous nous sommes limitées aux nouveautés et nouvelles traductions. La critique littéraire se répartissant entre le domaine littéraire et l'édition savante, nous avons choisi de la traiter avec le premier, auquel elle est étroitement associée chez les éditeurs généralistes, ce qui explique son absence de l'étude qui suit. L'analyse s'est concentrée sur l'évolution des flux de traductions et leur répartition par langue, disciplines ou domaines, auteurs, éditeurs, ainsi que sur l'identification des principaux lieux de réception éditoriale. Une recherche sur les logiques d'intermédiation à la fois éditoriales et académiques reste à faire.

Les langues traduites : un indicateur de la diversité des échanges intellectuels

Entre l'année 1980 et l'année 2000, le nombre absolu d'ouvrages de sciences humaines traduits en français a connu une hausse de 50 %, selon l'Index Translationum, évolution proportionnelle à la croissance générale des traductions. Selon la base Electre, la moyenne annuelle des nouveautés traduites en français dans ce secteur augmente de 26 % entre la deuxième moitié des années 1980 et la première moitié des années 1990 (voir tableau 2). On passe d'une moyenne de 131 titres par an entre 1985 et 1989 à 172 pendant la décennie 1990 pour l'ensemble des livres de sciences humaines et sociales traduits de l'anglais, de l'allemand, de l'italien, de l'espagnol, du néerlandais, du suédois, du russe, du polonais, du hongrois, du tchèque et du roumain en français (les quatre premières langues représentant la part la plus importante des traductions dans ce secteur comme dans d'autres ; pour une répartition annuelle de ces flux des traductions, voir graphique 1). La progression est plus ou moins régulière de 1987 à 1997. Elle est suivie d'une chute en 1998, puis d'une reprise en 2002, année où un pic de plus de 220 ouvrages de sciences humaines et sociales traduits est atteint. Cette évolution semble toutefois inférieure à la croissance du nombre de nouveautés et de nouvelles éditions en sciences humaines et sociales, qui a été multiplié par 2,3 entre 1986 et 2003, soit une croissance supérieure à l'évolution globale de la production en français (1,9), leur part au sein de celle-ci passant de 14,5 % à 18 % entre ces deux dates, selon les données du SNE[14].

Graphique 1. Évolution du nombre de nouveaux titres de sciences humaines, traduits en français des onze langues considérées, 1985-2002.

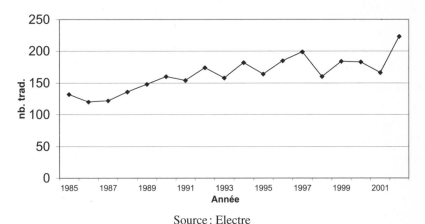

Source : Electre

Comme pour la littérature, dans la catégorie des livres de sciences humaines et sociales, l'anglais prédomine en tant que langue d'origine des textes traduits. Mais à l'instar de la littérature à rotation lente (les collections de littératures étrangères ; voir chapitre 6), les traductions de l'anglais y sont nettement moins représentées que dans les genres les plus commerciaux tels que les biographies. Cette sous-représentation,

---

14. On passe de 2 355 nouveaux titres et nouvelles éditions de sciences humaines en 1986 à 5 564 en 2003, alors que le nombre global de nouveautés et nouvelles éditions passe de 16 211 à 30 963. Nous avons comptabilisé les sciences humaines générales (qui incluent la philosophie, la sociologie, l'anthropologie, etc.), l'histoire, la géographie le droit, les sciences économiques et les sciences politiques, et avons exclu la religion et l'ésotérisme. Notons que ces catégories n'incluent pas que des ouvrages scientifiques selon une définition académique, mais aussi, comme dans l'Index Translationum, des essais. Bien que nous ayons additionné les mêmes sous-catégories pour ces années, les chiffres ne doivent être, une fois de plus, pris qu'à titre indicatif, les principes de ventilation ayant pu varier. On peut ainsi s'étonner que la catégorie « sciences économiques » passe brutalement de 260 titres en 1993 à 735 en 1994. À part le droit, qui passe de 276 à 478 titres entre 1994 et 2000, les autres catégories présentent des évolutions plus régulières. Sur les problèmes que posent les catégories du SNE, voir Bruno Auerbach, «*Publish and Perish*. La définition légitime des sciences sociales au prisme du débat sur la crise de l'édition SHS», *Actes de la recherche en sciences sociales*, n° 164, septembre 2006.

qui témoigne d'une plus grande diversité des échanges intellectuels au pôle de production restreinte, est d'autant plus significative qu'un certain nombre de chercheurs de pays périphériques, voire même semi-périphériques, choisissent d'écrire et de publier directement en anglais. Ainsi, la traduction du livre de l'historien israélien Ilan Pappé sur *La Guerre de 1948 en Palestine*, parue à La Fabrique en 2000, a été faite de l'anglais et non de l'hébreu.

Les traductions réalisées à partir de l'anglais constituent ainsi un peu plus de la moitié des nouveautés de sciences humaines et sociales traduites en français à partir des onze langues considérées ici, contre un quart pour l'allemand, un livre sur dix étant traduit de l'italien et moins d'un sur vingt de l'espagnol. Suivent, par ordre décroissant, le russe (langue à partir de laquelle sont faites 2,9 % des traductions), le néerlandais (1,3 %), le polonais (1,1 %) et, enfin, en dessous de 1 % de l'ensemble des traductions, le tchèque, le hongrois, le roumain et le suédois (voir tableau 1).

Tableau 1. Répartition par langue du nombre de nouveaux titres de sciences humaines et sociales traduits en français, 1985-2002.

Langue de Traduction	Nombre de Traductions	Pourcentage
Anglais	1 555	*52,7 %*
Allemand	736	*25,0 %*
Italien	315	*10,7 %*
Espagnol	120	*4,1 %*
Russe	84	*2,9 %*
Néerlandais	38	*1,3 %*
Polonais	32	*1,1 %*
Tchèque	19	*0,6 %*
Hongrois	17	*0,6 %*
Roumain	14	*0,5 %*
Suédois	7	*0,2 %*
Autre[15]	13	*0,4 %*
Total	2950	*100 %*

Source : Electre

---

15. Il s'agit des cas (très peu nombreux) des traductions d'ouvrages publiés en deux langues différentes (par exemple, allemand et tchèque, anglais et chinois etc.).

Qui plus est, la moyenne annuelle des traductions a moins progressé pour l'anglais que pour les autres langues : entre la deuxième moitié des années 1980 et la première moitié des années 1990, elle augmente de 20 %, contre 24 % pour l'allemand, 37 % pour l'italien, 93 % pour l'espagnol, 100 % pour le suédois, 133 % pour le néerlandais (voir tableau 2). Par-delà le phénomène plus général de l'intensification des échanges culturels à cette époque, on peut faire l'hypothèse d'un effet spécifique de la conjoncture de l'unification européenne, la Commission européenne ayant encouragé les relations scientifiques au sein du continent par des contrats de financement de la recherche et des subventions de publications, mais cette hypothèse reste à vérifier et elle ne doit pas masquer le fait que l'anglais est la langue privilégiée dans les échanges intra-européens. D'autant que la hausse est passagère : la croissance est freinée pour toutes ces langues entre 1995 et 1999, sauf pour l'italien, qui continue d'augmenter de 47 %. Il faudrait aussi se demander si ce phénomène n'est pas spécifique à la France, où la résistance à la domination de l'anglais est plus grande.

Pendant les années 1990-1994, la progression de la moyenne annuelle des titres traduits de l'anglais est moindre même par rapport aux moyennes annuelles des traductions en provenance de l'ancien bloc communiste (sauf pour le hongrois) : par comparaison avec la période 1985-1989, ces moyennes augmentent de 75 % pour le tchèque, de 50 % pour le polonais, de 37 % pour le russe et de 33 % pour le roumain. Mais leur essor est interrompu à partir du milieu des années 1990 (voir tableau 2). Cette tendance – croissance temporaire du nombre des traductions en français pendant la première moitié des années 90, suivie d'un tarissement, voire d'une baisse – est contraire aux évolutions de la production nationale dans ces pays, où le nombre de titres originaux publiés décroît au tournant des années 1990, en raison des transformations en cours du système académique et de l'espace éditorial, puis augmente progressivement dans la deuxième moitié de la décennie. Par-delà le décalage temporel entre la publication en langue originale et la traduction, cette évolution, semblable à la tendance enregistrée pour la traduction littéraire (voir chapitre 9), est due aux logiques spécifiques d'importation qui régissent l'espace français de réception[16].

---

16. Les données à partir desquelles ces constats sont énoncés ne prennent pas en compte ici les traductions faites, pendant la deuxième moitié des années 1980, à travers le circuit *d'exportation* mis en place par les différents pays de l'Est y compris dans le

**Tableau 2. Taux de progression, par langues, du nombre
de nouveaux titres de sciences humaines et sociales traduits en français
entre les périodes 1985-1989, 1990-1994, 1995-1999.**

Langue d'origine	Progression 90-94/85-89	Progression 95-99/90-94
Allemand	24 %	10 %
Anglais	20 %	– 2 %
Espagnol	93 %	74 %
Italien	37 %	47 %
Néerlandais	133 %	– 21 %
Suédois	100 %	0 %
Russe	37 %	12 %
Polonais	50 %	11 %
Roumain	33 %	25 %
Hongrois	– 63 %	– 33 %
Tchèque	75 %	– 14 %
Ensemble	**26 %**	*8 %*

Source : Electre

SPÉCIFICITÉS DISCIPLINAIRES

Le poids relatif des disciplines au sein des livres de sciences humaines et sociales traduits en français entre 1985 et 2002 varie fortement, de 1,6 % pour le droit à 35,8 % pour l'histoire (ce qui représente plus de 1 000 titres). Entre ces deux extrêmes, les autres disciplines se répartissent, par ordre croissant, comme suit : la psychologie représente 4,1 % de l'ensemble ; l'économie, 6,2 % ; la science politique, 8,1 % ; la sociologie, l'anthropologie et l'ethnologie 18,1 % ; enfin, la philosophie, 26 % (voir tableau 3.1).

---

domaine des traductions des sciences humaines et sociales, étant donné le caractère extrêmement hétérogène de la production ainsi diffusée et donc la difficulté d'identifier en son sein les ouvrages proprement académiques. Pour une définition du circuit *d'exportation*, voir le chapitre 9.

Tableau 3.1. Répartition par disciplines des nouveaux titres de sciences humaines et sociales traduits en français, 1985-2002.

Discipline	Nombre de traductions	Pourcentage
Droit	46	*1,6 %*
Économie	184	*6,2 %*
Histoire	1 057	*35,8 %*
Philosophie	768	*26 %*
Psychologie	121	*4,1 %*
Science politique	239	*8,1 %*
Sociologie, anthropologie, ethnologie	535	*18,1 %*
Total des traductions	**2 950**	*100 %*

Source : Electre (base recodée)

Tableau 3.2. Évolution du nombre de titres traduits en français par disciplines : 1985-1989, 1990-1994 et 1995-1999.

Disciplines	1985-1989	1990-1994	1995-1999	Variation 90-94/ 85-89	Variation 95-99/ 90-94
Droit	6	18	16	*200,0 %*	*– 11,1 %*
Économie	54	50	53	*– 7,4 %*	*6,0 %*
Histoire	271	287	291	*5,9 %*	*1,4 %*
Philosophie	157	227	246	*44,6 %*	*8,4 %*
Psychologie	18	18	49	*0,0 %*	*172,2 %*
Science politique	49	59	81	*20,4 %*	*37,3 %*
Sociologie Anthropologie	103	169	156	*64,1 %*	*– 7,7 %*

Source : Electre (base recodée)

Abstraction faite des frontières floues et des zones de recoupement, les écarts entre disciplines doivent être interprétés à la lumière de facteurs d'ordre structurel : le volume global de la production scientifique d'une discipline dans chaque espace national, le degré d'internationalisation de cette discipline[17] et son support de publication privilégié – livre ou article[18]. Ainsi, dans les sciences humaines comme l'histoire et la philosophie, plus attachées, de ce point de vue, à la tradition lettrée, le livre occupe une place prépondérante, tandis que dans les sciences formalisées que sont l'économie et la psychologie, c'est la publication en articles qui est d'usage, et qui se fait directement en anglais le plus souvent (à la différence de la psychanalyse, plus présente de ce fait dans le corpus des livres traduits)[19]. La sociologie et l'anthropologie occupent une position intermédiaire entre ces deux pôles[20]. La surreprésentation de l'histoire et de la philosophie

---

17. Yves Gingras, « Les formes spécifiques de l'internationalité du champ scientifique », *Actes de la recherche en sciences sociales*, n° 141-142, 2002, pp. 31-45.

18. Pour une analyse de l'internationalisation différenciée d'une discipline académique en fonction de ces deux types distincts de support, voir Ioana Popa, « La Structuration internationale des *études européennes* : un espace scientifique dissymétrique », dans Didier Georgakakis, Marine de Lassalle (dir.), *La « Nouvelle Gouvernance européenne ». Genèses et usages politiques d'un livre blanc,* Strasbourg, Presses Universitaires de Strasbourg, 2007, pp. 117-148.

19. Selon les données du SNE, en 1986, 435 nouveautés historiques sont parues contre 271 de sciences économiques ; en 1991, 671 contre 207. En 1994, la tendance paraît s'inverser cependant : le nombre de livres d'économie atteint brusquement 735, comme on l'a vu, contre 540 en histoire, pour retomber, en 2000, à 561 contre 420. Notons cependant que la chute de 1994 en histoire est en bonne partie due à la disjonction de la catégorie « Mémoires, témoignages et biographies », dont les titres étaient auparavant comptabilisés en « histoire » (elle compte 103 nouveautés cette année-là et 360 en 2000). La baisse de la production de livres d'histoire est donc moindre que ne laisseraient paraître les chiffres. Notons aussi qu'on ne peut isoler les disciplines de sciences sociales, qui sont incluses, avec la philosophie et la psychologie, dans la catégorie « sciences humaines », la plus importante de toutes : 936 nouveautés en 1986, 1 433 en 1991, 1 658 en 1994, 2 423 en 2000. La science politique a la production la plus faible, ce qui tient aussi à la taille de la discipline, mais elle est passée de 71 à 204 titres entre 1986 et 2000, soit une croissance plus élevée que les autres qui reflète son développement dans la décennie 1990.

20. Ainsi qu'on l'a suggéré plus haut, l'importation du modèle étasunien des sciences sociales en Europe à partir des années 1950 a contribué à faire évoluer la discipline vers une approche quantitativiste et moins historique, au moment de sa refondation comme discipline universitaire, avec la création de la licence de sociologie en 1958. Pour une mise en perspective historique, outre le livre cité de Wolf Lepenies, voir Johan Heilbron, *The Rise of Social Theory*, Cambridge, Polity Press, 1995. Une analyse de la tension épistémologique qui traverse la discipline est proposée par Jean-Claude Passeron, *Le Raisonnement sociologique. L'espace non-poppérien du raisonnement naturel*, Paris, Nathan, 1991.

reflète ainsi à la fois leur position dans l'espace des disciplines au pôle des humanités et leur place dans la production éditoriale en France, où elles font partie de la littérature générale, à la différence de nombreux pays où elles sont cantonnées à l'édition universitaire.

À ceci s'ajoute le fait que le pourcentage de livres traduits n'est pas le même dans toutes les disciplines. D'après un sondage que nous avons réalisé pour les années 1986, 1991, 1994 et 2000, les livres traduits des langues prises en considération ici représentaient en moyenne 5,5 % de la production dans les disciplines concernées[21]. Or ce taux varie forte-ment entre les disciplines : il est le plus élevé en histoire (entre 7 % et 15 %) et le plus faible en droit (entre 0 % et 2 %), la catégorie des « sciences humaines générales », qui inclut, rappelons-le, la philosophie, la psychologie, la sociologie, l'ethnologie et l'anthropologie, étant plus proche de la moyenne.

Si l'on s'interroge à présent sur les évolutions pendant la période considérée, la part des traductions dans la production des sciences humaines en français tend progressivement à baisser de 6 % en 1986 à 4,5 % en 2000[22]. Ceci tient notamment au fait que la forte augmenta-tion de la production dans la catégorie « sciences humaines générales » entre 1994 et 2000 ne s'est pas accompagnée d'une augmentation du nombre de traductions[23]. Il en va de même pour les sciences économi-

---

21. Nous avons rapporté le total du nombre de livres traduits selon les données Electre aux données du SNE pour les disciplines concernées. Que toutes les langues ne soient pas représentées ne suffit pas à expliquer ce faible pourcentage de traductions – presque deux fois inférieur à celui qui est avancé par Valérie Ganne et Marc Minon (qui ne précisent pas la source de ces données) –, car nous avons inclus celles dont on traduit le plus. Il tient plutôt au fait que, comme nous l'avons expliqué plus haut, nous avons trié la base de données d'Electre pour ne retenir que les ouvrages strictement scientifiques, alors que les données du SNE incluent des essais destinés au grand public. On peut cependant supposer que l'écart résultant du tri est moins significatif pour les disciplines comme le droit et l'histoire, dont les frontières sont plus clairement déli-mitées, que pour la science politique.

22. On passe de 6 % en 1986 à 5,9 % en 1991, 5,5 % en 1994, 4,5 % en 2000. Si l'écart (assez faible) entre 1991 et 1994 peut s'expliquer par la hausse des livres sciences économiques évoquée à la note 14 (et que ne compense qu'en partie la disjonction de la catégorie « Mémoires, témoignages, biographies » signalée à la note 19), celui entre 1994 et 2000 reflète bien une baisse de 1 %.

23. Alors qu'elles étaient en hausse jusque-là, leur nombre se réduit même en chif-fres absolus entre 1994 et 2000 de 130 à 90, leur part tombant, pour les langues consi-dérées, de 6,2 % à 3,7 %. Il faudrait pouvoir vérifier quelle a été la contribution des différentes disciplines à cette hausse de la production globale des livres de « sciences humaines générales ».

ques[24]. Toujours est-il qu'on enregistre d'importantes variations entre les disciplines. En effet, l'évolution du nombre de traductions s'y est faite de manière décalée (voir tableau 3.2) : les sciences sociales, la philosophie et le droit enregistrent une hausse au début des années 1990, alors qu'elle est manifeste en psychologie à partir du milieu des années 1990, la science politique connaissant une progression plus régulière, tandis que l'histoire et l'économie demeurent stables. L'explication de ces variations, qu'il ne faut pas surestimer, nécessiterait la prise en compte de nombreux facteurs (et de séries plus longues) qui dépassent le cadre de la présente recherche, mais elles révèlent l'évolution des rapports de force entre disciplines dans le champ académique ainsi que dans le champ éditorial[25]. Cette répartition varie aussi fortement selon les langues.

L'histoire, qui forme donc un tiers de l'ensemble des nouveautés de sciences humaines et sociales traduites des langues citées en français pendant la période considérée, est aussi la discipline qui arrive en tête pour toutes les langues centrales et semi-périphériques, excepté l'allemand, dont on traduit plus d'ouvrages philosophiques ; cette exception concerne aussi les langues périphériques que sont le tchèque et le roumain (voir tableau 4). Plus de la moitié des livres d'histoire traduits en français proviennent de l'anglais. Suivent, loin derrière, l'allemand et l'italien. Environ 12 % des auteurs ont plus d'un titre traduit (114 auteurs, en valeur absolue), parmi lesquels on compte le britannique Eric Hobsbawm et les américains Eugen Weber, Robert Darnton et Steven Kaplan. Significativement, ces trois derniers sont des spécialistes de la France et ont noué de longue date des liens étroits avec le monde universitaire français.

---

24. Elle tient peut-être dans ce cas à la comptabilisation de livres qui n'étaient pas répertoriés précédemment dans cette catégorie, comme le suggérerait la hausse brutale de 1994 signalée à la note 14, alors que le nombre de traductions est demeuré stable.

25. La hausse des traductions en sociologie et en philosophie entre la fin des années 1980 et le début des années 1990 correspond ainsi à l'essor de la production dans la catégorie « sciences humaines générale » entre ces années (on passe de 936 nouveautés en 1986 à 1 658 en 1994), mais le mouvement de traduction ne suit plus l'évolution de la production en français dans la deuxième moitié des années 1990, le nombre de traductions étant en baisse en chiffres absolus. Pour les autres disciplines, cependant, on n'observe pas de telle concomitance dans les variations.

Tableau 4. Répartition par langues[26] et par discipline des nouveaux titres de sciences humaines et sociales traduits en français, 1985-2002 (en valeurs absolues et en %).

Langue	Droit	Économie	Histoire	Philosophie	Pschologie	Science politique	Sociologie, Anthropologie Ethnologie	Total
Allemand	10	7	179	359	4	56	121	736
%	*1,4 %*	*1,0 %*	*24,3 %*	*48,8 %*	*0,5 %*	*7,6 %*	*16,4 %*	*100,0 %*
Anglais	20	156	601	243	61	146	328	1555
%	*1,3 %*	*10,0 %*	*38,6%*	*15,6 %*	*3,9 %*	*9,4 %*	*21,1 %*	*100,0 %*
Espagnol	1	2	59	10	13	4	31	120
%	*0,8 %*	*1,7 %*	*49,2 %*	*8,3 %*	*10,8 %*	*3,3 %*	*25,8 %*	*100,0 %*
Italien	10	4	112	97	34	23	35	315
%	*3,2 %*	*1,3 %*	*35,6 %*	*30,8 %*	*10,8 %*	*7,3 %*	*11,1 %*	*100,0 %*
Néerlan-dais	2	3	25	1	0	2	5	38
%	*5,3 %*	*7,9 %*	*65,8 %*	*2,6 %*	*0,0 %*	*5,3 %*	*13,2 %*	*100,0 %*
Suédois	0	0	3	3	0	0	1	7
%	*0,0 %*	*0,0 %*	*42,9 %*	*42,9 %*	*0,0 %*	*0,0 %*	*14,3 %*	*100,0 %*
Russe	2	10	43	16	4	3	6	84
%	*2,4 %*	*11,9 %*	*51,2 %*	*19,0 %*	*4,8 %*	*3,6 %*	*7,1 %*	*100,0 %*
Polonais	0	0	16	10	1	1	4	32
%	*0,0 %*	*0,0 %*	*50,0 %*	*31,3 %*	*3,1 %*	*3,1 %*	*12,5 %*	*100,0 %*
Roumain	0	0	5	8	0	0	1	14
%	*0,0 %*	*0,0 %*	*35,7 %*	*57,1 %*	*0,0 %*	*0,0 %*	*7,1 %*	*100,0 %*
Hongrois	0	2	6	1	4	2	2	17
%	*0,0 %*	*11,8 %*	*35,3 %*	*5,9 %*	*23,5 %*	*11,8 %*	*11,8 %*	*100,0 %*
Tchèque	0	0	4	14	0	1	0	19
%	*0,0 %*	*0,0 %*	*21,1 %*	*73,7 %*	*0,0 %*	*5,3 %*	*0,0 %*	*100,0 %*
Total	**45**	**184**	**1053**	**762**	**121**	**238**	**534**	**2937**
	1,5 %	*6,3 %*	*35,9 %*	*25,9 %*	*4,1 %*	*8,1 %*	*18,2 %*	*100,0 %*

Source : Electre (base recodée)

---

26. Les treize traductions d'ouvrages faites à partir de deux langues différentes (par exemple, allemand et tchèque, anglais et chinois, etc.) ne figurent pas dans ce tableau.

Né en 1943 à New York, d'une famille juive immigrée d'Europe de l'Est, Steven Kaplan a fait des études de premier cycle à Princeton, puis un master et un PHD d'histoire à Yale. Lors d'un séjour à Paris en 1962 dans le cadre d'un stage universitaire, il découvre le pain français, expérience fondatrice dont il se souviendra quand il devra choisir un sujet de thèse. Le pain constitue la clé d'entrée dans l'univers corporatiste de l'Ancien Régime et dans son économie, dominée par le grain. Publiée sous le titre *Le Pain, le peuple et le roi : la bataille du libéralisme sous Louis XV*, cette thèse soutenue en 1974 inaugure une série d'ouvrages sur la filière blé-farine-pain replacée dans son contexte politique, culturel et socio-économique, dont les traductions paraissent chez Fayard à partir de 1988 (*Les Ventres de Paris*, 1988 ; *Le Meilleur Pain du monde : les boulangers à Paris au XVIIIe siècle*, 1996). Assistant, puis *associate professor* à l'Université de Cornell, il y est promu professeur d'études européennes en 1980. À partir de 1976, il est régulièrement invité en France, notamment à l'École des hautes études en sciences sociales. En 1993, il publie, toujours chez Fayard, un livre sur le bicentenaire de la Révolution intitulé *Adieu 89*. À la croisée de l'histoire de la mémoire et de l'histoire sociale des sciences sociales, cette vaste enquête sur les enjeux intellectuels et politiques des débats autour de la commémoration, qui brosse un tableau sociologique sans complaisance de la recherche historique française, se heurte à un barrage d'une partie du milieu académique, lequel aurait empêché, en activant de multiples réseaux, que ce livre trouve l'écho qu'il méritait dans la presse. C'est avec un ouvrage de vulgarisation intitulé *Le Retour du bon pain : une histoire contemporaine du pain, de ses techniques, et de ses hommes* (paru chez Perrin en 2002) et son guide des meilleures boulangeries de Paris, *Cherchez le pain* (paru chez Plon en 2004) que Steven Kaplan se fait connaître du grand public. En 2001, année de la publication de son maître ouvrage *La Fin des Corporations* chez Fayard, il a été distingué Chevalier de l'Ordre national du Mérite et récompensé par le prix littéraire « États-Unis-France » de l'Association France-Amériques. Ayant choisi de partager son temps entre les États-Unis et la France à la suite de son remariage avec une Française, il enseigne depuis 2003 à l'Université de Versailles-Saint-Quentin en Yvelines, tout en conservant des responsabilités à Cornell. Avec son dernier livre, *Le Pain maudit. Retour sur la France des années oubliées, 1940-1958* (Fayard, 2008), écrit directement en français, Steven Kaplan a franchi l'ultime étape de sa pleine intégration au milieu historique français.

Avec les grandes synthèses et les approches comparatives, les ouvrages d'histoire ayant le plus de chance d'être traduits en français sont en effet ceux qui traitent de la France ou de l'Europe, comme l'*Histoire sociale de la France depuis 1789* de Heinz-Gerhard Haupt (Éditions de la MSH, 1993). Les études sur l'histoire du national-socialisme, comme le livre de Norbert Frei, *L'État hitlérien et la société allemande : 1933-1945* (Seuil, 1994) rencontrent également un intérêt auprès des éditeurs français, les ouvrages à succès comme ceux de Peter Reichel (traduits chez Odile Jacob en 1997 et 1998) et/ou controversés comme ceux d'Ernst Nolte ou *Les Bourreaux volontaires de Hitler* de Daniel Goldhagen (Seuil, 1997), étant plus susceptibles d'être traduits rapidement, selon une logique éditoriale plutôt qu'académique (sachant que le délai moyen entre la publication originale et la traduction française est de 7,9 ans pour les ouvrages d'histoire traduits de l'allemand[27]).

La philosophie est la deuxième discipline la plus traduite. Près de la moitié de l'ensemble de 762 traductions proviennent de l'allemand (voir tableau 4). 359 nouveautés ou nouvelles traductions de philosophie allemande ont paru en français pendant cette période, dont nombre de classiques. Les auteurs classiques (parmi lesquels Kant, Nietzsche, Hegel, Husserl, Heidegger, Fichte, Schopenhauer, Schelling, Cassirer) concentrent en effet le nombre de traductions le plus élevé. En revanche, parmi les philosophes allemands contemporains, Habermas est le seul à avoir plus de dix titres traduits pendant la période. La philosophie de langue anglaise représente, quant à elle, presque un tiers de l'ensemble des traductions de philosophie, à travers des auteurs comme Locke, Searle ou Popper.

La sociologie, l'anthropologie et l'ethnologie arrivent en troisième position, avec une part de 18,2 % de l'ensemble. Elles sont en deuxième position après l'histoire parmi les traductions faites de l'espagnol (une sur quatre), de l'anglais (une sur cinq) et de l'italien (une sur dix), et en troisième position parmi les livres traduits de l'allemand, avec des auteurs classiques comme Max Weber, Norbert Elias et Georg Simmel, qui ont cinq titres et plus traduits ou retraduits pendant la période, au détriment d'auteurs contemporains (un théoricien contemporain comme Niklas Luhmann n'ayant que trois titres traduits)[28]. Un auteur sur dix (54 au

---

27. Voir Gabriele Lingelbach, « Un intérêt traditionnellement faible. Transfert Allemagne-France », in Fritz Nies (dir.), *Les Enjeux scientifiques de la traduction. Échanges franco-allemands en sciences humaines et sociales*, Paris, Éditions de la MSH, 2004, p. 121.

28. Sur les traductions de la sociologie américaine en français, voir Alain Chenu, « US Sociology through the Mirror of French Translation », *Contemporary Sociology*, vol. 30, n° 2, 2001, pp. 105-109. Pour une analyse comparée des traductions en français d'ouvrages de sociologie et de science politique parus à l'origine en allemand entre 1994 et 2000, voir Vincent Hoffmann-Martinot, « Weber, Simmel, Habermas – et voilà tout ? Transfert Allemagne-France », in Fritz Nies (dir.), *Les Enjeux scientifiques de la traduction, ibid.*, pp. 215-238.

total) a plus d'un nouveau titre traduit, parmi lesquels Immanuel Wallerstein (6), Albert Hirschman (5), Manuel Castells (4), Nigel Barley (4),
Jack Goody (4), Malinowski (4), Clifford Geertz (3) et Erwin Goffman (3).

La part de l'économie (6,3 % de l'ensemble des traductions) est la
plus importante parmi les traductions de l'anglais et du russe (autour de
10 %, contre moins de 2 % pour l'allemand, l'espagnol et l'italien), mais
il faut rappeler que dans cette discipline, l'anglais est la langue de publication même pour des auteurs non anglophones. Un économiste sur dix
(vingt auteurs au total) a plus d'un livre traduit. On trouve parmi eux
des auteurs classiques comme, par exemple, Galbraith (10 traductions),
Keynes (3 traductions) et Milton Friedman (2 traductions), mais aussi
des économistes contemporains, comme le lauréat du prix Nobel de
1998 Amartya Sen (4 traductions), dont le recueil *L'Économie est une
science morale*, paru à La Découverte, a fait un auteur de référence des
opposants à la mondialisation[29], ou comme le Hongrois établi aux États-
Unis, Janos Kornai, professeur à Harvard et spécialiste des économies
socialistes (4 traductions faites à partir du hongrois et de l'anglais).

La part de la science politique, qui représente, rappelons-le, 8,1 %
de l'ensemble des traductions des sciences humaines et sociales, se
situe en dessous des 10 % pour toutes les langues étudiées (voir
tableau 4)[30]. Cette catégorie disciplinaire a été construite en éliminant
de la base les nombreux essais politiques traduits, du fait de leur caractère hétéroclite au regard des sujets traités et des trajectoires non-acadé-
miques des auteurs. Telle que nous l'avons définie ici, la catégorie
« science politique » inclut, en revanche, non seulement des livres dont
les auteurs occupent des positions universitaires, mais aussi des textes
et des auteurs qui sont inclus (ou susceptibles de l'être) dans le canon
académique (à l'instar de Rosa Luxembourg, Trotsky ou Clausewitz,
par exemple). Elle comprend les principaux domaines de la science
politique, avec, par exemple, des ouvrages de philosophie politique
(signés par des auteurs comme Carl Schmitt, Karl Popper, Hannah

---

29. *Cf*. Mathieu Hauchecorne, « Le "professeur Rawls" et le "Nobel des pauvres".
La politisation différenciée des théories de la justice de John Rawls et d'Amartya Sen
dans les années 1990 en France », *Actes de la recherche en sciences sociales*, à paraître
en 2009.

30. Sauf pour le hongrois, mais cette exception n'est pas significative, puisque en
valeurs absolues, le pourcentage représentant les livres de science politique traduits à
partir de cette langue correspond à deux ouvrages seulement.

Arendt), d'histoire des idées politiques (Albert Hirschman, Quentin Skinner), de sociologie politique ou de politiques publiques. À côté des auteurs classiques, ou récemment redécouverts pour certains, comme le juriste et théoricien politique allemand Carl Schmitt (7 titres), notons, parmi les auteurs contemporains les plus traduits dans ce domaine, Michael Walzer (8 titres) et John Rawls (6 titres). Loin d'être strictement académique, la réception de ces auteurs a été prise dans les débats politiques des années 1990 sur les limites du libéralisme démocratique pour Schmitt (voir *infra*), sur le communautarisme pour Walzer et sur la question de l'égalité pour Rawls. Perçue comme progressiste aux États-Unis, la théorie de la justice de ce dernier a été ainsi réappropriée en France par des penseurs de droite comme Alain Minc pour remettre en cause le principe d'égalité, après avoir été introduite par des représentants de la deuxième gauche qui y ont vu un moyen de réconcilier l'économie de marché et la justice sociale[31].

Avec un pourcentage de 1,5 % de traductions, le droit illustre le cas-limite d'une discipline à la fois très spécialisée (caractéristique qui entraîne un potentiel relativement limité de travaux de vulgarisation) et fortement liée au cadre national. Ce n'est que parmi les traductions de l'italien et du néerlandais en français qu'il s'élève à plus de 3 % (mais les valeurs absolues enregistrées sont très faibles : respectivement 10 et 2 traductions ; voir tableau 4) ; on y trouve significativement des approches historiques ou sociologiques du droit. Avec quatre titres en français, le théoricien allemand Hans Kelsen apparaît comme l'auteur traduit le plus important dans le domaine juridique pendant la période considérée. Notons que peu de traductions sont publiées chez des éditeurs spécialisés en droit.

Le poids de la psychologie et de la psychanalyse – qui ne représentent que 4,1 % de l'ensemble des traductions – varie également selon les langues. Ces domaines ne dépassent 10 % que dans le cas des traductions du hongrois, de l'espagnol et de l'italien. Cependant, en valeurs absolues, ce sont les traductions de l'anglais (61) et de l'italien (34) qui restent les plus nombreuses (voir tableau 4). La psychanalyse demeure très présente, mais on voit apparaître à partir du milieu des années 1990 des ouvrages de psychologie cognitive et de neuropsychologie.

---

31. Voir Mathieu Hauchecorne, « Le 'professeur Rawls' et le 'Nobel des pauvres' », art. cité.

Enfin, si l'on regarde de plus près la répartition par disciplines des traductions faites à partir des langues des pays (ex-)communistes (russe, polonais, hongrois, tchèque et roumain), on constate la prééminence de l'histoire (45 % des livres traduits à partir de ces cinq langues réunies) – avec des auteurs comme Michel Heller (traduit du russe), Istvan Bibo ou Jeno Szucs (traduits du hongrois), Bronislaw Geremek ou Hanna Zaremska (traduits du polonais), Sorin Antohi (traduit du roumain) –, suivie de la philosophie (30 %). En revanche, les sciences sociales sont sous-représentées par comparaison aux autres langues (8 % pour la sociologie, l'anthropologie, et l'ethnologie), tandis que la science politique, qui commence à s'institutionnaliser comme discipline académique en se démarquant du marxisme scientifique dans les années 1990[32], ne constitue que 4 % des traductions de ces langues.

Historien médiéviste spécialisé dans l'histoire sociale de la pauvreté, de l'exclusion et de la marginalité, Bronislaw Geremek est également un homme politique : ancien leader de Solidarnosc, il est élu député au Parlement européen en 2004, après avoir successivement été député à la Diète polonaise, ministre des Affaires étrangères de Pologne et président de l'Organisation pour la Sécurité et la Coopération en Europe. Né en 1932 à Varsovie, dans une famille d'intellectuels juifs, Bronislaw Geremek grandit dans le ghetto de sa vie natale, qu'il parvient à quitter en 1943 avec sa mère, tandis que son frère aîné survit à la déportation à Bergen-Belsen et que son père meurt à Auschwitz. Revenu à Varsovie à la fin de la Seconde Guerre mondiale, il achève son cycle d'enseignement secondaire et entame des études d'histoire à l'Université de Varsovie, dont il sera diplômé en 1954. Il prépare ensuite une thèse de doctorat (qu'il soutiendra à l'Institut d'histoire de l'Académie des sciences polonaises en 1960), tout en bénéficiant à partir de 1956, de plusieurs bourses d'étude à l'École pratique des hautes études de Paris, où il devient un disciple et un proche de Fernand Braudel, Jacques le Goff ou Georges Duby. Nommé directeur du Centre de civilisation polonaise de l'Université de Paris, entre 1960 et 1965, il soutient en 1972, cette fois en France,

---

32. Sur la science politique dans les anciens pays communistes, voir Hans-Dieter Klingemann, Ewa Kulesza, Annette Legutke (eds.), *The State of Political Science in Central and Eastern Europe*, Berlin, Éditions Sigma, 2002. Sur les transformations que connaissent aussi d'autres disciplines relevant des sciences sociales, voir également Max Kaase, Vera Sparschuh, *Three Social Science Disciplines in Central and Eastern Europe. Handbook on Economics, Political Science and Sociology (1989-2001)*, Social Science Information Centre (IZ)/Collegium Budapest, Berlin, Budapest, 2002. Voir, enfin, Maxime Forest, Georges Mink (dir.), *Post-communisme : les sciences sociales à l'épreuve*, Paris/Budapest/Torino, L'Harmattan, 2004.

une thèse sur le thème des marginaux parisiens aux XIVe et XVe siècles (publiée en traduction française chez Flammarion, en 1976, après la parution, quelques années auparavant, de l'édition originale en polonais). Pendant l'année universitaire 1992-1993, Geremek sera le titulaire de la chaire internationale du collège de France « Histoire sociale : exclusions et solidarités ». Le « Grand prix de la francophonie » lui sera attribué en 2002.

Les différences entre les disciplines dont nous venons de faire le constat pour l'ensemble des langues analysées se reflètent non seulement dans le nombre de titres traduits et dans la part que chacune d'entre elles représente dans les différents flux nationaux de traductions, mais aussi dans les taux de concentration du nombre des traductions par auteur : il est le plus élevé en philosophie (1,73), le plus faible en psychologie (0,96), mais les autres disciplines ne dépassent pas 1,2 (voir tableau 5).

Cependant, lorsqu'on regarde le nombre d'auteurs ayant trois livres traduits ou plus, les rapports entre les disciplines sont légèrement différents : 59 auteurs sur 443 (soit 13,3 %) ont au moins 3 titres traduits en philosophie ; 10 auteurs sur 207 (soit 4,8 %) en science politique ; 2 auteurs sur 44 (soit 4,5 %) en droit ; 32 auteurs sur 992 (soit 3,2 %) en histoire, 15 auteurs sur 516 (soit 2,9 %) en sociologie, anthropologie, ethnologie ; 7 auteurs sur 182 (soit 3,8 %) en économie ; 3 auteurs sur 126 (soit 2,3 %) en psychologie. Ceci témoigne de l'existence d'une politique d'auteur dans le domaine des sciences humaines et sociales, comme en littérature, même si c'est dans une moindre proportion, la part d'auteurs ayant publié au moins trois titres n'étant ici que de 4 % en moyenne, contre un quart à un tiers dans les collections de littérature étrangère (voir chapitre 6).

Par-delà le biais induit par le découpage chronologique, l'écart tient aussi, comme on l'a dit, au fait que le livre n'est pas le seul support de publication dans le champ académique et que la grande majorité des chercheurs ne publient qu'un titre ou deux durant leur carrière. Ainsi, presque 94 % des auteurs n'ont qu'un ou deux titres traduits, quand 16 seulement en ont plus de dix (totalisant presque 8 % de l'ensemble des titres ; voir tableaux 6.1 et 6.2). La surreprésentation des classiques parmi ces derniers reflète à la fois les transformations des modes de production des sciences humaines et sociales avec leur spécialisation et leur professionnalisation et les logiques spécifiques au monde éditorial, en particulier les modes d'accumulation de capital symbolique qui condui-

sent à privilégier les grands noms et la construction d'une œuvre, réac-
tualisée par la publication d'inédits ou de textes méconnus, de nouvelles
traductions, etc.

**Tableau 5. Nombre d'auteurs et de titres traduits par disciplines ;
nombre d'auteurs ayant au moins trois livres traduits par disciplines ;
taux de concentration du nombre des traductions
par auteur pour chaque discipline.**

Discipline	Nombre d'auteurs ayant au moins 3 livres traduits	Nombre d'auteurs traduits	Nombre de titres traduits	Taux de concentration
Philosophie	59	443	768	*1,73*
Histoire	32	922	1 057	*1,15*
Science politique	10	207	239	*1,15*
Sociologie, Anthropologie	15	516	535	*1,04*
Droit	2	44	46	*1,05*
Économie	7	182	184	*1,01*
Psychologie	3	126	121	*0,96*

Tableau 6.1. Concentration du nombre de titres traduits par auteur.

Nombre de titres par auteur	Nombre d'auteurs	Pourcentage des auteurs[33]	Nombre de titres traduits	Pourcentage des titres traduits (du total des 2 950 titres)
+ de 10 titres traduits	16	*0,7 %*	233	*7,9 %*
+ de 5 titres traduits	54	*2,3 %*	459	*15,6 %*
1 ou 2 titres traduits	2 192	*93,7 %*	2 423	*82,1 %*
1 titre traduit	1 961	*83,8 %*	1 961	*66,5 %*

33. Ces pourcentages sont calculés par rapport à un total de 2 339 auteurs traduits
(qui ne correspond pas à la somme du nombre d'auteurs traduits par discipline indiqué
dans le tableau 5 puisqu'un même auteur peut être codé dans deux disciplines différentes, en fonction du type d'ouvrage traduit).

**Tableau 6.2. Auteurs ayant au moins 10 titres traduits en français
entre 1985 et 2002.**

Nom de l'auteur	Nombre de traductions
Kant, Emmanuel	23
Habermas, Jürgen	18
Nietzsche, Friedrich	18
Hegel, Georg Wilhelm Friedrich	17
Heidegger, Martin	17
Husserl, Edmund	16
Schelling, Friedrich Wilhelm Joseph von	15
Strauss, Leo	15
Fichte, Johann Gottlieb	13
Arendt, Hannah	12
Cassirer, Ernst	12
Lewis, Bernard	12
Patocka, Jan	12
Schopenhauer, Arthur	12
Popper, Karl Raimund	11
Galbraith, John Kenneth	10

L'ESPACE ÉDITORIAL

L'interprétation des différents indicateurs permettant d'analyser la réception éditoriale des traductions de sciences humaines et sociales doit tenir compte des spécificités de l'édition en ce domaine : ainsi, les rééditions sont plus rares qu'en littérature (les classiques mis à part) ; les tirages sont faibles ; les taux de concentration n'ont pas le même sens, comme on vient de le voir. En France, l'édition en sciences humaines et sociales se caractérise en outre par son relatif éclatement : l'ensemble des livres traduits sont publiés par 526 maisons d'édition différentes. Une cinquantaine d'entre elles ont fait paraître au moins dix titres pendant la période, totalisant presque deux tiers de l'ensemble des nouveautés traduites dans ce domaine. On retrouve la même structure de marché compétitif qu'en littérature, avec une forte concentration d'un côté et une grande dispersion de l'autre, la concentration étant cependant bien moins élevée, en raison de la plus grande spécialisation éditoriale. Parmi les principaux éditeurs d'ouvrages de sciences humaines et sociales, on trouve en effet aussi bien des éditeurs de littérature générale (Gallimard, Seuil, Fayard, Albin Michel) que des éditions savantes comme les PUF, qui arrivent en tête avec 212 titres traduits pour la période.

Les éditeurs de littérature générale comme Gallimard, Le Seuil, Fayard, Flammarion, Calmann-Lévy ou Laffont privilégient les livres d'histoire, qui représentent environ la moitié des titres de sciences humaines et sociales qu'ils traduisent, mis à part Le Seuil, où ils constituent plus d'un tiers, suivis de la philosophie et de la sociologie (voir tableau 7). Du côté des éditions savantes, il faut distinguer celles qui accueillent des ouvrages de toutes les disciplines, comme les PUF, lesquelles réservent une place importante à la philosophie (notamment des classiques mais aussi quelques auteurs du 20ᵉ siècle dont Husserl, Russel, Goodman et Rorty), et les maisons spécialisées, comme Vrin pour la philosophie, les Belles Lettres pour la critique littéraire et l'histoire, Economica et Dunod, pour l'économie, LGDJ et Bruylant pour le droit.

La langue la plus traduite pour la plupart de ces éditeurs est l'anglais. Les quelques-uns qui traduisent plus d'ouvrages de l'allemand sont presque tous (à l'exception d'Actes Sud) des éditeurs savants, comme Vrin et les éditions de la Maison des sciences de l'homme (MSH) – établissement académique dont les liens scientifiques avec l'Allemagne ont été renforcés par la mise en place, à partir des années 1980, d'un programme de traduction –, ou encore, des éditeurs catholiques comme Le Cerf et Bayard. Inter Nationes, en association avec le Goethe-Institut, contribue aussi à soutenir les traductions de l'allemand en français[34]. Les Éditions de l'Éclat, petite maison savante installée dans le

---

34. Le Goethe Institut-Inter Nationes est aujourd'hui la principale organisation pour la promotion de la langue et de la culture allemande à l'étranger. Structure issue de la fusion, en 2001, du Goethe-Institut (fondé en 1951) et de Inter Nationes (fondé en 1952), elle est officiellement chargée de mener une politique culturelle extérieure, à travers une infrastructure consistant notamment en 128 instituts dans 76 pays, et qui anime différents programmes de médiation culturelle. Sur les politiques d'aide aux traductions de l'allemand en français, voir notamment Nicole Reinhardt, «Zwischen Blockade und Voluntarismus. Der französische Übersetzungsmarkt in den Geistes- und Sozialwissenschaften», in O. Blaschke, H. Schulze (dir.), «Geschichtswissenschaft und Buchhandel in der Krisenspirale? Eine Inspektion des Feldes in historischer, internationaler und wirtschaftlicher Perspektive», *Historische Zeitschrift*, Beiheft 42, 2006, pp. 139-156.

Sud de la France, traduit plus de livres de l'italien. Certains éditeurs se spécialisent dans une langue, comme de Vecchi pour l'italien ou l'Age d'Homme pour le russe (voir tableau 8).

Tableau 7. Les principaux éditeurs de sciences humaines et sociales : répartition du nombre de nouveaux titres traduits par discipline, 1985-2002.

Editeur/Discipline	Droit	Économie	Histoire	Philosophie	Psychologie	Science politique	Sociologie Anthropologie	Total traductions
PUF	11	10	24	92	12	32	31	212
Seuil	0	11	66	27	4	19	27	154
Gallimard	0	1	56	51	1	5	13	127
Cerf	1	0	22	67	0	6	9	105
Harmattan	0	6	16	22	3	12	33	92
Fayard	0	3	57	3	0	9	18	90
Vrin	0	1	0	84	0	2	0	87
Payot	1	6	24	15	8	5	16	75
Albin Michel	1	2	46	7	3	1	10	70
Economica	4	33	13	1	0	12	2	65
Découverte	0	9	16	7	0	15	11	58
Flammarion	0	2	29	9	1	1	6	48
Eclat	0	1	3	35	0	1	0	40
Laffont	0	1	27	1	2	1	8	40
Belles Lettres	0	2	23	3	1	5	5	39
Rocher	0	0	19	7	0	2	8	36
Calmann-Lévy	0	4	18	5	0	4	3	34
Actes Sud	0	0	8	19	0	1	5	33
Aubier	0	0	15	11	2	1	3	32

Source : Electre

**Tableau 8. Les principaux éditeurs de sciences humaines et sociales :
répartition du nombre de nouveaux titres traduits par langue,
1985-2002.**

Éditeur/ Langue	Allemand	Anglais	Espagnol	Hongrois	Italien	Néerlandais	Polonais	Roumain	Russe	Suédois	Tchèque
PUF	55	134	3	0	15	0	1	0	1	0	0
Seuil	23	100	6	1	15	1	0	0	5	0	1
Gallimard	45	60	2	0	9	0	1	2	2	1	0
Cerf	64	26	2	0	11	0	0	0	2	0	0
Harmattan	14	36	15	2	17	1	1	2	2	1	1
Fayard	21	60	1	0	2	0	1	0	5	0	0
Vrin	62	23	0	0	1	0	0	0	1	0	0
Payot	18	45	1	1	10	0	0	0	0	0	0
Albin Michel	9	52	1	1	4	0	0	0	3	0	0
Economica	7	50	1	0	4	0	0	0	3	0	0
Découverte	8	42	4	0	2	0	1	1	0	0	0
Flam- marion	5	36	0	0	5	0	1	0	1	0	0
Eclat	6	11	0	0	22	0	1	0	0	0	0
Laffont	4	32	0	0	2	0	0	0	2	0	0
Belles- Lettres	3	27	0	0	6	0	0	0	3	0	0
Rocher	8	24	0	0	1	1	2	0	0	0	0
Calmann- Lévy	5	24	0	1	0	0	0	0	4	0	0
Actes Sud	22	3	2	0	0	3	0	0	2	1	0
Aubier	10	17	1	1	1	0	1	0	1	0	0

Source : Electre

Chez Gallimard, qui se concentre sur l'histoire et la philosophie, il
faut signaler, outre la parution de l'œuvre de Machiavel dans la « Bibliothèque de la Pléiade », l'entreprise de publication, dans les années 1980,
des œuvres complètes de Nietzsche et de Heidegger et la nouvelle traduction d'*Être et temps* par Emmanuel Martineau, dans la prestigieuse collection « Bibliothèque de la philosophie ». En regard de l'éclatement des
traductions de Heidegger en anglais, cette entreprise illustre le poids des

spécificités nationales dans la circulation des ouvrages de sciences humaines, en l'occurrence, la position de la philosophie comme discipline reine en France, sa place centrale dans le champ intellectuel, l'importance de la philosophie allemande, qui a fortement marqué la production française. Cette collection, qui rassemble près de deux tiers des ouvrages de philosophie traduits chez Gallimard pendant la période, compte surtout des traductions, à côté des œuvres de Maurice Merleau-Ponty et Jean-Paul Sartre. Elle accueille majoritairement des œuvres du 20ᵉ siècle, à part celles de Hegel, traduites dans la période précédente, et la correspondance de Kant, rares étant en effet les classiques qui ne soient pas publiés en poche. On y trouve aussi, pour la période considérée, des ouvrages de Heinrich Rickert, Hans-Georg Gadamer, Max Scheler et Léo Strauss. La philosophie continentale prédomine avec ses domaines de prédilection, métaphysique, philosophie de la connaissance, phénoménologie, éthique, herméneutique, et une préférence marquée pour l'idéalisme. On ne relève, chez Gallimard, que quelques rares titres de philosophie analytique, de Hilary Putnam ou John Searle, dans la collection *NRF Essais*, où paraissent aussi deux livres de Jürgen Habermas.

La philosophie analytique et pragmatique a trouvé en revanche abri aux éditions du Seuil, avec des traductions de William Orman Quine, Saul Kripke, Hilary Putnam et Richard Rorty dans la collection «L'ordre philosophique», très orientée vers les États-Unis. Cette veine semble cependant s'être tarie au milieu des années 1990, après quoi apparaissent des titres de Hannah Arendt et Carl Schmitt. Si cela tient sans doute en partie à une réorganisation des collections de la maison (après l'interruption de la collection «libre examen» où avait paru auparavant un ouvrage d'Arendt), l'inscription de ces auteurs dans cette collection fait aussi écho à la vogue qu'ils connaissent actuellement outre-Atlantique, en particulier Schmitt, dont deux livres, sur la dictature et sur le *Léviathan*, ont été traduits en 2000 et en 2002, suscitant une polémique en raison du passé nazi de l'auteur[35].

> Introduite en français en 1928 et traduite partiellement jusqu'en 1942 – mais sans que ses principaux ouvrages, *Théologie politique* et *La Notion du politique*, parus en allemand respectivement en 1922 et 1933, voient le jour dans l'hexagone –, l'œuvre de Carl Schmitt cesse d'y être importée aux lendemains de la Deuxième Guerre mondiale. Juriste, théoricien du droit et philo-

---

35. Voir *Le Monde des livres*, 6 et 20 décembre 2002.

sophe du politique, Schmitt est en effet interrogé au moment de l'instruction du procès de Nuremberg (sans être finalement inculpé) en raison de sa participation active au régime du IIIe Reich, dont il avait été l'un des théoriciens (conseiller d'État – nommé dans cette fonction par Hermann Göring –, professeur à l'université de Berlin – où il avait été le détenteur de la chaire de droit public –, Schmitt avait aussi été le responsable de la revue juridique officielle national-socialiste).

En 1972, *La Notion de politique. Théorie du partisan* paraît chez Calmann-Lévy (qui le rééditera en 1992), avec une préface de Julien Freund. Le profil intellectuel et politique de cet importateur[36] – préfacier de plusieurs ouvrages de Schmitt en français – contribue à mieux éclairer le contexte et les logiques de la reprise des traductions de Schmitt en français : ancien résistant – il a appartenu au mouvement Libération, fondé par Jean Cavaillès, puis au groupe Combat, dirigé par Jacques Renouvin –, philosophe du politique, Freund est professeur à l'Université de Strasbourg, où il sera l'un des principaux fondateurs, puis le doyen de la faculté des sciences sociales. C'est aussi un des traducteurs de Max Weber. En 1965, il soutient sa thèse de doctorat devant Raymond Aron (qui en est le directeur), Jean Hyppolite, Paul Ricoeur et Georges Canguilhem. Conduisant à la publication de *L'Essence du politique,* la réflexion que Freund propose dans sa thèse est déjà fortement marquée, entre autres, par la pensée de Carl Schmitt. Se rapprochant, par la suite, de la Nouvelle Droite et du Groupe de recherche et d'études sur la civilisation européenne (GRÈCE)[37], Freund collabore notamment à l'une des revues du GRÈCE, *Nouvelle École*, éditée par les Éditions du Labyrinthe. C'est chez cet éditeur que paraît, en 1985, dans la collection «Les Cahiers de la Nouvelle droite», *Terre et mer : un point de vue sur l'histoire mondiale*, avec une introduction et une postface de Freund.

En 1988, deux grands éditeurs généralistes se lancent dans la traduction de cet auteur – Le Seuil (avec une édition préfacée par Pasquale Pasquino, chercheur au CNRS, spécialiste de la pensée politique et constitutionnelle de l'Europe moderne et contemporaine) et Gallimard (dans la prestigieuse collection «Bibliothèque des sciences humaines»). À partir de cette date, de nouvelles traductions (ou rééditions) des œuvres de Schmitt paraissent régulièrement. Dans cette diffusion, on remarque la jonction avec les circuits de l'édition savante, puisque ce sont les PUF qui investissent dans la traduction

---

36. Pour une biographie intellectuelle de Julien Freund, voir Pierre-André Taguieff, *Julien Freund, au cœur du politique*, Paris, La Table ronde, 2008. Voir également le numéro «Critique des théories du social et épistémologie des sciences humaines : études en l'honneur de Julien Freund» consacré par la *Revue européenne des sciences sociales*, 19, n° 54-55, Droz, Genève 1981.

37. Sur le GRÈCE, voir notamment Anne-Marie Duranton-Crabol, *Visages de la Nouvelle Droite. Le GRÈCE et son histoire*, Paris, Presses de la Fondation Nationale des Sciences Politiques, 1988.

des textes les plus strictement juridiques de cet auteur à partir de 1993 : *Théorie de la constitution* paraît dans la collection « Léviathan » avec une préface d'Olivier Beaud, professeur de droit constitutionnel et spécialiste en théorie de l'État, suivi des *Trois Types de pensée juridique* et du *Nomos de la terre*. Si certains voient en lui un inspirateur des néoconservateurs américains[38], Schmitt est aussi devenu une référence pour des philosophes d'extrême gauche tels que Georgio Agamben, Toni Negri ou Étienne Balibar. Ceux-ci trouvent en effet dans son œuvre des éléments de réflexion sur les limites du libéralisme démocratique, qui se révéleraient dans les situations extrêmes décrétés « états d'exception » et justifiant une criminalisation totale de l'ennemi au nom de la « guerre juste », comme dans la lutte contre le terrorisme ou la guerre en Irak[39].

Le Seuil est également plus ouvert que les autres grands éditeurs littéraires aux sciences sociales et politiques, qui constituent plus d'un quart des traductions. Elles se répartissent entre les différentes collections de la maison : la prestigieuse « Librairie du XXe siècle », où paraissent trois titres pendant la période, dont le livre de Jack Goody sur *L'Orient en Occident* et celui d'Antony Grafton sur l'histoire des notes de bas de page ; « La couleur des idées », qui accueille des auteurs de référence de la « troisième voie » (Anthony Giddens et Tony Blair), et du communautarisme (Charles Taylor, Michael Walzer et Michael Sandel), à côté d'anthropologues comme Gregory Bateson et Edward T. Hall ; la collection « libre examen », qui n'a duré que quelques années, a publié, outre Hannah Arendt, le livre de Yirmiahu Yovel sur Spinoza. Dans la collection « Économie et société » ont paru notamment les livres de Galbraith. Les livres d'histoire paraissent pour la plupart dans la collection « L'Univers historique », mais aussi dans la nouvelle collection « Faire l'Europe » lancée au début des années 1990, et qui publie de 1993 à 2001 treize titres ayant trait à l'Europe et émanant d'auteurs dotés d'un fort capital symbolique comme Aron Gourevitch, Charles Tilly, Jack Goody[40]. Dans « L'histoire immédiate » paraissent les titres qui sont le

---

38. François Vergniolle de Chantal, « Carl Schmitt et la "révolution conservatrice" américaine », *Raisons politiques* n° 19/3, 2005, pp. 211-229.

39. Voir Pierre Muller, *Carl Schmitt et les intellectuels français, la réception de Schmitt en France*, Mulhouse, Éditions de la FAEHC, 2003 et Jean-Claude Monod, *Penser l'ennemi, affronter l'exception, réflexions critiques sur l'actualité de Carl Schmitt*, Paris, La Découverte, 2007.

40. Voir Hervé Serry, « "Faire l'Europe" : enjeux intellectuels et enjeux éditoriaux d'une collection transnationale », in Gisèle Sapiro (dir.), *Les Contradictions de la globalisation éditoriale, op. cit.*

plus en prise sur l'actualité. Signalons enfin les quelques titres classiques de Reinhardt Koselleck, E. P. Thompson et Marshall Sahlins coédités par Gallimard et Le Seuil, dans la collection de l'École des hautes études en sciences sociales.

Depuis la fin des années 1980, l'édition savante connaît un renouvellement. À côté des maisons anciennes tournées vers le monde académique comme les PUF, Vrin, Dalloz, etc., de petits éditeurs engagés sont apparus, qui se situent résolument dans le champ intellectuel, à la charnière entre champ savant et champ politique[41]. Nourrir le débat intellectuel et la pensée critique par une réflexion à la croisée de la théorie et de l'action, avec des textes d'intervention brefs et incisifs, telle est l'ambition de ces petites maisons, souvent adossées à une revue. Ce phénomène n'est pas spécifique à la France. On trouve l'équivalent aussi bien au Royaume Uni (avec Verso) et aux États-Unis (avec par exemple Seven Stories) que dans des petits pays périphériques comme Israël (les éditions Resling ; voir chapitre 14) ou le Chili (les éditions Lom). Leur contribution à l'importation de livres de sciences humaines et sociales en France demeure modeste jusqu'en 2002, mais les livres traduits ont eu un impact non négligeable sur les débats de la gauche intellectuelle. Si les éditions Raisons d'agir, fondées en 1997 par Pierre Bourdieu, publient peu de traductions (un titre de Quentin Skinner a paru dans la collection « cours & travaux »), on en trouve chez Exils, qui ont publié *Des étoiles à la terre* d'Adorno et *Empire* de Hardt et Negri, chez Agone (Karl Kraus et Howard Zinn) et à La Fabrique, qui participent du renouvellement de la pensée marxiste (en retraduisant par exemple Walter Benjamin ou des commentaires de Marx) et se spécialisent sur la question israélo-palestinienne (Ilan Pappé) ainsi que sur les nouvelles approches critiques de l'histoire de la Shoah (Norman Finkelstein, Zygmunt Bauman). Leur rôle dans l'importation d'ouvrages de l'étranger s'est accru à la faveur de l'apparition de nouvelles structures plus spécialisées dans la traduction comme les Éditions Amsterdam qui, depuis leur fondation en 2003, ont introduit des textes fondateurs des *cultural studies* (Stuart Hall), des *gender* et *queer studies* (Judith Butler), des *postcolonial studies* (dont, jusqu'à la parution des *Lieux de la culture* d'Homi

---

41. Voir Sophie Noël, « La petite édition indépendante face à la globalisation du marché du livre : le cas des éditeurs d'essais "critiques" », in Gisèle Sapiro (dir.), *Les Contradictions de la globalisation éditoriale, op. cit.*

Bhabha en 2007 chez Payot, Edward Saïd était le seul auteur traduit en français), ainsi que des philosophes critiques contemporains tels qu'Antonio Negri et Slavoj Žižek (elles publient aussi depuis 2007 *La Revue internationale des livres et des idées*, calquée sur le modèle de la *London Review of Books*, dont sont tirés nombre des articles qui y sont traduits). Plus récemment, les Prairies ordinaires ont lancé une collection de traductions intitulée « Penser/Croiser », où paraissent des textes de références du postmodernisme (Fredric Jameson, Stanley Fish) et des ouvrages critiques sur la mondialisation (David Harvey), le néolibéralisme et le néoconservatisme (Wendy Brown).

Au sein d'un secteur éditorial des sciences humaines en pleine expansion, les traductions ont connu une croissance proportionnelle à la hausse de l'ensemble des traductions en français, mais cette croissance a été inférieure à l'essor de la production en langue originale. Les raisons de ce décalage restent à comprendre.

Comme pour la littérature à rotation lente, les traductions en sciences humaines et sociales sont tributaires de logiques spécifiques à ce secteur, irréductibles à la logique commerciale. Tiraillées entre l'édition littéraire et l'édition savante, elles obéissent en France à des principes qui relèvent aussi bien du champ intellectuel que du champ académique. La relative sous-représentation de l'anglais au regard de l'ensemble des traductions en français, ainsi que la forte présence de premières traductions et de nouvelles traductions de classiques illustrent le poids de l'histoire de ces champs et du capital symbolique accumulé par certains auteurs et certaines langues dans tel ou tel domaine, comme l'allemand pour la philosophie. En outre, le constat d'une moindre diversité des langues d'origine qu'en littérature et d'une moindre présence des langues périphériques doit être pondéré par le recours d'une partie des chercheurs des pays dominés à la langue anglaise.

Il faudrait également pouvoir approfondir cette analyse en fonction des disciplines, de leur degré d'autonomie à l'égard des contraintes économiques et politiques, de leur prise sur l'actualité, de l'ancienneté des échanges scientifiques, des aides dont ils peuvent bénéficier (programmes d'aide à la traduction, politiques de soutien, etc.), de l'existence et de la diversification de filières de médiateurs, ainsi que de leur degré de spécialisation (on peut s'interroger, par exemple, sur le rôle

des universitaires agrégés d'allemand dans l'importation de la philosophie allemande), ou encore, de la médiation d'un pays dominant dans
ces échanges, comme ce fut le cas des États-Unis pour la diffusion internationale de la *French Theory* (on peut ainsi se demander dans quelle
mesure les États-Unis jouent aujourd'hui un rôle dans la détermination
de l'actualité internationale en sciences humaines et sociales, y compris
pour la France, depuis le milieu des années 1990)[42]. L'étude de la réception des traductions d'ouvrages de sciences humaines et sociales nécessite en dernière instance de s'interroger sur les différentes logiques qui
ont présidé à leur importation dans le ou les champ(s) – académique,
intellectuel et/ou politique – d'accueil, ainsi que sur les usages qui en
sont faits dans les luttes internes à ce(s) champ(s).

---

42. François Cusset, *French Theory*, *op. cit.*

DEUXIÈME PARTIE

Littératures étrangères

Le nombre de traductions de littératures étrangères en français a fortement augmenté depuis les années 1980. Dans cette partie, on examinera tout d'abord (chapitre 5) quelles sont les langues et les genres qui y ont le plus contribué. L'analyse des nouveautés recensées par la base de données Electre fait apparaître le poids des traductions de l'anglais et des genres à grande diffusion, comme la littérature pour la jeunesse et le polar, dans cette croissance. Elle s'accompagne d'une diversification des éditeurs, qui s'observe notamment pour les langues semi-périphériques comme l'espagnol et l'italien, ainsi que pour les langues périphériques. Cette diversité, qui va d'une soixantaine pour les langues périphériques comme le néerlandais, le suédois et l'hébreu à près de 500 pour l'anglais, masque cependant le contraste entre d'un côté une concentration élevée autour d'une trentaine de maisons (Gallimard en tête), qui publient deux tiers des traductions, de l'autre une forte dispersion. La traduction a en effet été investie pendant cette période par de nouveaux venus dans le champ éditorial, à la faveur notamment de la politique d'aide à l'intraduction mise en place à partir de la fin des années 1980. Même phénomène de concentration entre quelques mains d'un côté et dispersion de l'autre chez les traducteurs, signe que la diversification de l'offre aura permis à un certain nombre d'entre eux de se professionnaliser, les autres pratiquant la traduction à titre occasionnel, à côté d'une activité principale d'universitaire, enseignant du secondaire ou autre, comme l'illustrent les cas de l'italien et de l'espagnol (ainsi que du finnois et de l'hébreu, traités dans la troisième partie).

L'examen du poids relatif des genres traduits dans les différentes langues révèle des variations qui tiennent non seulement à l'accumulation différenciée de capital symbolique – la poésie espagnole par exemple –, mais aussi à l'opposition entre pôle de grande production et pôle de production restreinte. Les logiques spécifiques à ce dernier sont analysées au chapitre 6 à travers une approche transversale des collections et domaines de littératures étrangères chez quelques éditeurs. Il se caractérise en particulier par une diversité linguistique élevée, à l'opposé du pôle de grande production. Mais la recherche de l'originalité quant à la langue traduite peut entrer en contradiction avec la politique d'auteur, qui constitue le mode d'accumulation de capital symbolique à ce pôle. Elle tient aussi à la séparation encore dominante dans le monde éditorial en France entre littérature en français et littérature traduite (identifiée à la « littérature étrangère »). En outre, la valorisation des œuvres à ce pôle s'inscrit dans une tension entre particularisme et universalisme, et entre politisation et dépolitisation.

Si les ouvrages provenant de l'anglais ont le plus contribué, numériquement, à l'augmentation des traductions littéraires en français, les littératures italienne et hispaniques ont connu un taux de croissance très élevé. Dans les deux cas, on note un intérêt particulier pour la littérature contemporaine et pour le polar (avec des auteurs comme Manuel Vazquez Montalbán et Andra Camilleri). On constate également pendant cette période un lent processus de féminisation des auteurs et des traducteurs, qui s'observe pour d'autres langues, avec de fortes variations (l'édition littéraire anglo-américaine étant la plus féminisée). Mais les ressemblances cachent là encore des enjeux différents. Alors qu'on peut parler d'une vogue de la littérature italienne en France, non exempte de quête de profit commercial, à la suite du succès du *Nom de la Rose* d'Umberto Eco et de l'avènement d'une nouvelle génération d'écrivains (chapitre 7), l'essor des traductions de l'espagnol est marqué par le déplacement de l'intérêt de l'Amérique latine à l'Espagne à l'issue du franquisme et de la découverte d'auteurs du 20e siècle méconnus, la littérature participant à ce titre de la (re)construction de la mémoire historique (chapitre 8). Il faut également voir dans ce déplacement l'effet du développement de l'édition espagnole et de la domination croissante qu'elle exerce sur l'aire hispanophone, alors même que la longue période de renfermement durant la dictature franquiste avait rendu possible l'émergence d'une édition locale en Amérique latine.

À l'opposé, la chute du mur en 1989 semble avoir entraîné une baisse d'intérêt pour les traductions des littératures des pays de l'Est, après un engouement passager au tournant de 1990. L'analyse de leur cas permet de s'interroger sur les enjeux de la circulation des œuvres dans un contexte de forte politisation et sur les effets du passage à l'économie de marché (chapitre 9). À la différence de l'Espagne, la libéralisation des échanges n'a contribué à faire découvrir presque aucun auteur méconnu, la mise en place de circuits illicites dès le milieu des années 1950, et leur essor depuis les années 1970 ayant rendu possible l'importation des œuvres des écrivains frappés d'interdiction de publication dans leur pays.

Le dernier chapitre de cette partie propose une approche transversale d'un des genres qui a connu une véritable floraison pendant cette période : le polar. Les traductions ont participé de sa légitimation en France dans les années 1980, et de sa structuration. La décennie suivante est marquée par une diversification des langues traduites, qui reflète l'expansion de ce genre partout dans le monde.

G. S.

Chapitre 5

L'essor des traductions littéraires en français

par Gisèle Sapiro et Anaïs Bokobza

La littérature est le secteur au taux de traduction le plus élevé, et celui où la diversité des langues d'origine est la plus grande. Elle représente environ la moitié des livres traduits dans le monde : sa part oscille entre 45 % et 52 % pendant la période étudiée. Entre 1980 et 2000, les traductions littéraires dans le monde ont globalement évolué dans la même proportion que les traductions en général, avec une hausse de près de 50 %, selon les données de l'Index Translationum : elles passent de 23 000 à 35 000 environ, avec le même creux en 1989 et la même remontée ensuite. Alors qu'en anglais elles ont été divisées par deux[1], les traductions littéraires en français, qui passent d'une moyenne d'environ 2 100

---

1. Un rapide sondage dans les données de l'Index Translationum montre que cette chute, de 1 132 titres en 1980 à 683 en 2002, tient à la quasi disparition des traductions littéraires au Royaume Uni dans les années 1990, alors qu'aux États-Unis, il passe de 389 à 335 entre les deux dates, ce qui laisse penser qu'il s'agit plutôt d'un problème de recensement pour le Royaume Uni. L'Index ne compte que 123 traductions littéraires de toutes langues parues au Royaume Uni de 1990 à 2002, alors que ce chiffre correspond au nombre de traductions littéraires faites du français uniquement selon une base de données constituée par le Bureau du livre à New York, pourtant elle-même lacunaire.

titres par an dans les années 1980 à 4 000 dans les années 1990, ont significativement contribué à cette hausse. Leur part dans les ouvrages littéraires traduits dans le monde a en effet augmenté pendant la période, passant de 10,1 % en 1980 à 14,7 % en 2000 (augmentation donc supérieure à celle de l'ensemble des traductions en français, qui passe comme on l'a vu de 10 % à 13 % ; voir graphique 3 au chapitre 3, p. 77).

Cette hausse n'est pas un simple reflet de l'accroissement de la production littéraire française, car la part des traductions dans les ouvrages littéraires publiés en français, rééditions comprises, a aussi nettement augmenté : elle est passée d'environ un quart, en moyenne, dans les années 1980, à un tiers dans la première moitié des années 1990, pour atteindre 40 % en 1994, taux qui s'est plus ou moins maintenu dans les années suivantes[2]. En 2003, les traductions représentaient 40,8 % des ouvrages de littérature publiés en France, cette part tombant à 35,9 % l'année suivante. En 2005, selon *Livre-Hebdo*, les traductions constituent 42,7 % des nouveautés romanesques[3]. Ce chapitre se propose d'analyser cette évolution en comparant les langues et les genres, avec une attention particulière aux traductions de l'anglais, de l'allemand et de la littérature pour la jeunesse, les autres langues et genres étant traités de manière plus détaillée dans les chapitres suivants.

L'ÉVOLUTION DES TRADUCTIONS LITTÉRAIRES EN FRANÇAIS :
LES LANGUES

Un tiers des livres publiés en France dans les années 1980 étaient des ouvrages littéraires, selon les données du SNE. La part de la littérature parmi les livres traduits en français est encore plus importante : elle atteint plus de la moitié, taux légèrement supérieur à sa part dans

---

2. Cette estimation étant obtenue à partir de sources hétérogènes – Index Translationum pour les traductions, SNE pour le nombre de titres littéraires –, la part des traductions est sans doute surestimée, les listes de l'Index incluant les publications hors commerce et les réimpressions. En revanche, l'évolution devrait rester identique même si cette part devait être diminuée. Ces taux recoupent cependant ceux que donnent, pour le début des années 1990, Valérie Ganne et Marc Minon, « Géographies de la traduction », in François Barret-Ducrocq (dir.), *Traduire l'Europe, op. cit.*, p. 70.

3. Fabrice Piault, « Littérature étrangère : la pente anglaise », *Livres-Hebdo*, n° 646, 19 mai 2006, p. 7.

l'ensemble des livres traduits dans le monde (mis à part une baisse significative entre 1982 et 1986 ; voir graphique 1). Cette proportion est plus
élevée encore, comme on l'a vu au chapitre précédent, si l'on ne considère que l'édition française.

**Graphique 1. Part de la littérature dans les traductions,
en toutes langues et en français, 1980-2002.**

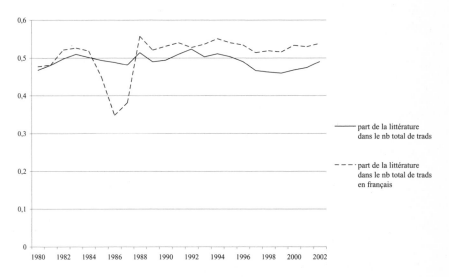

Source : Index Translationum

Entre 1980 et 2002, le nombre de traductions littéraires en français a plus que doublé, passant de 2 300 à 5 200 environ. Cette progression, supérieure à celle du nombre total de traductions en français, est
deux fois plus élevée que pour l'ensemble des traductions littéraires dans
le monde (voir tableau 1). Elle est aussi supérieure à l'augmentation de
l'ensemble de la production littéraire en français, qui est d'environ un
tiers pendant cette période (de moins de 9 000 au début de la période à
environ 12 000 à la fin).

La progression n'est cependant régulière qu'à partir de 1987,
après une chute plus importante que pour les autres secteurs entre 1985
et 1987. Le nombre de livres traduits en littérature passe de 2 500 en
1984 à 1 400 en moyenne les trois années suivantes, pour remonter à
2 600 en 1988, ce qui explique le fait que la part des traductions littéraires tombe alors de la moitié à un tiers de l'ensemble des livres

traduits en français en 1986 (voir graphique 3 au chapitre précédent).
Or, à part une chute en 1981, la progression de l'ensemble des titres
littéraires publiés en français est régulière pendant toute cette période,
selon les données du SNE, ce qui conforte, pour le domaine littéraire,
l'idée d'une autonomie relative du rythme des traductions par rapport
au marché national. Si cette progression de la production nationale
s'accélère à partir de 1988, passant de 8 970 en 1988 à 10 505 en 1990,
ce n'est pas dans une proportion qui permettrait d'expliquer le fait que
le nombre de traductions littéraires double à cette époque, puisqu'elle
ne dépasse pas un total de +17 % sur deux ans, suivi d'un léger recul
en 1991. Il faut plutôt voir dans l'augmentation des traductions littéraires l'effet conjugué de la conjoncture mondiale d'intensification
des échanges et de la mise en place de politiques d'aide à la traduction (voir chapitre 3).

**Tableau 1. Progression comparée des traductions littéraires
et non littéraires en français et dans le monde
entre les années 1980 et 2000.**

	Nombre total de traductions	Nombre total traductions littéraires	Nombre total de traductions non littéraires	Traductions en français	Traductions littéraires en français	Traductions non littéraires en français
1980	50 251	23 465	26 786	4 955	2 359	2 596
2000	73 840	34 540	39 300	9 502	5 065	4 437
% hausse	+ 47 %	+ 47 %	+ 47 %	+ 92 %	+ 115 %	+ 71 %

Source : Index Translationum.

Environ deux tiers des ouvrages de littérature étrangère publiés
en français pendant cette période sont traduits de l'anglais. La part des
traductions de l'anglais parmi l'ensemble des traductions en français
a augmenté, comme on l'a vu au chapitre précédent, de 57 % de l'ensemble des traductions en français en 1980 à 65 % en 2002. Les traductions littéraires représentent deux tiers de l'ensemble des traductions
de l'anglais en français parues de 1980 à 2002, cette proportion s'étant
stabilisée dans les années 1990, après avoir connu de fortes variations
dans les années 1980 (montant à près de 73,5 % en 1984 pour retomber

à 48,8 % en 1986). La chute du nombre de traductions littéraires en français au milieu des années 1980 coïncide avec la baisse des traductions de l'anglais, comme le montre le graphique 2. De la même manière, la hausse des années 1990 correspond à une très forte croissance de leur nombre. On passe d'un peu plus de 600 traductions (rééditions et réimpressions comprises) parues en 1988 à 3 600 à 2002, soit une multiplication par six (contre 3,7 pour l'ensemble, de 1 700 à 6 400). Ceci montre le rôle déterminant de la croissance du nombre de traductions littéraires de l'anglais dans l'évolution des traductions en français.

Graphique 2. Évolution des traductions de l'anglais en français et part des traductions littéraires, 1980-2002.

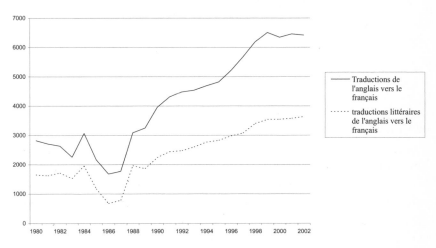

Source : Index Translationum

Pour les langues centrales et semi-périphériques que sont l'allemand, l'espagnol et l'italien, on observe, à partir des données de l'Index, une même tendance à la diminution des traductions littéraires en français jusqu'en 1986, suivie d'une augmentation importante à la fin des années 1980, la progression étant moindre et plus irrégulière ensuite, avec une remontée pour l'allemand et l'italien en 2001-2002, à la faveur de l'invitation de l'Allemagne, puis de l'Italie au Salon du livre (voir graphique 3).

**Graphique 3. Évolution du nombre de traductions littéraires
de l'italien, l'espagnol et l'allemand en français, 1980-2002.**

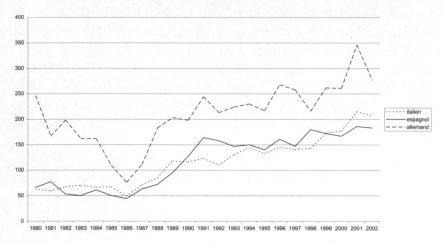

Source : Index Translationum

La comparaison des données issues de la base Electre avec celles
de l'Index Translationum nous permet de distinguer le poids relatif des
nouveautés et des nouvelles éditions dans cette présence accrue de la
littérature étrangère sur le marché français. En raison du problème de
la fiabilité limitée des deux bases pour le début des années 1980, on se
concentrera désormais sur l'évolution comparée à partir de 1985. Concernant les traductions de l'anglais, l'écart entre les données de l'Index et
la somme des nouveautés et des poches répertoriés dans Electre est dû
non seulement aux réimpressions, mais aussi au fait que les éditeurs les
plus commerciaux, comme Harlequin, qui ne vendent pas en librairie,
ne figurent dans la base Electre que depuis 2001, alors qu'ils publient
massivement des traductions de l'anglais : la base de l'Index recense
8 500 titres traduits de l'anglais par cet éditeur en France ou dans la
filiale Québecoise, entre 1980 et 2002, la moyenne annuelle ayant doublé
(de 236 à 472) entre les années 1980 et 1990. Nous l'avons cependant
exclu de la base que nous avons constituée pour ne pas biaiser les données.

Les courbes des nouveautés et nouvelles éditions provenant des
langues étudiées suivent globalement l'évolution de l'ensemble des livres
traduits, mis à part le suédois, qui stagne à environ 20-25 titres par an,
n'atteignant 30 titres qu'en 2002 (voir graphique 4 et 5). À partir de

1987-1988, le nombre de titres traduits de chaque langue double en quelques années. Le point culminant est un peu décalé : 1989 pour l'italien, 1990 pour l'allemand, 1991 pour l'espagnol et l'anglais. Cette croissance est freinée en 1992, année où, comme on l'a vu, l'ensemble de la production française connaît un léger recul par rapport à l'année précédente, recul qui concerne surtout les réimpressions ; pour la littérature, un recul de – 2,6 % a été enregistré en 1991, il est rattrapé en 1992. La progression est ensuite exponentielle pour les traductions de l'anglais : le nombre de nouveautés a presque triplé, passant de 433 à 1 134 entre 1985 et 2002. Seules les traductions de l'espagnol connaissent une hausse équivalente, alors qu'on enregistre une stagnation, voire un recul pour les traductions d'autres langues. C'est le cas en particulier des œuvres des pays d'Europe de l'Est qui, après avoir connu en 1991 un pic de 70 nouveaux titres traduits du roumain, du hongrois, du polonais, du tchèque et du slovaque, sont confrontées à partir du milieu des années 1990 à un intérêt décroissant, jusqu'à retomber en 2002 à la moyenne d'une trentaine de titres enregistrée dans les années 1980 (voir chapitre 9). À l'opposé, les traductions de la littérature hébraïque continuent d'augmenter jusqu'en 1997 (voir chapitre 14).

Faut-il voir dans la progression accidentée des traductions de toutes les langues étudiées, mis à part l'anglais, l'effet des fluctuations du marché du livre ? Selon les données du SNE, après un pic atteint en 1993, la production globale de livres de littérature a reculé en 1994. Le creux que traversent autour de 1997-1998 les traductions littéraires de toutes les langues, hormis l'anglais (mais y compris des langues comme l'hébreu et le néerlandais qui n'apparaissent pas sur le graphique), en est-il une répercussion, si l'on tient compte du décalage entre l'acquisition des droits et la publication des traductions ? Les années difficiles pour l'édition peuvent aussi conduire à différer la publication de certains titres pour lesquels les droits ont été acquis antérieurement. L'année 1999 a vu l'ensemble des nouveautés en français diminuer de 12,4 % par rapport à 1998, qui avait marqué une hausse de 8,9 % dans cette catégorie. Seules les traductions de l'allemand continuent leur courbe ascensionnelle, en prévision du salon du livre 2001 (pour retomber ensuite, ce qui est un effet mécanique du même phénomène), l'italien remontant aussi à partir de cette date à l'approche du Salon du livre de 2002. Il est difficile de déterminer dans quelle mesure ces fluctuations du marché national du livre – hausse globale à la fin des années 1980, recul en 1992 et en 1994,

augmentation des nouveautés en 1998, puis recul en 1999 –, affectent
les flux de traductions littéraires, mais on peut dire que c'est le circuit
de production restreinte qui en subit généralement les conséquences les
plus directes. Or, comme on a va le voir, l'anglais est la langue dont on
traduit le plus de livres à rotation rapide, il n'est donc pas surprenant
qu'elle paraisse la moins touchée par ces fluctuations.

Les fluctuations du marché national sont toutefois contrebalancées
par des facteurs liés à la logique propre des échanges culturels internationaux, dont l'invitation au Salon du livre ou les Belles étrangères,
consacrées à Israël en 1994 et l'Espagne en 1998, ne sont que des exemples parmi d'autres. Les écarts entre les langues tiennent en bonne partie
à l'évolution du marché du livre dans le pays d'origine, comme on l'a
vu : l'essor de l'édition en Espagne, en Israël ou en Chine explique la
hausse des traductions faites à partir de ces langues. Mais, comme on
l'a suggéré dans les chapitres précédents, les traductions littéraires obéissent aussi à des logiques qui demeurent relativement autonomes du
marché, qu'il s'agisse de logiques politiques ou de logiques spécifiquement littéraires.

L'actualité politique peut jouer un rôle important dans l'intérêt
porté à des cultures périphériques, comme l'illustre la vogue des littératures latino-américaines dans les années 1960-1970. L'évolution
contrastée des traductions des littératures d'Europe de l'Est et de la littérature hébraïque atteste le poids de ce facteur : alors que les littératures
provenant des pays communistes avaient bénéficié d'une attention
soutenue avant la chute du mur, l'intégration de ces pays dans l'économie de marché a désavantagé leur production littéraire sur le marché
mondial de la traduction, creusant l'inégalité des échanges avec les
langues centrales (anglais, allemand, français), massivement traduites
dans ces pays depuis 1989. Outre le développement de l'édition en hébreu
et la mise en place d'une politique active d'aide à l'exportation sur
laquelle on reviendra au chapitre 14, la littérature hébraïque a, en revanche,
bénéficié de la conjoncture politique qui, avec la première Intifada, la
guerre du Golfe, les accords d'Oslo et leur échec, a braqué les feux de
l'actualité sur ce petit pays.

Le facteur politique ne constitue cependant pas un facteur suffisant. La mort de Franco et la période de transition démocratique n'a pas
suffi à susciter l'intérêt pour les écrivains espagnols qui, mis à part Juan

Goytisolo, réfugié en France et traduit chez Gallimard, pâtissait de l'image négative de l'Espagne en France. Les difficultés rencontrées pour introduire Manuel Vázquez Montalbán, auteur espagnol qui sera le plus traduit pendant la période considérée, en témoignent.

> Les tentatives de Michèle Gazier, alors professeure d'espagnol, pour publier la traduction qu'elle avait réalisée d'un roman de Montalbán en français dans les années 1970, se sont ainsi heurtées à la résistance des éditeurs pendant sept ans. Après avoir trouvé accueil au Sycomore, qui fait faillite, et reçu le Grand Prix de la littérature policière, il est repris par Le Seuil et par Bourgois, le premier pour les romans, le second pour les romans policiers. Mais c'est l'actualité de la coupe du monde de football de 1982 en Espagne, qu'il commente pour *Télérama*, et l'invitation à l'émission Apostrophe de Bernard Pivot, qui lui assurent le succès en France et dans le monde, la France ayant joué dans son cas un rôle pivot pour sa diffusion internationale[4].

Outre l'actualité non seulement politique mais aussi culturelle ou sportive, comme on vient de le voir, le rôle des importateurs, qui doivent parfois lutter contre des résistances tenaces pour imposer un auteur ou une littérature, est donc tout à fait capital dans le cas des littératures de langues semi-périphériques ou périphériques, ainsi que le montreront les exemples des littératures italienne, espagnole, hongroise, polonaise, tchèque, roumaine, néerlandaise, finlandaise, arabe et hébraïque (voir chapitres 7, 8, 9, 11, 12, 13 et 14). Dans les conjonctures de contrôle politique étroit, cette fonction revient en bonne partie aux intellectuels exilés[5]. Mais l'incidence des trajectoires migratoires n'est pas limitée aux cas d'exil et son importance dans la circulation des textes reste à mesurer. Il n'en demeure pas moins que c'est souvent à partir du succès d'un auteur comme Montalbán pour l'espagnol, Umberto Eco pour l'italien, David Shahar pour l'hébreu que commence la vogue d'une littérature nationale, la traduction d'un auteur permettant d'en introduire ou d'en « redécouvrir » d'autres (ce fut le cas pour l'écrivain espagnol Juan Marsé, « redécouvert » après le succès de Montalbán).

---

4. Entretien avec Michèle Gazier, 14 février 2007.
5. Sur cette question, voir Laurent Jeanpierre, *Des hommes entre plusieurs mondes. Étude sur une situation d'exil. Intellectuels français réfugiés aux États-Unis pendant la Deuxième Guerre mondiale*, thèse de doctorat de sociologie, Paris, EHESS, 2004 et Ioana Popa, *La Politique extérieure de la littérature...*, *op. cit.*

La politique d'auteur est un des principaux modes d'accumulation de capital symbolique sur le long terme au pôle de production restreinte du champ littéraire. Elle peut entrer en contradiction avec la logique de diversification des catalogues. Celle-ci tend à l'emporter sur la politique d'auteur pour les langues semi-périphériques, si l'on considère le taux de dispersion des titres par rapport aux auteurs : le nombre moyen de titres par auteur est de 2,6 pour l'allemand et l'italien, avec un écart type plus élevé pour l'allemand (5,5 contre 3,3), ce qui signifie que le nombre de titres par auteur italien est moins concentré[6]. Pour l'espagnol, la moyenne est de 2,2 et l'écart type de 2,8, ce qui témoigne d'une dispersion encore plus importante que pour l'italien. On reviendra sur la question de la dispersion par auteur au chapitre suivant.

Si l'on s'interroge à présent sur le type de littérature traduite, on constate que le genre qui contribue le plus à la hausse des traductions littéraires en français est la littérature pour la jeunesse, qui connaît alors une véritable explosion. Ce secteur spécialisé a une histoire propre inscrite dans une tradition culturelle particulière. Il ne suit pas les mêmes principes d'achat de droits, de publication, de traduction et de distribution que la littérature pour adultes. C'est pourquoi, après avoir mesuré sa contribution spécifique à l'évolution des traductions littéraires, on l'éliminera de l'analyse comparée des genres traduits[7].

---

6. L'écart-type, encore appelé déviation standard, caractérise la largeur de la distribution. Il est exprimé mathématiquement comme étant la racine carrée de la variance, celle-ci mesurant la distribution des valeurs autour du centre de la courbe. En d'autres termes, il permet de déterminer la répartition de la population autour de la valeur moyenne. Généralement, plus les valeurs sont largement distribuées, plus l'écart-type est élevé.

7. Il mériterait qu'on lui consacre une étude approfondie, qui dépasse le cadre de la présente recherche.

Graphique 4. Évolution du nombre de nouveautés littéraires traduites en français (jeunesse comprise), par langues d'origine, 1985-2002.

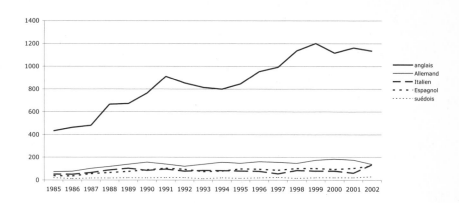

Source : Electre

Graphique 5. Évolution du nombre de nouveautés littéraires traduites en français (jeunesse comprise), sans l'anglais, 1985-2002.

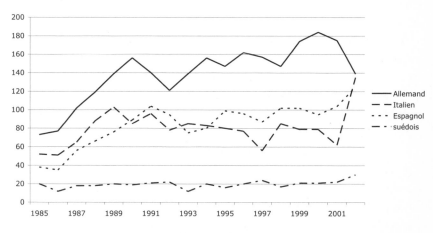

Source : Electre

Graphique 6. Évolution du nombre de nouveautés littéraires traduites en français (jeunesse non comprise), par langues d'origine, 1985-2002.

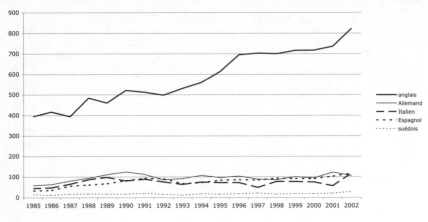

Source : Electre

L'ESSOR DE LA LITTÉRATURE POUR LA JEUNESSE

Entre 1985 et 2002, l'augmentation des traductions de livres pour la jeunesse est exponentielle. Sa courbe suit un tracé différent des autres genres littéraires, confirmant la spécificité de ce secteur spécialisé (voir graphique 7). On assiste à la formation d'un marché spécifique de livres pour enfants au niveau international. Sont surtout présents dans ce secteur les pays ayant une forte tradition de littérature enfantine, notamment les pays du nord de l'Europe, l'Angleterre, l'Allemagne, la France, la Suède, la Hollande. Des contes allemands de Grimm aux héros enfantins suédois (Nils Holgerson, Fifi Brindassier), cette tradition est fortement intégrée dans les différentes cultures européennes.

Dans cette augmentation globale, la place de la production en anglais est encore une fois prépondérante, suivie (de loin) par l'allemand et le français. Mais il ne s'agit plus seulement de rééditions de classiques, tels que les livres de Jules Verne ou d'Enid Blyton, qui figurent tout en haut de la liste du top 50 des auteurs les plus traduits selon l'Index Translationum, ni des contes de Perrault et de Grimm, qui les suivent de près. En effet, cette catégorie arrive dès 1993 en deuxième position, après la littérature, pour l'acquisition de droits de traduction par des éditeurs français, et en troisième, après la littérature et les livres de sciences humaines et sociales, pour les cessions de droits de livres français, selon les données du SNE. Au Brésil, par exemple, à partir de 1992, un livre traduit du français sur six est destiné à la jeunesse[8]. La tendance se poursuit jusqu'à la période récente : ainsi, en 1998 comme en 2004, un livre sur cinq dont les droits ont été acquis par les éditeurs français était un livre pour la jeunesse, ceci au détriment de la littérature pour adulte notamment, qui chute de la moitié au tiers[9]. Si le nombre de titres pour la jeunesse acquis en 2004 est semblable à celui de 1993, qui représentait un pic (288), celui des titres français cédés à des maisons d'édition étrangères atteignait, au même moment, dans ce secteur 1 062, soit deux fois plus qu'en 1993.

Entre 1986 et 2000, le nombre de titres pour la jeunesse publiés en français a doublé, passant d'environ 4 500 à plus de 9 000, réimpressions comprises, selon les données du SNE. Notons que cette augmentation s'est accompagnée d'une baisse des tirages, qui passent d'une moyenne de 13 000 exemplaires en 1986 à 9 654 en 2003, selon les mêmes données, suivant une tendance plus générale.

Les traductions y ont une part significative. D'après la base Electre, les livres pour la jeunesse représentent environ un tiers des nouveautés littéraires traduites de l'anglais (32 %) et de l'allemand (30 %) et près de 17 % du suédois, contre 10 % de l'hébreu et 7-8 % de l'italien et de l'espagnol. Le nombre de nouveautés traduites de l'anglais dans ce domaine fait plus que doubler de 1986 à 1987 (passant de 86 à 182 ; graphique 7). En 1991, il atteint un pic de près de 400 nouveautés (hormis les poches), qui représentent environ 15 % de l'ensemble des nouveautés dans tout le secteur de la jeunesse en français. En 1999, un nouveau pic est atteint avec près de 500 nouveautés. À cette époque se publient aussi de nombreuses rééditions (entre 20 et 50 par an), y compris de titres parus depuis 1990, comme par exemple la série des *Harry Potter* de Joanne Kathleen Rowling, dont trois volumes passent dans la collection de poche de Gallimard « Folio Junior », peu après leur première publication.

---

8. Marta Pragna Dantas, « La traduction de la littérature française au Brésil dans le contexte de la globalisation éditoriale », in Gisèle Sapiro (dir.), *Les Contradictions de la globalisation éditoriale, op. cit.*

9. Jacqueline Favero, « Les cessions de droits à l'étranger », art. cité.

**Graphique 7. Évolution comparée du nombre de nouveautés
traduites pour la jeunesse de l'anglais, l'allemand,
l'italien, l'espagnol et le suédois en français, 1985-2002.**

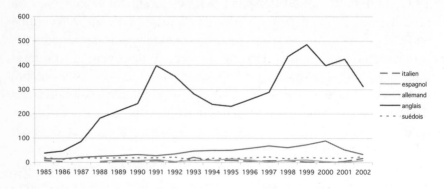

Source : Electre

Dans le domaine des livres pour la jeunesse, c'est le Royaume Uni qui mène le jeu[10]. Regardons de plus près les échanges de droits entre l'anglais et le français. En 1993, le nombre de titres anglais pour la jeunesse dont les droits ont été acquis par des éditeurs français s'élève à 144, contre 54 de l'américain. Alors que l'échange entre la France et les États-Unis paraît presque symétrique cette année-là (39 cessions), le nombre de livres cédés pour la traduction en anglais constitue un dixième des acquisitions (14). Les données de 2004, qui présentent une distinction plus fine entre les pays, confortent ce tableau. Les titres acquis auprès d'éditeurs du Royaume Uni sont au nombre de 182, contre 51 auprès d'éditeurs américains (sur un total de 240 acquisitions de livres de jeunesse en anglais, les 7 autres provenant d'Eire, d'Australie et de Belgique). Le nombre de titres français cédés pour être traduits en anglais est de 11 au Royaume Uni, 18 aux États-Unis, 8 au Canada. Le ratio de l'échange entre la France et le Royaume uni est donc ici de un pour seize, contre moins d'un pour trois avec les États-Unis.

Le nombre de livres pour la jeunesse traduits de l'allemand en français connait une évolution comparable, avec une croissance régulière de 1986 à 2000 (on passe de 14 nouveautés en 1996 à 47 en 1993

10. Les données Electre ne permettent pas de distinguer l'anglais et l'américain, mais celles du SNE les font apparaître.

et 89 en 2000). Cette croissance n'a pas son équivalent dans d'autres catégories d'ouvrages traduits de l'allemand : la part des livres pour la jeunesse dans les nouveautés traduites de l'allemand augmente de 20 % au début de la période considérée à un tiers à partir de 1993, pour atteindre près de la moitié en 2000 (cette proportion est ensuite retombée à moins d'un tiers). On enregistre aussi une assez forte concentration des auteurs, qui indique leur spécialisation dans ce domaine : plus de cinquante auteurs ont au moins trois titres traduits, Marcus Pfister arrivant en tête avec 25 titres. Les années 1989-1993 ont également été marquées par une hausse des traductions de livres pour la jeunesse de l'italien et de l'espagnol mais, contrairement à l'anglais et à l'allemand, cultures fortes d'une longue tradition dans ce genre, ce sursaut a été suivi d'une chute, et la littérature pour la jeunesse représente moins d'un dixième des livres traduits de ces langues pour toute la période[11], contre près d'un tiers pour l'allemand. Enfin, le développement du marché de l'édition pour la jeunesse ne se limite pas aux langues européennes, comme en témoigne le fait que 14 des 19 titres pour la jeunesse traduits de l'hébreu en français jusqu'en 2001 l'ont été à partir de 1990 : il s'agit surtout des livres d'un auteur spécialisé dans ce domaine, Ouri Orlev, mais aussi de ceux d'écrivains comme Amos Oz ou Yoram Kaniuk.

S'il existe de plus en plus d'éditeurs spécialisés dans ce secteur, nombre de grands éditeurs littéraires ont développé un département pour la jeunesse. Gallimard-jeunesse arrive ainsi en tête des éditeurs traduisant de l'anglais, avec plus de 800 nouveautés parues entre 1985 et 2002. Il est suivi, dans le domaine anglais, par Hachette Jeunesse (plus de 500 titres), puis de Castor poche-Flammarion, Gründ, L'École des loisirs, Bayard Jeunesse et Pocket Jeunesse (entre 200 et 300 titres). Pour l'allemand, ce sont les éditions Nord-Sud qui totalisent la moitié des nouveautés traduites (environ 300), suivi de Ravensburger (95) et de l'École des loisirs (59), puis de Hachette jeunesse, Casterman, Actes Sud Junior, Gallimard Jeunesse, qui ont publié entre 20 et 40 nouveaux titres pendant la période.

---

11. 110 sur 1 467 nouveautés pour l'italien hors poches, et 122 sur 1 542 pour l'espagnol, selon les données provenant de la base Electre.

LES GENRES LITTÉRAIRES TRADUITS

Plus une langue est centrale, plus les catégories d'ouvrages traduits de cette langue sont nombreuses, comme on l'a vu au chapitre précédent. Ce constat se vérifie aussi pour les genres littéraires. Ainsi, tous les genres sont représentés parmi les traductions littéraires de l'anglais, ce qui n'est pas le cas pour toutes les langues, notamment les langues périphériques. Du point de vue des logiques qui président à la traduction, la diffusion constitue un indicateur permettant de répartir globalement les genres selon que prévaut l'intérêt commercial ou intellectuel : d'un côté les genres à grande diffusion comme le roman noir ou la science fiction, de l'autre les genres à diffusion restreinte comme la poésie, le théâtre et l'essai, le roman se situant entre ces deux pôles. Selon les données du SNE, en 1986, les romans sentimentaux et les polars tiraient en moyenne à 27 000 exemplaires, tous formats confondus, contre 4 000 pour le théâtre et la poésie et 4 819 pour les sciences humaines, les romans contemporains se situant à 15 362. Cette opposition sera nuancée par la suite pour certains genres, mais elle révèle d'ores et déjà des écarts entre les langues d'origine. On comparera d'abord la répartition des genres par langue, en rapportant les taux à la part de chacun des genres dans la production nationale (qui inclut, rappelons-le, les traductions). Puis on reviendra sur le roman noir, genre qui a connu une forte croissance pendant la période de référence.

À défaut d'une étude approfondie du cas de l'anglais, on se bornera à dégager certaines tendances. Ce sont les traductions de romans (y compris noirs et de science fiction) qui représentent l'immense majorité des traductions littéraires de l'anglais (plus de 90 %). Si le Royaume Uni l'emporte dans le domaine de la littérature pour la jeunesse, pour les autres genres littéraires, les États-Unis sont en tête. En 1993, le nombre de titres américains de littérature (hors jeunesse) pour lesquels les droits de traduction ont été acquis s'élevait à 578, contre 177 de l'anglais (tous pays confondus).

Si l'on isole le polar et la science fiction, le roman arrive toujours en tête des traductions de l'anglais : en constante augmentation (voir graphique 9), il concentre environ la moitié des titres traduits. Cette part reste cependant inférieure à celle qui lui revient dans l'ensemble des nouveautés littéraires en français (traductions incluses), à savoir 60 % en moyenne pendant la période étudiée[12]. Le roman noir est en revanche surreprésenté, avec près de 30 % des traductions littéraires, soit un taux trois fois supérieur à sa part dans la production littéraire en français (entre 10 et 13 % pendant la période), et cinq fois plus élevé que dans les traductions d'autres langues (entre 4 et 6 %). Il est suivi de la science fiction (11 %), genre dont la part a augmenté parmi l'ensemble des nouveautés en français de 2 % en 1991 à 7 % en 2000, mais qui reste peu représenté dans les traductions des autres langues excepté l'allemand (8 % en moyenne, avec une multiplication par quatre du nombre de titres par an entre le début et la fin de la période, de trois à une douzaine, ce nombre atteignant même 22 en 2002). Par-delà la diversité des genres traduits de l'anglais, cette répartition indique donc l'importance des genres à rendement plus élevé, surreprésentés non seulement par rapport aux autres langues mais aussi par rapport à l'ensemble de la production littéraire en français.

Le roman constitue cependant une catégorie hétéroclite, qui inclut à la fois la littérature dite commerciale, relevant du circuit de grande diffusion et soumise à la logique de la rentabilité à court terme, et la littérature exigeante selon des critères littéraires, qui ne se diffuse que dans un circuit restreint. Or, si l'on peut isoler le roman noir et la science fiction, les statistiques d'Electre ne permettent pas de différencier les autres ouvrages relevant du genre romanesque. En se fondant sur les catalogues d'éditeurs et, surtout, sur les collections, on peut néanmoins distinguer le pôle de production restreinte du pôle de grande production (voir chapitre 6). Ainsi, trois quarts des titres publiés par la collection « Best-sellers » chez Laffont sont traduits de l'anglais (très majoritairement de l'américain). Le roman sentimental, qui représentait entre

---

12. Selon les données du SNE pour les années 1986 (62 %), 1991 (63 %), 1994 (58,5 %), 2000 (55 %), le taux remontant, après cette chute, à 66 % en 2003. Nous avons additionné les nouveautés et nouvelles éditions des romans classiques et contemporains, et avons rapporté cette somme au total pour la catégorie « littérature », qui inclut, rappelons-le, les traductions. Pour les années 1986 et 1991, nous avons retranché la catégorie « reportages, actualité, documents », qui disparaît de la catégorie « littérature » dans les statistiques des années suivantes, et conservé la catégorie « critique, analyses, essais ». Ceci correspond aux catégories de la base Electre que nous avons gardées pour la littérature étrangère. Nous avons procédé de la même manière pour le roman noir et la science fiction.

10 % et 13 % des nouveautés en littérature dans les années 1990 selon les données du SNE[13], se distingue plus encore par l'écrasante majorité des traductions de l'anglais : c'est le cas de presque tous les titres publiés chez Harlequin. Rappelons que la base Electre ne disposant des titres de cet éditeur que depuis 2000, nous ne l'avons pas inclus dans les données présentées ici, ce qui signifie que la part de l'anglais dans la circulation de la littérature (commerciale notamment) est sous-estimée. Toujours est-il qu'à en juger par sa surreprésentation dans les genres relevant de ce circuit, la domination croissante de l'anglais semble donc aller de pair avec l'emprise grandissante des enjeux économiques sur la circulation internationale de la littérature.

Il ne s'agit pas de nier l'existence toujours vivace d'une littérature américaine exigeante, qui d'ailleurs trouve parfois plus facilement un débouché en France que dans son pays d'origine. En témoigne le cas, certes isolé mais significatif, de Tristan Egolf, dont le roman *Le Seigneur des porcheries*, a paru d'abord en traduction chez Gallimard, dans la collection « Du monde entier », en 1998, après avoir été refusé par de nombreuses maisons d'édition américaines. Mais, cet exemple l'atteste, dans un système qui fait du succès de vente le principal critère de la valeur d'un livre, négligeant le jugement des pairs et des critiques, le pôle de production restreinte est davantage soumis qu'ailleurs aux contraintes du pôle de grande diffusion, qui tend de plus en plus à intégrer le livre dans l'industrie du divertissement, quand il est en France comme dans d'autres pays l'objet de politiques publiques visant précisément à l'en démarquer (le processus de rachat d'éditeurs indépendants et de concentration autour de grands groupes étant un des moyens par lesquels s'exerce cette contrainte)[14]. L'exportation massive de la litté-

---

13. Il passe de 12,5 % en 1986 à 13,7 % en 1991, puis 13,1 % en 1994, pour tomber à 9,9 % en 2000, cette chute ne s'expliquant pas par la part croissante des publications d'inédits en poche, puisque le nombre de nouveautés en poches (qui inclut inédits, premières parutions au format poche et nouvelles éditions), chute aussi, en valeurs absolues, de 700 en 1993 à 578 en 2000, et en pourcentage, de 29 % (taux qui paraît exceptionnel) à 13 %. Il semble donc bien y avoir eu un pic de publications dans ce genre au milieu des années 1990. Si l'on inclut les réimpressions (hors poches), cette part est successivement de 7,3 %, 9,1 %, 9,6 %, 6,2 %. Rappelons néanmoins que les fluctuations de genre peuvent tenir, plus que d'autres, au fait que les éditeurs spécialisés ne déclarent pas régulièrement leur production au SNE.

14. François Cusset, « *Made in USA* : la fabrique éditoriale », *Critique*, « American Fiction », n° 675-676, août-septembre 2003, pp. 606-617.

rature « commerciale », voire « très commerciale », selon les catégories utilisées par les agents littéraires dans les échanges internationaux, reflète bien la situation de l'édition américaine, où prévaut la logique marchande, ce qui n'empêche pas que, parallèlement, soit introduite en France une littérature plus exigeante, par le biais des collections de littérature étrangère des grands éditeurs ou par de petites maisons, comme Bourgois (qui a traduit 248 titres de l'anglais de 1985 à 2002).

Comme le montre la série des graphiques 8.1-8.6, la répartition par genre des traductions littéraires, à l'exclusion de la littérature pour la jeunesse, sur l'ensemble de la période, est à peu près la même pour l'allemand, l'italien et l'espagnol, à quelques variations près. Le roman est le genre le plus traduit. Sa part dans les traductions littéraires de l'allemand est la même que pour l'ensemble des nouveautés romanesques en français (60 % en moyenne), et elle s'élève à deux tiers des nouveautés littéraires traduites de l'italien et de l'espagnol. Le théâtre est deux fois plus souvent traduit de l'allemand que des autres langues. C'est le cas aussi de la poésie espagnole et hébraïque (15 % et 14 % respectivement contre 9 % pour l'italien et 8 % l'allemand). Mais le fait le plus marquant est que ces deux genres, qui ne représentent ensemble que 3 à 7 % des nouveautés littéraires publiées en français pendant la période selon le SNE, sont surreprésentés parmi les traductions des langues semi-périphériques et même d'une langue périphérique comme l'hébreu. On trouve des nouvelles parmi les traductions de l'hébreu (10 %) et de l'italien (4 %), contre 0,2 % pour l'anglais et aucun titre pour l'allemand et l'espagnol[15]. Les cas des littératures italienne, espagnole et hébraïque feront l'objet d'une analyse détaillée aux chapitres 7, 8 et 14.

Un constat se dégage donc de cette comparaison : les genres les plus commerciaux, surreprésentés parmi les traductions de l'anglais, sont nettement sous-représentés parmi les traductions des autres langues, au profit des genres les plus littéraires, à circulation restreinte. Les variations touchent au capital littéraire spécifique accumulé par les différentes langues dans tel ou tel genre : le théâtre pour l'allemand, la poésie pour l'espagnol ou l'hébreu, la nouvelle pour l'italien et l'hébreu. Les traductions du suédois sont marquées par la part écrasante des romans (88 %) (outre la littérature pour la jeunesse, qui n'est pas comptabilisée ici).

---

15. Les nouvelles ne sont pas isolées dans la classification du SNE.

Graphique 8.1. Répartition par genres des nouveautés littéraires traduites de l'anglais, 1985-2002.

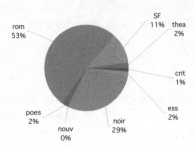

Source : Electre

Graphique 8.2. Répartition par genres des nouveautés littéraires traduites de l'allemand, 1985-2002.

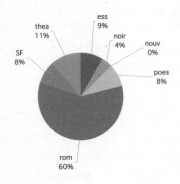

Source : Electre

Graphique 8.3. Répartition par genres des nouveautés littéraires traduites de l'espagnol, 1985-2002.

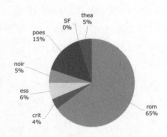

Source : Electre

Graphique 8.4. Répartition par genres des nouveautés littéraires traduites de l'italien, 1985-2002.

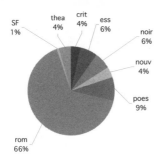

Source : Electre

Graphique 8.5. Répartition par genres des nouveautés littéraires traduites du suédois, 1985-2002.

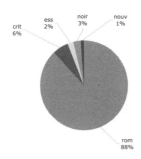

Source : Electre

Graphique 8.6. Répartition par genres des nouveautés littéraires traduites de l'hébreu, 1985-2002.

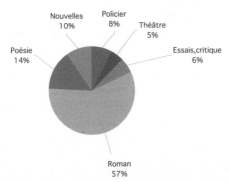

Source : Electre

Graphique 9. Évolution comparée des nouveautés littéraires traduites de l'anglais, par genres, 1985-2002.

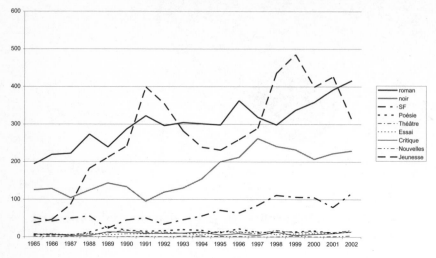

Source : Electre

LE ROMAN NOIR

La catégorie du roman noir, qui inclut les romans policiers, thrillers et romans d'espionnage, est, après la littérature pour la jeunesse, le deuxième genre à avoir connu une forte croissance pendant cette période, parmi l'ensemble des traductions littéraires en français. Entre 1992 et 2002, le nombre de nouveautés traduites dans ce domaine double largement, passant d'au moins 150 à 350 titres par an ; si l'on inclut les rééditions en poche, ce nombre est multiplié par trois, passant de 180 à 540 environ.

Cet engouement correspond au renouvellement du roman noir en France depuis les années 1970, marqué par son institutionnalisation autour de collections spécialisées et sa structuration en trois pôles : un pôle intellectuel, formé par le néo-polar, qui redéfinit le genre en l'ancrant dans une description naturaliste et critique des réalités sociales, un pôle plus traditionnel et un pôle populaire[16]. Cependant, la part du noir dans les nouveautés littéraires en français (hors poches) n'a pas

---

16. Voir Annie Collovald et Érik Neveu, « Le néo-polar : du gauchisme politique au gauchisme littéraire », *Sociétés & Représentations*, n° 11, 2001, pp. 77-94.

augmenté, elle a même fortement diminué entre 1986 et 1991, passant
de 13,8 % (620) à 7,5 % (400), pour remonter à 10,4 % (534) en 1994,
puis à 8,9 % (524) en 2000. La baisse tient peut-être en partie au fait
qu'à partir des années 1990, le nombre d'inédits paraissant directement
en poche semble croître : on en compte ainsi 135 en 1993, mais cela ne
suffit pas à expliquer ce déclin, après le pic du milieu des années 1980.

Toujours est-il que la part des traductions parmi les romans noirs
inédits publiés en français a augmenté pendant la période, passant d'un
peu plus d'un tiers à deux tiers des nouveautés en format ordinaire, selon
ces données. De même, si le nombre global de réimpressions s'est accru,
c'est également dans une proportion moindre que les traductions réim-
primées : il passe de 852 à 1 138 entre 1986 et 2000 (sa part dans l'ensemble de la production littéraire en français chute de 10,1 % à 7,6 %
entre 1986 et 1991, pour se stabiliser à entre 9 % et 10 % en 1994 et 2000 ;
en 2003, elle monte à 12 %) ; parallèlement, l'édition en poche double
entre 1993 et 2000, passant de 629 à 1 319[17].

Le poids de l'anglais est prédominant dans cette croissance : 9
polars sur 10 sont traduits de cette langue, qui fut le berceau du genre
et la source de son développement en France après la guerre, avec notamment la « série noire » créée en 1945 chez Gallimard par Marcel
Duhamel[18]. Les nouveaux titres traduits de l'anglais ont doublé entre 1994
et 1997, mais après avoir atteint un pic de près de 325 cette année-là,
ils retombent à 280 par an, en moyenne. Leur part dans l'ensemble des
polars traduits baisse de 93 % à 88 %, au profit d'autres langues, qui se
diversifient : outre les langues européennes, apparaissent des traductions
du japonais, de l'hébreu, du chinois, du coréen ou du pakistanais, signe
du développement du roman noir dans d'autres pays également. Inscrite
dans la tendance générale à la diversification des échanges évoquée plus
haut, cette évolution concerne surtout le pôle intellectuel du roman noir,
désormais représenté par des auteurs comme l'espagnol Montalbán, que
ses homologues du néo-polar français ont consacré, et l'italien Andrea

---

17. Le nombre de polars parus en poche en 2000 s'élevait à 1319, chiffre supérieur à celui de la publication au format ordinaire, contre 629, dont 135 inédits, en 1993.
Pour l'année 2000, il n'est pas possible d'isoler les inédits, regroupés avec les premières
parutions en poche et les nouvelles éditions (nous donnons ici le total avec les réimpressions). Leur part semble cependant avoir crû depuis le milieu des années 1990.

18. Gérard Meudal, « "Série Noire" : la "French collection" », *Le Monde*, 21 juillet
2006.

Camillieri, qui rend hommage au précédent dans son œuvre, les pôles traditionnels et populaires restant largement dominés par l'anglais, avec des auteurs comme Mary Higgins Clark ou Patricia Cornwell (pour une analyse plus détaillée, voir le chapitre 10).

LES PRINCIPAUX ÉDITEURS
DE LITTÉRATURE ÉTRANGÈRE EN FRANÇAIS

Le marché de la traduction littéraire se présente comme un marché très compétitif, structuré par l'opposition entre une forte concentration de la plus grosse partie de la production par un petit nombre d'éditeurs d'un côté, une grande dispersion du reste des titres de l'autre. Près de 500 maisons publient des traductions de l'anglais pour environ 10 500 nouveautés, autour de 250 en font paraître de l'allemand, l'espagnol et l'italien pour environ 1 500 nouveautés, une soixantaine éditent des ouvrages traduits de langues périphériques comme le néerlandais, le suédois et l'hébreu pour 150 à 250 nouveautés. Mais une trentaine de ces maisons concentre les deux tiers de la production par langue, et une quinzaine publie la moitié des titres pour les langues centrales et semi-périphériques (elles sont huit à dix pour les langues périphériques).

Gallimard arrive en tête pour toutes les langues centrales et semi-périphériques. On retrouve ensuite, parmi les vingt à trente éditeurs les plus importants de littératures étrangères, à une place qui varie selon les langues et les genres, et en fonction des domaines de spécialisation, les grandes maisons d'édition littéraires qui ont développé un domaine de littérature étrangère : Le Seuil, Fayard, Albin Michel, Grasset, Flamma-rion, Laffont. Mais figurent aussi dans ce groupe, pour les langues semi-périphériques et périphériques en particulier, de moyens et petits éditeurs qui, en raison de la forte concurrence et du prix élevé des droits pour les traductions de l'anglais, tendent à investir dans les autres langues, se spécialisant parfois dans un domaine linguistique ou selon d'autres principes (thèmes, genres, etc.), selon la stratégie de « niche ».

Nombre d'entre eux sont apparus depuis le milieu des années 1970 et se sont spécialisés dans la traduction, qui occupe une part importante de leur catalogue, rejoignant des aînés comme José Corti, éditeur des surréalistes qui a développé son domaine étranger dans les années 1980, ou comme Bourgois, fondé en 1966 : c'est le cas d'Actes Sud, Métailié, Liana Levi, La Différence, Verdier, Jacqueline Chambon, Maren Sell, Philippe Picquier ou encore des éditions de l'Aube, qui ont joué un rôle actif dans l'introduction des littératures semi-périphériques et périphériques en France dans les années 1980. Actes Sud est ainsi le premier éditeur de certaines langues périphériques comme le suédois et l'hébreu. À la différence des éditeurs dotés d'une forte légitimité littéraire, dans le catalogue desquels la littérature étrangère occupe une part très restreinte (comme dans le cas des éditions de Minuit), ces nouveaux venus trouvent dans la traduction un moyen d'accumuler du capital symbolique[19]. Leur multiplication contribue à expliquer la forte dispersion observée, à quoi s'ajoutent des éditeurs francophones, qui jouent parfois le rôle de médiateurs entre aires culturelles : par exemple, L'Âge d'homme pour les littératures des pays d'Europe de l'Est ou, autre maison suisse de création plus récente, les éditions Zoé pour la littérature en langue allemande.

Les quelque 10 500 nouveautés littéraires traduites de l'anglais se répartissent entre 497 éditeurs. Un tiers d'entre eux en ont publié les trois quarts, douze plus de la moitié (avec plus de deux cents chacun). Gallimard a traduit 889 titres, dont deux tiers de romans noirs (593). Il est suivi par Payot & Rivages (620) et par la Librairie des Champs Élysées (615), éditeur notamment de la collection « Le Masque » et d'autres collections de romans noirs (Pulp séries). Les dix premiers éditeurs de nouveautés en anglais pendant la période de référence sont ceux qui publient des romans noirs et de science fiction (Fleuve noir et Denoël arrivent en tête dans ce genre, avec respectivement 313 et 218 titres publiés et des auteurs phares comme Christopher Pike, Ray Bradbury ou Philip Kindred Dick), ou encore des best-sellers (Albin Michel, Belfond, Laffont).

Avec des auteurs consacrés comme les Américains Philip Roth (lauréat du prix Médicis étranger en 2002 pour *La Tache*) et John Updike, ou l'Irlandaise Iris Murdoch, publiés dans la collection « Du Monde entier », qui compte aussi l'écrivaine d'origine indienne Bharati Mukherjee et des représentants de la nouvelle génération, tels que le britannique Jonathan Coe (lauréat du Médicis étranger en 1998), Gallimard est un de principaux importateurs des romanciers anglophones. Il arrive encore

---

19. Pierre Bourdieu, « Une révolution conservatrice dans l'édition », art. cité, et Hervé Serry, « Constituer un catalogue littéraire » art. cité.

en tête pour les genres à circulation restreinte, théâtre, poésie, critique, essais (une soixantaine de titres au total), avec toutefois plus d'auteurs devenus classiques que de contemporains : outre les tragédies de Shakespeare dans la prestigieuse bibliothèque de la Pléiade, il a publié des recueils d'Ezra Pound ou de Rabindranath Tagore et des pièces d'Harold Pinter. Il est suivi pour ces genres d'Actes Sud, qui a publié une cinquantaine titres, dont deux tiers de pièces de théâtre (de David Mamet notamment) – et de Bourgois, éditeur de trente-quatre titres, dont un tiers de recueils de poèmes (parmi lesquels ceux d'Allen Ginsberg). Éditeur notamment de William Burroughs, Toni Morrison, Vidiadhar Surajprasad Naipaul, ce dernier se situe à l'avant-garde de l'espace de la littérature traduite de l'anglais. Actes Sud a su imposer des écrivains comme Paul Auster, lauréat du prix Médicis étranger en 1993, Russel Banks et Don Dellilo, qui ont rencontré un certain succès en France, supérieur, dans le cas d'Auster, à sa reconnaissance aux États-Unis.

Parmi les principaux éditeurs de traductions littéraires de l'anglais pendant la période analysée (231 titres), Le Seuil occupe une position intermédiaire, avec d'un côté des romans noirs (un tiers des traductions publiées au Seuil) et des auteurs à succès comme John Le Carré, de l'autre des écrivains à diffusion restreinte comme Thomas Pynchon, John Hawkes ou Robert Coover, la plupart des titres de ces trois derniers ayant paru dans la prestigieuse collection « Fiction & Cie », qui mêle ouvrages écrits en français et traductions[20]. Dans sa collection de littérature étrangère « Cadre vert », Le Seuil compte des auteurs consacrés comme l'Anglais John Irving, l'Écossais William Boyd et le sud africain John Maxwell Coetzee, deux fois lauréat du Booker Prize, en 1983 et 1999, et dont l'œuvre a été couronnée par le prix Nobel en 2003 : il a obtenu le prix Fémina étranger en 1985 pour son premier titre traduit au Seuil, *Michael K, sa vie, son temps*. Enfin, les éditions de l'Olivier, fondées en 1991 en association avec le Seuil avant de devenir un département de la maison en 1995 (puis redevenir une filiale en 2006), ont publié 137 titres de l'anglais pendant la période étudiée, en particulier des romanciers américains contemporains comme Raymond Carver, Richard Ford, E.L. Doctorow, Robert Stone, Jonathan Franzen, Jay

---

20. Hervé Serry, « L'essor des Éditions du Seuil et le risque littéraire. Les conditions de la création de la collection "Fiction & Cie" par Denis Roche », in Olivier Bessard-Banquy (dir.), *L'Édition littéraire aujourd'hui*, Bordeaux, Presses universitaires de Bordeaux, 2006, pp. 165-190.

McInerney, ou des écrivains anglophones comme Will Self, Robertson Davies, John Berger et Michael Ondaatje, prix Médicis étranger en 2000.

Deux cent cinquante éditeurs ont traduit quelque 1 700 nouveautés littéraires de l'allemand de 1985 à 2002. Parmi eux, vingt ont fait paraître 20 titres ou plus, soit près de deux tiers de l'ensemble. En tête arrivent Fleuve noir (136), qui publie surtout de la science fiction (124), dont il est le principal éditeur dans cette langue aussi, et Gallimard (135). Ils sont suivis d'Actes Sud, l'Arche, Fayard, Bourgois et Albin Michel (entre 50 et 110 titres publiés pendant la période). Gallimard, Actes Sud et Fayard ont publié entre 60 et 80 romans chacun pendant la période. Les œuvres d'écrivains contemporains consacrés comme les autrichiens Thomas Bernhard et Peter Handke, ainsi que celles d'auteurs redécouverts comme le Suisse Robert Walser, sont venus enrichir le catalogue de la collection « Du monde entier ». Fayard publie notamment les écrivains Est-allemands Christa Wolf et Ingo Schulze, Actes Sud édite l'œuvre d'Ingeborg Bachmann et a introduit Hanns-Josef Ortheil, dont Le Seuil et Jacqueline Chambon se partagent à présent les traductions. L'un des principaux éditeurs de la littérature allemande d'après-guerre, Le Seuil, a par ailleurs poursuivi la publication des œuvres d'écrivains désormais consacrés tels que Günter Grass, Heinrich Böll et Peter Härtling, tout en lançant quelques nouveaux auteurs comme Michael Krüger, récompensé par le prix Médicis étranger en 1996 pour *Himmelfarb*. Parmi les éditeurs ayant publié, comme Le Seuil, entre 30 et 50 traductions littéraires de l'allemand, Jacqueline Chambon a également introduit en France dès 1989 l'écrivaine autrichienne Elfriede Jelinek, reprise ensuite par Le Seuil, et dont l'œuvre a été couronnée par le prix Nobel en 2004. Autre petit éditeur assumant le rôle de découvreur, Verdier, qui a traduit 23 titres de l'allemand pendant la période considérée dans sa collection « Der Doppelgänger », a fait notamment connaître au public français les œuvres de Gert Jonke et Josef Winkler. Le catalogue de Bourgois fait de son côté une place non négligeable aux genres à diffusion plus restreinte, essais (émanant d'écrivains du 20e siècle comme Ernst Jünger, Walter Benjamin, Peter Handke), poésie (avec des recueils de Paul Celan notamment) et, dans une moindre mesure, théâtre. Mais c'est La Différence qui arrive en tête des éditeurs de poésie allemande avec 16 titres publiés pendant la période, dans la collection « Orphée » pour la plupart, qui comprend surtout des classiques comme Hofmannsthal et Hölderlin. Spécialisé dans le théâtre, l'Arche est le principal éditeur traduisant de l'allemand dans ce genre (65 titres), avec au catalogue des pièces de Bertolt Brecht, Botho Strauss et Franz Kroez.

Dans les domaines italien et espagnol, qui seront étudiés aux chapitres 7 et 8, Le Seuil arrive loin derrière Gallimard, avec environ moitié moins de titres que son concurrent (68 contre 158 pour l'italien, 86 contre 154 pour l'espagnol). Suivent d'assez près Actes Sud et Bourgois (respectivement 83 et 69 titres pour l'espagnol, environ 50 titres pour l'italien), ainsi que Fayard et Payot & Rivages pour l'italien, Métailié pour l'espagnol. Si Métailié joue un rôle central dans l'introduction des littératures d'Amérique latine en France, Bourgois et Verdier ont beaucoup contribué à faire connaître les prosateurs espagnols contemporains, tandis que les éditions de La Différence et Corti, qui publient comme les précédents des traductions d'œuvres du passé et du présent en langue espagnole et portugaise, font une large part à la poésie. La collection « Ibériques » de Corti publie ainsi des recueils en édition bilingue de poètes comme Juan Ramon Jimenez ou, plus contemporaine, Amparo Amoros. Avec 41 traductions de l'italien, parues pour la plupart dans la collection « Terra d'Altri », Verdier joue aussi un rôle important dans la diffusion d'écrivains italiens du 20ᵉ siècle, y compris des contemporains tels qu'Erri de Luca ou Cristina Comencini, ainsi que de poètes reconnus, comme Attila Bertolucci et Mario Luzi.

De 1968 à 1989, 130 éditeurs ont publié 524 traductions du polonais, du hongrois, du tchèque et du roumain, parmi lesquels 22 ont traduit au moins cinq titres, et une douzaine, plus de dix[21]. Premier importateur des littératures des pays d'Europe de l'Est avant 1989, Gallimard le reste après cette date, mais il ne concentre plus que 8,8 % des traductions dans ce domaine, soit deux fois moins qu'auparavant. Si L'Âge d'homme, Laffont, Albin Michel, Le Seuil et Actes Sud continuent aussi à traduire de ces langues, l'édition des littératures de ces pays connaît désormais une plus forte dispersion, à la faveur du rôle accru joué par de petits éditeurs qui ont investi ce domaine, à l'instar de Verdier, Maren Sell, Jacqueline Chambon ou les éditions de l'Aube (voir chapitre 9). Les éditions Verdier ont par exemple fait découvrir ou redécouvrir des auteurs russes méconnus du 20ᵉ siècle comme Sigismund Krzyzanowski,

---

21. Voir Ioana Popa, « Politique des éditeurs ou politiques éditoriales ? Logiques d'importation en France des littératures d'Europe de l'Est à partir des années 70 », *Regards sociologiques*, n° 33-34, 2006, pp. 163-180.

publié dans la collection « russe Slovo », ou des textes (fiction et documents) ayant trait à l'histoire russe dans la collection « russe Poustiaki ».

Actes Sud, maison spécialisée dans la traduction et qui joue depuis les années 1980 un rôle tout à fait central dans l'importation des littératures étrangères en France, arrive en revanche en tête pour les langues périphériques comme le suédois ou l'hébreu. Sa création et son développement, sur lesquels on reviendra au chapitre suivant, sont révélateurs du processus de spécialisation dans les échanges littéraires internationaux pendant la période étudiée, qui est un des indicateurs du phénomène de la mondialisation culturelle.

Les traductions littéraires en français ont connu une hausse supérieure à la fois aux traductions littéraires dans le monde et à la production littéraire en français pendant la période étudiée. Cette hausse est largement due aux traductions de l'anglais, et au développement de genres à grande diffusion, notamment les livres pour la jeunesse, le polar, les best-sellers, mais les langues semi-périphériques et périphériques, où ce sont les genres littéraires à diffusion restreinte qui sont surreprésentés, ont également vu le nombre de traductions doubler. Elles ont bénéficié de la stratégie de « niche » qui, face aux éditeurs à fort capital économique concentrant la plus grosse part des traductions de l'anglais, pousse les petites maisons d'édition à se distinguer en publiant les écrivains des pays dominés. Cependant, si le rôle de découvreur que jouent les petits éditeurs dans l'engouement pour des littératures de langues semi-périphériques ou périphériques (comme dans d'autres domaines) serait à porter au jour – ainsi le rôle de Bourgois pour la littérature espagnole, de Métailié pour celle d'Amérique latine, de Philippe Picquier pour les ouvrages d'Extrême-Orient –, il n'en reste pas moins que le ton est donné par les grandes maisons littéraires, qui ont les moyens de consacrer une littérature nationale non seulement par un choix de traductions, mais aussi en l'inscrivant dans le calendrier des événements littéraires (invitation au Salon du livre, Belles étrangères, obtention de prix, etc.). Ceci paraît attesté par le rôle central que jouent les grands éditeurs littéraires dans l'importation des littératures étrangères, et que nous allons analyser plus en détail au chapitre suivant.

Chapitre 6

Les collections de littérature étrangère
par Gisèle Sapiro

La littérature jouit, au sein du marché international du livre, d'une relative autonomie. En témoigne, premièrement, le fait que la proportion d'ouvrages littéraires traduits est indépendante de la part des autres catégories de livres qui circulent par ce biais. La littérature générale est, en effet, un secteur à fort taux d'intraduction en France, comme on l'a vu. Bien que la part des titres traduits ait diminué entre la fin des années 1970 et le début des années 1990, passant de 45 % à 35 %, pour remonter à 40 % à partir de 1994, elle demeure trois fois supérieure à celle des traductions parmi les ouvrages de sciences humaines et sociales (10 %)[1].

Le deuxième indice de l'autonomie relative de la littérature au sein des ouvrages traduits est l'existence de domaines ou de collections de littératures étrangères dans les maisons d'édition. Leur différenciation au sein des catalogues des éditeurs français dans la première moitié du 20ᵉ siècle a eu une double conséquence : généralement pris en charge par un directeur de collection spécialisé, ces domaines ou collections ont une économie interne spécifique au sein de la maison, qui survit à

---

1. Valérie Ganne et Marc Minon, « Géographies de la traduction », in François Barret-Ducrocq (dir.), *Traduire l'Europe*, *op. cit.*, p. 70. Voir aussi le chapitre précédent.

la personnalité de leur responsable et pèse sur son successeur, lequel doit non seulement gérer le catalogue mais aussi prendre en compte son image dans les choix qu'il fait de nouveaux titres[2]. L'existence même de ces collections de littératures étrangères confère à leurs éditeurs une image de marque qui resserre la concurrence entre collections de différentes maisons[3]. Enfin, dernier indice de cette relative autonomie, la division entre les secteurs s'est institutionnalisée dans le cadre de la politique culturelle : les demandes d'aide à la traduction auprès du Centre national du livre sont examinées par des commissions spécialisées dans le domaine des littératures étrangères et dans celui des sciences humaines et sociales.

L'institutionnalisation du secteur des littératures étrangères aussi bien dans le cadre de la production éditoriale que dans les catégories de l'action publique est étroitement liée au processus d'autonomisation du champ littéraire. Cependant, à la différence des sciences humaines et sociales, les domaines ou collections de littératures étrangères se distinguent aussi de la production littéraire en langue française. Cette séparation, qui justifie, sur le plan méthodologique, qu'ils fassent l'objet d'un traitement séparé, renvoie au rôle historique de la littérature dans la construction culturelle des identités nationales[4]. Si, sous ce rapport, les littératures traduites peuvent constituer un indicateur de la diversité culturelle[5], on peut s'interroger sur leur autonomie non plus seulement par rapport aux enjeux économiques, mais aussi par rapport aux enjeux politiques et identitaires[6].

C'est donc la structure et l'évolution de l'espace de la littérature traduite en français du milieu des années 1980 au début du 21e siècle que nous analyserons ici, à partir d'une étude des catalogues de quelques maisons d'édition et d'entretiens avec des éditeurs et directeurs de

---

2. Ce que confirme une directrice de collection de littérature étrangère qui a travaillé dans différentes maisons d'édition (entretien réalisé le 14 mars 2006).

3. Hervé Serry, « Constituer un catalogue littéraire » art. cité ; voir aussi Anne Simonin, « Le catalogue de l'éditeur : un outil pour l'histoire. L'exemple des Éditions de Minuit », *Vingtième siècle. Revue d'histoire*, n° 81, janvier-mars 2004, pp. 119-129.

4. Anne-Marie Thiesse, *La Création des identités nationales*, *op. cit.* Michel Espagne, *Le Paradigme de l'étranger. Les chaires de littérature étrangère au xixe s.*, Paris, Éditions du Cerf, 1993.

5. Françoise Benhamou et Stéphanie Peltier, « Une méthode multicritère d'évaluation de la diversité culturelle : application à l'édition de livres en France », art. cité.

6. Gisèle Sapiro, « The literary field between the state and the market », art. cité.

collection[7]. À défaut de chiffres de tirage par titre, nous avons constitué deux indicateurs qui permettent de différencier aussi bien les catalogues d'éditeurs que les collections : la concentration sur un nombre limité d'auteurs dont on suit l'œuvre et le nombre de langues traduites. Le premier indicateur est un indice de la volonté d'accumuler du capital symbolique et de construire une politique de long terme. Le deuxième est un indice de diversité culturelle. Pour dégager la structure de l'espace de la littérature traduite, on s'interrogera sur l'articulation de ces facteurs entre eux et avec d'autres principes de différenciation de l'espace de production et de circulation des biens symboliques, en particulier l'opposition entre un circuit de production restreinte et un circuit de grande production, selon les catégories d'analyse forgées par Pierre Bourdieu pour analyser l'économie des biens symboliques[8].

CIRCUIT DE GRANDE PRODUCTION
ET CIRCUIT DE PRODUCTION RESTREINTE

L'opposition entre un circuit de grande production et un circuit de production restreinte se révèle très pertinente pour analyser la structure de l'espace de la littérature traduite. Cette opposition présente l'avantage de renvoyer à des pratiques concrètes (les chiffres de tirage, qu'il s'agisse de livres ou de périodiques) et à des catégories inscrites dans le système de classement des acteurs : la distinction employée par les éditeurs entre livres de fonds à rotation lente et livres à rotation rapide, ou la classification des ouvrages de fiction par les agents littéraires qui opposent « *literary fiction* » et « *commercial fiction* », chacune de ces catégories se subdivisant à son tour en sous-catégories (par exemple, « *literary upmarket* » ou « *very commercial* »). Alors que le circuit de grande production est régi par la logique marchande de la quête de profit

---

7. Les catalogues sont extraits de la base Electre que nous avons retraitée, à l'exception du catalogue du Seuil, reconstitué par Hervé Serry, et de celui de Fayard, qui nous a été aimablement communiqué par Mireille Barthélémy et Sophie de Closets. Ces deux dernières bases sont plus fiables que la base Electre, dont les données ne doivent être considérées qu'à titre indicatif.

8. Pierre Bourdieu, « La production de la croyance » et « Une révolution conservatrice dans l'édition », art. cités. Voir aussi *Les Règles de l'art*, *op. cit.*

à court terme, le circuit de production restreinte mise sur le long terme en publiant des livres à rotation lente. Ces derniers permettent la constitution d'un fonds vivant, composé d'ouvrages qui durent, par-delà leur première exploitation. Un tel fonds permet de résister aux pressions économiques, aux « assauts » des flux financiers, comme nous l'explique un éditeur d'une maison de taille moyenne affiliée à un grand groupe :

> « Vous voyez, plus les flux financiers, plus la pression économique est vive, plus, si vous voulez répondre à ce que j'appelais tout à l'heure la tradition, donc la belle tradition de ce métier, cela vous incite à imposer du long terme, c'est-à-dire à imposer du recul, à voir loin. […] Parce que vous repousserez les assauts des flux financiers si vous êtes capable de leur imposer un long terme réel, c'est-à-dire un fonds vivant, pas un fonds fictif, pas un fonds illusoire, mais un fonds, c'est-à-dire un livre qui durera au-delà de sa première exploitation à plus de cent exemplaires par an. C'est ça le fonds, ce n'est pas le beau livre ou le bon livre, malheureusement. Mais souvent, le bon livre et le beau livre est un livre qui, en effet, après la première année d'exploitation, va se vendre à cent exemplaires par an. Le livre de fond se trouve être en effet un livre de référence. Mais ça n'est pas parce qu'il est un livre, dans votre esprit, de référence, qu'il va se vendre comme un livre de référence. Et si vous avez des livres de référence en pagaille qui ne font pas de score en nouveautés ou en volumes "été" sur le marché, donc qui génèrent des pertes, et qui en plus ne se vendent pas sur la durée, alors là, vous avez perdu sur tous les tableaux. » (entretien du 7 juin 2002)

Ce pôle de production restreinte a donc une économie qui lui est propre. Il nécessite cependant un travail de construction : ce sont des « entreprises de longue haleine » (*ibid.*).

Dans le domaine de la littérature étrangère plus encore que dans celui de la littérature française, cette construction sur le long terme implique une prise de risque, des moyens et un investissement permanent. Pour une maison de taille moyenne, il faut en effet vendre entre 2 500 et 3 000 exemplaires pour amortir les frais d'un livre, sans le coût de la traduction. Or la littérature étrangère stagne souvent en deçà, autour de 800 pour un roman traduit d'une langue périphérique. L'édition littéraire traditionnelle considère cependant que cette prise de risque fait partie du métier et qu'elle ne relève pas du calcul mais de la « passion ». Telle éditrice évoquant avec fierté un auteur allemand de son catalogue précise : « Non, il vend pas du tout, mais ça m'est égal, c'est pas important »[9]. Certains placements sont définis comme « absolument fous » :

---

9. Entretien du 27 août 2007 avec une éditrice d'une petite maison indépendante.

l'éditeur sait qu'il vendra 350 exemplaires de l'ouvrage, mais se dit que « ça, il faut le faire » :

> « On ne fait pas des colonnes, quoi, c'est pas des colonnes de chiffres, c'est pas une arithmétique. Mais il va de soi qu'on ne fait pas n'importe quoi parce qu'on sait que pour durer, il faut quand même équilibrer ses comptes. Donc, c'est une alchimie, une idiosyncrasie, c'est ce que j'appelais la passion tout à l'heure, eh bien, c'est une passion qui a ses limites, ce n'est pas une passion désordonnée ou totalement irresponsable, je veux dire. Il y a beaucoup de responsabilités, et quelquefois il y a des choses totalement irresponsables. Je plaiderais coupable. De temps en temps on fait des trucs absolument fous, et l'un, et l'autre, et d'autres avec nous, parce que là on se dit que, voyez, si on ne fait pas ça, alors on n'est pas éditeur, quoi. Et peut-être on en vendra 350, mais ça, il faut le faire. » (entretien du 7 juin 2002)

L'économie de ce pôle de production restreinte se fonde aussi sur l'aide publique qui permet de limiter les risques et de réduire le coût de l'investissement sur le long terme par un système de prêts avantageux. Elle bénéficie, en effet, du développement d'une politique culturelle de soutien aux biens symboliques qui sont objets de patrimonialisation, à savoir les « belles-lettres » et les ouvrages de sciences humaines et sociales. Le CNL, dont le rôle s'est fortement accru après l'accession des socialistes au gouvernement, son budget ayant connu alors une forte augmentation, est devenu un véritable mécène de l'édition littéraire à faible rendement[10]. L'aide à la traduction s'est développée à la fin des années 1980, à l'initiative de Jean Gattégno qui, comme on l'a vu, lui a consacré une part importante de ce budget. Se donnant pour objectif de contrecarrer les effets de la logique de marché, cette politique vise expressément à soutenir les œuvres exigeantes, « haut de gamme », notamment celles écrites dans des langues périphériques.

Une partie des aides proviennent des pays concernés : ainsi l'Institut portugais du livre et des bibliothèques, créé au début des années 1980, a promu la traduction de la littérature portugaise à une époque où celle-ci suscitait peu d'intérêt en France, proposant par exemple des ouvrages à Anne-Marie Métailié ou aidant les éditions de La Différence ; l'Écosse a également une politique d'aide efficace, finançant systématiquement 50 % du coût de la traduction d'œuvres littéraires ; de même, l'Institut de traduction de la littérature hébraïque prend en charge une

---

10. François Rouet et Xavier Dupin, *Le Soutien aux industries culturelles, op. cit.*, p. 240.

bonne partie des traductions littéraires de l'hébreu chez des éditeurs comme Gallimard ou Actes Sud, qui peuvent dès lors réserver l'aide du CNL à d'autres projets (voir chapitre 14). Cette implication des États (y compris la France) dans l'exportation de leurs littératures indique bien l'enjeu symbolique qu'elles constituent dans la représentation des identités culturelles sur la scène internationale. Mais la politique d'aide n'existe pas dans tous les pays, ou peut se révéler impraticable, parce que trop aléatoire, comme en Allemagne, trop élitiste, comme en Italie, ou réservée à des privilégiés.

Qui plus est, les aides ne suffisent pas à empêcher les pertes générées par le secteur de la littérature étrangère. Même avec une aide à la traduction à hauteur de 50 % du coût, si le livre se vend à 3 000 exemplaires, l'éditeur perd environ 6 000 euros dans une maison de taille moyenne ; s'il n'en vend que 1 500, il perd 15 000 euros. S'il le fait avec dix ou vingt titres, il peut perdre entre 150 000 et 300 000 euros par an. Dans les maisons littéraires traditionnelles où le rendement n'est pas calculé par titre, ces pertes sont équilibrées à deux niveaux : entre secteurs, ou, au sein du secteur, par les auteurs déjà installés, à échéance de dix-huit mois ou deux ans. Ce sont eux qui permettent de prendre des «risques calculés» (entretien du 22 mai 2008 ; éditrice d'une maison indépendante de taille moyenne et de création relativement récente) sur de nouveaux auteurs, selon une «péréquation» qui correspond à une «logique d'investissement permanent» :

> «On prend des risques, mais pour ça, il faut avoir des moyens, si vous mettez la clé sous la porte le lendemain… et puis quand ça commence à générer des résultats, en tout cas à amortir ses frais et au-delà, alors vous pouvez, voyez, réamorcer la pompe. C'est une logique d'investissement permanent, pour tout dire.» (entretien cité du 7 juin 2002 ; éditeur dans une maison de taille moyenne, affiliée à un groupe)

> «Les livres qui se vendent bien financent les autres. La péréquation, la fameuse péréquation qui fait dresser les cheveux des contrôleurs de gestion [rire]. Ça a toujours marché comme ça. […] Je dis, moi, la maison, il y a des sponsors. On a le sponsor S… et on a le sponsor G… […] Ce sont des gens [des auteurs] qui nous permettent de financer la découverte des jeunes…» (entretien cité du 27 août 2007 ; éditrice d'une petite maison indépendante)

Malgré ces difficultés, le nombre de traductions d'ouvrages de littérature étrangère a augmenté depuis les années 1980. Comme on va le voir, cette hausse ne peut être imputée à la seule logique commerciale, en dépit de son emprise croissante. De l'internationalisation du pôle de production restreinte du champ littéraire en France témoigne l'apparition de tribunes spécifiques dans le domaine littéraire et intellectuel : *Lettre internationale* en 1984, *Liber* en 1989. La place réservée à la littérature étrangère dans des périodiques comme *La Quinzaine littéraire* a également augmenté à partir de 1987[11].

Même en l'absence d'un relevé systématique des chiffres de tirage, on peut émettre l'hypothèse, à partir des données dont on dispose et des témoignages recueillis auprès des éditeurs, que l'opposition entre un circuit de grande production et un circuit de production restreinte structure l'espace de la littérature traduite à plusieurs niveaux. Globalement, elle oppose les maisons d'édition les plus commerciales comme Robert Laffont et les petites maisons à fort capital symbolique comme les éditions José Corti ou Maurice Nadeau. Au pôle de production restreinte, il faut distinguer les petites maisons dotées d'un fort capital symbolique comme Minuit et POL, qui traduisent peu et se concentrent sur la littérature française contemporaine, et celles qui investissent principalement dans la traduction. Les traductions littéraires peuvent être, en effet, pour une maison d'édition démunie de capitaux, un moyen d'accumuler du capital symbolique, de « construire une crédibilité », comme nous l'explique une éditrice dont la maison, de création assez récente, s'est spécialisée dans la traduction[12].

À un deuxième niveau, cette opposition entre un circuit de grande production et un circuit de production restreinte structure l'espace des collections : on peut opposer les collections de littérature populaire ou de best-sellers comme la collection « Best-sellers » chez Laffont (qui comprend des romans policiers et, dans une moindre proportion, des romans d'espionnage et de science-fiction) aux collections littéraires dotées d'un capital symbolique comme « Fiction et Cie » au Seuil[13] et aux collections de littératures étrangères, qui se situent au pôle de production restreinte.

Dans les maisons de taille moyenne qui se sont diversifiées pour croître, cette opposition peut se retrouver au sein d'un même catalogue :

---

11. Gisèle Sapiro, « Le prix de l'indépendance », *La Quinzaine littéraire*, n° 919, 16-31 mars 2006, pp. 6-8.

12. Entretien du 27 août 2007. Sur cette logique d'accumulation de capital symbolique par la traduction, voir Hervé Serry, « Constituer un catalogue littéraire », art. cité.

13. Hervé Serry, « L'essor des Éditions du Seuil et le risque littéraire : les conditions de la création de la collection "Fiction & Cie" par Denis Roche », in Olivier Bessard-Banquy (dir.), *L'Édition littéraire aujourd'hui, op. cit.*, pp. 165-190.

les genres à tirage plus élevé (polars ou autres) sont séparés des collections de littératures étrangères. Par exemple, Albin Michel publie Mary Higgins Clark hors de la collection «Les grandes traductions»; Calmann-Lévy a une collection «Suspense» à côté de sa collection «Traduit de»; chez Gallimard, la «Noire» se démarque de la «Blanche» et «Du monde entier». Cette séparation sous-tend une économie interne de la maison: les rendements des collections commerciales équilibrent les pertes du secteur à rotation lente. Cette polarisation se retrouve au sein des genres intermédiaires, en voie de légitimation, comme le roman policier (voir chapitre 10), qui se différencie entre un pôle intellectuel et prestigieux (Henning Mankell, Perez Reverte, P.D. James, Batya Gour ou Shulamit Lapid) et un pôle commercial (Mary Higgins Clark, Patricia Cornwell). C'est pourquoi il est plus pertinent de parler en termes de «pôles» plutôt que de «segments», terme qui suppose un cloisonnement des genres et des marchés.

L'économie interne d'équilibre entre titres à rotation lente et titres à rotation rapide est cependant menacée par l'emprise croissante de la logique financière qui conduit à chercher une rentabilité à court terme et à la calculer titre par titre plutôt que dans une économie générale[14]. Cette perte d'autonomie se ressent particulièrement dans le domaine de la littérature étrangère, qui demande un plus grand investissement de départ que la littérature française, allant à l'encontre de la construction sur le long terme et de la politique d'auteurs.

UNE POLITIQUE D'AUTEURS

Privilégier une œuvre et un auteur plutôt que des titres isolés renvoie à une construction sur le long terme. Les éditeurs et directeurs de collection interrogés évoquent le temps nécessaire pour «construire une œuvre», établir la «réputation» de l'auteur, «il faut bâtir», cela peut prendre jusqu'à dix ans, ou en tout cas plus de cinq ans. Des exemples sont cités à l'appui: «Philippe Roth il a du succès aujourd'hui mais au début?», «un auteur comme Jim Lewis, il a accumulé. C'est du capital, tiens, prenons cette métaphore-là [...] une espèce de capital»; de même, il a

---

14. André Schiffrin, *L'Édition sans éditeurs*, *op. cit.*

fallu quatre livres pour imposer Russell Banks[15]. Cette construction repose en grande partie sur la croyance de l'éditeur – «il ne faut faire que des choses auxquelles on croit», dit cette éditrice d'une petite maison indépendante, qui souligne le caractère subjectif de son travail[16] – ou, dans les grandes maisons, du responsable éditorial qui doit convaincre la direction de la maison de continuer à investir dans un auteur lorsque celui-ci ne rapporte pas beaucoup.

> «C'est de manière générale que dans mon métier d'éditeur je me dis, il faut pas travailler dans une tour d'ivoire, moi je veux quand même toucher des lecteurs. Bon, ça c'est une chose. Mais la deuxième chose, qui est aussi importante, et il faut trouver un équilibre entre les deux, c'est notre exigence de qualité. Nous on veut des textes qui ont une réelle expression littéraire, cohérente, autonome, originale, forte, une vraie qualité littéraire. Et donc on est capable de dire : deux choses. On arrête quand la qualité n'y est plus. Et aussi, on continue, quand la qualité y est mais pas les ventes. Ça c'est vraiment une politique que la maison observe dans tous les domaines, encore, et je pense qu'il y a encore pas mal d'éditeurs quand même en France qui fonctionnent comme ça, même à l'intérieur des grands groupes, peut-être qu'ils ont parfois plus de difficultés que nous mais il y en a qui le font encore très bien, mais chez X c'est vraiment la règle qui prévaut, c'est… on veut se donner le temps de construire une œuvre, et petit à petit trouver le public pour cette œuvre en France. Et j'ai, pour des auteurs qui ne se vendent pas très bien, j'ai du temps devant moi. Je peux convaincre la direction de dire : j'y crois vraiment, peut-être on n'aura jamais un très vaste public mais on aura un public, et livre par livre, il faut construire sa réputation, sa renommée en France.» (entretien du 14 mai 2002 avec un directeur de collection d'une maison d'édition littéraire indépendante à capital symbolique élevé).

Mais cette croyance est aussi ce qui assure, avec «l'effet catalogue», c'est-à-dire le capital symbolique accumulé par une maison, la crédibilité de l'éditeur face à la critique et aux libraires, et permet de maintenir un rapport de «respect» et de «réciprocité» avec ces derniers, voire «d'attachement», rapport que les éditeurs situés au pôle de produc-

---

15. Entretiens du 14 mai 2002, du 14 mars 2006 et du 22 mai 2008 avec des directeurs de collection, l'un d'une grande maison indépendante dotée d'un fort prestige, l'autre quittant une ancienne maison de taille moyenne, affiliée à un grand groupe, le troisième dans une maison indépendante de taille moyenne, spécialisée dans la traduction, et ayant connu une forte croissance. (Précisons que nous n'avions pas employé le terme «capital» dans l'entretien.)

16. Entretien du 27 août 2007.

tion restreinte opposent au «cynisme» de ceux qui forcent les libraires à une mise en place «artificielle» (entretien du 26 mai 2008 avec une éditrice d'une maison indépendante de taille moyenne et de création relativement récente). «Exigence», «qualité» sont des termes qui reviennent dans les entretiens.

On peut opposer ainsi la relative dispersion d'une collection comme «Best-sellers» qui mise sur des livres à rotation rapide plutôt que sur des auteurs, et la relative concentration qui caractérise les collections littéraires en général et celles de littératures étrangères en particulier. Ainsi, entre 1984 et 2002, un auteur sur cinq a publié au moins trois titres dans la collection «Best-sellers» de Laffont, alors qu'ils sont entre un quart et un tiers dans les grandes collections de littérature étrangère comme Gallimard et Grasset pour la même période, et plus de 40 % (56 sur 129) chez Fayard.

Cette concentration élevée chez Fayard correspond à une phase d'accumulation de capital littéraire à travers les traductions à la suite de l'arrivée à sa tête en 1985 de Claude Durand, ancien éditeur au Seuil et chez Grasset, détenteur des droits étrangers de Soljénitsyne. À partir de cette date, participant de la réorientation de la politique éditoriale, le nombre de traductions littéraires augmente sensiblement, passant de 3 à 7 titres par an à une moyenne de 27 entre 1987 et 2002, avec un pic de 35 en 1993. La concentration sur les auteurs se resserre : sur 468 titres traduits de 36 langues de 1984 à 2002, pour 129 auteurs environ (ratio 3,6), dont un quart ont plus de quatre titres traduits et neuf plus de 10 titres, notamment Ismaël Kadaré (53), Muriel Spark (21), Alexandre Soljénitsyne (16), Leonardo Sciascia (16), P.D. James (16), H.R.F. Keating (15), Edna O'Brien (13), Juan Goytisolo (13) et Mark Kharitonov (11). L'investissement dans la publication des œuvres complètes (celles de Kadaré, en l'occurrence) illustre la politique d'auteur à son plus haut degré.

Chez Gallimard, dans la prestigieuse collection «Du monde entier», créée en 1931, et qui pouvait se prévaloir en 1981 de 1 100 titres pour 470 auteurs, on constate toutefois un taux de dispersion plus élevé que dans les cinquante premières années de la vie de la collection (1,9 contre 2,3)[17]. Cet écart tient en partie au biais qu'introduit le découpage chronologique, certains des auteurs publiés dans notre période de référence

_____

17. Christine Ferrand, «Campagnes "Du monde entier"», *Livres Hebdo*, n° 12, 24 mars 1981, p. 49.

ayant des titres parus antérieurement, mais il ne peut lui être entièrement imputé. Malgré cette dispersion, 89 auteurs sur 320 ont au moins
trois titres traduits, soit plus d'un quart, avec, en tête du catalogue,
Thomas Bernhard, Philip Roth, Peter Handke, Yachar Kemal, Carlos
Fuentes et John Updike. Chez Grasset, qui représente le pôle commercial de l'édition littéraire, sur 86 auteurs, 26 seulement ont au moins
trois titres traduits, parmi lesquels on trouve Gabriel García Márquez
(10) mais aussi des auteurs à succès comme Anthony Burgess, Erich
Segal ou Umberto Eco.

Les collections « Cadre vert » au Seuil et « Les grandes traductions » chez Albin Michel présentent une dispersion encore plus importante (le ratio titres/auteurs est respectivement de 2 et 1,6), avec seulement
20 % des auteurs au Seuil et 15 % chez Albin Michel ayant trois titres
ou plus traduits pendant la période. Dans ce cas aussi, le découpage
chronologique ne suffit pas à rendre compte de cette dispersion.

Maison d'édition créée en 1978 par Hubert Nyssen, Actes Sud s'est
d'emblée spécialisée dans la traduction des littératures étrangères, à une
époque où la politique d'aide à la traduction se mettait en place. Regroupées en collections par aires culturelles et linguistiques – « Lettres allemandes », « Lettres anglo-américaines », « Lettres scandinaves », « Lettres
japonaises », « Lettres chinoises », « Lettres coréennes », etc. –, les nouvelles
traductions de littératures étrangères (hors jeunesse) représentent environ
un tiers des titres qu'elle a publiés pendant la période étudiée, à savoir
896 pour 469 auteurs selon la base Electre, soit un ratio titres/auteurs de
1,9[18]. Moins d'un auteur sur cinq a trois titres ou plus traduits, et un sur
dix en a quatre, ce qui indique une dispersion assez élevée. Seuls sept
auteurs ont dix titres ou plus traduits, avec en tête les deux auteurs phares
de la maison : Paul Auster (18) et Nina Berberova (18).

Chez un petit éditeur comme Christian Bourgois, redevenu indépendant en 1992, après avoir quitté les Presses de la cité, la proportion
d'auteurs ayant au moins trois titres traduits s'élève à un tiers (63 sur
196 auteurs), le ratio titres/auteurs étant de 2,6 (pour 519 titres). Si seuls
quatre auteurs ont plus de dix titres traduits – Manuel Vasquez Montalban
(21), Antonio Tabuchi (18), Antonio Lobo Antunès (14) et John Ronald

---

18. Hors la collection de poche Babel, qui se compose principalement de rééditions de classiques, les collections de classiques – Thesaurus, les Belles infidèles – et
les collections destinées à la jeunesse.

Tolkien (14) –, quinze autres en ont au moins sept, dont Fernando Pessoa, Enrique Vila-Matas, William Burroughs, Hanif Kureishi et Toni Morrison.

La tendance accrue des catalogues de littératures étrangères à la dispersion peut être imputée en premier lieu à la pression accrue de la loi du marché, la logique du court terme et du « *turnover* », selon les termes d'une éditrice (entretien cité du 22 mai 2008 d'une maison indépendante de taille moyenne, ayant connu une forte croissance), que le pôle de grande production impose au pôle de production restreinte, et qui condamne de plus en plus les éditeurs à faire le « *one shot* » (*ibid.*), c'est-à-dire à obtenir un succès immédiat sous peine de devoir renoncer à suivre un auteur. Cette logique s'oppose le plus directement à la politique d'auteur.

Outre la logique financière du rendement à court terme, la volonté d'« installer » une œuvre est contrebalancée par quatre facteurs de dispersion plus spécifiques au pôle de production restreinte : premièrement, ce qu'on peut appeler les « mauvais placements » ; deuxièmement, la nécessité de renouveler le catalogue ; troisièmement, la concurrence entre éditeurs ; et enfin, la diversification des langues de traduction.

Les « mauvais placements » sont les choix non pérennes, le fait de miser sur des débuts d'œuvre qui n'ont pas de suite. Ils peuvent avoir des causes diverses : soit que l'auteur n'ait pas produit de suite, soit que la suite de l'œuvre ne réponde pas aux promesses initiales (entretien cité du 7 juin 2002). Telle jeune auteure sur laquelle le responsable d'une prestigieuse collection de littérature étrangère avait misé n'a, par exemple, publié son deuxième roman qu'au bout de cinq ans. Certains auteurs « mettent tout dans leur premier roman, c'est leur bébé, et puis après ils sont un peu desséchés. C'est dur, c'est très très dur, le deuxième roman […]. Psychologiquement, et même du point de vue… matière, données. Parce que quelquefois ils ont tout donné dans le premier roman. » (entretien cité du 14 mars 2006)

Le besoin de renouvellement tient à la fois à la nécessité d'innover et au risque d'obsolescence, lequel varie selon les domaines : il est, en principe, le plus faible en sciences humaines et sociales, où certains titres sont appelés à devenir des références ou des « classiques », comme en littérature, à l'opposé par exemple de l'essayisme, très lié à l'actualité. On retrouve là l'opposition entre les deux circuits de production, à rotation lente et rapide. Mais sous le rapport du vieillissement, l'édition littéraire est prise entre deux logiques contradictoires : celle de la volonté d'installer une œuvre à long terme, et la crainte d'apparaître d'arrière-garde, en raison de la contrainte de renouvellement et d'originalité qui pèse sur le champ littéraire. Ainsi, par exemple, les éditions Gallimard ont cessé de publier l'écrivain israélien Aharon Appelfeld, dont l'œuvre évoque la Deuxième Guerre mondiale et ses séquelles, pour miser sur des auteur-e-s plus jeunes. Il a été « récupéré » par les éditions du Seuil, qui ont réussi à l'imposer auprès des intermédiaires (critiques et libraires) avec un ouvrage autobiographique. Pour un petit éditeur, qui publie un nombre de titres limité par an, la politique de suivi d'auteurs peut aussi entrer en concurrence avec la fonction de découverte de nouveaux talents, comme l'explique Anne-Marie Métailié :

> « nous sommes confrontés au problème du nombre croissant d'auteurs "maison" qui produisent de plus en plus. Il faut donc trouver un équilibre entre le suivi de ces auteurs et le maintien d'un espace permettant d'accueillir les nouveaux venus[19]. »

Même pour un éditeur qui publie 450 titres par an, comme Actes Sud, et qui revendique une politique d'auteur, une telle politique poussée à l'extrême peut conduire à « l'asphyxie », comme l'explique une éditrice en donnant l'exemple d'un auteur découvert alors qu'il avait déjà publié dix livres (entretien du 22 mai 2008). Ainsi, la propension des agents littéraires à vouloir imposer en contrepartie de l'ouvrage demandé par l'éditeur l'acquisition de titres antérieurs d'un auteur – le fameux « *package deal* » – est paradoxalement vécue comme une contrainte allant à l'encontre de cette politique et conduisant à sortir les livres « à contrecoeur » : « la politique d'auteur, on la démarre à partir de son choix » (*ibid.*).

La concurrence entre éditeurs est un facteur qui contribue à disperser les œuvres d'un auteur à la mode ou rencontrant un certain succès comme Montalbán (Bourgois et Seuil), Camilieri (Métailié et Fayard), Updike (Seuil et Gallimard). Elle est encouragée par les agents littéraires. Ainsi, l'agent espagnol de Montalbán avait vendu les droits au Seuil et à Bourgois, lesquels ont fini par se répartir l'œuvre entre, d'un côté, les polars, accueillis par Bourgois, dont la maison était alors intégrée aux Presses de la cité, où il dirigeait également la collection « 10/18 », ce qui facilitait leur passage en édition de poche, et, de l'autre, les romans, acquis

---

19. Entretien avec Isabelle Roche, « Rencontre avec Anne-Marie Métailié », Le Littéraire.com, 18 novembre 2004 ; en ligne : http://www.lelitteraire.com/article1149.html.

par Le Seuil, qui n'avait pas encore développé sa collection de romans policiers. La politique d'auteur des petits ou moyens éditeurs se heurte ainsi à la tendance des écrivains à les quitter pour un plus grand éditeur dès qu'ils ont accumulé un capital symbolique suffisant, comme ce fut le cas pour García Márquez, passé de Julliard chez Grasset, pour José Saramago, passé au Seuil après avoir été découvert par Anne-Marie Métailié, ou plus récemment pour Elfriede Jelinek, Cormac McCarthy, Antonio Munöz Mulina et Juan Gabriel Vasquez également passés au Seuil, après avoir été lancés en France par Jacqueline Chambon pour la première, Actes Sud pour les trois autres. Bien qu'il ne soit pas massif pour la période étudiée, ce phénomène est important pour comprendre les limites d'une politique d'auteur et les modes d'accumulation et de circulation du capital symbolique.

Le dernier facteur de dispersion étant le seul propre à la traduction et celui qui différencie le plus nettement le pôle de production restreinte du pôle de grande production, il fait l'objet de la section suivante.

LA DIVERSIFICATION DES LANGUES

Dans ce système d'opposition entre circuit de production restreinte et circuit de grande production, les langues traduites constituent elles-mêmes un indice de l'autonomie relative à l'égard des intérêts purement commerciaux. Alors qu'au pôle de grande production on traduit princi-palement de l'anglais, au pôle de production restreinte, on traduit de nombreuses langues, et l'anglais est relativement sous-représenté.

Ainsi, dans les genres populaires comme le roman rose, on relève une écrasante majorité de traductions de l'anglais : c'est le cas de presque tous les titres publiés chez Harlequin, éditeur de romans roses, comme on l'a vu au chapitre précédent. De même, les trois quarts des titres publiés par la collection «Best-sellers» chez Laffont sont traduits de l'anglais (très majoritairement de l'américain), contre un quart de titres français (on ne relève que quatre traductions de l'allemand et une du russe). Le nombre moyen de titres publiés annuellement dans cette collec-tion a doublé à partir de 1995, passant de neuf à dix-huit. Or cette hausse est due à une augmentation des traductions de l'anglais de cinq à douze par an en moyenne (donc plus du double). Cette évolution témoigne de la domination croissante de l'anglais, laquelle va de pair avec l'accentuation des contraintes commerciales.

Au pôle de production restreinte, au contraire, les petites maisons qui n'ont pas les moyens de rivaliser avec les grands éditeurs pour acquérir la littérature des langues centrales, tendent à se spécialiser dans des langues semi-périphériques ou périphériques. Ainsi, parmi les dix maisons traduisant le plus de l'espagnol, après les grandes maisons littéraires que sont Gallimard et Le Seuil, et après Actes Sud, on compte Bourgois, Métailié, Corti, la Différence – même si parmi ces petits éditeurs, certains se spécialisent dans la littérature anglo-américaine, à l'instar de Christian Bourgois, éditeur de William Burroughs et Toni Morrison, notamment, et qui propose par ailleurs, à côté de sa collection « Lettre internationale », une « Bibliothèque asiatique », avec des traductions du chinois.

Fondées en 1979, les éditions Métailié ont aujourd'hui un catalogue de 700 titres, composé aux trois quarts de traductions de littératures étrangères, qui sont regroupées par aires culturelles et linguistiques (bibliothèques hispanico-américaine, hispanique, brésilienne, portugaise, allemande, italienne, écossaise, nordique, etc.). Elles sont plus particulièrement spécialisées dans l'Amérique latine, la bibliothèque hispano-américaine réunissant plus d'un tiers des titres traduits, avec des auteurs-phares comme les chiliens Luis Sepùlveda et Hernan Rivera Letelier, ou le cubain Leonardo Padura, suivie de la bibliothèque brésilienne, qui compte des auteurs classiques comme Machado de Assis[20].

C'est autour d'un projet de traduction de textes classiques de l'hébreu que Gérard Bobiller a fondé, la même année, les éditions Verdier, dans le cadre d'une quête philosophique née des désillusions du mouvement de la Gauche prolétarienne. À partir de 1983, le projet éditorial s'est élargi à la littérature, en s'appuyant sur une équipe de spécialistes, universitaires pour la plupart. Dans le catalogue, qui compte au total 700 titres, pour moitié traduits, le domaine des littératures étrangères est également organisé autour de quelques langues, avec les collections « Terra d'Altri » pour l'italien, « Otra Memoria » pour l'espagnol, « Der Doppelgänger » pour l'allemand, « Russe Slovo » et « Russe Poustiaki ». Aujourd'hui, le fonds finance les nouveautés à 50 %[21].

---

20. Cette analyse se fonde sur une consultation du catalogue en ligne de Métailié.

21. Nous nous appuyons là aussi sur une consultation du catalogue en ligne de Verdier et sur l'entretien que nous a accordé Gérard Bobiller, son directeur, avec la responsable des droits étrangers, le 7 avril 2008.

Ces petits éditeurs jouent souvent un véritable rôle de découvreurs, soit en dénichant des œuvres oubliées ou méconnues du passé, à l'instar des éditions Verdier, soit en suivant des auteurs contemporains qu'ils ont été les premiers à publier en français. Plus de 83 % des titres du catalogue d'Anne-Marie Métailié sont ainsi des premiers livres d'auteurs inconnus. La plupart des livres d'écrivains étrangers qu'elle publie sont traduits pour la première fois dans le monde. À la différence des grandes maisons qui délèguent cette fonction à des *scouts*, les petits éditeurs s'appuient sur des réseaux de relations personnelles pour exercer cette fonction.

Anne-Marie Métailié s'est rapidement détournée de son projet initial d'éditer des sciences humaines et sociales pour s'intéresser à la littérature étrangère. Tout en faisant retraduire des classiques comme Machado de Assis, elle découvre vers 1982 une nouvelle génération d'auteurs portugais, Antonio Lobo Antunès, Lidia Jorge, José Saramago, qui retiennent son attention par la qualité littéraire de leurs œuvres et par leur traitement original de la décolonisation. Entrée en 1991 dans le circuit de diffusion des éditions du Seuil, elle découvre Luis Sepùlveda, qui lui a été proposé par l'agent allemand Regu de Mertin. D'abord tiré à 3 000 exemplaires, *Le Vieux qui lisait des romans d'amour* devient un best-seller par l'effet du bouche-à-oreille (le premier article de presse sort quand 25 000 exemplaires se sont déjà écoulés), atteignant 80 000 exemplaires en un an. Ce succès, qui lui assure une certaine stabilité, lui donne la possibilité de prendre des risques. Tout en se spécialisant dans l'Amérique latine, grâce au réseau d'écrivains amenés par Sepùlveda, de la génération des militants revenus à la littérature après l'exil ou la prison, elle entreprend de diversifier son catalogue. Pour le domaine italien, langue qu'elle maîtrise comme l'espagnol et le portugais, elle est conseillée par Serge Quadruppani, auteur de la maison, qui s'occupe également du roman noir, « le roman urbain de notre temps » selon l'éditrice. De la rencontre avec Keith Dixon et Nicole Bari naissent, au milieu des années 1990, les collections écossaise et allemande. Les succès permettent de financer des titres moins rentables. Mais elle n'est pas certaine de vouloir s'ouvrir « tous azimuts » : « Par exemple, si on me propose un auteur chinois, je ne suis pas sûre que j'aurais envie de le publier – quand bien même mon interlocuteur aurait la force de conviction requise – parce qu'il y a déjà des spécialistes de littérature chinoise, comme les éditions Picquier », explique-t-elle dans un entretien. En 1997, elle a lancé la collection « suites », en format semi-poche, pour donner une deuxième vie aux livres refusés par les collections de poche dont les critères économiques sont très stricts. À cette époque, elle publiait entre vingt et vingt-deux nouveautés par an, auxquels s'ajoutent désormais une quinzaine de titres en semi-poche. De 400 titres alors, le catalogue est passé à 700 en 2007, le nombre annuel de publication étant monté à une cinquantaine. Elle envisage à présent d'ouvrir son catalogue à des écrivains de l'Afrique lusophone[22].

Situées entre les collections à rendement élevé et les catalogues des petits éditeurs, les domaines et collections de littératures étrangères des grandes maisons littéraires comme Gallimard, Le Seuil, Fayard et Albin Michel se caractérisent par deux traits. En premier lieu, la relative sous-représentation de l'anglais qui, bien qu'étant, dans la plupart des cas, la langue la plus traduite, ne constitue qu'un tiers des traductions[23], soit deux fois moins que le taux global des traductions de l'anglais, qui représente environ deux tiers de l'ensemble des livres traduits en français selon les données de l'Index Translationum. Notons, en outre, qu'y sont publiés non seulement des auteurs américains ou anglais mais aussi irlandais, indiens, africains, des Philippines, etc. (c'est, par exemple, le cas de près d'un auteur sur quatre traduits de l'anglais chez Fayard).

Deuxième caractéristique, la diversité des langues : Gallimard traduit ainsi des œuvres d'une trentaine de langues (et de plus de 40 pays), Le Seuil, Fayard et Albin Michel d'une vingtaine de langues (et de plus de 30 pays pour Fayard et Albin Michel). Cette tendance à la diversification est exacerbée chez Actes Sud, maison qui s'est spécialisée dans la traduction des littératures étrangères, l'anglais ne représentant qu'un quart des titres traduits (et encore s'agit-il dans nombre de cas d'auteurs australiens, irlandais ou africains), parmi 36 langues différentes : il est suivi de l'allemand, de l'espagnol, du russe, de l'italien, du suédois, de l'arabe, du néerlandais, du coréen, du grec, de l'hébreu, du norvégien, du chinois, du polonais, du japonais, du portugais et du hongrois, pour ne citer que celles dont plus de dix titres ont été traduits pendant la période (voir tableau 1). Organisé par aires culturelles, le catalogue d'Actes Sud reflète le processus de spécialisation qui a accompagné l'essor des traductions des littératures étrangères. Il incarne ainsi une

---

22. Nous nous appuyons sur les entretiens qu'Anne-Marie Métailié a donnés à la presse ainsi que sur celui qu'elle nous a accordé : entretien avec Isabelle Roche cité ; entretien avec Pierre Binic, « Anne-Marie Métailié, vingt ans au fil de ses livres », *L'Humanité*, 23 décembre 1999 ; en ligne : http://www.humanite.fr/1999-12-23_Cultures_-Anne-Marie-Metailie-vingt-ans-au-fil-de-ses-livres ; Entretien avec Anne-Marie Métailié, *ArtsLivres*, 13 janvier 2006, en ligne : http://artslivres.com/ShowArticle.php?Id=981.

23. Dans le cas du Seuil, cependant, il faudrait prendre en compte les autres collections, notamment « Fiction & Cie », où beaucoup de titres sont traduits de l'anglais.

forme institutionnalisée du capital linguistique. Significativement, Actes Sud a contribué à la professionnalisation des traducteurs littéraires en soutenant leur combat pour la reconnaissance sociale, tant sur le plan symbolique (en particulier l'inscription de leur nom sur la couverture) que sur le plan matériel (la rémunération). L'idée des Assises de la traduction à Arles a été lancée par leur fondateur, Hubert Nyssen.

L'originalité du projet d'Actes Sud tient en premier lieu aux propriétés sociales de son fondateur, Hubert Nyssen. Né en Belgique en 1925, doté d'un capital culturel hérité conséquent, il devient écrivain après avoir tenté par deux fois des expériences éditoriales sans lendemain et exercé diverses activités culturelles. Installé en France en 1968 avec sa nouvelle épouse, l'illustratrice Christine Le Bœuf, naturalisé français en 1976, il fonde deux ans plus tard Actes Sud. Sa femme collabore activement au projet : elle a composé toutes les couvertures des livres jusqu'en 1991, réalisé nombre d'illustrations, et traduit de l'anglais depuis 1986. Il s'agit au départ d'une véritable gageure : comment créer une maison d'édition en province sans faire de la littérature régionaliste ? À la faveur de son idéal européen et de son capital social spécifique, il se lance d'abord dans la littérature allemande et nordique (notamment le suédois Torgny Lindgren). En 1984, introduit par le poète belge Jean Tordeur, Jan Rubeš lui propose la traduction qu'il a faite du *Parapluie de Piccadilly* de Jaroslav Seifert, et que tous les éditeurs parisiens lui ont refusée : or l'auteur vient de recevoir le prix Nobel (voir chapitre 9). La découverte l'année suivante de deux écrivains qu'il va imposer en France, l'Américain Paul Auster et la Russe Nina Berberova, dont les ouvrages, publiés par des maisons d'édition de l'émigration, circulaient en URSS par samizdats, asseoit l'image de marque de la maison. Elle lui ouvre en même temps les portes de nouveaux domaines linguistiques, par l'intermédiaire de ses auteurs – Auster lui suggère ainsi les noms de Don Dellilo et Russell Banks – et de traducteurs ou spécialistes d'autres domaines linguistiques qui, à l'instar de Michel Eckhard pour l'hébreu, vont à leur tour proposer des noms : ceux de David Vogel et Yaakov Shabtaï, par exemple, dont Hubert Nyssen acquiert les droits auprès de l'Institut de traduction de la littérature hébraïque lors d'un voyage en Israël en 1985. Inlassablement, Nyssen a continué aussi à prospecter par lui-même (il raconte dans ses carnets comme il a rencontré le Néerlandais Harry Mulisch ou repéré le Finlandais Antti Tuuri)[24]. Ainsi, sans que cela corresponde à un projet initial, se sont constituées des collections consacrées à des aires linguistiques et culturelles (allemand, scandinave, anglo-américain, japonais, chinois, coréen, hébreu, etc.). Actes Sud a en outre racheté au début des années 1990 la maison Sinbad, spécialisée dans les traductions

---

24. Hubert Nyssen, *L'Éditeur et son double. Carnets 1983-1987*, Arles, Actes Sud, 1988 et *La Sagesse de l'éditeur*, Paris, L'oeil Neuf, 2006.

de l'arabe[25]. Son succès et son rapide développement – elle publie aujourd'hui environ 450 titres par an – ont été adossés à la mise en place de la politique publique d'aide à l'intraduction en France et aux aides fournies par les pays d'origine (comme les Pays-Bas, la Finlande ou Israël ; voir chapitres 11, 12 et 14) : Hubert Nyssen a, ainsi, pris contact, dans plusieurs pays, comme Israël ou la Finlande, avec les représentants étatiques et les organismes de promotion culturelle (il a même tenté de convaincre le directeur des affaires extérieures du ministère de l'Éducation nationale finlandais d'installer une Maison de la Finlande en Arles plutôt qu'à Paris). Ces organismes tendent à renforcer la logique de spécialisation des directeurs de collection, à tel point que la direction doit souvent rappeler, aux uns et aux autres, que la maison n'a pas pour vocation de représenter les différentes cultures, mais des auteurs, même si, par la force des choses, elle en est venue à constituer une sorte de microcosme. Tournée vers la littérature contemporaine avant tout, elle ne considère pas non plus que son rôle consiste à combler des lacunes patrimoniales, d'autant que faire connaître des auteurs du passé requiert un travail spécifique, différent de la promotion d'auteurs contemporains qu'on peut inviter et/ou solliciter pour un entretien à cet effet. Mais la littérature classique n'est pas exclue du catalogue comme en témoigne la récente retraduction des *Métamorphoses* d'Ovide.

En revanche, chez Grasset, qui représente le pôle le plus commercial des grandes maisons littéraires, plus de la moitié des titres traduits pendant la période – une centaine environ – le sont de l'anglais, l'espagnol arrivant loin derrière avec une trentaine de titres (principalement de García Márquez), suivi de l'allemand et de l'italien.

Tableau 1. Nombre de titres traduits dans les collections/domaines de littératures étrangères par langue d'origines, 1984-2002.

Langue d'origine	Actes Sud	Gallimard (Du monde entier)	Seuil (Cadre vert)	Fayard (Littérature étrangère)	Albin-Michel (Grandes traductions)	Grasset	Christian Bourgois
afghan					1		
albanais	5	2		56	1		
allemand	122	80	24	72	26	25	52
anglais/ américain	223	188	79	157	64	108	290

.../...

---

25. Sur Sinbad, voir Maud Leonhardt Santini, *Paris, librairie arabe*, Marseille, Éditions Parenthèses/Maison méditerranéenne des sciences de l'homme, 2006.

.../...

arabe	39	6	4	2	1		1
arménien	1		1		2		
bengali	1	1					1
bulgare	6						
catalan	5	2	2				1
chinois	17	6	1	1	4		5
coréen	24						
danois	10	9	4	1	1		2
espagnol	91	71	55	12	11	32	80
estonien		1					2
finlandais	8	1					
frioulan	1						
frison	1						
galicien		1					
géorgien				1	1		
grec	22	10	5	3			1
hébreu	20	12	4	11	1	1	
hindi	1	1					
hongrois	13	7	1		1		1
islandais	5	1		1			
italien	55	48	34	52	16	20	39
japonais	15	25	10	6	5		
lituanien					1		
macédo-nien	1			3			
malais	1						
néerlandais	30	14	9		2		
norvégien	18	2					
persan	3			2			
polonais	17	7	2	16	6		6
portugais	16	28	9		13	1	26
roumain	6	4		1	6		
russe	57	44	8	40	27	1	6
serbe, croate, serbo-croate		6		8			
suédois	55	11			1	4	5
tchèque	2	13	2		4		1
tibétain				3			
turc	3	15	2				
yiddish	1						

Force est, cependant, de constater la contradiction déjà évoquée entre la volonté de se concentrer sur les auteurs et le nombre croissant de langues, qui est un facteur de dispersion. Souvent, les collections ou catalogues ne comportent qu'un titre traduit d'une langue périphérique ou d'un auteur. La tendance à la diversification des langues caractérise les collections de littératures étrangères des grandes maisons d'édition littéraire, comme Gallimard, Grasset, Le Seuil et Fayard, ainsi que celles d'Actes Sud. Elle s'oppose d'un côté à la concentration des collections à rotation rapide sur l'anglais, de l'autre à la spécialisation dans certaines langues de petites maisons comme Bourgois, Métailié, Corti, La Différence ou Verdier. Le ratio du nombre de titres par nombre de langues et celui du nombre d'auteurs par nombre de langues fournissent des indicateurs de ce rapport (voir tableau 2).

Tableau 2. Comparaison des maisons d'éditions et/ou collections : nombre de titres et nombre de langues traduites 1984-2002 pour toutes, excepté Le Seuil : 1984-1999

Éditeur (Collection)	Nombre de titres	Nombre d'auteurs	Nombre de langues[26]	Ratio titres / langues	Ratio auteurs / langues
Actes Sud	896	469	36	*24,9*	*13,0*
Gallimard (Du monde entier)	618	320	31	*19,9*	*10,3*
Seuil (Cadre vert)	256	126	19	*13,5*	*6,6*
Fayard (Littérature étrangère)	466	129	20	*23,3*	*6,5*
Albin Michel	203	121	22	*9,2*	*5,5*
Christian Bourgois	519	196	17	*30,5*	*11,5*
Grasset	192	86	8	*24,0*	*10,8*
Laffont (Best-sellers)	243	116	4	*60,8*	*29,0*

---

26. La base Electre contenant d'importantes erreurs dans le codage de l'anglais et de l'américain, nous avons regroupé l'anglais. De même pour l'espagnol et le portugais. Les pays d'origine fournissent un indicateur plus fin de diversité, nous les mentionnons quand cela est possible. Ils ne font que conforter le constat de la tendance des collections de littératures étrangères à la diversification.

La diversification des langues peut apparaître comme un des effets de l'intensification des échanges internationaux et de l'unification du marché du livre, qui conduit au brouillage des identités et des héritages symboliques des maisons d'édition. Le cas des éditions du Seuil illustre bien cette évolution[27]. Cette maison a accumulé une bonne part de son capital symbolique grâce aux traductions et a construit son identité à travers son engagement dans la reconstruction culturelle de l'Europe d'après-guerre, en publiant la littérature allemande (le groupe 47) et celle des pays communistes. Les 256 traductions publiées dans la collection «cadre vert» en 1984 et 1999 représentent 40 % de la totalité des titres de la collection depuis 1946 (600), ce qui témoigne d'une intensification du rythme des traductions pendant cette période (17 titres par an en moyenne, contre 9 auparavant, soit le double). Elles proviennent de 19 langues différentes, ce qui marque une diversification par rapport à la période précédente (le ratio titres/langues, de 13,5, témoigne de cette dispersion).

Si l'éditeur de Grass et de Böll continue de faire un travail avec des auteurs contemporains de langue allemande comme le danois Peter Hoeg, la part des titres traduits de l'allemand a diminué après 1984 (d'un quart des titres parus jusqu'en cette date à moins d'un sur dix pour la période 1984 à 1999), de même que celle des langues des pays de l'Est (le polonais chute de 5 % à 0,4 %, le hongrois de 1,7 % à 0,8 %), alors que la part de l'américain et de l'anglais se sont maintenues autour de 17 % et 14 % respectivement, et celle de l'italien autour de 15 %. Ceci témoigne autant des transformations politiques majeures, comme la chute du mur de Berlin (voir chapitre 9), que du désinvestissement de ce qui avait constitué une composante importante de l'identité du Seuil.

En revanche, se sont développées les traductions de l'espagnol (dont la part a doublé, passant de 10 % à 22 %) et de certaines langues périphériques comme le japonais, le néerlandais, le portugais (Le Seuil est devenu notamment l'éditeur de Saramago), l'hébreu, et six nouvelles langues sont apparues au catalogue : le chinois, le bengali, le danois, le turc, l'arménien et le catalan. Si la diversification des langues traduites dans cette collection reflète l'accession du Seuil au rang des grands éditeurs littéraires depuis la fin des années 1970, on peut y lire en même

---

27. Hervé Serry, «Constituer un catalogue littéraire», art. cité et *Les Éditions du Seuil : 70 ans d'édition*, Paris, Seuil/IMEC, 2008. Les données concernant le catalogue du Seuil ont été constituées et traitées par Hervé Serry.

temps les effets de la mondialisation. Certes, en prenant l'exemple de l'hébreu, on peut considérer que l'identité éditoriale est maintenue à travers le choix d'un auteur engagé comme David Grossman, auteur phare de la maison, dont les prises de position plus morales que politiques correspondent bien à son image de marque[28].

LA CONCURRENCE DES LANGUES

La tendance à la diversification des langues, qui devient un facteur de dispersion dans les collections de littérature étrangère, alors que la part des traductions de l'anglais ne cesse de croître, signale une contradiction qu'il faut mettre en relation avec les rapports de force entre les langues. Si elles sont encastrées dans les échanges commerciaux et les relations diplomatiques, les traductions s'inscrivent dans les transferts entre les champs de production culturelle et scientifique nationaux. Or ces champs, qu'il s'agisse des champs littéraires ou des différents champs scientifiques, disposent d'un capital symbolique collectif variable selon leur histoire et le nombre d'œuvres ayant acquis le statut de classiques universels : par exemple, les ouvrages de philosophie et de sciences humaines allemands sont plus traduits que les productions équivalentes en espagnol ou en italien, comme on l'a vu au chapitre 4. Il en va de même en littérature[29], ce qui constitue un indicateur supplémentaire de l'autonomie relative des traductions littéraires par rapport à l'espace global des traductions.

Le fonctionnement de ce capital symbolique acquis par une tradition littéraire nationale s'observe à travers les catalogues des maisons d'édition, au sein desquels le domaine des littératures étrangères s'est, comme on l'a vu, autonomisé. Ainsi, une collection comme «Du monde entier» s'est formée en regroupant des collections plus spécialisées de classiques anglais, allemands et russes[30]. La présence d'un auteur important au catalogue conduit l'éditeur à s'intéresser à d'autres auteurs écri-

---

28. Voir Gisèle Sapiro, «L'importation de la littérature hébraïque en France», art. cité.

29. Pascale Casanova, *La République mondiale des lettres*, *op. cit.*

30. Christine Ferrand, «Campagnes "Du monde entier"», *Livres Hebdo*, art. cité.

vant dans la même langue. Fayard, l'éditeur de *La Montagne magique* de Thomas Mann, prolonge par exemple son investissement dans la littérature allemande avec Christa Wolf et Ingo Schulz. Ces héritages symboliques constituent les identités des éditeurs, leur image, par l'intermédiaire du catalogue.

> «C'est bien comme ça, c'est-à-dire qu'il faut bien que les éditeurs conservent un peu une identité, si on veut éviter de se retrouver tous entre le centre-gauche et le centre-droit, pour prendre une métaphore politique, et donc à faire très vite une littérature ou une production mondialisée, intégrée, homogénéisée, etc. Il faut de la passion, il faut que cette passion se transmette et il faut, je crois, que les éditeurs se trouvent là où ils se sentent à l'aise de travailler et susceptibles de recueillir un héritage, fût-il d'ailleurs contradictoire et complexe, hein, ce qui est le cas, évidemment de toutes les maisons d'édition, toutes les grandes maisons d'édition.» (entretien cité du 7 juin 2002, éditeur d'une maison de taille moyenne affiliée à un grand groupe)

La logique fondée sur la tradition et l'héritage symbolique s'oppose donc à celle qui régit la production indifférenciée d'une littérature mondialisée, comme il ressort des propos de tel éditeur, qui voit dans les livres de Mary Higgins Clark un exemple de ces productions standardisées.» Loin d'être un phénomène spontané, celle-ci est du reste le fruit d'une organisation et d'une rationalisation orchestrée par les agents littéraires, notamment pour les auteurs américains : la sortie mondiale du livre est ainsi soigneusement programmée, les traductions du livre dans les différentes langues doivent paraître en même temps, en vue de la tournée de l'auteur sur le vieux continent. À l'opposé, le pôle de production restreinte continue à fonctionner selon un mode de production et de diffusion plus artisanal, fondé sur la logique d'accumulation de capital symbolique sur le long terme (d'où les notions de «tradition» et d'«héritage») et les affinités électives entre éditeurs de différents pays. Souvent les éditeurs littéraires français ont développé des relations personnelles avec leurs confrères à l'étranger, chez Suhrkamp, Feltrinelli ou Anagrama, par exemple, dont ils suivent de plus près les publications.

Les éditeurs se posent néanmoins la question du renouvellement d'une littérature ayant accumulé un certain capital symbolique, comme l'italien, ou, plus encore, de l'existence d'une littérature originale, «vivante, intéressante» dans des petits pays ou dans des pays relativement jeunes comme les Pays-Bas ou Israël. Pour les écrivains de ces petits pays, les chances d'être traduits en français sont donc faibles, vu l'importance des obstacles et contraintes : par-delà le fait qu'il faut convaincre les éditeurs étrangers de l'existence d'une littérature vivante, celle-ci doit pouvoir « parler à un lectorat », même s'il n'est pas très large car en France, l'intérêt pour les littératures étrangères est restreint, comme en témoignent les faibles chiffres de tirages. Ces petites littératures doivent, sans doute plus que d'autres, à la fois affirmer leur universalité, c'est-à-dire leur filiation avec la grande littérature universelle (intertextualité, modèles), et marquer leur originalité par rapport à ces modèles ainsi que leur spécificité. Les littératures de la périphérie se définissant fréquemment par rapport aux littératures dotées d'un capital symbolique important, cela induit parfois en retour une impression de déjà vu et d'absence d'originalité.

> « Parce que, pour moi, le rôle d'être éditeur de littérature étrangère c'est quand même d'apporter au lecteur français et à la maison X des textes qui nous apportent quelque chose de différent, qu'on n'a pas. Alors c'est souvent des textes, comme je disais… il faut un minimum d'universalité pour que la compréhension puisse se faire en France. On a parfois des textes qui sont tellement ancrés dans une tradition quelle qu'elle soit, quand on n'a pas les clés, on ne comprend pas. […]
> Mon travail consiste surtout à essayer de témoigner de ce qui se passe dans ces pays-là, là où il y a la vitalité. J'achète des romans, je les traduis. Là où je trouve que le marché est plutôt atone, qu'il n'y a pas beaucoup de nouvelles voix qui émergent, je ne traduis rien. Il y a plein de domaines qui sont restés en friche parce qu'on n'a pas pu trouver de bons livres ou que je n'ai pas trouvés intéressants moi, c'est très subjectif, ou le lecteur, ou le conseiller. Ou bien justement parce que très souvent la réponse est aussi : c'est un sujet qui a été mille fois traité par les écrivains français, là l'originalité du traitement n'est pas suffisante pour que je fasse la démarche de le faire traduire. Un roman qui atterrit chez nous en traduction, c'est vrai, doit convaincre presque plus qu'un roman français, parce qu'il y a à la fois des réalités très concrètes, de l'argent, et puis il faut qu'il s'impose. Un roman étranger, faut vraiment qu'il s'impose pour qu'on fasse toutes ces démarches de chercher un traducteur, de payer : un livre étranger est un risque financier beaucoup plus considérable pour nous qu'un premier roman français qui ne coûte quasiment rien. […]
> Donc, si vous voulez, il y a cette barrière-là [financière], et puis aussi, il y a une espèce d'attitude des libraires et des lecteurs, bon pour qu'ils aient traduit ça il faut que ça soit vraiment bien, parce que c'est tout de même un effort de mettre quelque chose en traduction, c'est de faire passer quelque chose dans une autre langue, dans une autre culture, il faut vraiment qu'on juge…

Donc c'est vrai que c'est une course aux obstacles qui est plus dure pour les romans étrangers que pour les romans français, c'est évident. Et donc, c'est pour ça que je raisonne aussi en termes de différence. Si j'ai déjà quelque chose de comparable sur le marché français, et si le roman israélien ou autre, ça c'est vraiment valable pour tous les domaines linguistiques, est un traitement, bon, de qualité mais sans plus, de ce thème, déjà traité mille fois en France, et s'il n'apporte aucune originalité ou aucune force supplémentaire par rapport à ce qu'on a pu lire, eh bien je vais dire non. […] pour moi une littérature qui est dans sa force et dans sa vitalité, c'est souvent une littérature qui atteint justement les deux, qui arrive à dire les deux, qui arrive à dire le spécifique et l'universel. » (entretien du 14 mai 2002 ; directeur d'une prestigieuse collection de littérature étrangère dans une maison indépendante)

Les chances d'accès à l'universalité et à la traduction sont donc inégalement distribuées entre les cultures. C'est ce qu'explique ce directeur de collection, en exprimant le regret que son auteur n'ait pas « pris » en France :

« […] peut-être que si [Yaakov] Shabtaï avait été allemand ou américain, il aurait eu beaucoup plus de succès, mais étant donné justement qu'il a écrit dans une langue si peu connue et reconnue, il n'a peut-être aucune chance, en fait. Comme Agnon, d'ailleurs, il n'a aucune chance, Agnon est pour moi un des plus grands écrivains du 20ᵉ siècle, vraiment à l'égal de Thomas Mann, Musil, enfin vraiment, Broch, etc. des très très très très grands, et il est à peine connu, et quand il est connu, il est mal traduit, enfin, bon. Et ça je me demande si ce n'est pas dû en fait à la langue, tout simplement, dans laquelle il écrit, quoi, à l'hébreu, au statut de ces langues-là, au statut fragile, minoritaire de ces langues-là. » (entretien du 6 juin 2002 ; directeur de collection d'une maison indépendante de taille moyenne)

La diversification des éditeurs est une des conditions d'accès à la visibilité des littératures de langues périphériques, comme nous l'explique une éditrice (entretien cité du 22 mai 2008, maison indépendante de taille moyenne et de création relativement récente). La propension des éditeurs à s'intéresser à la littérature d'une même langue à un certain moment constitue un indicateur de la concurrence spécifique qui se joue entre les éditeurs, autre signe de l'autonomie relative de la littérature traduite. Ce phénomène résulte de l'effet d'entraînement que peuvent exercer certains éditeurs les plus prestigieux comme Gallimard, et de la capacité des agents de l'intermédiation, agents littéraires privés, instituts de traduction, traducteurs, à imposer une littérature à un certain moment.

La question se pose cependant de savoir si ce phénomène est véritablement l'expression d'un mouvement de renouvellement dans le champ littéraire d'origine, ou s'il relève d'un simple effet de mode, le renouvellement procédant alors plutôt d'une logique commerciale.

> «On voit, quand vous observez la scène éditoriale dans le domaine des littératures étrangères, euh, on voit des déplacements assez rapides et on ne sait pas toujours très bien les interpréter. Alors, telle année on va vous dire que là il y a un renouveau de la littérature italienne, ça a été le cas il y a quelques années et ça revient d'ailleurs, je constate moi, à tort ou à raison, que l'Italie génère à nouveau une littérature extrêmement riche. […] Alors, ça c'est le premier sentiment qu'on peut avoir. Mais le deuxième c'est que, évidemment, il y a des logiques qui sont aussi des logiques commerciales, qui interfèrent avec ça. C'est-à-dire qu'il est certain que les éditeurs ont intérêt à déplacer les lieux pour, un peu comme les magazines de mode ont intérêt à ce que les modes se renouvellent, voyez, pour ringardiser toutes les garde-robes [rire], et toutes les collections de chaussures que vous avez dans votre [rire] garde-robe pour appeler le renouvellement, etc. Donc pour inciter le marché à se renouveler. C'est classique. Mais je crois que ça existe aussi dans l'ordre de la littérature. C'est même un des facteurs, ou un des critères et un des moteurs de la reproduction, qui est permanent. Alors ça joue dans l'ordre de, ah oui, cette année, vous verrez des pseudo avant-gardes dire : ah ! cette année c'est l'Amérique latine qui est bebebe, et puis une autre ce sera l'Allemagne, voyez.» (entretien cité du 7 juin 2002 ; éditeur dans une maison de taille moyenne, affiliée à un grand groupe)

En outre, en raison du temps que prend la traduction, il y a un décalage entre ce qui peut apparaître comme une «demande» et la possibilité d'y répondre : ainsi le «pic» arrive souvent deux ans plus tard, «peut-être au moment où le marché sera affaissé» (*ibid.*).

L'effet de mode intervient de plus en plus à l'échelle internationale : les éditeurs tendent plus facilement à acheter les droits d'un livre déjà traduit dans une autre langue centrale, comme l'anglais ou l'allemand. Ceci bien qu'ils aient conscience du fait que le marché n'est pas homogène, et qu'un succès dans un pays n'est en aucun cas une garantie qu'il trouvera une audience dans un autre, mis à part les phénomènes qu'on désigne sous le vocable «littérature mondialisée». Le rôle des agents de l'intermédiation est ici central : au pôle de production restreinte, on accorde une plus grande attention au catalogue de l'agent littéraire Borschardt ou à celui des maisons Suhrkamp, Feltrinelli ou Anagrama. Fondées sur la confiance et le crédit symbolique, les relations person-

nelles jouent un grand rôle dans ces choix, comme dans le monde éditorial en général, qui fonctionne en réseaux.

Pour les littératures des langues périphériques, les manifestations
comme le Salon du livre ou les Belles Étrangères créent une actualité
qui est l'occasion d'un «coup de projecteur», comme disent les éditeurs,
et favorisent des projets de publication. Ce fut le cas pour la littérature
indienne lors de son invitation au salon du livre 2007 ou pour la littérature israélienne l'année suivante.

LITTÉRATURE ET POLITIQUE

La littérature israélienne avait déjà fait l'objet d'un «coup de projecteur» plus modeste en 1994, lors de son invitation aux Belles Étrangères. Que cette invitation soit survenue un an après les accords d'Oslo
montre que l'intérêt pour la littérature d'un pays périphérique ne relève
pas de logiques purement littéraires mais aussi de logiques politiques
en lien avec l'actualité. Cela fut le cas pour les littératures des pays
d'Amérique latine pendant les dictatures ou ceux d'Europe de l'Est
pendant la période communiste[31]. Certains éditeurs interprètent cette
conjonction par le fait que les grands moments de la littérature sont
souvent liés à des situations de crise qui favorisent l'émergence de formes
nouvelles (les exemples cités étant Joseph Roth et García Márquez).
Que ce lien soit avéré ou non, il fait partie des représentations qui orientent les politiques éditoriales :

> «[…] il faut observer aussi que les grands moments de la littérature sont
> toujours des moments de faille historique, de rupture, de coupure. On parlait
> de l'Allemagne tout à l'heure, c'est quand même très frappant, très frappant.
> Mais si vous regardez aussi l'Autriche, c'est pareil. C'est-à-dire que si vous
> prenez Joseph Roth, qui est à mes yeux un très grand écrivain, vous voyez
> bien que ça se place au moment où l'Empire austro-hongrois se casse la
> gueule, ça produit des lignes de faille, et qui ne servent pas seulement à faire
> des arrière-fonds ou des arrière-plans aux sagas historiques mais également
> produisent des fractures qui trouvent dans l'ordre de la forme littéraire des
> expressions singulières. Moi je crois beaucoup à ça. Et je pense que ce qu'a
> fait García Márquez évidemment était indissociablement lié à ce qui s'est

---

31. Voir chapitre 9 et Ioana Popa, «Un transfert littéraire politisé», art. cité.

passé dans ces années-là en Amérique latine, c'est-à-dire quand même, le mouvement... un grand mouvement de contestation et de... et d'émancipation et puis de prise de conscience de soi et de plaisir, au fond, d'accueillir une certaine forme de rébellion. Je crois que c'est indissociable. Ça veut pas dire que la littérature épouse ça, c'est-à-dire, c'est pas du réalisme, je ne prône pas ça, parce que je n'aime pas ça, le réalisme socialiste c'est vraiment pas mon truc. Mais en même temps je pense qu'il y a quand même, dans l'ordre social, quelque chose qui résonne avec l'invention des formes.» (entretien cité du 7 juin 2002 ; éditeur dans une maison de taille moyenne, affiliée à un grand groupe)

On peut toutefois penser plus prosaïquement que la curiosité pour une littérature qui n'est pas ou peu dotée en capital symbolique dans l'espace international s'éveille lorsque le pays en question est au cœur de l'actualité politique, en lien avec la volonté de comprendre ce qui s'y passe. Ce phénomène est l'expression des contraintes que le journalisme fait peser sur la critique littéraire. Mais l'association entre littérature et politique est rendue possible par le rôle historique qu'a joué la littérature dans le processus de la construction culturelle des identités nationales. La propension à rechercher dans la littérature l'expression d'une culture nationale et des réalités d'un pays est sans doute plus prégnante en France qu'ailleurs, du fait de la tradition scolaire qui met la culture, et notamment la littérature, au cœur du dispositif de l'enseignement des «langues et civilisations»[32]. Elle est en tout cas profondément ancrée dans les modes de réception des littératures étrangères et favorisée par la culture du tourisme (les guides signalant en général les écrivains les plus connus du pays de destination et en recommandant la lecture comme une initiation au voyage). Les notions récentes de « World Fiction » ou de « littérature-monde » n'ont pas suffi à la faire disparaître.

Quelles sont les implications de cette relation entre traductions littéraires et actualité politique ? Dans quelle mesure constitue-t-elle une «menace» pour l'autonomie de la littérature ? Le risque d'une réception politisée des œuvres existe bel et bien. Certains éditeurs se plaignent de devoir lutter contre la tendance de la presse à exploiter politiquement les œuvres d'auteurs comme Amos Oz ou David Grossman, ou celles d'autres auteurs israéliens :

«Ça aussi, dans la réception, c'est très compliqué [...]. On a tout fait pour essayer de séparer les choses. Et chaque fois, ça c'est vraiment aussi notre

---

32. Sur l'enseignement des littératures étrangères, voir en particulier Michel Espagne, *Le Paradigme de l'étranger*, *op. cit.*, et, avec Michael Werner (dir.), *Philologiques*, *op. cit.*

travail, à la fois de l'attachée de presse, et du mien, chaque fois, on a dit aux journalistes, vous savez, là il a sorti un roman, il ne refusera pas des questions sur la situation politique parce qu'il a un engagement par ailleurs, mais n'oubliez pas qu'il est là pour ça. »

L'étude que nous avons menée pour le cas de la réception de la littérature hébraïque révèle néanmoins la propension de nombre de critiques situés au pôle le plus autonome à dissocier le jugement esthétique porté sur l'œuvre des enjeux politiques, tout en s'intéressant à ce que l'œuvre dévoile de la société en question et aux positions politiques des auteurs[33]. La question de l'engagement politique des écrivains renvoie en outre à une tradition intellectuelle française qui n'est plus en vigueur dans le champ littéraire français contemporain mais qui perdure néanmoins dans la perception des littératures étrangères. Ceci ne peut être réduit à un simple effet d'inertie des représentations des journalistes et critiques français : en effet, le modèle français de l'intellectuel engagé s'est diffusé dans de nombreux pays, où il continue d'être incarné par des écrivains, à l'instar de Günter Grass en Allemagne, Orhan Pamuk en Turquie, Amos Oz ou David Grossman en Israël, etc.

LES FACTEURS DE DIFFÉRENCIATION DES COLLECTIONS DE LITTÉRATURES ÉTRANGÈRES

L'approche qu'on peut nommer ici « identitaire » s'oppose à un premier niveau à la littérature mondialisée, standardisée, dépolitisée, soumise aux seules considérations commerciales et qui réduit la production fictionnelle à l'unique fonction de divertissement. Selon cette première antinomie, à la fonction de divertissement qui prévaut au pôle de grande production, le pôle de production restreinte oppose, de façon variable, les fonctions didactique, identitaire ou proprement esthétique de la littérature.

À un deuxième niveau, le pôle de production restreinte se différencie cependant à son tour selon deux facteurs : le degré d'universalisation et le degré de politisation. Ceci renvoie aussi bien aux stratégies

---

33. Voir Gisèle Sapiro, « L'importation de la littérature hébraïque en France », art. cité.

des auteurs qu'aux modes de valorisation de leurs œuvres. De tous temps, certains auteurs se sont projetés d'emblée dans un espace de la littérature universelle plutôt que dans l'espace national, en se référant aux chefs d'œuvres de la littérature mondiale[34]. Cependant, la propension croissante des créateurs à prendre en considération les conditions de «traductibilité» de leurs œuvres pour se placer d'emblée sur la scène internationale témoigne de l'unification du marché mondial des biens culturels[35]. Les stratégies d'universalisation peuvent varier, du gommage des référents d'espace-temps à leur accentuation sur un mode distancié, ironique, esthétisant ou exotique, avec des clins d'œil aux symboles d'une culture «mondiale» en formation, qui s'élabore et se diffuse largement à partir de New York. Toujours est-il qu'elles entrent en contradiction avec la propension, en France, à classer les littératures selon les langues et les pays, qui renvoie au postulat d'une relative autonomie des littératures nationales, alors que les œuvres se référant à la littérature universelle plutôt qu'à la tradition nationale sont de plus en plus nombreuses, dans les littératures périphériques en particulier. Le degré de politisation peut également varier, les modes de dépolitisation allant là encore du gommage à la distanciation ironique ou esthétisante. Si depuis les années 1950 la littérature engagée subit un discrédit, elle subsiste dans le champ littéraire national sous différentes formes, soit à travers les œuvres du passé, en français ou traduites, soit dans des genres spécifiques comme le polar ou la science fiction[36]. La dimension idéologique peut aussi revêtir des formes plus universelles et distanciées, à travers l'histoire ou les problèmes d'éthique.

Du point de vue des choix qu'ils ont à faire devant l'offre de littérature écrite dans des langues périphériques et du point de vue des modes de valorisation des œuvres choisies, les éditeurs apparaissent tiraillés entre ces tendances : dépolitisé *vs.* politisé ; universel *vs.* particulier. Du croisement de ces deux facteurs, on obtient un espace des possibles entre

---

34. Comme le montre Pascale Casanova, *La République mondiale des lettres*, *op. cit.*

35. Emily Apter, «On Translation in a Global Market», *Public Culture* 13/1, 2001, pp. 1-12.

36. Voir Gisèle Sapiro, «Formes de politisation dans le champ littéraire», in Jean Kaempfer, Sonya Florey et Jérôme Meizoz (dir.), *Formes de l'engagement littéraire (XVe-XXIe siècles)*, Lausanne, Éditions Antipode, 2006, pp. 118-130; et Annie Collovald et Érik Neveu, «Le néo-polar : du gauchisme politique au gauchisme littéraire», *Sociétés & Représentations*, n° 11, 2001, pp. 77-94.

lesquels non seulement les auteurs mais aussi les éditeurs de littérature
étrangère peuvent être répartis selon les critères qui dictent leurs choix
en matière de traductions littéraires et leur stratégie de valorisation de
ces œuvres (voir graphique 1).

Graphique 1. Structure de l'espace de la littérature traduite en français

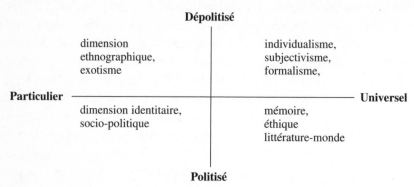

La dimension exotique – que certains éditeurs appellent «ethnographique» – renvoie au particularisme dépolitisé. Relevant d'une logique
hétéronome, elle a toujours été une approche des littératures étrangères,
mais connaît dans la période récente un regain d'intérêt avec la vogue
du multiculturalisme[37]. La valeur identitaire est mise en avant au pôle
où l'on privilégie la particularité culturelle et la dimension politique ou
sociale. C'était, par exemple, le cas chez un éditeur comme Calmann-
Lévy.

Cependant, à l'instar de Milan Kundera qui, à la fin des années 1980,
reprochait aux critiques de cataloguer les écrivains étrangers en fonction
de leur nationalité, les défenseurs d'une conception universaliste de la
littérature dénoncent la lecture ethnographique des œuvres littéraires :

> «Il y a vingt ans, ou il y a quinze ans, beaucoup de lecteurs avaient une curio-
> sité par rapport à la littérature d'un pays, parce que soit ils voulaient voyager
> dans ce pays, soit ils voulaient connaître des choses sur le pays. Cela existe
> encore partiellement, c'est normal, ça fait partie du rôle de la littérature aussi,
> mais je crois que cette curiosité par rapport à la civilisation d'un pays a un
> peu diminué, au profit d'une simple envie de lire des bons romans. Bon, il
> y a des esprits chagrins qui vont donner une interprétation négative à cela en

---

37. Voir Richard Jacquemond, «Translation and Cultural Hegemony : The Case
of French-Arabic Translation», art. cité.

disant : il y a une uniformisation, en fait, des écritures des différentes littératures nationales. […] Moi je ne le lis pas comme ça. […] » (entretien du 14 mai 2002 ; directeur d'une collection de littératures étrangères dans une grande maison indépendante)

Les formes d'universalisation varient des plus politisées au plus dépolitisées. Le mode d'universalisation politisé souligne la dimension morale ou encore la dimension historique et mémorielle de la littérature. C'est le cas, historiquement, au Seuil et depuis les années 1980, chez Fayard, où l'on valorise par exemple, dans l'œuvre d'un auteur comme Camilleri, l'affirmation d'une « singularité culturelle », d'une tradition culturelle spécifique, mais en tant qu'expérience inscrite « dans un universel », « dans un univers mondialisé », et non comme particularisme enfermé « dans des dialectes ». Cet auteur est également publié par Anne-Marie Métailié, laquelle met en avant de manière générale l'humanisme qui fait la « vocation à l'universalité » d'œuvres pourtant ancrées dans une réalité sociale et politique très concrète, qu'il s'agisse de la décolonisation, du passé dictatorial en Amérique latine, ou de l'expérience du communisme en Allemagne de l'Est. Les grandes œuvres se caractérisent selon elle par leur aptitude à montrer « ce qu'il y a d'universel dans le particulier ». De ce pôle relèvent les concepts de « World fiction » et de « littérature-monde », apparus vers 1993 pour désigner, contre les replis identitaires et l'exotisme, les parcours migratoires et les identités « hybrides » des « bâtards internationaux » pour reprendre une expression de Salmann Rushdie[38].

Le mode d'universalisation dépolitisé consiste à valoriser la portée générale et la qualité littéraire de l'œuvre hors de tout particularisme, qu'il s'agisse de ses qualités formelles, de son inscription dans la littérature universelle (par la référence plus ou moins implicite aux chefs-d'œuvre du passé), de sa dimension auto-référentielle, ou encore de l'expression de points de vue individualistes ou subjectivistes renvoyant à des expériences qui peuvent être partagées par-delà les frontières géographiques ou temporelles. On peut situer parmi les représentants de ce pôle une grande maison indépendante comme Gallimard et nombre de petits éditeurs comme Corti, dont le catalogue est organisé selon des principes autres que géographiques ou génériques, avec des collections

---

38. Voir notamment l'éditorial de Michel Le Bris, « World Fiction », *Gulliver*, n° 11, 1993, et Jean Rouand et Michel Le Bris (dir.), *Pour une littérature-monde*, Paris, Gallimard, 2007.

thématiques comme «En lisant et en écrivant», qui réunit des textes de tout temps et de tout lieu sur l'expérience de la création, ou comme le «Domaine Romantique», qui dessine un courant et une sensibilité par-delà le mouvement historique[39].

Bien évidemment, cette analyse demeure d'autant plus schéma-tique que les différentes stratégies peuvent coexister dans une même maison, voire dans une même collection. Il est néanmoins utile de distin-guer ces différents modes de valorisation des littératures étrangères, parce qu'ils permettent de saisir des contradictions entre des formes de classification héritées du passé et les stratégies, anciennes ou nouvelles, d'universalisation. Fruit d'un processus de spécialisation, la division entre littératures française et étrangère, ou plus encore la répartition en domaines linguistiques (chez Actes Sud, par exemple), peuvent ainsi participer d'une assignation identitaire fortement encouragée par les politiques des États-nations ou d'autres organisations à base commu-nautaire, mais qui voue à l'échec les stratégies d'universalisation des auteurs et des éditeurs. La dénationalisation est cependant une stratégie à haut risque, puisqu'elle nécessite la substitution du mode d'accumu-lation et de transfert de capital symbolique existant. S'il en existe des exemples probants, comme la collection «Fiction & Cie» au Seuil et les collections citées de Corti, ils montrent aussi qu'elle opère inévita-blement au détriment de la diversité linguistique.

L'espace de la littérature traduite se structure entre un circuit de grande production et un circuit de production restreinte. Alors que le circuit de grande production se caractérise d'un côté par la concentra-tion linguistique autour de la langue dominante qu'est l'anglais, de l'autre par la dispersion des auteurs, le circuit de production restreinte est marqué au contraire par la relative concentration des auteurs et la diversifica-tion des langues, au sein desquelles l'anglais est sous-représenté.

Cependant, à un deuxième niveau, il faut opposer, au pôle de produc-tion restreinte, les domaines ou les collections de littératures étrangères des grandes maisons littéraires aux petits éditeurs spécialisés. Alors que

---

39. Voir, sur le site internet des éditions Corti, l'article signé Bertrand Fillaudeau sur «La notion de catalogue et de collection», http://www.jose-corti.fr/sommaires/cata-logue.html (août 2007).

ces derniers se concentrent sur peu de langues, la tendance à la diversification s'est fortement accentuée chez les grands éditeurs littéraires
dans la période récente, souvent au détriment de la concentration sur
des auteurs et donc sur la construction d'œuvres sur le long terme, au
détriment aussi de leur image de marque. Cette tendance à la diversification alors que la domination de l'anglais va croissant est une des contradictions de la globalisation éditoriale qui contribue à brouiller les identités
des maisons d'édition et à réduire la logique d'investissement sur le long
terme au profit d'une logique de singularisation des produits par le choix
d'une langue rare. La valorisation de ce choix de langues rares tient à
des logiques identitaires plutôt qu'esthétiques. Mais celles-ci peuvent
entrer en contradiction avec les stratégies d'universalisation qui visent
à décloisonner les littératures périphériques en les inscrivant dans
l'espace de la « littérature-monde ».

Chapitre 7

La vogue de la littérature italienne
par Anaïs Bokobza

« L'Italie est un pays pour lequel les Français ont une forme de sentiment assez complexe. C'est à la fois de l'affection, de la condescendance et de l'agacement. Euh... ils ont une forme d'affection parce que c'est un pays sympathique, c'est le pays dont beaucoup de gens se sentent le plus proche, il leur est familier à travers tout un tas de clichés... ils ont une forme de condescendance, aussi, parce que les Français se sentent supérieurs, de toute façon, par rapport à tout le reste du monde, ils ont une forme d'arrogance, comme ça. Et puis ils ont une forme d'agacement que n'ont pas les Anglais ou les Allemands, ni les Américains non plus, parce que, qu'on le veuille ou non, l'Italie est le berceau de la culture classique européenne, et ça agace prodigieusement les Français. Les Français ne l'acceptent pas, donc il y a toujours une forme de rivalité entre la France et l'Italie pour savoir qui est le premier, finalement. » (PM, traducteur, entretien réalisé en janvier 2002)

Cette citation, relayée par d'autres, témoigne de la complexité de l'histoire des échanges culturels franco-italiens, intense et pleine de rebondissements. Dans les années 1980, l'Italie traduisait en moyenne six fois plus de livres français que la France de livres italiens. De même, il y avait six fois plus d'élèves italiens apprenant le français que de français apprenant l'italien, soit 850 000 contre 120 000. Serait-ce le signe qu'en ce moment, à rebours d'une longue tradition contraire, c'est bien la France qui a le vent en poupe en Italie ? Les spécialistes s'accordent en effet sur l'existence d'un déséquilibre en ce sens, qui a pris racine après la Renaissance. L'Italie ne constitue plus en France la référence culturelle obligée qu'elle a été jusqu'au 17ᵉ siècle, son image s'étant même, peu à peu, teintée d'une sorte de mépris.

Ces considérations historiques définissent le contexte dans lequel il faut appréhender l'intérêt de la France pour la littérature italienne dans les années 1980, dans la mesure où l'importation des littératures étrangères soulève la question des représentations collectives, c'est-à-dire celle des images de l'autre ancrées dans un contexte national. Joseph Jurt définit les textes littéraires comme « représentations symboliques importantes d'une société, de l'ensemble des médiations en usage dans une société, dans la mesure où elles sont porteuses de sens »[1].

Au-delà des relations étroites entre ces deux cultures historiquement liées, les évolutions auxquelles on s'intéresse ne peuvent être comprises en-dehors du contexte actuel d'intensification des échanges culturels internationaux. Regarder l'évolution des traductions de l'italien vers le français n'a de sens que dans le cadre d'un modèle d'analyse plus global qui dessine les enjeux et les hiérarchies des flux mondiaux de traduction (voir chapitre 1). Le système mondial des traductions se fonde, comme on l'a vu, sur une structure centre-périphérie, où les langues peuvent être réparties sur quatre niveaux de centralité (l'hyper-centre, le centre, la semi-périphérie et la périphérie) selon le nombre relatif de traductions qui se font depuis chaque langue[2]. À l'hyper-centre, il y a l'anglais, qui a renforcé sa suprématie depuis les années 1980. En 1978, 40 % des traductions mondiales se faisaient de l'anglais, en 2000 ce chiffre atteint 60 %. Le français, qui est l'objet d'environ 10 % des traductions, fait partie du centre, et l'italien, avec moins de 3 %, de la semi-périphérie. Aujourd'hui, le français tend cependant à perdre de sa centralité (voir chapitre 3).

Le cas qui nous intéresse est donc celui des traductions littéraires d'une langue semi-périphérique, l'italien, vers une langue centrale mais en perte de centralité, le français. Traduire des textes littéraires d'une langue "petite", mais proche culturellement, peut avoir une double signification. Symbolique d'un côté, puisque traduire des auteurs importants,

---

1. Joseph Jurt, « L'"intraduction" de la littérature française en Allemagne », art. cité, p. 86.
2. Johan Heilbron, « Towards a sociology of translation », art. cité.

même d'une langue mineure, participe à la constitution d'un fonds qui assied la légitimité symbolique d'un éditeur. Économique, de l'autre : dans ce cas, l'éditeur cherche à faire un "coup", à l'image des publications de best-sellers anglo-américains propres à assurer la pérennité économique d'une maison d'édition, mais qui sont « monopolisés » par un petit nombre d'éditeurs à très fort capital économique.

Cette dualité reflète la structure du champ actuel de l'édition, comme on l'a vu au chapitre précédent : c'est dans cette perspective que seront analysées les traductions littéraires de l'italien en français entre 1985 et 2002. On montrera comment la spécialisation permet aux éditeurs du pôle qui privilégie la valeur symbolique de mettre en place des stratégies de lutte contre la domination progressive de la logique économique dans le champ éditorial. Par « spécialisation », notion aux facettes multiples, on entend ici l'investissement dans une langue ou une aire linguistique, le suivi des auteurs, la fidélité aux traducteurs ou encore la multiplication des traductions d'un certain genre.

L'AUGMENTATION DES TRADUCTIONS LITTÉRAIRES DE L'ITALIEN EN FRANÇAIS

Selon l'Index Translationum, le nombre total de traductions de l'italien a doublé pendant la période étudiée, passant de 238 en 1980 à 581 en 2002. Cette augmentation est conforme à l'évolution globale des flux de traductions en français, de près de 5 000 à près de 10 000 pour les mêmes années. Les traductions de l'italien représentent donc environ 5 % du nombre total de traductions en français, ce pourcentage étant resté plus ou moins stable pendant la période. Quant au nombre d'ouvrages de littérature traduits de l'italien, il a triplé, passant de 63 à 207, ce qui représente une croissance supérieure à celle de l'ensemble des traductions littéraires en français (de moins de 2 500 à plus de 5 200 environ), sa part dans l'ensemble des traductions littéraires en français étant passée de 2 % à 4 % environ.

Les traductions littéraires de l'italien représentent un tiers de l'ensemble des traductions de cette langue. Le tableau ci-dessous indique la répartition selon les huit catégories de l'Index, qui correspondent au premier niveau de la classification CDU. Pour l'italien, la catégorie

« Arts, jeux, sports » arrive en deuxième position, avec près de 18 % de l'ensemble, ce qui est dû à l'importance des traductions en histoire de l'art. Suivent l'histoire-géographie, les sciences appliquées et la religion, entre 10 et 12 % chacune. Les autres catégories représentent entre 0 et 6 % du nombre total de traductions. On remarque donc l'importance du nombre de traductions dans les domaines des arts, de l'histoire et de la religion, ainsi que celle, plus surprenante, des sciences appliquées. Notons que cette catégorie recouvre des réalités bien diverses : cuisine, médecine naturelle, bien-être, jardinage, manuels de chasse, pêche, etc. Il est donc difficile de tirer des conclusions quant aux raisons de sa forte représentation.

Tableau 1. Traductions de l'italien en français, 1980-2002, répartition par catégories.

Catégories	1980-1983	1984-1988	1989-1993	1994-1998	1999-2002	total
Généralités, Biblio	3	8	7	5	3	26
Philo, Psycho	42	39	76	162	117	436
Religion, Théologie	74	101	107	189	201	672
Droit, éducation, Sciences sociales	36	50	53	104	112	355
Sciences nat. et exactes	61	35	41	45	84	266
Sciences appliquées	84	68	84	227	284	747
Arts, Jeux, Sports	191	125	211	372	420	1319
Littérature	261	339	615	713	776	2673
Histoire, Géo, Biographies	117	150	171	224	211	873
Total	**869**	**915**	**1365**	**2041**	**2208**	**7367**

Source : Index Translationum

Les analyses qui suivent s'appuient sur une base de données regroupant toutes les nouvelles traductions littéraires de l'italien en français entre 1985 et 2002 (la catégorie "nouveautés et nouvelles éditions" du

SNE). Elle a été construite à partir des données Electre[3] ainsi que d'une base similaire construite dans le cadre d'une thèse de doctorat[4]. Cette base regroupe 1 431 nouveaux titres littéraires, jeunesse incluse, et 1 325 sans la jeunesse. Comme on l'a expliqué au chapitre 2, on a choisi de ne pas inclure les rééditions. Notons tout de même qu'il y en a eu 308 pendant la période, poches et non poches (voir tableau 2).

Tableau 2. Nombre de traductions littéraires de l'italien en français, nouveautés, poches et total, avec et sans la littérature pour la jeunesse, 1985-2002.

	Jeunesse comprise			Sans la jeunesse		
	Nouveautés	**Poches**	**Total**	**Nouveautés**	**Poches**	**Total**
1985	52	6	58	45	6	51
1986	50	9	59	47	7	54
1987	65	11	76	65	10	75
1988	88	9	97	87	8	95
1989	103	16	119	98	16	114
1990	84	18	102	80	17	97
1991	96	17	113	89	17	106
1992	78	20	98	77	18	95
1993	81	15	96	64	15	79
1994	83	17	100	75	15	90
1995	80	21	101	72	19	91
1996	77	21	98	72	20	92
1997	56	17	73	49	16	65
1998	85	21	106	78	19	97
1999	79	15	94	77	15	92
2000	79	22	101	77	18	95
2001	62	18	80	57	17	74
2002	133	35	168	116	27	143
Total	**1 431**	**308**	**1 739**	**1 325**	**280**	**1 605**

Source : Electre

3. Voir les explications au chapitre 2.
4. Anaïs Bokobza, *Translating literature, op. cit.*

**Graphique 1. Évolution du nombre de nouveautés traduites de l'italien
(littéraires sans jeunesse), 1985-2002.**

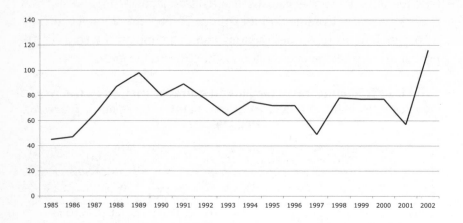

Source : Electre

Une analyse diachronique montre que l'augmentation des traductions littéraires de l'italien est intervenue surtout au début de la période
(voir graphique 1) : le nombre de traductions a plus que doublé entre 1985
et 1989, passant de 45 à 98 titres. À partir des années 1990, ce nombre
diminue, sans jamais pour autant retomber au niveau du début des années
1980. Notons une chute en 1997, où 49 titres seulement sont traduits,
ce qui correspond cependant à une crise générale dans le monde de l'édition, puis une autre en 2001, suivie d'une remontée spectaculaire en
2002 (le nombre de traductions double), année où l'Italie était le pays
invité du salon du livre de Paris.

Pendant la même période, les traductions de l'anglais ont augmenté
de façon quasi exponentielle alors que celles des autres langues ont rarement dépassé la barre des 100 nouveaux titres par an. Comme on l'a vu
au chapitre 5, les courbes ont la même forme que celle de l'italien, même
si l'année pivot est un peu décalée : 1989 pour l'italien, 1990 pour l'allemand, 1991 pour l'espagnol. Néanmoins, par rapport aux autres langues
moyennes, l'italien a une évolution bien marquée, avec une augmentation très significative dans les années 1980, suivie d'une légère baisse.
Ceci indique la relative autonomie des langues, due aux logiques de
spécialisation des médiateurs, et c'est donc sur cette base qu'on va s'in-

terroger sur les changements qualitatifs qui ont affecté la structure du sous-champ de la littérature italienne en France.

Les romans, qui représentent entre 1985 et 2002 environ deux tiers des nouveautés littéraires traduites de l'italien (hormis les livres pour la jeunesse), suivent la même évolution générale que la courbe globale : d'abord, leur nombre fait plus que doubler entre 1985 et 1989, passant de 31 à 71. Cet essor est propre aux années 1980. En effet, le nombre annuel de romans traduits est inférieur à 20 jusqu'aux années 1950, puis oscille entre 30 et 38 jusqu'au début des années 1980, période de la vogue de la littérature italienne. À partir des années 1990, il cesse d'augmenter et baisse très légèrement, sans jamais retomber au niveau d'avant les années 1980[5].

Graphique 2. Évolution du nombre de romans traduits de l'italien.

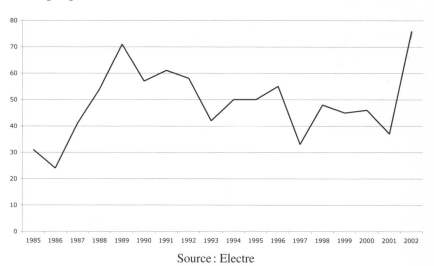

Source : Electre

Pour expliquer cet intérêt soudain et croissant pour la littérature italienne dans les années 1980, outre les facteurs liés au marché éditorial français et à l'intensification des échanges internationaux, il faut envisager deux éléments. Le premier est le succès inattendu et exceptionnel du *Nom de la rose* d'Umberto Eco. Ce roman, publié en Italie

---

5. Anaïs Bokobza, *ibid.,* chapitre 1.

en 1981, fut d'abord refusé par tous les éditeurs de la place parisienne, avant d'être finalement accepté par Grasset. Jean-Claude Fasquelle aurait décidé de le publier malgré un rapport de lecture négatif après avoir entendu sa femme, italienne, rire aux éclats en lisant la version originale, ce qui témoigne du rôle des compétences linguistiques et des réseaux de relations personnels dans la procédure de sélection, comme le souligne cet extrait d'un entretien avec un traducteur :

> «Le *Nom de la rose* est un roman qui a été refusé par tous les éditeurs français. Il a été refusé par le Seuil, qui était éditeur d'Eco, il avait publié *L'Œuvre ouverte*, dans le sillage de Barthes. Donc, il y avait quand même un lien important entre Eco et la France, qu'il y a toujours eu… et donc, quand *Le Nom de la rose* est arrivé au Seuil, on l'a refusé. La réaction a été exactement la même chez Gallimard, où Hector Bianciotti a fait un rapport négatif. La même chez Grasset où Fernandez a fait un rapport négatif… et partout ailleurs aussi, où le livre a été présenté, si bien qu'on ne savait pas si le livre allait sortir en France. Et moi je vivais en Italie à cette époque. J'ai vécu dix ans à Naples, et donc je voyais dans les librairies des piles qui partaient du sol. Je n'avais vu en Italie ce phénomène que deux fois. Avec la *Storia* d'Elsa Morante, qui est sorti tout de suite en poche, chez Einaudi, et qui se présentait sous forme pyramidale dans les librairies, ça partait du sol. Et puis tout à coup je vois ce livre, avec une belle couverture rose, Bompiani, je l'ai acheté et je l'ai lu. Et, qu'est-ce qui s'est passé en France, il s'est passé qu'un soir Jean-Claude Fasquelle, qui est un très bon éditeur, qui est à la retraite maintenant… s'était endormi et son épouse Nicky, qui est triestine, et qui dirige le *Magazine littéraire*, lisait, en italien naturellement, le *Nom de la rose*. Et puis elle rit dans le lit, je sais pas ce qui se passe, et ça réveille son époux, qui lui demande ce qu'elle lit. Elle dit, je lis le bouquin que vous avez refusé. Et le lendemain, avec son flair habituel et son intelligence des choses, Fasquelle dit, "on va le prendre", tant pis, rapport négatif de Fernandez, tant pis, on le prend. Et c'est comme ça que le *Nom de la rose* a été pris chez Grasset.» (entretien avec JS, réalisé en novembre 2001).

La traduction du roman est parue en France en 1982. En 1988, ses ventes atteignent 8 millions d'exemplaires dans le monde, 800 000 en France. Ce succès a conduit à la publication de nombreux auteurs italiens, dont aucun n'a connu la même gloire, en définitive. Comme si les éditeurs français, en quête d'un autre best-seller, avaient soudain envisagé la production italienne comme un réservoir potentiel de jeunes talents à découvrir.

Le second facteur d'explication de l'essor des traductions littéraires de l'italien dans les années 1980 est l'émergence, en Italie, d'une nouvelle génération d'auteurs comme Tabucchi, De Carlo, Consolo ou encore Del Giudice, qui ont commencé à écrire à la fin des années de plomb et ont représenté, en quelque sorte, la fin de cette ère pour la littérature italienne. Ils ont constitué une sorte de vivier dans lequel les éditeurs français sont allés chercher un nouvel Eco (ou un nouvel écho…). Une éditrice affirme :

> « Une anecdote assez amusante, et en même temps désolante : le fait que le succès d'Umberto Eco a fait traduire beaucoup d'Italiens, beaucoup… dans un insuccès total ! Les gens voulaient lire Umberto Eco. Qu'il soit italien, ils n'en avaient rien à faire ». (entretien avec LL, réalisé en novembre 2001).

Du point de vue des genres littéraires, le roman arrive sans surprise en tête : il totalise deux tiers des traductions pendant la période (voir graphique 3). Il est suivi de loin par la poésie dont le taux est relativement élevé (9 %), puis la critique et le noir (6 % chacun), le théâtre, les nouvelles et la critique (4 % chacun), et enfin la science fiction, très peu présente (1 %). On a déjà signalé au chapitre 5 l'importance des genres littéraires à haute valeur symbolique et à faible rentabilité économique comme la poésie, le théâtre, les nouvelles et la critique pour les traductions des langues semi-périphériques.

Graphique 3 : Répartition par genres des nouveautés littéraires traduites de l'italien en français, 1985-2002.

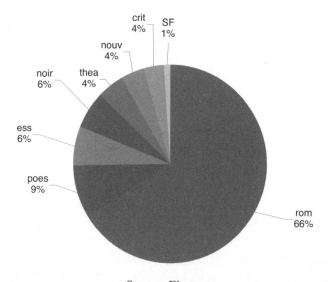

Source : Electre

Moteur des traductions littéraires de l'italien en France dans les années 1980, le roman connaît une chute au début des années 1990. Le déclin du nombre de nouveautés romanesques publiées annuellement est plus marqué que pour l'ensemble des traductions littéraires de l'italien en français, dont elles constituent un peu moins que les deux tiers à partir de 1993. Ceci signifie qu'à partir du début des années 1990, le roman est alors relayé par d'autres genres littéraires, que l'on va maintenant examiner de plus près.

Les traductions de poésie progressent jusqu'en 1989 : 11,5 titres en moyenne entre 1986 et 1989, contre 6,2 sur l'ensemble de la période. On peut donc faire l'hypothèse qu'à ce moment-là la poésie aurait profité de l'intérêt pour la littérature italienne qui concernait essentiellement le roman. En effet, ces années correspondent à la découverte d'auteurs encore inconnus en France comme Ungaretti, Saba, Penna, Luzi ou encore Caproni. Le nombre de traductions atteint ensuite son niveau le plus bas en 1993 (1 titre). Globalement, le nombre de traductions de poésie tend à baisser dans les années 1990.

Le théâtre connaît une évolution similaire, avec un déclin encore plus net à partir du milieu des années 1990 : 1,4 titres en moyenne entre 1996 et 2002, contre 3,2 sur l'ensemble de la période. L'essai, la critique et la nouvelle n'ont pas d'évolution régulière : ce sont, de toute façon, des genres marginaux avec en moyenne respectivement 4,5, 2,4 et 2,7 titres par an. Notons que les traductions de nouvelles connaissent un léger pic en 1988, ce qui renforce l'idée d'une "mode italienne". La critique atteint un nombre de titres sans précédent en 2002 (11 titres alors que la moyenne sur la période 1985-2001 était de 2,6 par an), ce qui s'explique par le salon du livre, avec notamment la publication d'essais critiques d'écrivains reconnus ou consacrés comme Camilleri, Calasso, Primo Levi ou Lampedusa.

Deux genres ont une évolution à part : la science fiction, qui a pris son essor dans les années 1990 (les 13 traductions de titres de ce genre sont faites après 1993) et le roman noir, dont le nombre moyen de traductions a doublé à partir de 1994 : 4,3 titres traduits en moyenne sur l'ensemble de la période, presque 8 entre 1994 et 2002. Deux principaux facteurs interviennent dans cette évolution. En premier lieu, le développement tardif de ces genres en Italie : le polar a explosé dans les années 1990, avec l'arrivée d'auteurs comme Lucarelli, Ammaniti, Fois, ou Andra Camilleri, écrivain plus âgé qui s'est mis depuis peu au roman

noir, ayant connu un certain succès de librairie en France. Deuxièmement, la recherche accrue, par les éditeurs, de romans à succès qui ne
soient pas anglo-saxons : le polar ou la science fiction, genres, par définition, susceptibles de se vendre, semblent prendre le relais du roman
traditionnel, dans le cadre d'un processus de spécialisation et de codification des sous-genres, sur le modèle anglo-saxon. On analysera plus
en détail le cas du polar au chapitre 10.

**Graphique 4 : Évolution du nombre de nouveautés de romans noirs
et de science fiction italiens, 1985-2002.**

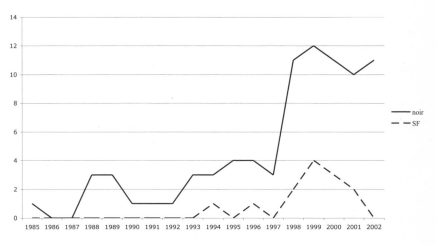

Source : Electre

UNE POLITIQUE D'AUTEUR ?

En tout, 514 auteurs ont été traduits de l'italien entre 1985 et 2002.
Pour plus de la moitié d'entre eux (287), seul un titre a été traduit. Pour
98 d'entre eux, 2 titres, pour 31, 3 titres, pour 26, 4 titres et, pour 14
d'entre eux, 5 titres. Au total, 456 auteurs (soit près de 90 %) ont eu
entre 1 et 5 titres traduits, les trois quarts d'entre eux, 1 ou 2 titres. Ils
sont 41 à avoir eu entre 6 et 10 titres traduits, 7 entre 11 et 15, 8 entre
16 et 20, et seulement 2, plus de 20. En d'autres termes, 579 titres, soit
43 % du nombre total de titres traduits, sont l'œuvre de 58 auteurs, soit
11 %, du nombre total d'auteurs.

Dans l'ensemble, le nombre moyen de titres par auteurs est de 2,6, avec un écart type de 3,3. Comme on l'a vu au chapitre 5, le nombre moyen de titres traduits en littérature pour les auteurs allemands est le même, mais avec un écart type de 5,5, ce qui témoigne d'une concentration plus grande des traductions pour un nombre restreint d'auteurs. En d'autres termes, le nombre d'œuvres traduites par auteur italien est plus dispersé que pour les auteurs allemands. Pour l'espagnol, la moyenne est de 2,2 et l'écart type de 2,8, ce qui témoigne d'une dispersion encore plus importante que pour l'italien.

Dix-sept auteurs italiens ont eu plus de 10 titres traduits sur la période, ce qui représente plus du quart du nombre total de traductions. Dans l'ordre : Pier Paolo Pasolini (28 titres), Antonio Tabucchi (20), Dino Buzzati (19), Leonardo Sciascia (19), Umberto Eco (18), Luigi Pirandello (18), Andrea Camilleri (17)), Carlo Emilio Gadda (17), Giorgio Manganelli (16), Alberto Savinio (16), Alberto Moravia (15), Mario Luzi (11), Italo Calvino (11), Primo Levi (11), Anna-Maria Ortese (11), Mario Rigoni Stern (11) et Susanna Tamaro (11).

Il s'agit surtout de littérature du 20e siècle. Seuls Pirandello (1867-1936), Savinio (1891-1936), Gadda (1893-1973), Buzzati (1906-1972) et Moravia (1907-1990) sont nés au 19e siècle ou au tout début du 20e. Cependant, à part Susanna Tamaro et Andrea Camilleri, tous ces auteurs écrivaient déjà avant les années 1980, ou ont commencé à écrire, au plus tard, au début des années 1980. Cinq d'entre eux sont morts avant 1985 (Pasolini, Buzzati, Pirandello, Gadda et Savinio), six pendant la période de notre analyse (Sciascia, Manganelli, Moravia, Calvino, Levi et Ortese). En définitive, à quatre exceptions près, les auteurs les plus traduits sont des auteurs consacrés, qui étaient déjà renommés en Italie. La "mode" italienne des années 1980 a démarré avec la recherche de jeunes talents, mais, hormis quelques cas isolés, elle aurait donc plutôt suscité un intérêt pour le patrimoine littéraire italien déjà existant, permettant de découvrir ou redécouvrir des auteurs du passé.

Concernant la répartition des traductions de leurs œuvres sur la période, l'écart type moyen est de 1. L'écart type maximal est de 1,8 pour Camilleri, ce qui s'explique par le fait qu'il n'a été traduit qu'à partir de 1998. Les autres auteurs ayant des écarts types supérieurs à la moyenne sont Pasolini, Gadda, Sciascia, Tabucchi et Buzzati : ce sont pourtant des classiques, mais les traductions de leurs œuvres sont regroupées par années (par exemple, 4 titres de Pasolini en 1990 et 1995 contre 0 en 1986 ou 1993, 4 de Buzzati en 1988 contre 0 en 1986 ou entre 1996 et 2001, ou encore 4 de Sciascia en 1993 contre 0 en 1990 ou entre 1994 et 2000). D'autres classiques, comme Moravia, Calvino ou Primo Levi, ont des écarts types faibles, ce qui témoigne d'une répartition plus homogène de leurs traductions sur la période.

Sur ces dix-sept auteurs les plus traduits, on ne trouve que deux femmes, Susanna Tamaro et Anna Maria Ortese, qui figurent en 15ème et 17ème position. Néanmoins, le pourcentage de femmes parmi les auteurs traduits augmente clairement pendant la période considérée. Il est de 9 % en moyenne entre 1985 et 1990, de 18 % entre 1991 et 2002. L'augmentation est continue, avec un pic en 1997, où le pourcentage de femmes double par rapport à l'année précédente, passant de 15 % à 32 %. Précisons qu'il s'agit de quinze auteures différentes. Pour l'espagnol, l'évolution est moins nette : le pourcentage de femmes auteures, stable jusqu'en 1990, autour de 8 %, augmente alors doucement, mais sans jamais dépasser 20 %. Cette comparaison donne un éclairage intéressant sur la féminisation des écrivains italiens, suite à l'accès croissant des femmes à la publication en Italie.

LA PROFESSIONNALISATION DES TRADUCTEURS

Il y a en tout 382 traducteurs de l'italien sur la période. Deux cent deux d'entre eux, soit plus de la moitié, n'ont traduit qu'un titre ; 70 deux titres, 27 trois titres, 18 quatre titres. En d'autres termes, 317 d'entre eux, soit 83 %, ont traduit moins de cinq titres en 18 ans. Concrètement, il s'agit souvent de traducteurs d'ouvrages dits techniques (par opposition à littéraires) qui ne sont pas insérés dans les circuits littéraires. Quand ils traduisent un roman, c'est en général pour un éditeur à faible capital symbolique et social qui n'a jamais publié d'œuvre italienne, et il s'agit souvent d'un roman « commercial ». Ces traducteurs occasionnels peuvent aussi être des universitaires ou autres qui ont été amenés, grâce à leur réseau personnel et/ou professionnel, à traduire un roman. Citons l'exemple d'un jeune journaliste germanophone, parlant l'italien pour avoir passé un an à Florence, et qui a traduit un roman chez Gallimard. Il connaissait personnellement le directeur de la collection, qui lui a proposé le contrat pour le sortir d'une mauvaise passe financière. C'est ainsi qu'il est devenu traducteur occasionnel.

À l'opposé, un nombre restreint de traducteurs ont pris en charge à eux seuls un tiers du total des titres traduits. Ils sont 27, soit moins d'un dixième de l'ensemble de la population, et ont traduit chacun plus de dix titres[6], soit 545 en tout, plus d'un tiers du total. Les trois quarts des traducteurs sont donc, globalement, des traducteurs occasionnels (avec un ou deux titres chacun sur la période), quand vingt-et-un traducteurs réguliers ont à eux seuls assuré la traduction du tiers des œuvres italiennes traduites.

Pour l'ensemble de la période, la moyenne est de 3,4 titres par traducteur, l'écart type de 4,25. À titre de comparaison, il y a 533 traducteurs de littérature espagnole (voir chapitre 8) ; chacun a traduit en moyenne 2,9 titres, avec un écart type de 5,7. Bien que le nombre moyen de titres par traducteur soit sensiblement le même pour ces deux langues, on constate une répartition plus concentrée pour l'italien, ce qui peut témoigner, notamment, d'une plus grande professionnalisation des traducteurs de cette langue. La différence d'écart type signifie en effet qu'il y a plus de traducteurs réguliers par rapport aux traducteurs occasionnels.

Le pourcentage de femmes parmi les traducteurs de l'italien a augmenté pendant la période, passant de 40 à 50 % environ. Il est même proche de 60 % entre 1995 et 1999. Il suit la même évolution que celui des traductrices de l'espagnol et de l'hébreu (voir chapitres 8 et 14)[7], ce qui témoigne d'une féminisation de cette profession en France, toutes langues confondues.

Regardons maintenant les 27 traducteurs les plus actifs pendant la période, ceux qui ont traduit au moins 10 titres chacun, soit 545 titres en tout, ce qui représente 40 % de l'ensemble des traductions. Leur écart type moyen pour la répartition par année est de 1. Plus il est élevé, plus les traductions sont concentrées sur un petit nombre d'années. C'est notamment le cas de jeunes traducteurs, ou de traducteurs ayant commencé tard dans la période. Par exemple, la jeune traductrice qui a l'écart type le plus élevé (2,9) a 32 titres à son actif, mais tous après

---

6. Trois en ont traduit onze, 4 douze, 3 treize, 1 quatorze, 5 entre quinze et dix-neuf, et 11 vingt ou plus (jusqu'à 44).

7. Pour l'hébreu, voir aussi Gisèle Sapiro, « L'importation de la littérature hébraïque en France », art. cité.

1993. Ceci signifie que la traduction littéraire est vite devenue son activité principale. Elle présente d'ailleurs elle-même sa trajectoire comme différente de celle des autres traducteurs : « Moi, je traduis et ça me plaît, je n'ai pas la frustration de ne pas être écrivain comme pas mal de mes collègues, d'ailleurs j'ai déjà publié un roman »[8]. Les traducteurs réguliers ont des trajectoires sociales variées : pour certains, la traduction littéraire est leur activité principale et ils se déclarent satisfaits de cette condition. Ils sont souvent fidèles à plusieurs auteurs, et surtout à deux ou trois éditeurs avec lesquels ils ont instauré des relations de confiance. Ils n'appartiennent pas au milieu universitaire, ni au monde de l'édition. Il arrive en revanche que leur spécialisation et les relations qu'ils nouent avec les éditeurs les conduisent à diriger une collection, comme par exemple Marguerite Pozzoli, responsable des « Lettres italiennes » chez Actes Sud. Dans ce cas, c'est leur travail de traducteurs qui leur donne accès à une autre position dans le champ éditorial. Dans d'autres cas, notamment celui des universitaires, la traduction littéraire, même régulière, constitue un complément d'activité. Citons l'exemple de Danièle Valin, bibliothécaire d'une UFR d'italien, devenue la traductrice attitrée d'Erri de Luca : la traduction est pour elle une activité secondaire, dans le sens où elle ne constitue pas sa première source de revenus. On peut donc distinguer entre les traducteurs pour qui la traduction littéraire est l'activité principale et les autres, même si ces catégories sont, par définition, fluctuantes. Aucune de ces situations n'est en effet stable dans le temps (sauf peut-être pour les universitaires). Parmi ces 21 traducteurs, au moins huit sont auteurs par ailleurs, et au moins trois dirigent ou ont dirigé une collection italienne chez un éditeur (Quadruppani, Pozzoli, Simeone), mais il n'y a que deux universitaires.

DIVERSIFICATION ET SPÉCIALISATION DES ÉDITEURS

Les éditeurs ayant publié de la littérature italienne sont au nombre de 250 environ, avec en moyenne plus de 5 titres publiés par an. Certains se sont spécialisés et publient chaque année, d'autres seulement à des moments clés comme le salon du livre. D'une manière générale, le

---

8. Entretien réalisé en octobre 2002.

nombre annuel d'éditeurs double dans la seconde moitié des années 1980, passant de 27 en 1985 à 50 en 1989, puis décroît (il n'est plus que de 37 en 1997) avant de remonter lentement, puis très vite sur la fin. En effet, le nombre moyen d'éditeurs est de 37 entre 1985 et 2001, puis de 64 en 2002.

Globalement, on retiendra surtout que leur nombre fait plus que doubler dans les années 1980, ce qui semble illustrer l'effet de l'intérêt pour la littérature italienne suscité notamment par le succès du *Nom de la rose*. En réalité, cette diversification correspond tout autant à la création de plusieurs maisons d'éditions, comme Métailié, Actes Sud et Verdier en 1979, ou Liana Levi en 1982. Ces maisons contribuent à la découverte de jeunes auteurs italiens. Verdier est la première à faire traduire Caproni (avec *Le Gel du matin* en 1985). Liana Levi, créée en 1982, lance Andrea de Carlo en 1984 (*Oiseaux de cage et de volière*) et fait redécouvrir Pier Maria Pasinetti (*De Venise à Venise* en 1984), dont un seul titre avait été publié jusque là, chez Albin Michel, en 1965. Enfin, les éditions Actes Sud lancent en 1986 Maria Messina (dont ils restent le seul éditeur), et publient neuf auteurs italiens différents entre 1985 et 1989.

Verdier, Liana Levi et Actes Sud ont dès le début de la période une collection spécifiquement italienne, respectivement Terra d'altri, Lettres italiennes et Bibliothèque italienne. Plus tard, d'autres collections seront créées chez Climats, POL ou encore Desjonquères : Les Chemins de l'Italie chez Desjonquères (depuis 1985), Italiques chez POL (depuis 1987), Climats d'Italie (depuis 1990). Ce sont des petits éditeurs dont le capital symbolique prévaut sur le capital économique, ce qui montre que la spécialisation dans un domaine linguistique peut faire partie de la construction de la réputation d'une maison, du projet de constituer un fonds cohérent et original[9].

La baisse du nombre annuel moyen d'éditeurs publiant de la littérature italienne dans les années 1990 (il passe de 46 en moyenne entre 1987 et 1989 à 38 entre 1990 et 1999) témoigne d'une spécialisation progressive. Les grandes maisons à fort capital symbolique comme Gallimard ou Le Seuil se mettent à publier plus d'Italiens, comme s'ils réagissaient avec un peu de retard à l'effet Umberto Eco. De "jeunes" éditeurs, comme Métailié ou Allia, joueront de leur côté un rôle clé à

9. Voir notamment Pierre Bourdieu, «Une Révolution conservatrice dans l'édition», art. cité.

partir des années 1990. Cependant, les éditeurs faiblement spécialisés dans ce domaine se lancent moins souvent dans la traduction de cette littérature qu'ils connaissent mal, comme si après l'enthousiasme des années 1980 la prudence était de rigueur. Rappelons que le succès du *Nom de la rose* était resté inégalé et que la quête au best-seller italien avait perdu de sa vigueur. Il faudra attendre le salon du livre de 2002 pour que les publications se multiplient chez des éditeurs non spécialisés en littérature italienne.

Si l'on regarde à présent de plus près les 16 éditeurs qui ont publié le plus de titres italiens sur la période, près de 700 titres, soit près de la moitié du nombre total, Gallimard arrive en tête, avec 157 titres en tout, soit une moyenne de 8,7 titres par an. Les publications de l'italien démarrent lentement jusqu'en 1989 puis leur nombre reste élevé, entre 7 et 14 par an. Un huitième des titres sont des romans noirs : 19 sur 157, qui représentent un quart du nombre total de polars italiens traduits en français sur la période, où il faut voir le poids de la « Série Noire ». Les autres titres se répartissent entre les collections « Du monde entier » (40 titres) et « l'Arpenteur » (35 titres), qui ne sont spécialisées ni dans un genre ni dans un domaine linguistique.

En tout, Gallimard a publié 78 auteurs italiens. Plus de la moitié d'entre eux n'y ont fait paraître qu'un seul titre. Seul un quart d'entre eux a eu plus de 2 titres traduits, ce qui témoigne d'un faible suivi des auteurs. L'auteur le plus traduit sur la période est Carlo Lucarelli (un auteur de polars), avec 8 titres. Suivent ensuite Pasolini (7 titres), Calasso et Soldati (6 titres), Morante, Magris, Manganelli et Parise (5 titres), et enfin Camon, Citati, Montale et Ortese (4 titres). On voit ici que les classiques sont loin de représenter la majorité des publications.

De même, cette maison n'est pas spécialement fidèle à ses traducteurs. Elle en a employé 66 en tout, soit une moyenne de 2,4 titres par traducteur, mais seuls un quart d'entre eux ont traduit plus de deux titres. Parmi les plus actifs, certains sont spécialisés dans des genres, comme Arlette Lauterbach pour les polars (11 des 13 titres qu'elle a traduits), ou encore dans des auteurs, comme Jean-Paul Manganaro pour Calasso.

Au Seuil (68 titres en tout), l'évolution est plus heurtée : cet éditeur publie entre un et six titres par an, avec une légère augmentation vers la fin de la période, où cinq ou six titres paraissent pendant trois années

consécutives – on peut donc se demander s'il y a un souffle nouveau.
Comme chez Gallimard, les auteurs ne sont pas tous suivis : moins d'un
quart d'entre eux (soit 7 sur 39) a plus de deux titres traduits. L'une des
découvertes du Seuil dans les années 1970, Calvino, demeure le principal écrivain italien de la maison, qui avait publié dix titres de lui avant
1985, puis neuf autres jusqu'en 2002, ce qui en fait l'auteur le plus
traduit. Il est suivi par Fruttero-Lucentini et Gadda (5 titres), Tondelli
(4 titres) puis Del Gidudice, Fois et Rasy (3 titres).

Comme Gallimard, le Seuil a fait travailler beaucoup de traduc-
teurs : 27 sur la période, soit une moyenne de 2,6 titres par traducteur.
Cependant, la maison n'est fidèle qu'à deux d'entre eux : Jean-Paul
Manganaro, traducteur, notamment, de Calvino (8 titres sur 17), et
Nathalie Bauer, qui a traduit 12 titres d'auteurs variés.

D'une manière générale, on ne peut pas dire que les deux éditeurs
les plus actifs dans le domaine de la littérature italienne, Gallimard et
Le Seuil, aient une spécialisation marquée, ni par auteur, ni par traducteur. Ce sont deux éditeurs à fort capital symbolique et économique à
la fois, qui occupent, de ce fait, une position intermédiaire dans le champ
éditorial, comme on l'a vu au chapitre 6. Ils n'ont pas découvert de
nouveaux auteurs dans les années 1980, comme a pu le faire Grasset
avec Eco, et cependant, l'intérêt renouvelé qu'ils ont porté à la littérature italienne leur a permis non seulement de continuer à publier des
auteurs devenus classiques (comme Pasolini ou Calvino), mais aussi de
diversifier progressivement leur catalogue italien.

Si l'on se pose la question de la spécialisation pour les treize autres
éditeurs qui ont publié au moins 20 titres italiens entre 1985 et 2002, on
constate que, d'une manière générale, le nombre de leurs publications
n'évolue pas de façon régulière. Seuls trois éditeurs ont publié davantage vers la fin de la période : Payot & Rivages à partir de 1998, Fayard
et Allia à l'occasion du salon du livre.

Certains éditeurs ont la quasi exclusivité de la publication des
œuvres de tel ou tel auteur italien. C'est le cas de Flammarion, qui a
publié les deux tiers des titres d'Alberto Moravia. Robert Laffont a de
même traduit la moitié des titres de Dino Buzzati. Encore une fois, il
s'agit d'auteurs dont la renommée en Italie n'est plus à démontrer. On
peut donc imaginer que ces éditeurs ont trouvé là un filon : le moyen de
se spécialiser dans un auteur à succès, mais reconnu sur le plan littéraire, démarche à la fois sans risque et génératrice de capital symbo-

lique (l'éditeur participe à la constitution d'un fonds français de classiques italiens). Notons également que ces maisons, toutes créées avant les années 1950, avaient déjà, dans les années 1980, les épaules suffisamment solides pour acheter les droits d'auteurs chers comme Calvino, Buzzati ou Moravia (les classiques ne sont libres de droit qu'à partir de la soixante-dixième année suivant leur mort). Mais certaines maisons se spécialisent dans les traductions d'auteurs contemporains ayant acquis une notoriété internationale dès les années 1980, comme Tabucchi (Bourgois), ou Eco (Grasset). Au début de notre période, on peut supposer qu'il n'existait pas de disparité notoire entre les coûts des droits.

À l'opposé de cette spécialisation par auteur, certains éditeurs ont un catalogue extrêmement dispersé, comme Verdier, qui a publié 41 titres en tout, de 27 auteurs différents, soit en moyenne seulement 1,5 titres par auteur, avec un maximum de 4 titres pour Mario Luzi et Cristina Comencini. C'est aussi le cas de Denoël, qui totalise 16 auteurs pour 20 titres. N'étant pas spécialisés en littérature italienne, ces deux derniers se concentrent sur l'édition ou la réédition d'œuvres d'auteurs classiques, ce qui présente moins de risques (ils ont déjà été sélectionnés) tout en étant porteur de capital symbolique. Le cas de Verdier est différent, dans la mesure où les directeurs de la collection Terra d'Altri s'étaient donné pour mission dans les années 1980 de lancer en France un grand nombre d'auteurs italiens inconnus, tout en redécouvrant des auteurs du passé, ce qui est en un sens une forme de spécialisation, mais la politique d'auteur des petits éditeurs se heurte au monopole des grandes maisons sur les auteurs les plus connus et les plus prolifiques (voir chapitre 6). On a donc deux pôles au sein des maisons à faible capital économique : les éditeurs spécialisés, avec un catalogue concentré sur un nombre limité d'auteurs, ceux dont le catalogue est au contraire très dispersé.

La logique est la même pour le choix des traducteurs : d'un côté, on a ce qu'on peut appeler le "pôle de la dispersion", illustré par Fayard, qui a confié ses 51 livres à 16 traducteurs différents, soit en moyenne 3 livres à chaque traducteur sur la période. À l'opposé, au "pôle de la concentration", se trouvent des maisons comme Actes Sud, dont la moitié des titres ont été traduits par Marguerite Pozzoli, également directrice de la collection « Lettres italiennes ». De même, la moitié des titres d'Allia ont été traduits par Monique Baccelli. Pour ces deux maisons, la fidélité aux traducteurs va de pair avec la volonté de se spécialiser et de trouver une "niche" en littérature italienne.

Il existe d'autres formes de spécialisation, par période ou par genre. On peut citer l'exemple d'Allia, dont la moitié du catalogue italien est composé de titres classiques historiques (6 de Leopardi, 3 d'Arétin, 3 de Landolfi). Par ailleurs, certains auteurs se spécialisent par genre : un cinquième du catalogue italien de Payot & Rivages concerne des titres de science fiction, qu'ils sont quasiment les seuls à publier. Actes Sud porte enfin une attention particulière au théâtre, plus que les principaux éditeurs, concentrés sur le roman.

L'analyse du corpus des textes littéraires italiens traduits en français entre 1985 et 2001 permet donc de cartographier le champ éditorial en fonction des différentes formes de spécialisation par auteurs, traducteurs, et même genres. On a d'un côté des maisons peu fidèles à leurs traducteurs, publiant beaucoup d'auteurs différents, souvent des écrivains consacrés ayant du succès en Italie. Ce sont aussi les maisons à fort capital économique et symbolique, comme Gallimard ou le Seuil, qui ont une collection de littérature étrangère où la littérature italienne est en concurrence avec d'autres langues. À l'opposé, au pôle de la spécialisation, on trouve de petites maisons à fort capital symbolique mais faible capital économique, comme Actes Sud ou Bourgois, qui, fidèles à leurs traducteurs, ont souvent une collection de littérature italienne, où elles tentent de suivre leurs auteurs. Mais cette politique se heurte à des limites évoquées au chapitre 6, et dont témoigne la dispersion du catalogue d'une petite maison telle que Verdier en ce qui concerne les écrivains du passé, même si elle a lancé quelques jeunes auteurs dont elle suit l'œuvre.

Ces deux types de logiques correspondent plus ou moins aux deux principaux facteurs de l'augmentation du nombre de traductions. Dans le premier cas, les éditeurs ont suivi la mode italienne des années 1980, qui a eu un effet sur leur catalogue. Pour les autres maisons, le travail de découverte de jeunes auteurs italiens dès les années 1980 s'est fait en s'appuyant sur des spécialistes (traducteurs, directeurs de collection) qui les ont aidées à minimiser les risques financiers inhérents à la publication de traductions, en se spécialisant dans un domaine où elles n'étaient pas en concurrence directe avec les plus gros éditeurs. Cette analyse illustre donc l'une des multiples stratégies de résistance du pôle symbolique du champ éditorial face à la domination progressive, et de plus en plus irrésistible, de la logique commerciale dans les choix éditoriaux.

Chapitre 8

Du réalisme magique à la récupération de la mémoire historique. La littérature traduite de l'espagnol
par Sandra Poupaud

L'aire hispanophone comprend, selon les différentes estimations, entre 266 et 400 millions de locuteurs dans le monde et couvre principalement l'Espagne, la plupart des pays d'Amérique latine et centrale ainsi qu'une communauté en augmentation constante aux États-Unis. L'analyse des traductions de l'espagnol implique donc de se pencher sur un corpus d'une grande hétérogénéité de par la diversité des provenances géographiques des titres traduits. Selon les données de l'UNESCO[1], l'espagnol est la sixième langue la plus traduite dans le monde, après l'anglais, le français, l'allemand, le russe et l'italien.

Les deux principaux ensembles étudiés ici sont l'Espagne et l'Amérique latine. Il faut rappeler que les œuvres traduites de l'espagnol ne représentent pas la totalité de la production littéraire dans les pays concernés. En Espagne notamment, il existe une littérature très riche dans d'autres langues de la péninsule (catalan, basque, galicien) dont la

---

1. En ligne sur : http://databases.unesco.org/xtrans/stat/xTransStat.a?VL1=SL&top =50&lg=0

traduction et la position plus périphérique dans le champ éditorial français offrent d'intéressants points de comparaison. Enfin, les textes, comme les hommes, se déplacent au sein de l'aire hispanique et les relations éditoriales entre l'Espagne et l'Amérique latine ont favorisé cette circulation internationale.

FRANCE, ESPAGNE, AMÉRIQUE LATINE : ENTRE LITTÉRATURE ET POLITIQUE

L'histoire des relations culturelles entre la France et l'Espagne a connu une succession de périodes d'admiration, d'ignorance et de condescendance, de bon et de mauvais voisinage, conditionnée par les événements politiques. Jusqu'au 20ᵉ siècle, l'intérêt de la France pour l'Espagne s'est manifesté selon des tonalités différentes. Au 17ᵉ siècle, la culture espagnole du siècle d'or suscite l'admiration mais le 18ᵉ siècle ignore l'Espagne ou la méprise, elle devient pour les philosophes des Lumières un pays arriéré et violent. Durant la période romantique s'épanouit en France le thème du voyage en Espagne, notamment avec Théophile Gautier ou Mérimée. Les écrivains du 19ᵉ siècle privilégient alors souvent l'image d'une Espagne exotique, parfois archaïque et inquiétante. Cet intérêt pour la culture espagnole s'accompagne d'une hausse du nombre des traductions. Selon Bennassar, on assiste ainsi « à un grand effort de traduction des textes espagnols qui renouvelle celui du 17ᵉ siècle : Viardot offre une nouvelle traduction du *Quichotte* et Damas-Hinard en 1844 met en français presque tout le théâtre accessible de Calderón »[2].

Au 20ᵉ siècle, la guerre civile espagnole et les années de dictature franquiste voient l'Espagne se replier sur elle-même et les échanges avec l'extérieur se tarir. Pour certains, les effets du franquisme n'ont d'ailleurs pas disparu. Selon l'écrivain Juan Marsé, les Français connaissent mal l'Espagne :

---

2. Bartolomé Bennassar, « Panorama de l'hispanisme français », dans Sagnes et al., *Images et influences de l'Espagne dans la France contemporaine*, Béziers, Presses universitaires de Perpignan, 1993, p. 30.

« C'est une conséquence du franquisme, nous avons été pendant quarante ans le trou du cul du monde. Qui pouvait s'intéresser à une écriture, un cinéma, des essais soumis à la censure ? Franco est mort, mais la méfiance persiste[3]. »

En ce qui concerne l'Amérique latine, les relations culturelles ont été tardives et ont longtemps opéré de la France vers l'Amérique. C'est surtout dans les années 1920 que la France commence à s'intéresser à l'Amérique latine, notamment par l'intermédiaire de Vicente Huidobro qui s'installe à Paris en 1916. C'est aussi grâce au travail d'écrivains comme Valéry Larbaud, Jules Supervielle, Albert Camus et surtout de Roger Caillois, créateur de la collection « La Croix du Sud » chez Gallimard, collection qui publiera de nombreux auteurs sud-américains à partir de 1951[4]. La rencontre de Caillois avec Victoria Ocampo fut décisive pour la diffusion de la littérature latino-américaine en France. Elle allait connaître un nouvel essor dans les années 1960 et 1970 lors du « boom » latino-américain, dont le succès international doit beaucoup aux instances de consécration parisienne. Les événements politiques jouent alors un rôle central dans les échanges culturels entre la France, l'Espagne et l'Amérique latine.

L'histoire de l'aire hispanique au 20e siècle est faite de bouleversements et de conflits qui ont contraint nombre de personnes à l'exil. La guerre civile en Espagne, les dictatures franquiste ou latino-américaines et les diverses crises économiques et politiques ont créé d'importantes communautés en exil, qui ont souvent joué un rôle très actif dans la diffusion de leur culture, en France comme ailleurs. Les républicains espagnols fuient l'Espagne pour la France ou, pour les plus chanceux, les États-Unis ou l'Amérique latine, où ils vont contribuer notamment à la création et au développement de nombreuses structures éditoriales en particulier au Mexique, en Argentine[5]. On en vient alors à parler du roman de l'exil, autour d'écrivains comme Rosa Chacel, Ramón Sender, Francisco Ayala ou Arturo Barea. Certains écrivains, comme l'Espagnol Juan Goytisolo, choisiront par la suite de s'installer

---

3. « Barcelone sur Garonne », *Le Monde*, 16 juin 2006.

4. Voir Sylvia Molloy, *La Diffusion de la littérature hispano-américaine en France au XXe siècle*, Paris, PUF, 1972.

5. Voir Fernando Piedrafita Salgado, *Bibliografía del Exilio Republicano Español (1936-1975)*, Madrid, Fundacion Universitaria Española, 2003.

en France afin d'échapper au régime et la censure franquistes. En Amérique latine, les dictatures de Pinochet au Chili, de Videla en Argentine, de Meza en Bolivie, entraînent également l'exil de nombreux intellectuels. À Cuba, le cas Padilla en 1971 scelle la rupture de certains intellectuels avec le régime castriste. Certains dissidents quittent leur pays, notamment le cubain Reinaldo Arenas, parti aux États-Unis en 1980, lors de l'exil de Mariel. De nombreux écrivains latino-américains s'établissent en France, de façon plus ou moins durable. Julio Cortázar, Gabriel García Márquez, Carlos Fuentes, Juan José Saer, Bryce Echenique, Augusto Roa Bastos, Alicia Dujovne Ortiz choisissent l'exil pour fuir la dictature[6]. Certaines des œuvres majeures du «boom» latino-américain furent d'ailleurs écrites à Paris dans les années 1960. C'est le cas de *Pas de lettre pour le colonel* de García Márquez, de *Marelle* de Cortázar ou de *La Ville et les chiens* de Vargas Llosa.

Les raisons de l'attraction alors exercée par la France sont multiples et font intervenir des facteurs tant politiques que culturels. Le prestige culturel de la France, l'héritage des Lumières et l'idéal de liberté qu'elle représente s'allient à un désir d'échapper à l'Espagne, puissance colonisatrice, déjà manifesté par Ruben Dario à la fin du 19e siècle : «La rupture culturelle avec l'Espagne et le désir de s'opposer à l'esprit anglo-saxon, c'est-à-dire au "pragmatisme" qui accompagne la mise sous tutelle politique et économique, va relancer le réseau franco-hispano-américain[7].» Il faut également tenir compte de la dimension proprement littéraire et de l'influence exercée par les écrivains français, particulièrement depuis la fin du 19e siècle, ainsi que l'expose Milagros Palma :

> «Cette irrésistible attirance exercée par Paris s'explique sans aucun doute par les perspectives presque illimitées d'adaptation et de rénovation qu'offrirent successivement les modèles français, notamment en poésie à travers l'école parnassienne, le symbolisme, le dadaïsme et surtout le surréalisme. [...] Pour mieux s'intégrer, certains décidèrent, non seulement de vivre à Paris, mais d'écrire une partie de leur œuvre en français[8].»

---

6. Voir *L'Annuaire des écrivains latino-américains en France*, Paris, Indigo & Côté-femmes, 2000, qui recense non seulement les écrivains mais également les critiques, traducteurs, écrivains.

7. Jacques Leenhardt et Pierre Kalfon, *Les Amériques latines en France*, Paris, Gallimard, 1992, p. 89.

8. Milagros Palma, *Le Paris Latino-américain : Anthologie des écrivains latino-américains à Paris*, Paris, Indigo, 2006, p. 11.

Paris a joué un rôle central dans la diffusion de la littérature latino-américaine, en particulier à l'époque du «boom» des années 1960 et 1970, un rôle qui, selon une traductrice interrogée, perdure aujourd'hui dans l'esprit des écrivains hispanophones, surtout latino-américains :

> «Et puis c'est vrai aussi que les auteurs latino-américains, enfin même les espagnols mais surtout les latino-américains sont vraiment très très contents d'être traduits en France. C'est pas tellement sur le plan commercial parce qu'à la limite pour eux l'anglais serait "plus intéressant" parce que plus rentable, mais ils me disent tous, là comme Wendy Guerra hier, que le français, enfin une publication en France, c'est une sorte de, pas de consécration, mais enfin c'est vraiment très symbolique, donc très important[9].»

Ce jugement est relayé par Milagros Palma qui remarque que «dans les dernières années du 20e siècle, le mythe de Paris est plus actif que jamais car il continue à être le lieu de la consécration du créateur latino-américain»[10]. Les années 1960 marquent le début du succès de la littérature latino-américaine en France, succès que l'on peut attribuer en partie au contexte politique. Pour Jean-Claude Villegas, les Français s'intéressent alors à l'Amérique latine «pour des raisons plus politiques (le triomphe de la révolution castriste, le développement des mouvements de guerilla, les interventions avortées ou "réussies" des États-Unis, l'impact de la théologie de la libération ou de la doctrine de la Sécurité Nationale, dont se sont nourries – et se nourrissent encore – les dictatures militaires actuelles) que proprement littéraires ou culturelles»[11]. Les facteurs plus strictement littéraires ne sont pas pour autant à écarter :

> «Ces écrivains ont été lus par des millions de Français, en quête sans doute de cette ardeur qui avait quitté notre littérature. Peut-être cette littérature latino-américaine a-t-elle rempli pour eux une fonction de substitution à l'égard d'un besoin de valeurs que les écrivains français, repliés sur l'hexagone, ne se sentaient plus capables d'exprimer.[…] La percée de cette littérature latino-américaine en France, qui coïncide avec nos années soixante à quatre-vingt, trahit probablement une soif inassouvie d'aventure héroïque et du mystère de l'homme dans sa diversité[12].»

---

9. Entretien du 28 novembre 2006.

10. Milagros Palma, *El Mito de París : Entrevistas con escritores latinoamericanos en París*, Paris, Indigo, 2004, p. 24.

11. Jean-Claude Villegas, *La Littérature hispano-américaine publiée en France, 1900-1984 : répertoire bibliographique*, Paris, Bibliothèque nationale, 1986, p. IX.

12. Jacques Leenhardt et Pierre Kalfon, *Les Amériques latines en France, op. cit.* p. 109.

Notons que ce succès de la littérature latino-américaine semble faire de l'ombre à la littérature espagnole :

> « En bref, le changement le plus notoire est, sans conteste, la vague latino-américaine qui relègue la littérature espagnole contemporaine traduite (exception faite des auteurs classiques, peu influents sur le système littéraire et tenus à bout de bras par l'enseignement) à un second plan et, même si quelques auteurs sont défendus par la critique, leur succès est plutôt un succès d'estime[13]. »

Ainsi que nous allons le voir, la littérature espagnole contemporaine ne prendra en effet son essor en France que dans les années 1980 et 1990.

LA MULTIPLICATION DES TRADUCTIONS LITTÉRAIRES DE L'ESPAGNOL EN FRANÇAIS

Les données utilisées dans l'analyse qui suit proviennent de deux sources. Les tendances générales ont été établies à l'aide de l'Index Translationum qui, comme cela a été rappelé au chapitre 2, présente certains problèmes de fiabilité, mais peut néanmoins être utilisé pour étudier les tendances générales. L'Index Translationum, s'il a l'avantage de recenser la totalité des titres traduits par année, rééditions et réimpressions comprises, présente l'inconvénient de ne pas permettre un tri en fonction du pays d'origine des textes traduits, ce qui est problématique dans le cas d'une langue internationale comme l'espagnol. Ainsi que nous le verrons par la suite, les tendances globales masquent en effet certains phénomènes spécifiques à un pays particulier et il est logique d'affiner l'analyse en fonction du pays d'origine des titres traduits.

La deuxième source utilisée ici est une base constituée à partir des données extraites de la base Electre, et comportant les nouveautés et les poches. En ont été exclus les livres pour la jeunesse qui correspondent à des logiques et des structures éditoriales distinctes, évoquées au chapitre 5, et que nous n'analyserons pas ici. Nous avons d'autre part codé nous-

---

13. Laurence Malingret, *Stratégies de traduction : Les Lettres hispaniques en langue française*, Arras, Artois Presses Université, 2002, p. 48.

même le pays d'origine des titres traduits lorsqu'il n'était pas indiqué. Il faut préciser que le pays d'origine renvoie à la nationalité (ou le lieu de résidence) de l'auteur, et non au lieu d'édition du livre : nombre des écrivains latino-américains, notamment les plus célèbres, comme le Chilien Robert Bolaño, sont en effet publiés par des maisons d'édition espagnoles, qui exercent depuis les années 1980 une domination cultu-relle croissante sur le continent latino-américain.

D'après les données de l'Index Translationum, les traductions de l'espagnol vers le français, tous domaines confondus, passent de 124 en 1980 à 395 en 2002 (voir tableau 1). Toujours selon l'Index, les traduc-tions littéraires de l'espagnol vers le français triplent au cours de la période, de 66 en 1980 à 183 en 2002.

Les traductions littéraires de l'espagnol en français représentent 3,5 % du total des traductions littéraires en français, une proportion égale à celle de l'italien, mais plus faible que celles de l'allemand (6,3 %) et surtout de l'anglais (64,9 %). La part de l'espagnol se maintient si l'on considère les traductions en français tous domaines confondus. L'espa-gnol représente toujours en moyenne 3,5 % des traductions, mais l'ita-lien augmente à 5 %, l'allemand à 10,4 % et l'anglais baisse très légèrement à 63,7 %. Notons que la part de l'espagnol augmente au cours de la période, mais est en dessous de 3 % jusqu'en 1988 et supé-rieure à 3,5 % à partir de 1990.

**Tableau 1. Part de l'espagnol dans les traductions en français,
tous domaines confondus, 1980-2002.**

Année	Nombre total de traductions en français	Nombre de traductions de l'espagnol	%
1980	4 955	124	2,5 %
1985	3 910	85	2,2 %
1990	5 993	283	4,7 %
1995	7 407	293	4 %
1999	9 779	388	4 %
2000	9 502	345	3,6 %
2001	9 947	397	4 %
2002	9 792	395	4 %
Total sur toute la période	**149 105**	**5 155**	3,5 %

Source : Index Translationum

Tableau 2. Traductions de l'espagnol, 1980-2002, répartition par catégories.

Catégorie	Nombre de titres traduits	Part au sein des traductions de l'espagnol (en %)
Généralités, bibliographie	20	0,4 %
Sciences appliquées	148	2,9 %
Arts, jeux, sports	714	14,2 %
Histoires, géographie, biographies	651	13,0 %
Droit, sciences sociales, éducation	276	5,5 %
Littérature	2 713	54,0 %
Sciences naturelles et exactes	45	0,9 %
Philosophie, psychologie	149	3,0 %
Religion, théologie	307	6,1 %
Total	**5 023**	*100 %*

Source : Index Translationum

La part de la littérature dans le nombre total des traductions de l'espagnol en français oscille entre 44,3 % et 67,2 %, avec une moyenne de 54 % (voir tableau 2), qui est proche de celle des traductions de l'anglais (52,51 %) et supérieure à celle de l'italien (36,8 %) et de l'allemand (31 %). Avec 14 %, la catégorie « Arts, jeux, sports » arrive en deuxième position, ce qui s'explique, comme pour l'italien, par le nombre important de traductions dans le domaine de l'art. Elle est suivie de près par l'histoire et la géographie, qui totalisent 13 % des titres traduits. Les domaines scientifiques ont un poids nettement plus faible.

Notons que, dans le même temps, les traductions littéraires du français en espagnol représentent 9 318 titres entre 1984 et 2002, soit quatre fois plus que celles de l'espagnol en français, et que la grande majorité de ces traductions sont effectuées en Espagne (8 459, soit 90 %). L'Espagne a en effet un taux d'intraduction très élevé (25 %)[14] et c'est le pays au monde qui traduit le plus d'ouvrages du français.

---

14. Valérie Ganne et Marc Minon, « Géographies de la traduction », in Françoise Barret-Ducrocq (dir.), *Traduire l'Europe, op. cit.*, pp. 55-95.

Le corpus extrait de la base de données Electre pour les années 1985 à 2002 contient 1 408 nouveaux titres dans la catégorie littérature (1 524 avec les livres pour la jeunesse), qui regroupe la poésie, le théâtre, le roman, les essais, la critique, le roman noir et la science fiction. Les poches sont au nombre de 285, ou 325 si l'on inclut la jeunesse. Nous étudierons les tendances générales pour l'ensemble des pays concernés, mais l'analyse détaillée du corpus sera centrée sur l'Espagne, car le nombre de traductions qui en proviennent a fortement augmenté pendant cette période. Rappelons que l'analyse porte sur les nouveautés et non sur les poches et que la catégorie jeunesse est exclue de cette analyse.

L'évolution générale montre une forte augmentation du nombre de nouveaux titres traduits entre 1985 et 1991 (voir graphique 1). On passe de 33 titres en 1985 à 93 titres en 1991. Le nombre de titres est donc pratiquement multiplié par trois. Il chute à 67 en 1993 avant de remonter de façon régulière jusqu'en 2001, puis plus fortement de 2001 à 2002.

Graphique 1. Nombre de nouveautés littéraires traduites de l'espagnol, 1985-2002

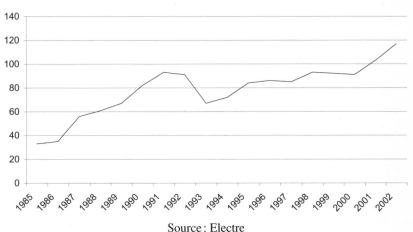

Source : Electre

L'augmentation globale du nombre de nouveaux titres traduits de l'espagnol en France entre 1985 et 2002 s'explique par la conjonction de plusieurs facteurs : le contexte général favorable à la traduction de littérature étrangère, la poursuite des effets du « boom » latino-américain, un regain d'intérêt pour l'Espagne avec l'effondrement final de la dictature franquiste et la transition démocratique, l'arrivée d'une nouvelle génération d'écrivains espagnols, le succès rencontré par les premières traductions de Vázquez Montalban et enfin l'entrée de l'Espagne dans l'Union européenne en 1986. Pour Claude Bleton, l'un des plus prolifiques traducteurs de littérature espagnole en France, l'année 1986 constitue en fait une année charnière pour la traduction de la littérature espagnole. Sa diffusion en France a bénéficié à l'époque de droits de publication très faibles demandés par des auteurs tels que Torrente Ballester ou Muñoz Molina, qui équivalaient alors à «une bouchée de pain»[15]. Pour Annie Morvan, responsable de la littérature hispanique au Seuil, c'est principalement l'émergence d'une nouvelle génération fascinante d'écrivains espagnols qui explique la hausse des traductions.

La littérature espagnole devient plus visible en France au cours de cette période. Le Salon du livre de 1995 a l'Espagne comme pays invité, deux numéros du *Magazine Littéraire* lui sont consacrés, les écrivains espagnols se voient récompenser par des prix littéraires : Prix Femina à Javier Marías en 1996 et à Antonio Muñoz Molina en 1998, Prix du Meilleur livre étranger à Eduardo Mendoza en 1998.

Le succès de cette «*nueva narrativa española*» a été souvent souligné ainsi que son rôle dans la diffusion internationale de l'espagnol. Pour Rafaël Conte, même si elle demeure une invention éditoriale, cette nouvelle génération témoigne d'un regain de vitalité de la littérature espagnole : «elle permit même de multiplier les traductions vers l'extérieur, qui ont été alors plus nombreuses qu'à aucun moment de l'histoire espagnole de notre siècle»[16]. Cette période coïncide d'ailleurs avec la *movida* madrilène, mouvement socioculturel qui a exprimé la nouvelle liberté artistique de l'Espagne post-franquiste, représentée notamment par les films d'Almodóvar. On voit donc que le critère générationnel et l'idée de rupture jouent un rôle essentiel dans la diffusion de la littérature espagnole contemporaine. C'est ce que souligne Costantino Bertolo au sujet de la «*nueva narrativa española*» :

> «En synthèse, ce phénomène présente deux aspects : d'une part, l'apparition, au début des années 80, d'un groupe de romanciers qui offrent un langage narratif nouveau, c'est-à-dire différent de celui de la littérature immédiate-

---

15. Communication de Claude Bleton, 11 février 2005.
16. Rafaël Conte, «Ombres et lumières», *Le Magazine littéraire*, n° 330, mars 1995, p. 21.

ment antérieure ; d'autre part, l'accueil très favorable que cette nouvelle littérature rencontre sur le marché[17]. »

La littérature se fait alors témoin des bouleversements de la société espagnole, en ayant souvent recours au genre du roman policier, alors en plein essor en Espagne. Mais, comme le montrera l'analyse du corpus, le succès de cette nouvelle génération d'écrivains ne doit pas occulter le fait que l'on traduit aussi au cours de la période plusieurs auteurs espagnols établis qui n'avaient pas ou peu été traduits jusqu'alors, la génération dite des « anciens » nés autour des années 1920.

D'autre part, si, comme le constatent les critiques, les années 1980 voient s'essouffler le « boom » latino-américain, et si la littérature contemporaine espagnole prend son essor par rapport aux décennies précédentes, les auteurs qui ont participé à ce boom continuent à être traduits en français, et se voient relayés par les générations suivantes. L'une des traductrices interrogées souligne d'ailleurs que les éditeurs français ont mis du temps à voir dans la littérature latino-américaine autre chose que le réalisme magique, et dans l'espagnole autre chose que la littérature de l'après-guerre :

« Alors justement moi j'ai commencé à prospecter disons auprès des éditeurs français il y a 20 ans et on posait deux questions au départ, c'était, si l'auteur était latino-américain, il devait nécessairement s'inscrire dans le courant du réalisme magique, parce que, en fait, c'était ce que connaissaient les éditeurs français, alors s'il était espagnol, c'était la posguerra. Et en fait, il y a vingt ans, c'était déjà ni l'un, ni l'autre, parce que les auteurs latino-américains étaient passés à autre chose et les Espagnols, heureusement, aussi. Donc en fait déjà il fallait resituer, enfin situer dans un contexte qui avait changé aussi bien par rapport à l'Espagne qu'à l'Amérique latine et c'est vrai que souvent les éditeurs étaient un peu enfin perdus parce que voilà un latino-américain ne pouvait écrire que du réalisme magique, alors du fait qu'il écrivait autre chose, est-ce que c'était intéressant. »

Du point de vue de la répartition des nouveaux titres traduits par pays[18], l'Espagne arrive en tête, avec 582 titres, soit 41 % de l'ensemble

---

17. Costantino Bertolo, « Le Nouveau pacte narratif », *Le Magazine littéraire*, n° 330, mars 1995, p. 33.

18. Rappelons que nous avons précisé manuellement le pays d'origine pour certains titres ou corrigé certaines erreurs qui nous sont apparues. L'indication du pays d'origine dans le cas d'une langue internationale comme l'espagnol n'est d'une part pas systématique et d'autre part relativement récente, les indications du type « traduit de l'espagnol » étant progressivement remplacées par « traduit de l'espagnol (Argentine) ». À ce propos, voir Laurence Malingret, *Stratégies de traduction, op.cit.*, p. 49.

(voir graphique 2). Les nouveautés d'Espagne totalisent deux fois plus de titres que le pays qui arrive en deuxième position, à savoir l'Argentine, dont 255 titres ont été traduits (18 %). Viennent ensuite le Mexique avec 137 titres (10 %), Cuba avec 104 titres (7 %), le Chili avec 88 titres (6 %), le Pérou avec 59 titres (4 %), l'Uruguay avec 50 titres (4 %), la Colombie avec 48 titres (3 %), le Guatemala avec 17 titres (1 %), le Venezuela avec 16 titres (1 %), le Nicaragua avec 14 titres (1 %) et le Paraguay avec 11 titres (1 %). Les pays ayant moins de dix titres traduits sont la Bolivie, l'Equateur, le Costa-Rica, Porto-Rico, la République dominicaine, le Salvador, la Guinée équatoriale et le Honduras.

Graphique 2. Nombre de nouveautés littéraires traduites de l'espagnol, 1985-2002, répartition par pays d'origine.

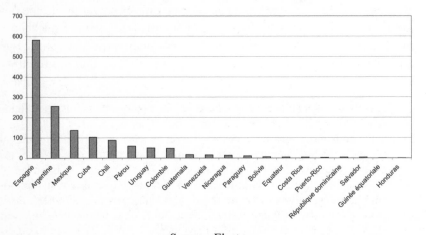

Source : Electre

Une analyse de l'évolution du nombre de nouveaux titres traduits affinée par pays montre que la tendance pour l'Espagne épouse globalement l'évolution générale, à l'exception des années 1989 à 1991 (voir graphique 3). Elle permet toutefois de souligner davantage la hausse du nombre de titres traduits en 1992, qu'il est possible d'attribuer à la visibilité acquise par l'Espagne au moment des Jeux olympiques de Barcelone, de l'Exposition universelle de Séville et du 500e anniversaire de la découverte de l'Amérique. Elle met également en relief la hausse du nombre de titres traduits en 1995, quand l'Espagne était le pays invité d'honneur du Salon du livre de Paris.

Pour Cuba, la hausse intervient nettement à la fin des années 1990. On passe de 5 titres en 1998 à 12 titres en 1999 et 2001 et 11 titres en 2000 et 2002. Cette augmentation s'explique par le succès de l'écrivain Zoé Valdès, dont 7 titres sont publiés entre 2000 et 2002. Elle est peut-être également liée à la mode cubaine créée par des films comme *Buena Vista Social Club* ou *Avant la nuit*, l'adaptation cinématographique de l'autobiographie de Reinaldo Arenas, dont la publication française en 1992 précéda d'ailleurs la publication en espagnol.

Graphique 3. Nombre de nouveautés littéraires traduites de l'espagnol, d'Espagne, 1985-2002.

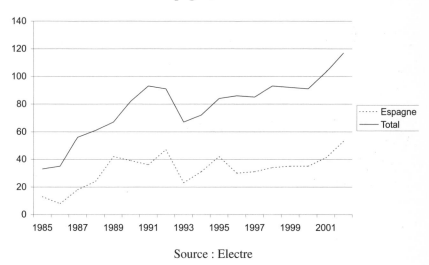

Source : Electre

L'impact de la manifestation «Les Belles Étrangères», organisée par le Centre national du livre, est mis en évidence par l'augmentation du nombre de nouveaux titres traduits pour les pays concernés l'année pendant laquelle est organisée la manifestation (ou l'année précédente si elle est organisée en début d'année). Tel est le cas pour l'Argentine en 1987-1988 (les Belles Étrangères consacrée à l'Argentine ont eu lieu en février 1988), pour le Mexique en 1990-1991 (Belles Étrangères en mars 1991), pour le Chili en 1992 et pour l'Amérique centrale en 1997 (Guatemala, Honduras, Salvador, Nicaragua, Costa-Rica, qui sont les pays d'Amérique centrale figurant dans la base). L'effet de cette manifestation est toutefois moins net dans le cas de l'Espagne en 1998, année qui n'enregistre pas une augmentation notoire du nombre de titres traduits :

après le pic d'une quarantaine de nouveaux titres atteint en 1995 en raison du Salon du livre, on passe de 31 titres en 1997 à 34 titres en 1998 et 35 en 1999.

La classification par genre est à manier avec précaution car la catégorisation n'est pas toujours fiable, des romans noirs ayant par exemple été enregistrés comme romans. Il s'agit toutefois ici d'indiquer des tendances générales (voir graphique 4).

**Graphique 4. Nouveautés littéraires traduites de l'espagnol,
répartition par genres, 1985-2002.**

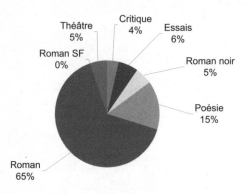

Source : Electre

Le roman reste le genre de prédilection avec 916 titres, soit 65 % des titres traduits, suivi de la poésie avec 206 titres (15 %), des essais avec 87 titres (6 %), du théâtre avec 74 titres (5 %), du roman policier avec 74 titres (5 %), de la critique avec 50 titres (4 %) et enfin de la science-fiction, genre totalement marginal, qui ne compte qu'un seul titre sur toute la période. L'évolution des traductions romanesques est la même que l'évolution globale des traductions littéraires, qu'elle contribue à rythmer au gré de l'actualité culturelle et éditoriale. Le roman est le genre dominant pour l'ensemble des pays concernés (67,4 % des titres traduits pour l'Espagne, 58 % pour l'Argentine, 69,3 % pour le Chili, 58,4 % pour le Mexique, 73,8 % pour Cuba). L'Argentine, avec 22 titres sur 50 titres dans cette catégorie, acquiert une importance particulière dans la catégorie critique, qui s'explique par la présence de 11 titres de Borges.

Le nombre de romans policiers augmente au cours de la période, reflétant le développement de ce genre dans l'aire hispanophone. L'absence de traductions de 1985 à 1988 est suivie d'une forte hausse entre 1993 et 1996 (de 2 à 8 titres), avant de retomber à 3 titres en 1997, puis de remonter à 9 titres en 1998.

La poésie connaît une évolution assez irrégulière. De 1985 à 1990, le nombre de titres traduits augmente, passant de 6 en 1985 à 16 en 1990. Cette progression est suivie d'une baisse entre 1991 et 1994, puis d'une forte hausse entre 1994 (5 titres) et 1997 (22 titres), évolution inverse à celle du roman, dont le nombre de titres traduits croît entre 1990 et 1991, et diminue entre 1995 et 1997. Le corpus de nouveaux titres poétiques traduits se distingue par son ampleur et son hétérogénéité. De 1985 à 2002, on traduit plus de poésie de l'espagnol (209 nouveautés) que de l'allemand (136 nouveautés) ou de l'italien (113). Cette ampleur reflète l'importance de la poésie dans le monde hispanique, qui a pris une coloration particulière au 20e siècle avec l'engagement politique de certaines des figures les plus célèbres de la poésie hispanique, dont Federico Garcia Lorca, Rafael Alberti, Pablo Neruda (Prix Nobel en 1971) ou Octavio Paz (Prix Nobel en 1990). On a traduit au cours de la période des poètes classiques et contemporains, d'Espagne et d'Amérique latine, de styles très variés, les éditeurs français ne semblant pas avoir privilégié un mouvement particulier. Les poètes les plus traduits sont les grandes figures de la poésie hispanique du 20e siècle, tels que José Angel Valente (1929), Juan Ramón Jiménez (prix Nobel en 1956), Octavio Paz ou Roberto Juarroz. On note également la présence d'auteurs classiques comme Saint-Jean de la Croix, Luis de Gongora ou Francisco de Quevedo. Nombre de ces auteurs ont été publiés par les Éditions Corti.

Le théâtre suit une évolution constante entre 1987 et 1997, avec entre 3 et 5 titres traduits par an. Une première augmentation entre 1997 et 1999 est suivie d'une hausse très forte entre 2001 et 2002, de 3 à 15 titres. Notons que dans ces deux catégories, les auteurs les plus traduits sont également des auteurs reconnus (Borges, Paz, Vargas Llosa, Goytisolo, Vázquez Montalbán). La catégorie essai (4,8 titres par an en moyenne) évolue irrégulièrement, mais reflète les deux pics de 1992 et 1995. La critique (2,7 titres par an) évolue irrégulièrement aussi, avec un pic en 1992.

De la génération des « anciens »
au polar contemporain

La base contient 652 auteurs pour la période 1985-2002, soit une moyenne de 2,1 titres traduits par auteur, ce qui indique un degré de dispersion élevé (il est supérieur à celui de l'allemand et de l'italien). Près de deux tiers des auteurs (61,8 %), soit 443, n'ont eu qu'un seul titre traduit, et près d'un tiers (31 %, soit 204) ont eu entre deux et cinq titres traduits[19]. La très grande majorité des écrivains (607, soit 92,7 %) ont donc entre un et cinq titres traduits. Restent 46 auteurs qui concentrent un tiers (466) de l'ensemble des titres traduits pendant la période : 32 ont eu entre six et dix titres traduits, 9 entre onze et quinze, quatre entre quinze et dix-huit, un seul auteur dépassant les vingt titres…

À l'exception de Cervantès dont neuf titres ont été publiés pendant la période, le corpus contient peu d'auteurs classiques espagnols parmi les auteurs les plus traduits. Tous les écrivains dont dix titres ou plus ont été publiés sont des auteurs nés au 20e siècle, ou juste avant le début du siècle, notamment Borges, né en 1899, et Ramón Gómez de la Serna, né en 1888. Les auteurs les plus traduits sont en général des romanciers avant tout. En tête arrive Manuel Vázquez Montalbán (1939-2003) avec 34 nouveaux titres. Viennent ensuite Juan Goytisolo (1931-) et Paco Ignacio Taibo II (1949-) avec 18 titres, Mario Vargas Llosa (1936-) avec 17 titres, Octavio Paz (1914-1998) avec 15 titres, José Luis Borges (1899-1986), Julio Cortázar (1914-1984) et Javier Tomeo (1932-) avec 13 titres, Gonzalo Torrente Ballester (1910-1999) et Zoé Valdès (1959-) avec 12 titres, Reinaldo Arenas (1943-1990), José Camilo Cela (1916-2002), Carlos Fuentes (1928-) et Francisco González Ledesma (1927-) avec 11 titres. Notons que l'on trouve trois auteurs de romans policiers (Vázquez Montalbán, Paco Ignacio Taibo II, Francisco Gonzalez Ledesma) parmi les auteurs ayant plus de dix titres traduits, ce qui vient confirmer ici l'intérêt de l'édition française pour le roman policier traduit d'autres langues que l'anglais (voir chapitre 10). Dans le cas de l'Espagne, le roman policier s'affirme d'ailleurs au moment de la transition démocratique et l'on peut imaginer que le portrait qu'il dresse des transformations de la société de l'époque n'est pas étranger à l'intérêt qu'il suscite.

---

19. 118 auteurs ont eu deux titres traduits, 48 en ont eu trois, 22 auteurs en ont eu quatre, 16 en ont eu cinq.

En ce qui concerne les nouveaux titres traduits en provenance d'Espagne, on peut observer deux tendances principales. La première est la traduction d'auteurs espagnols dont les œuvres, pourtant publiées en général à partir des années 1940, n'avaient été jusqu'alors que peu traduites. Il s'agit de la génération parfois dite des «anciens», qui comprend des écrivains nés avant la guerre civile espagnole, tels que José Camilo Cela (1916-2002), Miguel Delibes (1920-), Gonzalo Torrente Ballester (1910-1999) ou encore Juan Benet (1927-1993). Il existe alors souvent un décalage temporel important entre la publication originale en espagnol et la traduction française. Pour José Camilo Cela, tous les titres ont été publiés dans un intervalle très court, entre 1989 et 1993, dont sept titres (sur onze) en 1989, conséquence du Prix Nobel de littérature qui lui fut décerné cette année-là. Il a d'ailleurs l'écart type le plus élevé (2,9).

Juan Benet a huit titres publiés sur la période, notamment *Tu reviendras à Región*, dont l'original en espagnol date de 1967. Son écriture a souvent été rapprochée du nouveau roman français et ce sont d'ailleurs les Éditions de Minuit qui le publient en France. Gonzalo Torrente Ballester a douze titres traduits sur la période, dont onze chez Actes Sud. D'après la *Bibliographie nationale française*, il ne semble pas avoir été traduit auparavant, alors qu'il a commencé à publier à la fin des années 1930. Parmi ses titres traduits, *Don Juan* date de 1963, *Les Délices et les ombres* de 1957. Peut-être faut-il voir ici l'effet du prix Cervantès qui lui fut attribué en 1985 et du prix Planeta qu'il reçut en 1988. L'effet des prix littéraires sur les décisions de publication des éditeurs n'a cependant rien d'automatique, notamment dans le cas de la littérature espagnole. C'est ce que souligne l'une des traductrices interrogées : «Il y a énormément de prix en Espagne et du coup ça… Bon il y a deux choses qui desservent les éditeurs, enfin les auteurs auprès des éditeurs français, c'est la multiplicité des prix littéraires et la multiplicité des éditions.»[20]

De même, l'une des œuvres les plus célèbres de Miguel Delibes, *Las Ratas*, publiée en Espagne en 1962 ne fut traduite en français qu'en 1990. On voit donc qu'au cours de cette période, si l'intérêt pour la littérature espagnole a été déclenché par les écrivains contemporains, l'attention des éditeurs français s'est tournée vers cette génération d'auteurs qui ont publié en Espagne pendant la période franquiste mais qui n'avaient été que très peu traduits jusqu'alors.

---

20. Entretien du 28 novembre 2006.

Juan Marsé (10 titres) et Juan Goytisolo (18 titres) appartiennent à la génération dite du demi-siècle. Juan Marsé (1933-) présente une vision désenchantée de la société barcelonaise, empreinte de nostalgie. Seul un titre de lui a paru en français avant la période considérée, *Enfermés avec un seul jouet*, traduit par Maurice Edgar-Coindreau chez Gallimard en 1967. Redécouvert par Michèle Gazier, traductrice de Montalbán, il a pu être publié grâce au début de succès que rencontrait ce dernier : *L'Obscure histoire de ma cousine Montse* paraît ainsi en 1981 au Sycomore, où Michèle Gazier avec déjà fait paraître deux romans de Vázquez Montalbán. Après la faillite de cet éditeur, son œuvre a été reprise par Christian Bourgois[21].

La deuxième tendance que l'on observe dans le corpus est la traduction d'une génération d'auteurs pour la plupart nés après la guerre civile, et qui souvent brossent un portrait sans complaisance de la société espagnole post-franquiste, parfois en ayant recours au genre du roman noir. Ils ont souvent commencé à publier dans les années 1970.

L'auteur le plus traduit sur la période (34 titres) est en effet un auteur célèbre notamment pour ses romans policiers, le catalan Manuel Vázquez Montalbán (1939-2003), figure emblématique de cette génération de romanciers. Le héros de ses romans policiers, Pepe Carvalho, détective désabusé, gastronome et anarchiste, arpente les rues de Barcelone et dresse un portrait sans merci de la société barcelonaise post-franquiste. On a déjà évoqué au chapitre 4 les difficultés rencontrées par Michèle Gazier pour publier les traductions qu'elle avait faites de Vásquez Montalbán à la fin des années 1970 : il lui a fallu sept ans pour trouver un éditeur, le Sycomore, qui a fait faillite après avoir publié trois de ses titres entre 1980 et 1982 (*Marquises, si vos rivages*, *La Solitude du manager* et *Meurtre au Comité central*). Ayant rencontré un certain succès, Montalbán fut alors repris par Le Seuil (qui l'avait initialement refusé) et par Bourgois, le premier pour les romans, le second pour les polars[22]. C'est une des raisons pour lesquelles on constate parfois un décalage temporel important entre certaines traductions et le titre original (*Recordando a Dardé*, son premier roman, publié en espagnol en 1969, fut traduit en 1996).

---

21. Entretien réalisé par Gisèle Sapiro le 14 février 2007.
22. *Ibid.*

À rapprocher de Montalbán, on trouve parmi les écrivains ayant plus de 10 titres traduits deux autres auteurs espagnols de romans policiers ou d'aventures, Francisco González Ledesma (11 titres) et Arturo Pérez-Reverte (10 titres). Bien que dans un autre registre, Enrique Vila-Matas (1948-), Eduardo Mendoza (1943-) et Javier Tomeo (1932-) appartiennent aussi à cette génération d'écrivains qui ont commencé à publier en Espagne dans les années 1970, alors que la société espagnole connaissait de profonds bouleversements avec la fin du franquisme, la transition démocratique et la période dite du «désenchantement».

Les auteurs latino-américains les plus traduits sont Borges (13 titres, ou 18 si l'on compte les titres écrits en collaboration) et les représentants du «boom», dont la réputation est bien établie internationalement: Mario Vargas Llosa (1936-) avec 17 titres, Julio Cortázar (1914-1984) avec 13 titres, Carlos Fuentes (1928-) avec 10 titres. Le poète Octavio Paz a 16 titres traduits, dont 4 en 1990, année où il reçut le prix Nobel. Notons que ces auteurs ont déjà été traduits au cours des décennies précédentes et qu'ils ont accédé à une reconnaissance internationale. L'importance du roman policier est soulignée par le Mexicain Paco Ignacio Taibo II, troisième auteur le plus traduit avec 18 titres. Enfin, on trouve deux écrivains cubains, tous deux dissidents: Zoé Valdès (12 titres) et Reinaldo Arenas (11).

Parmi les auteurs ayant eu plus de cinq titres traduits, il n'y a que trois femmes: Zoé Valdès avec douze titres, Soledad Puertolas avec neuf titres et Isabel Allende avec sept titres. Sur l'ensemble, on compte environ cinq fois plus d'auteurs hommes que de femmes (511 hommes et 106 femmes). 176 titres traduits ont été écrits par des femmes et 1191 par des hommes (la différence avec le nombre total de titres traduits correspond au nombre de titres écrits conjointement par plusieurs auteurs). Sur ces 1367 titres, 12,9 % ont donc été écrits par des femmes.

Pour l'Espagne, on compte 40 femmes et 204 hommes, pour l'Argentine, 12 femmes et 86 hommes, pour le Chili, 4 femmes et 38 hommes, et pour le Mexique 12 femmes pour 45 hommes, ce qui constitue la proportion la plus importante (21 %). Une traductrice de l'espagnol, explique que la littérature féminine hispanique n'est pas spécifiquement recherchée. Selon elle, on traduit plus de femmes actuellement car les femmes publient plus, notamment en Espagne, mais il n'y a pas un intérêt marqué envers la littérature écrite par les femmes. Elle cite cependant une exception, Alicia Gimenez-Bartlett, qui suscite un intérêt particulier en tant que femme auteure de romans policiers. On peut toutefois signaler la présence de femmes dans un genre très sélectif comme la poésie, avec les traductions d'Amparo Amorós par Laurence Breysse chez Corti.

LA DIVERSIFICATION DES ÉDITEURS

Les éditeurs publiant des ouvrages de littérature traduite de l'espagnol sont au nombre de 248. Il existe une forte concentration chez certains éditeurs, comme Gallimard, Le Seuil, ou Actes Sud. Gallimard a publié 154 titres, soit 11 %, Le Seuil 86 titres, soit 6 %, et Actes Sud 83 titres, soit 6 % également. Ces trois éditeurs publient donc près du quart des nouveaux titres traduits de l'espagnol. Si l'on ajoute Christian Bourgois, qui a publié 69 titres au cours de la période, on voit que quatre éditeurs publient 28 % des titres traduits. Il est possible de distinguer les grands éditeurs de littérature qui consacrent une place à la littérature étrangère en général (Gallimard, Le Seuil), les éditeurs spécialisés en littérature étrangère (Christian Bourgois) et enfin ceux spécialisés en littérature hispanique, notamment Anne-Marie Métailié ou Indigo et Côté femmes. Pour les grands éditeurs, la littérature hispanique est intégrée au sein de collections générales de littérature étrangère. C'est le cas de Gallimard et du Seuil.

Le nombre d'éditeurs va croissant de 23 éditeurs en 1984 à 62 en 2002. L'augmentation est nette à partir de 1986, qui est le point de départ du renouveau de la traduction de la littérature espagnole : 22 éditeurs en 1986, 32 en 1987, 41 en 1988.

16 éditeurs ont publié plus de vingt titres sur la période (voir tableau 3), 12 éditeurs plus de dix titres, 27 éditeurs entre cinq et neuf titres. La moitié des éditeurs présents dans le corpus (126), n'ont publié qu'un seul titre.

Gallimard, avec 154 traductions et une moyenne de 8,6 titres par an (la moyenne est de 8,5 pour l'italien), est l'éditeur le plus prolifique. Les titres en provenance d'Espagne sont au nombre de 27, soit 17,5 % de l'ensemble. Sur 66 auteurs traduits de l'espagnol cependant, plus de la moitié, 38, n'ont publié qu'un seul titre, 11 deux titres. On relève donc ici le même faible suivi des auteurs que pour l'italien.

Le catalogue de Gallimard reste marqué, pour des raisons historiques, par les auteurs du «boom» latino-américain qui bénéficient d'un suivi plus marqué. Gallimard fut en effet l'un des premiers éditeurs en France à s'intéresser à ces auteurs dans le cadre de sa célèbre collection «La Croix du Sud», créée par Roger Caillois en 1951 et dont le premier titre publié fut *Fictions* de Borges en 1951. On retrouve ici Julio Cortázar (7 titres), Carlos Fuentes (10 titres), Mario Vargas Llosa (17 titres), Octavio Paz (12 titres), Alejo Carpentier (4 titres) et également la figure emblématique de Borges (6 titres). Les auteurs espagnols présents sont des auteurs consacrés, tels que José Camilo Cela (3 titres), prix Nobel en 1989, Juan Goytisolo (4) et Juan Marsé (2). La «Série Noire» a par ailleurs accueilli deux auteurs espagnols, Andreu Martín (4 titres) et Francisco González Ledesma (4 titres), et l'argentin Rolo Diez avec 6 titres.

Gallimard a employé 52 traducteurs différents, avec une moyenne de 2,9 titres par traducteur, mais 26 n'ont traduit qu'un seul titre. On trouve ici des traducteurs spécialisés dans un auteur particulier, dont Bensoussan pour Vargas Llosa (qui a traduit l'ensemble des 17 titres de Vargas Llosa publiés au cours de la période).

Le Seuil a publié un total de 86 traductions de l'espagnol, soit une moyenne de 4,7 titres par an, le nombre de titres publiés par an allant de 3 à 7, avec une baisse en 1993 (1 seul titre) et une hausse en 1991, 2001 et 2002 (7 titres par an). 48 titres, soit 55 %, proviennent d'Espagne. À la différence de Gallimard, c'est l'Espagne qui prime dans cette maison.

Le Seuil a publié 39 auteurs différents, dont 21 n'ont eu qu'un seul titre traduit. Parmi ces derniers, il y a, en 1997, la nouvelle traduction par Aline Schulman de *Don Quichotte*, l'un des rares classiques à être retraduits au cours de cette période. Du point de vue de l'origine des auteurs, le catalogue du Seuil est assez diversifié, avec notamment seize auteurs espagnols contemporains, quatre argentins, trois chiliens, sept cubains. Avec 11 titres, l'auteur le plus traduit est Manuel Vázquez Montalbán. Viennent ensuite les Espagnols Arturo Pérez-Reverte (7 titres), Eduardo Mendoza (6 titres), Antonio Muñoz Molina (5 titres) et Juan Manuel de Prada (5 titres), qui ont tous commencé à publier à partir des années 1970. Le Seuil publie également des auteurs sud-américains réputés plus difficiles, tels que l'Argentin Juan José Saer, mais dans le cas des auteurs latino-américains, à l'exception de l'Argentin Ernesto Sabato et du Paraguayen Augusto Roa Bastos (4 titres chacun), il ne semble pas y avoir de réelle politique de suivi des auteurs.

Le nombre de traducteurs employés par le Seuil au cours de la période s'élève à 40. 25 n'ont traduit qu'un seul titre. Trois traducteurs travaillent régulièrement avec la maison d'édition : François Maspero (13 titres), Gabriel Iaculli (9 titres) et Philippe Bataillon (7 titres).

On note donc deux orientations différentes pour ces maisons d'édition. Le Seuil est plus tourné vers l'Espagne contemporaine, tandis que Gallimard associe une spécialisation en littérature sud-américaine, avec notamment les auteurs du « boom », et un certain éclectisme.

Tableau 3. Éditeurs ayant publié plus de 20 nouveaux titres littéraires traduits de l'espagnol, 1985-2002.

Éditeur	Nombre de titres traduits
Gallimard	154
Le Seuil	86
Actes Sud	83
Christian Bourgois	69
Métailié	53
José Corti	42
La Différence	34
L'Harmattan	34
Indigo et Côté-Femmes	31
Fayard	26
Phébus	26
Grasset	25
Belfond	24
Verdier	22
Flammarion	21

Source : Electre

Parmi les éditeurs les plus actifs dans la publication de la littérature hispanique, on retrouve ensuite plusieurs logiques distinctes. Certains éditeurs se spécialisent dans une aire géographique, spécialisation parfois doublée d'une spécialisation dans une génération d'auteurs. C'est le cas de Christian Bourgois qui, après avoir été le premier à publier Gabriel García Márquez en français, chez Julliard en 1963, s'est orienté vers la littérature espagnole contemporaine, laquelle représente 54 titres sur les 69 titres traduits de l'espagnol qu'il publie (78,2 %). Le suivi des auteurs est très marqué : 8 titres pour Juan Marsé, 8 pour Javier Tomeo, 19 pour Vázquez Montalbán, 8 pour Vila-Matas.

Pour Actes Sud, la tendance espagnole est moins marquée, mais les titres en provenance d'Espagne sont au nombre de 40 sur un total de 83. On retrouve ici une logique mixte associant la fidélité à certains auteurs (Torrente Ballester avec 12 titres, Antonio Muñoz Molina avec 5 titres, l'argentin Arnaldo Calveyra avec 7 titres, la cubaine Zoé Valdès avec 6 titres) et de l'autre côté une grande dispersion, 32 auteurs n'ayant qu'un seul titre traduit. Actes Sud a publié l'un des plus grands succès récents de la littérature contemporaine espagnole, *Les Soldats de Salamine*, de Javier Cercas, grand succès critique et public en Espagne, qui traite de la guerre civile et de la problématisation de la mémoire historique, thème que l'on retrouve chez plusieurs romanciers contemporains (citons notamment à ce propos *Les Exilés de la mémoire* de Jordi Soler).

Parmi les collections spécialisées dans la littérature hispanophone, on trouve la collection « Ibériques », créée chez Corti en 1988 par Bertrand Fillaudeau. La base recense pour cette collection 42 titres traduits de l'espagnol, dont 29 en provenance d'Espagne. La poésie est bien représentée, avec 17 titres, parfois bilingues. La collection publie deux des plus grands poètes espagnols, Juan Ramon Jiménez et José Angel Valente et l'Argentin Roberto Juarroz. Pour le roman espagnol, Corti a publié pratiquement toute l'œuvre traduite en français du romancier espagnol Julian Rios (6 titres sur 7), ainsi qu'une traduction de Cervantès, son dernier roman *Les Travaux de Persille et Sigismonde*, jusqu'alors inédit.

Les éditions Anne-Marie Métailié sont clairement spécialisées en littérature sud-américaine : la collection « Bibliothèque hispano-américaine » comprend 48 titres sur la période, tandis que la « Bibliothèque hispanique » ne comprend que 5 titres. Certains auteurs sont suivis, comme Luis Sepulveda avec 5 titres, Jesús Díaz, Horacio Quiroga ou Afredo Bryce Echenique avec 4 titres. Indigo et Côté femmes privilégient également les littératures d'Amérique du Sud, dont sont originaires 30 titres sur 31, mais le catalogue est très dispersé en termes d'auteurs : 18 sur 24 n'ont publié qu'un seul titre.

Outre la spécialisation géographique, qui peut se doubler d'une spécialisation générationnelle, comme c'est le cas pour Christian Bourgois, certains éditeurs mènent une politique de concentration autour de quelques auteurs-phares. Rivages a publié ainsi 12 titres de l'auteur mexicain de romans policiers Paco Ignacio Taibo II et 8 titres de Javier

Marías. Fayard, sur un total de 26 titres, a publié 13 titres de Juan Goytisolo, auteur qu'il dispute à Gallimard, et 5 titres d'Isabel Allende. Tel
est aussi le cas de Flammarion avec 5 titres de Carmen Martín Gaite et
4 de Juan José Saer, de Phébus avec 7 titres de Francisco Coloane sur
26 titres, et de Grasset avec 6 titres de García Márquez et 6 titres d'Al-
varo Mutis. Les Éditions de Minuit, qui traduisent peu de littérature de
manière générale, poussent la spécialisation à l'extrême, en ne publiant
qu'un seul auteur traduit de l'espagnol, l'atypique Juan Benet, l'un des
plus célèbres auteurs espagnols contemporains, dont elles comptent à
leur catalogue 6 des 8 titres traduits en français.

À l'opposé, La Différence, plus spécialisée dans le portugais,
montre une très grande dispersion, avec peu de suivi des auteurs et une
grande variété dans la provenance géographique des titres. C'est aussi
le cas de Belfond avec 24 titres publiés pour 18 auteurs provenant de
8 pays différents.

La publication en France d'ouvrages traduits de l'espagnol semble
donc correspondre à des logiques hétérogènes. Alors que certains éditeurs
s'orientent vers une aire géographique, la distinction principale se faisant
dans ce cas entre l'Espagne et l'Amérique latine, orientation parfois
doublée d'une spécialisation dans une période historique (Gallimard,
Bourgois), d'autres, plus nombreux, semblent privilégier la diversification au prix d'un certain éclectisme.

LES TRADUCTEURS :
UNE SPÉCIALISATION ET UNE FÉMINISATION LIMITÉES

Sur un total de 452 traducteurs de l'espagnol, 200 sont des femmes
et 243 des hommes, le genre n'étant pas renseigné pour 9 traducteurs.
Cependant, les hommes traduisent plus : sur 1 408 titres, 868, soit 61,6 %,
ont été traduits par des hommes et 526 par des femmes (14 titres ne sont
pas renseignés). De plus, parmi les traducteurs ayant traduit 20 titres ou
plus, on ne trouve qu'une seule femme (Denise Laroutis). La prépon-
dérance des femmes dans la traduction littéraire a été plusieurs fois soulignée, mais l'on remarque ici que cette féminisation de la profession doit
être nuancée. Les traducteurs les plus prolifiques et les plus célèbres
sont en effet des hommes.

Plusieurs de ces traducteurs sont (ou ont été) par ailleurs universitaires. C'est le cas de Claude Couffon, l'un des traducteurs les plus actifs avec 62 titres, d'Albert Bensoussan ou de Jean-Marie Saint-Lu. Les universitaires sont ici plus fortement représentés que pour l'italien (où l'on compte un universitaire parmi les 21 traducteurs les plus prolifiques). Claude Bleton (62 titres), après avoir enseigné, a par ailleurs travaillé chez Actes Sud et été directeur du Collège international des traducteurs littéraires d'Arles. Il se spécialise dans la littérature espagnole contemporaine et montre une grande fidélité à des auteurs comme Torrente Ballester (9 titres) ou Carmen Martin Gaite (5 titres).

278 traducteurs, soit 61,5 %, n'ont traduit qu'un seul titre, 57 traducteurs ont traduit deux titres, 38 ont traduit trois titres, et 20 ont traduit quatre titres. Sur l'ensemble de la période, 393 traducteurs, soit 86,9 %, ont donc traduit moins de cinq titres. 35 traducteurs (soit 7,7 %) ont donc traduit de cinq à dix titres[23].

6 traducteurs ont traduit entre onze et quatorze titres, 10 traducteurs de quinze à dix-neuf titres et 9 traducteurs vingt titres ou plus, jusqu'à 62 titres pour les deux traducteurs les plus prolifiques. 25 traducteurs (soit 5,4 % du total) ont donc traduit plus de dix titres, concentrant un total de 579 titres, soit 40 % de l'ensemble.

On observe que certains traducteurs sont fidèles à certains auteurs, dont ils deviennent alors le traducteur « attitré ». C'est le cas d'Annie Morvan pour García Márquez (5 titres sur 7) ou d'Albert Bensoussan pour Vargas Llosa (17 titres sur 17), de Denise Laroutis pour Javier Tomeo (12 titres sur 13), de Laure Guille-Bataillon pour Cortázar (7 titres sur 13) et de René Durand pour Alejo Carpentier (4 titres sur 4).

Certains traducteurs se spécialisent dans la littérature d'un pays donné, mais ceci est loin d'être systématique. Les deux orientations principales sont une spécialisation dans la littérature espagnole ou dans la littérature latino-américaine. Claude Bleton, Denise Laroutis ou Jacques Ancet traduisent majoritairement des titres en provenance d'Espagne. Jean-Marie Saint-Lu est tourné vers l'Amérique latine. Lilianne Hasson se dédie principalement à la littérature cubaine (14 titres sur 15) et Laure Guille-Bataillon a surtout traduit des titres en provenance d'Argentine (16 sur 19). Jacques Ancet, lui-même poète, est par ailleurs l'un des rares traducteurs à se spécialiser dans la poésie.

---

23. 8 traducteurs ont traduit 5 titres, 8 en ont traduit 6, 4 en ont traduit 7, 7 en ont traduit 8, 4 en ont traduit 9, 4 en ont traduit 10.

L'analyse montre donc que les traductions de l'espagnol dessinent un schéma assez complexe dans le champ éditorial français, qui correspond à des logiques hétérogènes. Pour la littérature latino-américaine, les auteurs les plus traduits demeurent les écrivains consacrés lors du «boom» mais l'on assiste également à une grande diversité dans le choix des auteurs traduits, avec notamment un intérêt marqué pour la littérature cubaine ou le roman policier. On note ainsi que certains éditeurs ont tendance à privilégier des tendances établies et à s'appuyer sur les genres qui semblent le plus susceptibles de se vendre, comme le roman policier. D'autres éditeurs, c'est le cas de Christian Bourgois, ont nettement misé sur la nouvelle génération de romanciers espagnols qui ont commencé à publier dans les années 1970. L'intérêt suscité par la littérature espagnole la plus contemporaine a aussi bénéficié aux auteurs de la génération dite des «anciens» ou de l'après-guerre qui n'avaient été que peu, voire pas du tout, traduits jusqu'alors. La fin de l'isolement culturel de l'Espagne est sans doute l'un des phénomènes les plus marquants dans cette analyse des traductions de l'espagnol dans les années 1980 et 1990.

Chapitre 9

D'une circulation politisée à une logique de marché. L'importation des littératures d'Europe de l'Est

par Ioana Popa

L'analyse des échanges littéraires entre les pays d'Europe de l'Est et la France au tournant des années 1990 permet d'interroger l'articulation de deux logiques de circulation internationale des productions culturelles : l'une, politisée, régit ces échanges avant la chute des régimes communistes ; l'autre, relevant du marché international du livre, se met progressivement en place après les changements politiques survenus en 1989. Sous le communisme, la production et la traduction littéraires sont, en effet, soumises à un contrôle politique étroit, même si, notamment pendant les années 1980, les modalités des échanges internationaux se diversifient en raison du recours à des pratiques d'édition et de traduction clandestines. Depuis la chute de ces régimes, la mise en place progressive d'un marché éditorial dans les anciens pays communistes transforme fondamentalement les conditions de circulation et de réception internationale des œuvres qui y sont produites.

Il s'agit dès lors de se demander dans quelle mesure la présence des littératures des pays de l'Est, à travers leurs traductions, sur le marché éditorial français se trouve modifiée par ces transformations. Se proposant de contribuer à une réflexion sur le rôle que les crises politiques peuvent jouer dans la circulation internationale des productions intellectuelles et sur les conditions de possibilité d'une (dé)synchronisation entre une temporalité politique et la temporalité d'un transfert culturel, la présente analyse accordera une attention particulière aux effets entraînés par la fin du système communiste sur la traduction des littératures des pays d'Europe de l'Est. Pour examiner si ces effets se traduisent, en France, par un intérêt éditorial durable ou, au contraire, conjoncturel à l'égard de ces littératures, nous avons construit des indicateurs empiriques visant à décrire, dans une perspective comparative, l'évolution du volume des flux de traductions en provenance de plusieurs pays de l'Est. Ceci permettra, par ailleurs, de vérifier si la hiérarchie entre ces différents flux nationaux se modifie par rapport à la période précédente, et si l'événement politique pris en compte contribue ou non à la diffusion internationale d'une littérature auparavant interdite de circulation par les régimes communistes. Parallèlement, nous examinerons le renouvellement de la population des auteurs traduits en français et donc le poids des continuités et des ruptures entre deux conjonctures historiques caractérisées par des logiques différentes de circulation internationale des œuvres. L'étude des filières de médiation et des lieux d'accueil éditorial permettra également de caractériser la reconfiguration du transfert littéraire, une fois le clivage autorisé/interdit – qui avait structuré le transfert littéraire pendant une quarantaine d'années – devenu inopérant. Analyser le processus de transfert dans une conjoncture politique à nouveau routinisée apportera un nouvel éclairage sur les effets de la politisation sur le fonctionnement du transfert littéraire dans des périodes de forte contrainte (et leurs ambivalences éventuelles).

Un transfert littéraire politisé

La mise en place des régimes communistes en Europe centrale et orientale (désormais dénommée Europe de l'Est), après la fin de la Seconde Guerre mondiale implique une transformation des conditions de publication des œuvres et des conditions d'exercice du métier d'écrivain (étatisation, centralisation, contrôle idéologique, emprise sur les organisations professionnelles telles que les Unions d'écrivains…), qui est similaire et quasi-simultanée dans tous les nouveaux pays « satellites » d'URSS. Comme fort souvent dans les régimes autoritaires, la propriété littéraire de l'auteur – conçue comme droit à la divulgation et au respect de son œuvre – est désormais limitée à la fois au niveau national (par la censure) et transnational (par le contrôle de toute traduction à l'étranger exercé par l'État). Dans les pays de l'Est, la production et la traduction de livres sont dès lors soumises à une réglementation et à un contrôle très stricts, et les échanges littéraires internationaux auxquels participent ces pays sont censés relever uniquement des politiques culturelles extérieures mises en place par les régimes communistes. Cependant, les modalités de transfert des textes littéraires vers les pays occidentaux se diversifient à partir du tournant des années 1970 notamment, en raison du recours à des pratiques d'édition clandestines et de circulation internationale non-autorisée des livres.

Compte tenu de ces conditions particulières dans lesquelles le transfert littéraire s'effectue avant la chute des régimes communistes, une opposition principale entre un espace licite et un espace clandestin de traduction structure l'ensemble des livres traduits en français à partir du polonais, du roumain, du tchèque et du hongrois (et qui sont au nombre de 278 ouvrages entre 1984 et 1989). Identifier cette polarité n'exclut cependant pas une approche plus souple du transfert littéraire : elle a consisté en l'élaboration, dans nos travaux antérieurs[1], d'un modèle d'analyse formalisant statistiquement plusieurs modalités de circulation internationale des livres provenant de ces pays – que nous avons appelées « circuits de traduction » – et dont nous avons retracé la dynamique historique. Cette formalisation a été faite en fonction du type de support matériel de la traduction française (livre, samizdat[2], édition publiée en exil, autre traduction, manuscrit publié directement en français), du régime temporel de publication de l'édition originale (avant ou après la mise en place des régimes communistes), de l'aire de circulation de

---

1. Ioana Popa, *La Politique extérieure de la littérature…, op. cit.*, « Un transfert littéraire politisé », art. cité. et *Traduire sous contrainte. Les écrivains et le communisme (1947-1989)*, Paris, CNRS Éditions, à paraître. Nous tenons à remercier celles et ceux qui ont accepté d'apporter leur témoignage, rendant ainsi ces recherches possibles.
2. Support clandestin fabriqué de manière artisanale.

celle-ci (pays d'origine, passage par des instances de l'exil, transit par un éditeur occidental autre que français), enfin, du statut légal des œuvres (licite ou clandestin), au moment à la fois de leur production et de leur traduction[3]. Trois des circuits ainsi construits s'inscrivent dans l'espace autorisé – les circuits *d'exportation*, *officiel* et *patrimonial* ; les trois autres, dans l'espace non-autorisé – les circuits *semi-officiel*, *parallèle* et, enfin, *direct* (voir encadré 1). Ces circuits ont ainsi permis non seulement de dépasser une analyse en termes de flux non-différenciés des livres traduits, mais aussi d'observer, à l'intérieur d'une polarité structurante – entre deux espaces de traduction, autorisé et non-autorisé –, une gradation selon le niveau de politisation et d'institutionnalisation du transfert littéraire.

Encadré 1. Définitions des circuits de traduction

Le circuit *d'exportation* : des traductions publiées dans le pays d'origine en vue d'une diffusion à l'étranger.

Le circuit *officiel* : des traductions d'œuvres littéraires contemporaines publiées légalement dans le pays et la langue d'origine.

Le circuit *patrimonial* : des traductions d'œuvres littéraires publiées dans le pays et dans la langue d'origine avant la mise en place des régimes communistes.

Le circuit *semi-officiel* : des traductions d'œuvres littéraires légalement parues dans le pays et dans la langue d'origine, mais interdites après publication.

Le circuit *parallèle* : des traductions faites à partir des samizdats ou des livres publiés dans la langue d'origine par des maisons d'édition en exil.

Le circuit *direct* : des traductions faites à partir d'un manuscrit écrit dans la langue d'origine et publié, pour la première fois, à l'étranger dans sa version traduite.

L'analyse de ces circuits de traduction pendant toute la période communiste permet également de repérer deux reconfigurations majeures du transfert, produites à la faveur des crises politiques de 1956 et 1968. Ces crises entraînent des effets directs, quasi-immédiats, mais aussi des effets de nature structurelle, sur le transfert littéraire, puisqu'elles contribuent à la fois à l'intensification de la circulation internationale des

---

3. Sur les principes méthodologiques de la construction de ces circuits, voir Ioana Popa, « Translation Channels. A Primer on Politicized Literary Transfert », *Target. International Review of Translation Studies*, 18 : 2, 2006, pp. 205-228.

œuvres, à l'introduction d'un nombre important d'écrivains complètement inconnus en France, à la reconfiguration des modalités de transfert et à la mise en place de nouveaux circuits – notamment clandestins
– de traduction, à la multiplication et à la diversification des filières de
médiateurs et d'accueil éditorial en France, ainsi qu'à la politisation de
la réception des œuvres. Nous avons ainsi montré qu'une synchronisation pouvait se produire entre une temporalité politique et la temporalité d'un transfert culturel qui se déroulait dans des conditions de forte
contrainte, et que ces moments critiques induisaient, dans la dynamique
du transfert littéraire, des lignes de fracture à la fois temporelles – à
travers l'effet de reconfiguration de circuits de traduction – et géographiques – à travers la géométrie variable des échanges culturels qui en
résultait à chaque fois : au regard de la circulation internationale des
œuvres, ces moments critiques profitaient prioritairement aux pays où
ces crises s'étaient produites – la Hongrie et la Pologne en 1956, la Tchécoslovaquie en 1968.

Tel qu'il se reconfigure à la suite de la crise de 1968 et jusqu'à la
chute des régimes communistes, le transfert littéraire se caractérise
notamment, comme nous le verrons, par la progression du nombre des
traductions non-autorisées et par la diversification des circuits clandestins. La traduction acquiert ainsi, pendant les années 1970 et surtout
1980, un rôle croissant de légitimation – littéraire et politique – de ce
type de littérature, et elle parvient progressivement à contrebalancer, de
l'extérieur, les circuits de publication et de consécration nationaux. Alors
que toute forme de contestation légale est supprimée dans les pays
communistes, la traduction offre dès lors des possibilités accrues de
contournement, voire des moyens de subversion permettant de remettre
en cause la contrainte politique.

Les années 1980 : la légitimation croissante de la littérature clandestine

Dans l'histoire des transferts littéraires Est-Ouest durant la période
communiste, les décennies 1970 et, surtout, 1980 se distinguent par le
renforcement des circuits illicites du transfert et par la légitimation littéraire et politique croissante du discours traduit non-autorisé dans l'espace intellectuel d'accueil. Pour certains flux de traductions
(tchécoslovaques, polonaises et roumaines), le nombre des traductions

non-autorisées devient même plus important que celui des traductions autorisées. Une analyse menée par coupes décennales et à l'échelle de l'ensemble de la période 1947-1989 confirme cette progression du nombre des traductions non-autorisées, voire une légère inversion en faveur du transfert illicite, pendant les années 1980. (Tableau 1).

**Tableau 1. Répartition décennale de l'ensemble des traductions
en fonction du caractère Autorisé/Non-autorisé du circuit**

Décennie de traduction	Autorisé	Non-Autorisé	NR*	SO**	Total
1947 / 1949	23	5	2	0	30
1950 / 1959	75	38	2	0	115
1960 / 1969	160	64	5	0	229
1970 / 1979	132	75	1	0	208
1980 / 1989	148	153	7	1	309
Total	**538**	**335**	**17**	**1**	**891**

* NR = non-réponse
** SO = sans objet

Si ces évolutions peuvent s'amorcer, c'est avant tout, grâce au maintien du circuit *direct* comme la voie de traduction non-autorisée la plus importante pour chacun des quatre pays (voire, dans le cas de la Roumanie, comme le mode principal de transfert littéraire en général) : ce circuit désigne les traductions faites à partir d'un manuscrit écrit dans la langue d'origine et publié, pour la première fois, à l'étranger dans sa version traduite. Cependant, le développement de l'espace illicite de traduction ne repose plus désormais uniquement sur l'afflux des œuvres littéraires d'écrivains exilés qui alimentent de manière prioritaire ce circuit, ou encore, des œuvres parues officiellement dans les pays communistes, mais interdites au moment de leur transfert (opéré par le circuit *semi-officiel*).

L'évolution la plus significative – au regard de la hiérarchie des circuits de traduction et de leurs taux de croissance, mais aussi de l'originalité des types de supports matériels et des voies de circulation internationale des textes interdits – consiste en l'essor sans précédent d'un circuit *parallèle*, presque inexistant jusqu'au début des années 1970 (il n'avait timidement fonctionné auparavant que dans le cas polonais). Cet essor est rendu possible par la mise en place d'univers littéraires clandestins à l'intérieur même de certains pays communistes, ainsi que par la multiplication des maisons d'édition en exil et leur capacité accrue à relayer la diffusion des textes prohibés provenant de ces pays. Grâce à des supports matériels fabriqués clandestinement de manière artisanale – les samizdats –, des textes interdits peuvent être publiés et circuler (certes, en quantités réduites) à l'échelle des pays communistes, avant de s'articuler aux circuits de publication de l'exil et du transfert international, contribuant ainsi à la progression du discours traduit non-autorisé.

C'est de la Pologne et de la Tchécoslovaquie que provient le nombre le plus élevé d'auteurs et de livres traduits de 1968 à 1989 (voir tableau 2). Or ce sont – avec l'URSS – les deux pays où les circuits de samizdat sont les plus organisés et pour lesquels la circulation non-autorisée connaît la croissance la plus forte par comparaison avec la configuration historique précédente. Cette prééminence globale des flux de traductions tchécoslovaques et polonaises tient toutefois à des facteurs différents dans les deux cas. Dans le cas tchécoslovaque, c'est bien l'espace non-autorisé du transfert qui assure la croissance du nombre des traductions. L'écrasement du Printemps de Prague en 1968 et le durcissement politique du régime qui s'en est suivi entraînent, en effet, le véritable démarrage de l'espace non-autorisé de traduction, pratiquement inexistant auparavant, et la diversification des voies de traduction illicite. En revanche, l'importance quantitative des flux des traductions de littérature polonaise ne s'explique pas uniquement par la progression du discours non-autorisé : la circulation internationale licite – et notamment le circuit *officiel* de traduction – garde parallèlement tout son dynamisme. La Pologne offre ainsi l'exemple d'un pays dont les transferts autorisé et clandestin (de manière corrélée aux circuits intérieurs de publication licites et interdits) sont très intenses, y compris pendant la décennie 1980. Ceci entraîne un véritable rapport de concurrence pour la captation des auteurs entre les deux espaces de publication et de traduction : savoir qu'un écrivain a la possibilité de choisir le samizdat ou la traduction directe à l'étranger peut ainsi encourager la censure à un compromis éclairé en vue de le conserver dans les limites de l'espace autorisé, qui se trouvent ainsi élargies. À terme, sans disparaître, la frontière entre le clandestin et l'autorisé devient plus floue, parce que l'opposition politique parvient à investir les institutions culturelles et les circuits de publication étatiques, la «cohabitation» avec le pouvoir qui en résulte pouvant obliger les deux parties à transiger.

Tableau 2. Répartition des traductions par pays et par périodes

Pays/Période	1968-1989	1984-1989
Hongrie	112	35
Pologne	219	110
Tchécoslovaquie	139	77
Roumanie	100	56
Total	**570**	**278**

Le renforcement de l'espace non-autorisé de traduction se confirme aussi au regard de la manière dont de nouveaux écrivains sont révélés au public français. Si, pour toute la période 1945-1989 et pour les quatre pays analysés, l'accès initial des écrivains à la traduction s'opère, dans plus de deux tiers des cas, par les circuits autorisés, on constate cependant une tendance à la croissance, d'une décennie à l'autre, du taux d'«entrées» en traduction par des voies illicites. La prééminence des débuts autorisés sur les entrées illicites en traduction pendant les premières décennies est due, entre autres, aux difficultés de repérage des écrivains publiés illicitement dans leur langue d'origine ou interdits dans leur pays. Cependant, des modes de légitimation spécifiques – littéraires et politiques – sont aussi associés à ces deux types d'entrée en traduction. Ainsi, ce n'est qu'à partir des années 1970 que le nombre des entrées non-autorisées tend à rattraper celui des débuts licites en traduction et pendant les années 1980, l'écart entre ces deux types d'entrées se réduit encore (voir tableau 3). Plusieurs facteurs expliquent cette nouvelle tendance : l'interdiction ou l'exil d'un nombre important d'écrivains – ce qui rend impossible la maîtrise, par les régimes communistes, des formes de notoriété acquises par ces derniers à l'étranger ; une meilleure articulation des circuits clandestins internes et internationaux ; la légitimation progressive en Occident des mouvements d'opposition (qui contribuent à la diffusion de la littérature clandestine) et de la figure de l'écrivain «dissident». À l'instar de la progression du discours traduit non-autorisé, cette tendance est, autrement dit, redevable non seulement aux conjonctures politiques des pays d'origine, mais aussi à la fonction sélective que remplit l'horizon français de réception à l'égard des pays d'Europe de l'Est. En France, la réceptivité accrue à la littérature clandestine de ces pays par comparaison aux premières décennies d'existence des régimes communistes tient à la reconfiguration de l'espace intellectuel à partir des années 1970, et plus particulièrement à la cristallisation d'un front « anti-totalitaire », ponctuée par des événements politico-littéraires comme l'affaire Soljénistyne[4] ou l'apparition des « nouveaux philosophes ».

Tableau 3. Évolution comparée de la circulation autorisée vs. non autorisée, selon le nombre de nouveaux auteurs polonais, tchécoslovaques, roumains et hongrois traduits en français, 1945-1989

Décennie d'entrée en traduction	Espace autorisé	Espace non-autorisé	Non-réponse	Total
1945 / 49	32	9	1	42
1950 / 59	40	13	2	55
1960 / 69	71	19	2	92
1970 / 79	34	19	1	54
1980 / 89	50	41	3	94
NR	3	0	2	5
Total	**230**	**101**	**11**	**342**

L'analyse de la réception critique des œuvres littéraires en provenance d'Europe de l'Est pendant cette période confirme l'intérêt suscité par la littérature non-autorisée dans l'espace d'accueil. Mais elle montre aussi que le discours de la critique littéraire véhicule des catégories de classement très politisées et recourt à des stratégies de captation des écrivains traduits par les circuits clandestins, comme dans le cas des écrivains tchécoslovaques traduits en français après l'écrasement du Printemps de Prague (Milan Kundera, Ludvik Vaculik, Joseph Skvorecky, Ladislav Mnacko...), ou dans ceux de Czeslaw Milosz[5] et de

---

4. Voir Laurent Blime, *Histoire politique d'une littérature engagée : la réception de l'œuvre d'Alexandre Soljenitsyne en France (1962-1974)*, Mémoire de DEA d'histoire sous la direction de Michel Winock, Institut d'Études Politiques de Paris, 1992. Voir également Pierre Grémion, *Paris/Prague. La gauche face au renouveau et à la régression tchécoslovaques*, Paris, Julliard, 1985.

5. Sur la trajectoire de Milosz et les différents registres de réception et d'appropriation de son œuvre en France, voir Ioana Popa, *La Politique extérieure de la littérature..., op. cit.*, pp. 333-361.

Jaroslav Seifert, consacrés par le prix Nobel de littérature pendant la décennie 1980 (respectivement en 1980 et en 1984).

Né en 1901, Seifert est le fils d'un ouvrier et passe sa jeunesse à Žižkov, le quartier ouvrier de Prague. Après des études au lycée, il devient journaliste dans la presse de gauche et adhère au PCT, tout en étant très proche des représentants du courant de la poésie prolétarienne (dont S. K. Neumann). Il fait ses débuts littéraires en participant au mouvement poétiste : publié en 1921, son premier recueil, *Ville en larmes*, est précédé par une préface-programme de ce mouvement d'avant-garde. En 1929, il signe un manifeste des écrivains protestant contre la bolchevisation du PCT, ce qui entraîne son exclusion du Parti. S'il n'est pas interdit pendant la période stalinienne, Seifert est toutefois critiqué, notamment lors de la conférence de l'Union des écrivains de 1950, pour le «pessimisme» de sa poésie et pour ne pas avoir écrit de vers réalistes socialistes. Au moment de la déstalinisation, il prononce un discours, devenu célèbre, lors du Congrès des écrivains, en 1957, où il critique les conséquences du «culte de la personnalité» sur l'univers littéraire et artistique. Au moment du Printemps de Prague, il est consacré par ses pairs «artiste national», en 1968. Deux ans plus tard, Seifert devient le président de l'Union des écrivains, essayant de protéger la corporation contre les conséquences de la normalisation. Il alterne désormais des périodes où il publie de manière autorisée et des périodes d'interdiction, où il a recours au samizdat. Il est, enfin, l'un des signataires de première heure de la Charte 77.
La consécration de Seifert par le prix Nobel de littérature en 1984 ne manque pas d'être mise en rapport avec son parcours politique dissident, à même d'expliquer cette reconnaissance (selon les tenants de cette interprétation), alors que le poète était peu connu et traduit à l'étranger. Ainsi, on n'hésite pas à appeler Seifert «le petit Nobel de Prague»[6] et à l'étiqueter, de façon dérisoire, comme un «poète populaire et plutôt digne, mais à peine traduit à l'étranger»[7]. Qu'il ait été introduit en France par l'intermédiaire de la revue *Le Grand Jeu*[8] dès 1928 (à la faveur du réseau international des avant-gardes tchèque et française) ne constitue pas une ressource reconnue et n'a pas beaucoup de poids au début des années 1980, *excepté* dans les milieux qui sont à l'origine de la candidature de Seifert au prix Nobel et qui la soutiennent depuis 1968 : dans une logique qui combine d'anciennes affinités surréalistes et de fortes sympathies politiques pour le Printemps de Prague, le réseau qui «porte» l'écrivain tchèque est essentiellement composé de trois noms – Louis Aragon, Roman Jakobson et Jean-Pierre Faye[9]. C'est d'ailleurs grâce à ce

---

6. *Cf. Libération*, le 12 octobre 1984.
7. *Ibid.*
8. «Le tableau frais», *Le Grand Jeu*, n° 1, 1928.
9. Entretien avec Jean-Pierre Faye, 19 novembre 2000.

dernier et à Henri Deluy[10] que paraît en 1979 la première traduction française en volume d'un recueil de Seifert, sous la double enseigne des revues Change errant/Action poétique[11]. Cette traduction reste néanmoins, pendant longtemps, la seule disponible puisque aucun éditeur français ne s'intéressera à l'œuvre de Seifert jusqu'en 1984, en dépit des tentatives du traducteur Jan Rubeš. D'origine tchèque, ayant quitté la Tchécoslovaquie après l'écrasement du Printemps de Prague en 1968, et devenu professeur de littérature comparée à l'Université Libre de Bruxelles, ce dernier propose, à plusieurs reprises, pour publication le recueil *Le Parapluie de Piccadilly* de Seifert : « je l'avais en traduction depuis un an au moins, et je cherchais un éditeur, personne n'en avait voulu ! »[12], raconte-t-il. C'est dans la foulée de la consécration par le prix Nobel et dans la précipitation (« [nous avons fait les] corrections par téléphone, toute une journée… », se rappelle Jan Rubeš) que cette traduction est publiée chez Actes Sud et qu'elle a eu, pense-t-il, « un certain succès, parce qu'il n'y avait *rien* d'autre sur le marché, comme on dit… »[13].

Les termes dans lesquels les attendus du prix Nobel eux-mêmes présentent le nouveau lauréat ne permettent pas d'en ignorer la teneur politique : Seifert est, en l'occurrence, consacré non seulement en tant que poète, mais en tant que poète « engagé » dans la lutte contre « un régime politique totalitaire » et comme un créateur qui ne s'est jamais avéré « inoffensif ». Même si la poésie de Seifert est, en outre, étiquetée de « sensuelle », elle compte surtout par « l'aspect anarchiste » de la philosophie de Seifert et par la « protestation » qu'elle véhicule, tout en étant directement définie comme « un acte politique »[14]. La déclaration personnelle du secrétaire perpétuel de l'Académie suédoise vient, enfin, étayer cette prise de position collective : en estimant

---

10. Entretien avec Henri Deluy, 18 novembre 2000.

11. Elle est cependant précédée par d'autres traductions ponctuelles de certains de ses poèmes, dans les pages des revues *Europe* (n° 351-352, 1962), *Les Lettres Françaises* (29 janvier 1969, 6 octobre 1971), *Esprit* (n° 393, juin 1970) ou *Change* (n° 10, mars 1972), ou dans les circuits de réception plus confidentiels, tels que les revues *Alternative* (n° 4-5, 1980) ou la *Revue K* (n° 13, décembre 1983 et n° 14, mars 1984).

12. Entretien avec Jan Rubeš 24 juin 1999.

13. *Ibid.*

14. « Ce sont les hommes qui fondent la société, l'État existe pour les hommes et non l'inverse. Il y a un aspect anarchiste dans la philosophie de Seifert, une protestation contre tout ce qui ampute les hommes de leurs facultés vitales, les réduit à être des engrenages d'une machinerie idéologique ou les maîtrise avec le puritanisme d'une propagande quelconque. Cela peut paraître assez inoffensif à ceux qui n'ont jamais eu à souffrir de l'oppression et de la mesquinerie d'un régime politique totalitaire. Mais Seifert n'a jamais été inoffensif. Sa poésie, cette corne d'abondance déversant un flot sensuel, a également été et est encore un acte politique ». « Le Prix Nobel à Jaroslav Seifert », *Le Monde*, 13 octobre 1984.

que l'on peut porter un «jugement politique»[15] sur toute œuvre littéraire et
toute action humaine, il reconnaît ainsi que les membres de l'Académie n'ont
pas négligé cet aspect dans le cas de Seifert.

Les autorités tchécoslovaques, plus «embarrassées» que satisfaites par cette
distinction, sont contraintes de faire le choix de la «récupération» du prestige international de Seifert plutôt que celui de sa répression (devenue trop
coûteuse, en termes de réputation internationale du régime, au milieu des
années 1980[16]). Cependant, l'hommage officiel est non seulement tempéré,
mais aussi assez malhabile : en sélectionnant les éléments biographiques
«convenables» et en les présentant dans le langage stéréotypé traditionnel
du régime, l'enjeu est de situer Seifert à tout prix dans le patrimoine littéraire à même d'être défendu aussi idéologiquement. Dès lors, c'est le Seifert
«chantre de la nation et de la paix» qui est mis en avant – il a «élevé sa voix
de poète contre le fascisme et la guerre, chanté l'optimisme à la libération
en 1945, glorifié, avec tendresse et une touchante beauté, son cher pays, son
peuple travailleur»… –, de même qu'une œuvre censée répondre «aux besoins
de notre temps, [qui] insiste sur les grandes valeurs de la vie et exprime une
attitude clairement positive dans la lutte de l'humanité pour la justice sociale
et la paix»[17]. Parallèlement, une image politique concurrente du lauréat est
promue par le mouvement de la Charte 77, qui, faisant circuler une lettre de
félicitations qui lui est adressée, salue en Seifert à la fois «un des sommets
de la poésie tchèque» et le «citoyen courageux». Enfin, la presse française
fait amplement état du traitement «officieux» que subit le lauréat du prix
Nobel : hospitalisé à cause d'une maladie (Seifert est alors âgé de 83 ans), il
semble avoir été surveillé en permanence par deux policiers en blouse blanche
tandis que l'accès à sa chambre était strictement limité. En outre, des milliers
de lettres de félicitations envoyées à Seifert ne lui ont pas été, paraît-il, déli-
vrées et tout contact avec les journalistes ou des traducteurs étrangers – que
l'Ambassade suédoise à Prague s'efforçait de faciliter – a été rendu extrêmement difficile. Enfin, si les autorités tchécoslovaques ne peuvent pas directement l'empêcher d'aller recevoir son prix à Stockholm (puisqu'il en est de
toute manière incapable à cause de sa maladie…), elles tardent, en revanche,
à décider quel membre de sa famille est autorisé à s'y rendre à sa place[18].

---

15. *Ibid.*

16. Pour un exemple extrême de gestion d'une situation similaire par un régime
communiste, voir l'analyse de l'affaire Pasternak, due entre autres à sa consécration
par le prix Nobel de littérature en 1958 : Ioana Popa, «Entre le dégel et la dissidence.
L'invention d'un circuit de traduction clandestin», in *La Politique extérieure de la littérature…*, *op. cit.*, pp. 491-564. D'ailleurs, le prix Nobel de Seifert suscite couramment,
dans la presse française, la référence à celui de Pasternak et Soljenitsyne et aux affaires
qu'ils ont déclenchées.

17. «Réactions officielles à Prague», *Le Monde*, 15 octobre 1984.

18. De sorte que ceux-ci s'entraînent tous, à apprendre par cœur le discours de
réception pour être à même, si besoin était, de le prononcer à la place du lauréat…

Pour parer à ces critiques, l'Ambassade tchécoslovaque à Paris diffuse un communiqué officiel, attaquant la presse française pour avoir donné des informations erronées sur la Tchécoslovaque – « basées sur les déclarations et les spéculations d'éléments hostiles au régime socialiste et à la coopération tchéco-slovaco-française »[19] – et pour avoir propagé à propos de Seifert une image d'opposant au régime, tout en essayant de démontrer le prestige dont celui-ci bénéficie dans son pays d'origine, contrairement à ce qui était dit en Occident[20]. Insister sur la notoriété nationale devient ainsi un argument permettant de contrebalancer la consécration acquise par l'écrivain tchèque à l'étranger et amplifiée par des circuits internationaux de consécration perçus par le régime communiste comme concurrents et hostiles.

Enfin, parmi les écrivains les plus traduits en français entre 1984 et 1989 – le Tchèque Milan Kundera (18 traductions), le Polonais Czeslaw Milosz (11 traductions), le Roumain Mircea Eliade (10 traductions), les Polonais Witold Gombrowicz (9 traductions) et Stanislaw Lem (8 traductions), le Tchèque Jiri Kolar et le Polonais Henryk Sienkiewicz (7 traductions chacun), et le Polonais Marian Pankowski et le Tchèque Bohumil Hrabal (6 traductions chacun), les Tchèques Vaclav Havel, Jaroslav Seifert et Ladislav Klima (5 traductions chacun) –, la plupart le sont à travers des circuits de traduction non-autorisés ou passent d'un type de circuit à un autre (le plus souvent, de l'espace autorisé vers l'espace clandestin).

Le cas de Kundera – qui est donc le plus traduit en français parmi les écrivains originaires d'Europe de l'Est pendant cette période – est, en ce sens, emblématique, puisque son entrée en traduction se fait, en effet, à travers un circuit non-autorisé. Interdit de publication dans son pays d'origine après l'écrasement du Printemps de Prague, il se fait connaître en France grâce à

---

19. « Que faire d'un prix Nobel de littérature ? », *Le Monde,* 26 octobre 1984.

20. « L'ambassade de la République socialiste Tchécoslovaque souligne que Seifert est un poète tchèque reconnu. C'est un artiste inscrit à tout jamais dans le cœur de notre peuple. De 1971 à nos jours, les maisons d'édition tchécoslovaques ont fait paraître 17 de ses livres, avec un tirage total de 168 000 exemplaires. Nous ne voulons pour preuve de la haute estime exprimée par la Tchécoslovaquie socialiste à l'égard de ce poète que l'attribution du titre d'« artiste national », titre honorifique suprême pouvant être attribué à un artiste tchécoslovaque, le double octroi du prix K. Gottwald, ainsi que la lettre de félicitations du président de la république adressée à l'occasion de son 80ème anniversaire, de même que l'attention consacrée par les moyens d'information tchécoslovaques lors de l'attribution du prix Nobel ». *Cf.* « Que faire d'un prix Nobel de littérature ? », *Le Monde*, 26 octobre 1984.

une traduction « semi-officielle » publiée par Gallimard en 1968, *La Plai-santerie* (roman qui, avant d'être interdit, l'avait consacré dans son pays d'origine) et qui, publiée dans le contexte de l'invasion de la Tchécoslova-quie, est littérairement et politiquement très remarquée (entre autres, grâce à une préface signée par Louis Aragon). Une période « grise » s'ensuit pour lui : resté dans son pays d'origine où il est interdit, Kundera continue à être traduit de manière non-autorisée en France (par les circuits *semi-officiel* d'abord, *direct* ensuite), et « subsiste » grâce à des ressources symboliques (tel le prix Médicis étranger, qui lui est décerné en 1973), voire matérielles, exclusivement extérieures. Un départ autorisé pour la France en 1975, prévu comme temporaire, finit par un exil définitif quatre ans plus tard, l'écrivain ayant été déchu de sa nationalité tchécoslovaque pendant son séjour. Natu-ralisé français en 1981, Kundera entreprend de changer de langue d'écri-ture, d'abord avec un essai (*L'Art du roman*, paru en 1986), puis avec un roman (*La Lenteur,* publié en 1995) écrits directement en français.

Le cas de Kundera permet dès lors de montrer aussi comment un écrivain étranger parvient à une reconversion réussie de sa position littéraire d'ori-gine à l'intérieur du champ littéraire d'accueil, en passant par la traduction de ses œuvres, et ce, sans avoir de rapports ou d'attaches particulières préa-lables avec la France. Mais son cas montre aussi de quelle manière la poli-tisation de la réception des écrivains d'Europe de l'Est, déjà évoquée, peut intervenir dans la « renationalisation » de la position littéraire d'un tel écri-vain. Néanmoins, on repère aussi dans les arguments de la critique littéraire une logique d'« universalisation », qui tente parallèlement de décontextua-liser la signification accordée à son œuvre et à la consacrer pour ses qualités littéraires. L'écrivain lui-même, par des stratégies diverses, y contribue : travail de démarcation de la dissidence (retournement d'étiquette qui lui fait cependant bénéficier à la fois de l'étiquette proprement dite et de son contraire), déconstruction de la notion géopolitique d'Europe « de l'Est » pour lui substituer celle, culturelle, d'Europe « Centrale », abandon de la préface d'Aragon lors des rééditions de *La Plaisanterie*, ces choix contri-buent à « démarquer » l'écrivain tchèque des catégories – « dissident », « écri-vain de l'Est », écrivain du Printemps de Prague… – qui risquaient d'induire une subordination de la « valeur » littéraire de son œuvre à des facteurs contingents et politiques. Or ce n'est pas tant l'opposition et la substitution d'une logique à une autre – politisation *vs.* « universalisation » – mais leur cumul qui, par les formes de visibilité et de reconnaissance différentes qu'elles procurent, contribue à ce que Kundera ne soit plus reconnu simple-ment comme un auteur étranger traduit, mais comme un écrivain français à part entière.

La réception éditoriale

Cent trente maisons d'édition françaises assurent la publication de 524 traductions[21] à partir de 1968 et jusqu'à la chute des régimes communistes en 1989. Si vingt-deux éditeurs français traduisent, chacun, au moins cinq œuvres provenant des pays d'Europe de l'Est, ils parviennent cependant à concentrer à eux seuls deux tiers de l'ensemble du transfert effectué. Enfin, une douzaine de maisons d'édition seulement publient dix traductions ou plus. Parmi elles, figurent des maisons qui occupent des positions dominantes ou intermédiaires dans le champ éditorial français, à commencer par Gallimard – l'éditeur qui traduit le plus en provenance des pays de l'Est dans cette configuration historique – 15,7 % de l'ensemble des livres importés –, auquel s'ajoutent notamment, en deuxième position, L'Age d'Homme (7,6 %), puis Flammarion, Albin Michel, Seuil et Denoël, qui traduisent, chacun, entre 3,8 % et 5,7 %.

Plusieurs maisons d'édition, parmi cette vingtaine d'éditeurs les plus actifs dans le transfert des littératures d'Europe de l'Est en France pendant cette période, fonctionnent, en l'occurrence, comme de véritables créneaux éditoriaux pour certaines de ces littératures, à commencer par les deux principaux éditeurs identifiés, et ce, le plus souvent, grâce aux initiatives ou à la collaboration constante de médiateurs. Leurs investissements sont différenciés en fonction des pays d'origine des œuvres traduites : alors que Gallimard privilégie la littérature tchécoslovaque – il a publié un quart des titres traduits de cette langue –, L'Age d'Homme est le principal importateur de la littérature polonaise, dont il a publié un titre sur six. La collaboration constante de certains traducteurs – François Kérel et Claudia Ancelot notamment auprès de Gallimard, Alain Van Crugten auprès de L'Age d'Homme – explique, en partie, la possibilité pratique de ces investissements et, parfois, les choix de traduction[22]. D'autres maisons jouent, pour les mêmes raisons, ce rôle de créneau éditorial : La Différence et la Revue K (qui bénéficient de la

---

21. S'y ajoutent, pour la même période, 47 livres traduits et édités dans les pays communistes eux-mêmes, par une dizaine des maisons exportatrices, en vue de leur diffusion en Occident.

22. Voir Ioana Popa, « Politique des éditeurs ou politiques éditoriales ? Logiques d'importation en France des littératures d'Europe de l'Est à partir des années 1970 », art. cité.

collaboration de la traductrice Erika Abrams), pour la littérature tchécoslovaque ; Actes Sud (travaillant souvent avec la traductrice Elisabeth
Van Wilder) et Noir sur Blanc (dont l'un des fondateurs, Jan Michalski,
est d'origine polonaise), pour la littérature polonaise ; Les Publications
Orientalistes de France (qui collaborent notamment avec le traducteur
Jean-Luc Moreau), pour la littérature hongroise ; enfin, L'Herne (maison
d'édition dont le directeur de l'époque, Constantin Tacu, était d'origine
roumaine), pour la littérature roumaine.

Ces tendances se confirment globalement pour la période qui nous
intéresse plus particulièrement ici, à savoir la deuxième moitié de la
décennie 1980 : avec 17,8 % de l'ensemble des livres traduits, Gallimard reste le principal importateur de ces littératures en France (voire
renforce sa position), même si les positions qui lui succèdent sont en
train de se « renégocier » : Laffont devient le deuxième importateur des
littératures d'Europe de l'Est, avec 5,2 % de l'ensemble des livres traduits,
notamment grâce au lancement, au début des années 1980, d'une collection spécialisée, « Pavillons. Domaine de l'Est », dont l'initiatrice et la
responsable est une exilée d'origine polonaise, Zofia Bobowicz, tandis
qu'avec 4,8 % de l'ensemble des traductions publiées, Actes Sud parvient
à rattraper, en troisième position *ex aequo*, la place occupée par L'Age
d'Homme. Enfin, à ces éditeurs s'ajoutent, dans les années 1980, d'autres petites maisons, dont l'intérêt pour ces domaines étrangers commence
tout juste à s'esquisser – comme Maren Sell, Chambon, Noir sur Blanc
ou les Éditions de l'Aube. Or, comme nous le verrons plus loin, certains
de ces nouveaux lieux de réception prendront la relève après 1989, à
l'instar de Noir sur Blanc, maison fondée en 1986, qui se spécialise dans
le domaine polonais, ou encore, des Éditions de l'Aube, créées en 1987,
et qui deviendront un créneau pour la littérature tchèque au début des
années 1990, notamment grâce à la collaboration entre les directeurs de
la maison, Marion Hennebert et Jean Viard, et les traducteurs Jan Rubeš[23]
ou Barbora Faure.

Les éditeurs qui traduisent le plus en provenance des littératures
d'Europe de l'Est entre 1968 et 1989 assurent également la progression
du transfert non-autorisé. Jusqu'à la fin des années 1970, les traductions
autorisées sont très majoritaires chez L'Age d'Homme, Albin Michel et

---

23. Jan Rubeš avaient connu Marion Hennebert et Jean Viard (deux anciens colla-
borateurs d'Hubert Nyssen, chez Actes Sud) à l'occasion de ses collaborations antérieures avec la maison d'édition d'Arles. Entretien avec Jan Rubeš, 24 juin 1999.

Laffont, elles l'emportent encore sur les traductions illicites chez Gallimard, et s'équilibrent avec celles-ci aux éditions du Seuil. Dans les
années 1980, en revanche, tous ces éditeurs accentuent le profil non-
autorisé de leurs traductions, voire n'importent désormais ces littératures qu'à travers les circuits clandestins. Enfin, pour l'ensemble de la
période 1968-1989, la plupart des maisons d'édition les plus actives
dans le transfert des littératures de l'Est – Gallimard, Laffont, Seuil,
Albin Michel, Fayard, Bourgois, Plon, La Différence et Actes Sud –
parviennent à faire plus de la moitié de leurs traductions par ces circuits.
À travers, certes, des modes d'appropriation différents, le discours traduit
non-autorisé est dès lors reçu à tous les pôles qui structurent l'espace
éditorial de réception, selon des clivages comme littéraire/commercial,
maison parisienne/provinciale ou petite/grande maison. Parallèlement,
le poids des maisons communistes (les Éditeurs Français Réunis et leur
successeur, Messidor) devient insignifiant.

La reconfiguration des échanges littéraires au tournant des années 1990 : entre ruptures et continuités

La chute des régimes communistes dans les pays de l'Est entraîne,
bien évidement, une transformation radicale des conditions dans lesquelles
se déroulent les échanges culturels avec l'Occident. La transformation
des modes de réglementation de la circulation nationale et internationale des productions intellectuelles et artistiques, ainsi que la mise en
place progressive d'un marché éditorial dans ces pays, confèrent à cet
événement un impact structurel indéniable, et sans commune mesure
avec les transformations induites par les crises politiques précédentes.
Reposer la question de la synchronisation entre une temporalité politique et la temporalité du transfert littéraire pourrait donc sembler inutile.
On peut pourtant l'aborder de manière un peu plus contre-intuitive, en
se demandant si, au-delà de la rupture évidente, il existe des continuités,
et pourquoi. Pour répondre à cette question, nous allons donc examiner
les flux des traductions faites à partir du polonais, du tchèque, du slovaque,
du hongrois et du roumain entre 1990 et 2002, tout en accordant une
attention particulière au moment de basculement de 1989.

Une croissance passagère des flux de traduction

Pendant cette période, le volume global de ces flux est de 712 traductions, dont presque 80 % des nouveautés, le reste de 20 % étant des rééditions de livres déjà traduits avant 1990 (pourcentage qui est important par rapport aux taux de rééditions enregistrés pour ces littératures pendant la période communiste). La moyenne annuelle des œuvres littéraires roumaines, tchécoslovaques, polonaises et hongroises traduites passe de 30 dans les années 1980 à 45 dans la décennie suivante. Elle atteint même 62,3 traductions, si l'on s'en tient seulement aux trois premières années qui suivent la chute du communisme, ce qui représente donc le double de la moyenne annuelle des années 1980.

Après avoir atteint un pic de 82 traductions (dont 70 nouveaux titres traduits) en 1991, le nombre global de traductions par an commence cependant à décroître : même si cette tendance n'est pas parfaitement linéaire, les valeurs enregistrées entre 1990 et 1992 ne seront plus jamais atteintes : en 2002, on ne compte ainsi que 31 nouvelles traductions faites à partir des cinq langues réunies, ce qui veut dire qu'on retombe au niveau des valeurs annuelles moyennes enregistrées pendant la décennie 80. Le nombre total de nouvelles traductions faites pendant la décennie 90 est certes plus important par rapport à la décennie précédente (croissance qui peut s'expliquer, entre autres, par les tendances structurelles qui caractérisent le champ de réception, et plus généralement, par une intensification des échanges internationaux ; voir chapitres 3 et 5). On constate cependant que presque 60 % de ces traductions sont concentrées pendant la première moitié de la décennie 90, alors même que le nombre de titres publiés dans les pays d'origine connaît une baisse en raison des transformations en cours du système éditorial dans les pays de l'Est[24], tandis que 40 % seulement sont faites pendant la seconde moitié, au moment où la croissance du nombre de titres originaux reprend.

La fin du système communiste entraîne donc – premier constat – l'augmentation *passagère* du volume global des flux de traductions. Malgré la disparition des modes de réglementation contraignants politiquement, et au moment où les conditions de la mise en place d'un marché éditorial commencent à être réunis dans les anciens pays commu-

---

24. Voir, à titre d'exemple, les analyses d'Anne-Marie Thiesse et Natalia Chmatko, « Les nouveaux éditeurs russes », *Actes de la recherche en sciences sociales*, n° 126-127, mars 1999, pp. 75-89.

nistes – à savoir surtout dans la seconde moitié des années 1990 – les flux des traductions commencent à nouveau à décroître.

Une « marque distinctive » des littératures de l'Est

Ces constats corroborent la perception qu'en ont les acteurs du transfert :

> « Au début des années 90, on avait *vraiment* le vent en poupe pour toutes ces littératures – raconte la directrice d'une collection consacrée aux littératures de l'Est dans une grande maison d'édition parisienne. […] C'était la chute du mur, c'était *vraiment* la fin du communisme ! C'était une période heureuse. […] 1991-1992 [ont été] les grandes années d'intérêt accru pour ce qui se passait dans ces pays, y compris dans leurs littératures. […] Cela a changé maintenant. Maintenant on a beaucoup de mal à faire bouger la presse pour le programme "Europe Centrale". […] Vraiment, nous vivons une période de crise »[25].

Cet investissement accru, mais conjoncturel, en direction de ces littératures apparaît d'autant plus comme étant suscité par l'intérêt porté à l'événement politique qui vient de se produire lorsqu'on constate, par exemple, que l'auteur le plus traduit entre 1990 et 1992 (avec huit traductions) est Vaclav Havel, ancien écrivain dissident devenu le président de la République Tchécoslovaque (il continuera d'ailleurs d'être publié ou réédité tout au long des années 1990).

Il est donc légitime de se demander si la chute des régimes communistes entraîne, en priorité, la diffusion internationale de livres auparavant interdits de circulation. Or la construction d'indicateurs supplémentaires permet de donner à ce propos une image plus nuancée du transfert littéraire au tournant des années 1990. Car, si l'on considère leur statut légal sous le régime communiste, les livres traduits pendant les trois années qui suivent cet événement relèvent plus souvent de la littérature « autorisée » que « non-autorisée ». Ce n'est que dans le cas tchécoslovaque que les proportions sont inversées (mais, comme nous l'avons vu, cela avait été déjà le cas pendant la décennie 1980).

Si on affine encore plus l'analyse, il ressort, en outre, qu'on traduit, dans des proportions significatives, des œuvres classiques publiées dans

---

25. Entretien avec M., directrice d'une collection spécialisée dans une grande maison parisienne, située au pôle commercial du champ éditorial.

leurs pays avant la mise en place des régimes communistes. Entre 1990 et 1992 paraissent pratiquement autant de nouvelles traductions d'œuvres classiques que pendant l'ensemble de la décennie 1980. Parmi les auteurs, qui alimentent également les rééditions, figurent ainsi les Hongrois Endre Ady, Sandor Marai, Gyula Krudy, Dezsö Kosztolanyi ou Ferenc Molnar ; les Roumains Mihai Eminescu, Ion Creanga, Ion Luca Caragiale ou Liviu Rebreanu ; les Tchèques Karel Rubeš Čapek, Jaroslav Hasek ou Vladislav Vancura ; enfin, les Polonais Adam Mickiewicz, Henryk Sinkiewicz ou Cyprian Norwid. Ceci tend à montrer que le recours au patrimoine littéraire peut être envisagé comme un investissement « sûr » par les éditeurs français pendant les périodes d'incertitude ou de réajustement des hiérarchies littéraires et des critères de consécration[26].

Nous pouvons dès lors en déduire un deuxième constat important : alors qu'à partir des années 1980, « l'intérêt majeur » suscité par les œuvres littéraires de l'Est provenait – selon le témoignage (et l'expression) d'un éditeur – du fait qu'elles soient interdites dans leurs pays d'origine, la chute du communisme ne conduit pas, contrairement à ce qu'on aurait pu attendre, à un afflux massif de traductions auparavant « non-autorisées ».

Les choix de traduction : entre continuité et nouveauté

Comment expliquer ce qui peut dès lors apparaître comme un paradoxe ? Nous venons de parler, à propos de la littérature classique, d'un investissement « sûr ». Mais ne s'agirait-il pas aussi d'un investissement par défaut ? Car si on se demande quel est le taux et le rythme du renouvellement des auteurs traduits, on constate qu'un peu plus de la moitié des ceux qui sont traduits entre 1990 et 1992 sont les mêmes qu'avant 1989. Le lecteur français est donc invité à connaître, sous la forme d'une première édition française ou d'une réédition, les œuvres d'écrivains qui ont fait déjà leur entrée en traduction à la fois à la fin des années 1940 (comme le Polonais Jaroslaw Iwaszkiewicz), pendant les années

---

26. Nous avons d'ailleurs pu constater qu'une stratégie éditoriale similaire avait été adoptée après la mise en place des régimes communistes. Voir Ioana Popa, « Le recours autorisé au patrimoine littéraire : du contrôle étatique à la propagande politique », dans *La Politique extérieure de la littérature, op. cit.*

1950 (à l'instar du Roumain Mircea Eliade ou des Polonais Czeslaw Milosz, Kazimirz Brandys, Jerzy Andrzejewski ou Witold Gombrowicz), dans les années 1960 (à l'instar des Tchèques Bohumil Hrabal, Vaclav Havel ou Milan Kundera ou du Polonais Slawomir Mrozek), dans les années 1970 (comme les Roumains Paul Goma, le Tchèque Ludvik Vaculik, du Polonais Andrezej Kusniewicz ou le Hongrois György Konrad) ou enfin, dans les années 1980 (comme le Hongrois Janos Pilinszky, le Roumain Marin Sorescu ou le Tchèques Jan Trefulka).

Ce n'est que dans le cas de la littérature polonaise que cette tendance s'inverse dès la période 1990-1992, à la différence des trois autres pays, où le nombre d'écrivains déjà connus par le public français reste supérieur à celui des écrivains découverts en France après 1989. Le poids de ces derniers deviendra nettement plus important à partir du milieu des années 1990 (plus précisément, à partir de 1994), à la faveur notamment de l'émergence de nouvelles générations littéraires, mais il continuera de varier en fonction des pays. Ainsi, au cours de la période 1990-2002, c'est la littérature roumaine qui parviendra à renouveler le plus la population d'auteurs traduits en français, suivie par la littérature polonaise, tandis que la littérature tchèque continue à diffuser dans des proportions pratiquement égales de nouveaux auteurs et des auteurs déjà connus en France. Cependant, ce sont des représentants des littératures polonaise et hongroise, auparavant inconnus du public français, qui remportent le plus haut degré de reconnaissance internationale avec leur consécration par le prix Nobel de littérature : il s'agit de la poétesse polonaise Wislawa Szymborska, en 1996, et de Imre Kertész, le premier écrivain hongrois couronné par ce prix, en 2002.

Né en 1929 dans une famille juive de Budapest, d'un père marchand de bois d'ameublement, et d'une mère petite employée, Imre Kertész est déporté à l'âge quinze ans à Auschwitz-Birkenau, puis à Zeitz, près de Buchenwald. Libéré en 1945, il est le seul survivant de sa famille qui retourne à Budapest en 1945. Alors qu'il n'a aucune formation, il commence à travailler comme journaliste pour un quotidien de la capitale, mais il est licencié en 1951, quand la ligne du journal – devenu depuis un organe du Parti communiste – se durcit. Kertész travaille ensuite dans une usine, avant de rejoindre le département presse du ministère de l'Industrie, d'où il est à nouveau congédié en 1953. Il vivra désormais de sa plume (mais il n'adhérera jamais à l'Union des Écrivains) : il écrit des comédies musicales et des divertissements théâtraux, tout en traduisant de l'allemand des auteurs comme Nietzsche,

Freud, Canetti, Wittgenstein, Roth, Hofmannsthal ou Schnitzler. Son premier roman, *Être sans destin*, qu'il mettra plus de dix ans à achever, est publié – après avoir d'abord essuyé un refus – en 1975 (grâce à l'intervention de Pal Réz, traducteur très reconnu en Hongrie). Roman largement autobiographique (comme, d'ailleurs, ceux qui s'ensuivront), racontant l'histoire d'un jeune homme déporté dans les camps et le quotidien concentrationnaire, *Être sans destin* suscite peu d'intérêt lors de sa publication. Il faudra attendre sa réédition en 1985 pour que ce livre connaisse enfin un réel succès en Hongrie. Jusqu'à cette date, Kertész demeure un auteur relativement inconnu dans son pays. Ainsi, il n'est pas mentionné dans l'histoire de la littérature hongroise dirigée par Tibor Klaniczay en 1983, tandis que Lóránt Czigány l'évoque très brièvement dans *The Oxford History of Hungarian Literature* (paru en 1984).

Après la chute du communisme, ses livres commencent à être traduits notamment en allemand, français, anglais ou suédois. *Kaddish pour l'enfant qui ne naîtra pas* est son premier livre traduit en français aux éditions Actes Sud, en 1995 (trois ans après sa traduction allemande). Actes Sud devient ainsi l'éditeur français de Kertész (et Natalia Zaremba-Huzsvai et Charles Zaremba, ses traducteurs dans cette langue), publiant *Être sans destin* en 1998, *Un autre : chronique d'une métamorphose*, l'année suivante, et *Le Refus* en 2001. Mais la reconnaissance de Kertész vient surtout de l'Allemagne, où il obtient toute une série de prix : le Brandenburger Literaturpreis 1995, le Leipziger Buchpreis zur Europäischen Verständigung 1997, le Herder-Preis et le WELT-Literaturpreis 2000, le Ehrenpreis der Robert-Bosch-Stiftung 2001 et le Hans-Sahl-Preis 2002 du Cercle des auteurs allemands, pour l'ensemble de son œuvre. Cette reconnaissance internationale sera couronnée en 2002, par le Prix Nobel de littérature : il est décerné, en l'occurrence, à un écrivain qui, selon les attendus du prix, « dresse dans son œuvre l'expérience fragile de l'individu contre l'arbitraire barbare de l'histoire ».

La relative continuité dans le choix des auteurs traduits au tournant des années 1990 – troisième constat permettant donc de caractériser globalement la reconfiguration des échanges littéraires après la chute du communisme – peut être mieux caractérisée si on regarde de près les deux anciens espaces de traduction : on voit ainsi qu'entre 1990 et 1992, le taux de renouvellement des auteurs traduits provenant de l'espace « non-autorisé » est plus faible que celui des auteurs traduits issus de l'espace « autorisé ». Cela signifie qu'on continue à traduire, le plus souvent, des auteurs anciennement interdits que l'on connaît déjà. Ce constat montre, autrement dit, qu'en dépit des contraintes qui pesaient à la fois sur les circuits clandestins nationaux et sur le transfert littéraire international avant 1989, on était déjà parvenu à connaître « l'essentiel ».

L'analyse des flux de traductions après la chute du communisme offre donc *a posteriori* – quatrième constat – une confirmation supplémentaire de «l'efficacité» des circuits de traduction non-autorisés mis en place pendant la période communiste.

Les témoignages de certains médiateurs viennent, là encore, étayer ces remarques. Ainsi, l'un d'entre eux évoque «les attentes» vite déçues, aussi bien dans les pays de l'Est qu'en France, de «révélations» de nouveaux auteurs, qui n'auraient pas été connus avant 1989 en raison des interdictions politiques:

> «D. [écrivain tchèque publié pour la première fois en français au milieu des années 1990], l'initiative vient de moi – raconte une traductrice de littérature tchèque –, je me suis intéressée à lui parce qu'en 1990, j'ai demandé une aide au Centre national des lettres [pour un écrivain qu'elle avait déjà plusieurs fois traduit auparavant, P.], aide qu'ils ont *refusée*, parce que c'était en 1990, donc tout de suite *après 1989*, en disant qu'il y avait eu la révolution et qu'il devait y avoir *une foule* de *nouveaux* auteurs, *géniaux*, qui sortiraient des oubliettes, maintenant que le Mur était tombé, et que bon, P., ils avaient déjà financé, alors *maintenant* il était temps que j'utilise mon talent "pour faire découvrir les auteurs vivants", les "nouveaux inconnus", alors qu'*il n'y avait pas d'inconnus*! Tout le monde qui publiait dans le samizdat, c'était *archi-connu* déjà! Ici, en France, et partout en Occident. [...] Donc moi, j'ai trouvé celui-là, D., et ensuite, *pour faire plaisir* au CNL, je me suis donné du mal à trouver un éditeur, je l'ai fait publier, ça a été un échec total, ça n'intéressait personne...»[27]

En effet, cet intérêt pour la littérature autrefois clandestine ne tarde pas, lui aussi, à décroître, une fois la conjoncture politique à nouveau routinisée. Puisque le clivage autorisé/interdit qui avait structuré, pendant une quarantaine d'années, le transfert littéraire cède désormais la place à la polarité, plus «courante», littéraire/commercial, les littératures de l'Est risquent désormais de se voir dissoutes parmi les autres aires linguistiques mineures:

> «Il était plus facile de traduire et de faire publier des choses tchèques en raison de la situation politique, sous le communisme – témoigne une autre traductrice de littérature tchèque [...]. Parce qu'il était *plus facile* de publier un Tchèque, qu'un Norvégien, par exemple. Je pense – poursuit-elle – à la Norvège simplement comme un autre petit pays. *Personne* ne s'intéresse à la littérature norvégienne! Et en fait, maintenant les Tchèques se retrouvent dans cette

---

27. Entretien avec K, traductrice de littérature tchèque.

situation-*là* : *il n'y a plus* le communisme, *il n'y a plus* le rideau de fer, donc *il n'y a plus* la "couleur locale", donc du coup, il n'y a *aucun* intérêt... *Il n'y a plus* l'argent qu'il y avait avant, les organisations qui subventionnaient des traductions des langues de l'Est dans les langues de l'Ouest, elles se sont *auto-dissoutes* parce qu'on dit que la situation s'était normalisée. [...] [Le rideau de fer] créait *une distance supplémentaire*. En fait, Prague est à *mille* kilomètres de Paris, ce n'est pas loin, ce n'est pas plus loin que *Nice* ! Et là, tout le monde y va en week-end [ou] pendant les vacances scolaires !... »[28].

Prague, Budapest, Bucarest ou Varsovie, devenues aussi peu «exotiques» que d'autres capitales européennes, les littératures des pays d'Europe de l'Est privées de la dimension «distinctive» due aux conditions particulières de production et de circulation internationale au temps du communisme, et dépourvues, qui plus est, des soutiens financiers que leur apportaient les réseaux étrangers de soutien à l'opposition ou les politiques d'exportation culturelle mises en place par les anciens gouvernements de ces pays[29], ce sont autant de transformations qui «banalisent» le transfert littéraire et le privent de certaines de ses ressources. Elles révèlent, par contraste, le rôle que la politisation et les crises politiques ont pu auparavant jouer dans son fonctionnement.

Par ailleurs, ce qui avait fait l'intérêt, y compris commercial, des littératures de l'Est (du moins pendant les quinze dernières années des régimes communistes) – à savoir le message politique, la force du témoignage, la valeur documentaire – commence désormais à desservir leur circulation internationale : dans la correspondance entretenue par des traducteurs avec différents éditeurs, ceux-ci justifient désormais leur refus à la fois par «les grandes difficultés commerciales et financières rencontrées par l'édition française et le recul très sensible de l'intérêt des lecteurs et des médias pour tout ce qui touche à l'Europe Centrale et Orientale»[30], ainsi que par le caractère «dépassé» et «daté du point de vue politique»[31] des œuvres proposées pour publication...

---

28. Entretien avec L., traductrice de littérature tchèque.

29. «Ces pays-là ne se rendent pas compte qu'on ne s'intéresse pas à eux – ajoute une éditrice – ce qui ne facilite pas les choses, pour moi, en tout cas. C'est-à-dire, *eux-mêmes* ne font rien pour se faire connaître. Vraiment, nous vivons une période de crise qui va durer encore quelques années». (Entretien avec M., directrice d'une collection spécialisée dans une grande maison parisienne).

30. Lettre d'un éditeur à B., traductrice de littérature tchèque qui tente vainement de placer un manuscrit en 1992.

31. *Ibid.*

Les filières d'accueil éditorial : un espace déjà connu

Si certains éditeurs délaissent ces littératures, qui sont ceux qui participent à leur importation à partir des années 1990 ? À ce niveau d'analyse aussi – nous en sommes à notre cinquième constat –, c'est une certaine continuité qui prévaut : les filières d'accueil éditorial des littératures de l'Est, telles qu'elles s'étaient reconfigurées à partir des années 1970, ne se modifient pas une nouvelle fois lors de la chute du mur. Ainsi, c'est le principal éditeur pendant les décennies 1970 et 1980, Gallimard – il concentrait alors environ 16 % des traductions publiées –, qui reste également le premier importateur pendant la décennie 90. Cependant, il ne publie désormais que 8,8 % de l'ensemble des nouvelles traductions, ce qui est un indicateur de l'accroissement sensible du taux de dispersion des filières d'accueil éditorial. On peut, en outre, affirmer que cette dispersion s'accentue précisément à partir de 1990 puisque, comme nous l'avons vu, dans la dernière moitié des années 1980, la position de Gallimard s'était encore plus renforcée – il totalisait 17,8 % de l'ensemble des livres traduits – par rapport à la tendance constatée sur l'ensemble de la période 1968-1989.

Plus généralement, dans le peloton des éditeurs qui traduisent le plus en provenance de ces littératures on retrouve pratiquement les même maisons – à la fois anciennes, comme Albin Michel ou Laffont, ou plus récemment créées, à la fin des années 1960, comme L'Age d'Homme, ou dans les années 1970, comme Actes Sud ou La Différence, et dont la stratégie éditoriale avait été, dès le départ, largement basée sur l'importation littéraire, qui plus est, en provenance d'univers littéraires dominés. Ces maisons sont désormais rejointes par des éditeurs comme L'Aube (qui investit notamment le domaine tchèque), Noir sur Blanc (le domaine polonais), Chambon (le domaine roumain), In fine ou Ibolya Virag (le domaine hongrois), qui avaient déjà, pour la plupart, esquissé leur intérêt pour certains de ces domaines littéraires dès les années 1980.

Si les Éditions Ibolya Virag ne sont créées qu'en 1996, leur fondatrice – Ibolya Virag –, exilée en France depuis 1980, est une médiatrice et une traductrice de longue date de la littérature hongroise en France (et, avant son exil, de la littérature française en Hongrie). Issue d'une famille hongroise de Slovaquie expulsée après 1945, Ibolya Virag est diplômée en lettres françaises et allemandes du Collège Eötvös de Budapest (institution académique très prestigieuse en Hongrie, créée en 1895, sur le modèle de l'École Normale Supé-

rieure[32]), et commence son parcours professionnel en enseignant le français
à l'Université de Budapest, et en traduisant en hongrois des auteurs français,
notamment Modiano et Yourcenar.

Au moment de son arrivée à Paris, Ibolya Virag bénéficie du soutien amical
de l'historien François Fejtö et de Gabriel Farkas, journaliste à *France-Soir*
(tous les deux, d'origine hongroise). C'est en tant que traductrice qu'elle
enregistre son premier succès en France, en publiant dans les pages du supplé-
ment du dimanche du *Monde* une nouvelle de l'écrivain Istvan Örkeny. L'idée
de contribuer, en tant que médiatrice, à la diffusion de la littérature hongroise
et, plus largement, à la culture des pays d'Europe Centrale, surgit rapidement : Ibolya Virag conçoit le projet d'une collection spécialisée, qu'elle
essaie de mettre en place, sous des dénominations diverses, au sein de différentes maisons d'édition : ce sera tout d'abord, à partir de 1983, le «Domaine
danubien», chez l'Harmattan, collection qui fera connaître au public français notamment le *N.N.* du romancier hongrois classique Gyula Krudy, publié
en 1985[33], mais aussi deux livres importants de sciences sociales, *La Misère
des petits États d'Europe de l'Est*, du sociologue Istvan Bibó, et *Les Trois
Europe*, de l'historien Jenö Szücs (préfacé par Fernand Braudel). Rebaptisé
«Europe Centrale», le projet est relancé, dans un deuxième temps, chez les
éditions Souffles, où Ibolya Virag co-traduit et édite notamment, en 1988,
un premier récit de Peter Esterhazy, *Indirect : introduction aux belles-lettres*
(auteur qui passera, dès l'année suivante, chez Gallimard et qui connaîtra un
succès important pendant les années 1990[34]). Enfin, la collection d'Ibolya
Virag connaît une dernière étape de son existence à partir de 1989, quand
elle est reprise par Albin Michel. Si Ibolya Virag est la première à avoir vainement tenté d'y faire traduire en français et publier Imre Kertész, le futur prix
Nobel de littérature, elle réussit en revanche à faire redécouvrir et publier

---

32. Véritable «greffe française» sur un système universitaire encore très fidèle, au
moment de sa création, au modèle allemand, cette institution était destinée à former
l'élite intellectuelle hongroise et entretient des échanges avec son «homologue» de la
rue d'Ulm. Victor Karady a montré les similitudes, mais aussi les différences notables
entre le Collège Eötvös et l'ENS. Voir Victor Karady, «Le Collège Eötvös et l'ENS
vers 1900», dans Bela Köpeczi, Jacques Le Goff (dir.), *Intellectuels français, intellectuels hongrois XIIIe-XXe siècle*, Paris, Éditions du CNRS, 1985. Pendant le régime communiste, le Collège connaîtra une existence mouvementée, étant par exemple provisoirement
fermé à partir de 1950.

33. L'édition originale de *N.N.* date de 1922. La critique littéraire reçoit favora-
blement le roman et son auteur, qui est comparé à l'écrivain autrichien Joseph Roth,
ce qui suscite le commentaire d'Ibolya Virag : «Belle revanche, car il m'avait été refusé
partout comme un auteur régionaliste ! ». *Cf.* Alexandra Laignel-Lavastine, dans *Le
Monde*, le 8 novembre 2002.

34. Sept œuvres signés par Esterhazy seront traduits chez Gallimard entre 1989
et 2002.

Sandor Maraï : le succès est européen, puisque le roman de ce dernier, *Confessions d'un bourgeois*, rencontre un large écho en Italie et en Allemagne notamment.

En 1996, Ibolya Virag lance donc sa propre maison d'édition, bénéficiant, entre autres, du soutien de nombreux libraires. Le premier titre qu'elle édite en 1997, *Les Cloches d'Einstein*, renoue à la fois avec un auteur – Lajos Grendel – qu'elle avait déjà édité chez L'Harmattan en 1986, et avec une traductrice – Véronique Charaire –, qui avait également signé la traduction de szücs.

Cependant, certains de ces principaux éditeurs conservent cette position avant tout grâce à la gestion de leur fonds dont ils rééditent des œuvres parues avant 1989, et/ou grâce à leurs collections en livre de poche : c'est, en partie, le cas des Éditions du Seuil et de L'Age d'Homme. Le premier réédite ainsi des écrivains comme le Hongrois György Konrád (auteur du *Visiteur*, roman traduit au Seuil en 1974) et capte, pour rééditer dans sa collection poche « Points. Romans », des auteurs comme le Tchèque Bohumil Hrabal ou le Polonais Tadeusz Konwicki, intensément traduits notamment pendant les années 1980 ; le second réédite notamment des ouvrages d'écrivains classiques, comme par exemple des romans de Stanislaw Ignacy Witkiewicz (*L'Inassouvissement* et *L'Adieu à l'automne*, publiés pour la première fois en français respectivement en 1970 et 1972, le principal écrivain polonais que L'Age d'Homme a traduit pendant les années 1970 et 1980), et de Karel Čapek (*Le Météore*, en 1975), ou encore, des œuvres du poète polonais Adam Mickiewicz.

Pendant la période 1990-2002, on constate, en outre, un phénomène de concentration éditoriale comparable à celui observé pour la période 1968-1989 : c'est le même nombre d'éditeurs – une douzaine – qui publient, chacun, au moins 2 % du nombre total de nouvelles traductions faites pendant ces deux périodes. Enfin, une autre continuité notable s'observe dans le positionnement de certaines de ces maisons sur des créneaux littéraires nationaux (cela, le plus souvent, grâce à la collaboration constante – déjà évoquée – des médiateurs de ces littératures) : La Différence et les Éditions de l'Aube traduisent toujours, en priorité, de la littérature tchèque ; Fayard, L'Age d'Homme et Noir sur Blanc s'orientent notamment vers la littérature polonaise. Des éditeurs comme Actes Sud ou Laffont diversifient un peu plus leurs investissements éditoriaux, mais privilégient cependant les littératures polonaise et hongroise, pour le premier, tchèque et polonaise, pour le second.

Hiérarchie des flux de traduction

Il reste, enfin, à se demander si l'existence de ces créneaux éditoriaux nationaux contribue au maintien ou non des hiérarchies entre les différents flux nationaux, telles qu'elles s'étaient établies avant 1989. On observe ainsi – et ce sera notre dernier constat – que jusqu'au milieu des années 1990, la hiérarchie des flux de traductions en français qui s'est établie pendant la période 1968-1989 se maintient : la littérature polonaise est la plus traduite, suivie de la littérature tchécoslovaque.

Cette hiérarchie évoluera à partir du milieu des années 1990, en faveur des littératures hongroise et roumaine, dont les flux de traductions dépassent désormais ceux de la littérature tchèque. En outre, l'écart entre les flux des traductions polonaises et hongroises se réduit assez sensiblement pendant cette période, pour pratiquement disparaître pendant la période 2000-2002, voire se renverser en faveur de la littérature hongroise en 2001. Cette évolution mérite d'être remarquée, étant donné que pour la première fois depuis le début des années 1970, la Pologne voit menacée la position dominante qu'elle occupe – (l'ex-)Union Soviétique mise à part – parmi les littératures d'Europe de l'Est importées en France.

Affectant l'ensemble des pays du camp communiste – même si la gestion de ce moment de crise a pu fortement varier d'un pays à l'autre –, la chute des régimes communistes ne contribue donc pas, à la différence des crises de 1956 ou de 1968, à propulser soudainement aux devants de la scène un pays particulier (pour compenser, par exemple, un déficit antérieur de circulation internationale de sa littérature). Cet événement ne bouleverse pas non plus la hiérarchie déjà établie des flux nationaux de traductions, qui ne se redéfinira que progressivement, dans la seconde moitié des années 1990, à la faveur, entre autres – on peut en faire l'hypothèse – d'un renouvellement inégal des générations littéraires et d'un dynamisme éditorial contrasté dans ces pays.

Évaluer les effets de la fin des régimes communistes sur la circulation internationale des œuvres à l'aide des indicateurs que nous nous sommes donnés revient à conclure que l'on est en présence d'une crise politique aux conséquences assez paradoxales. Au-delà de la transformation structurelle indéniable du régime de circulation internationale, on constate une augmentation conjoncturelle des flux des traductions, mais qui ne s'accompagne pas – comme cela avait été le cas en 1956 ou 1968 – d'une reconfiguration des filières d'accueil éditorial, ni de la mise en circulation massive d'œuvres dont la contrainte politique aurait pu empêcher la diffusion.

En fait, le paradoxe pourrait s'expliquer par le fait que, à la différence des crises de 1956 ou de 1968, presque tout s'est cette fois pratiquement joué dans la crise « latente » et dans les effets additionnés des crises précédentes, et finalement trop peu dans la foulée de l'événement politique proprement dit. Au regard des modalités de circulation internationale des œuvres, la rupture politique de 1989 n'est là que pour « légaliser » des pratiques, des réseaux de médiateurs, des choix éditoriaux et des circuits de transfert qui sont déjà en place. Au regard des modalités de réception et des filières d'accueil, cette rupture politique n'est pas non plus une « rupture d'intelligibilité »[35] – comme l'avait été la fracture de 1956, par exemple –, à même d'entraîner en France un bouleversement des « représentations acquises »[36] sur le monde communiste et des déplacements politico-intellectuels inédits.

Observer l'articulation entre une logique politisée de circulation internationale et une logique qui relève désormais du marché international du livre permet, enfin, d'interroger, sous un angle particulier, les effets de la politisation. Par les contraintes qu'elle exerce, elle est, bien évidemment, un frein à cette circulation. Mais on peut aussi se demander si, *sous certaines conditions*[37] et *pour certains espaces* culturels – situés dans des positions structurellement dominées[38] –, cette politisation ne peut servir aussi de ressource – à défaut, peut-être, d'autres – dans la circulation internationale des productions intellectuelles.

---

35. Voir Alban Bensa, Éric Fassin, « Les sciences sociales face à l'événement », *Terrain*, n° 38, mars 2002, pp. 5-20.

36. Voir Arlette Farge, « Penser et définir l'événement en histoire », *Terrain*, n° 38, mars 2002, pp. 69-78.

37. Cette restriction renvoie, en l'occurrence, aux conditions de possibilité d'un espace diversifié du transfert, dont le fonctionnement parvient à être efficace en dépit, justement, du contrôle politique.

38. Pour un autre exemple, voir Gisèle Sapiro, « L'importation de la littérature hébraïque en France : entre universalisme et communautarisme », art. cité. Voir aussi chapitre 14.

Chapitre 10

Légitimation d'un genre :
la traduction des polars
par Anaïs Bokobza

Le polar, dont on date généralement les débuts à *Double assassinat dans la rue morgue,* écrit par Edgar Poe en 1841, est un genre aux facettes multiples. Roman noir, policier, d'espionnage, à suspense… les sous-genres ne manquent pas, mais respectent tous plus ou moins un certain nombre de canons. Comme l'explique un auteur français de polars :

> « Dans le polar, comme dans toutes les littératures de genre, il y a la notion de contrat : tu achètes un polar, tu penses quand même qu'il va y avoir un crime, il y a toutes les chances pour qu'il y ait un crime, et tu cherches à savoir qui a tué. Même si après l'auteur te fait sentir que c'est pas le plus important, même s'il s'amuse à te décrire le calibre du type plutôt que son identité, même si à la fin tu sais même pas qui a tué, quand même c'est un genre qui a des règles et des canons, qu'on respecte plus ou moins » (entretien réalisé le 15 mai 2006).

Il existe même une liste des « vingt règles du roman policier » définies en 1928 par S.S. Van Dine, pseudonyme d'un auteur de roman à énigmes de l'entre-deux-guerres, Willard Huntington Wright[1]. Celle-ci,

---

1. André Vanoncini, *Le Roman policier,* Paris, PUF, coll. « Que sais je ? », 2003, pp. 120-124.

très souvent reproduite et commentée, constitue une étape historique dans la codification du genre. Pour comprendre la forte augmentation des traductions de polars étrangers dans les années 1990, il faut la replacer dans la perspective historique d'institutionnalisation et de diversification du genre, qui a connu un renouveau dans les années 1970. En retour, l'analyse d'un genre qui a connu un fort développement pendant la période considérée, toutes langues confondues, apporte un éclairage différent sur les mutations du marché international du livre.

Plusieurs sources ont été utilisées pour cette analyse. Tout d'abord, une base de données a été constituée par extraction des livres relevant de cette catégorie des bases que nous avons construites pour les traductions de l'anglais, de l'italien, de l'allemand, de l'espagnol, de l'hébreu, du néerlandais et du suédois. Pour les polars traduits des autres langues, nous avons utilisé les catalogues en-ligne de certains éditeurs (notamment Gallimard) et d'autres sources comme le catalogue de la Bibliothèque des littératures policières et les sites Internet spécialisés dans le polar[2]. Notons que la base obtenue n'est pas exhaustive, pour deux raisons : tout d'abord, il existe des incertitudes quant au codage des genres dans les bases, un polar peut parfois être classé comme roman et donc ne pas apparaître dans la base des polars. Ensuite, il est impossible de répertorier tous les polars traduits des langues autres que celles citées. Quoi qu'il en soit, 90 % des polars étrangers étant traduits de l'anglais, la marge d'erreur de notre base de données est relativement marginale. On gardera à l'esprit que les chiffres sont des indicateurs de tendance. Ce travail quantitatif a été complété par des entretiens.

L'évolution quantitative des traductions de polars et des publications de polars traduits entre 1985 et 2002 peut être divisée en trois périodes : une légère augmentation entre 1985 et 1989, puis une relative stagnation jusqu'en 1991 et, enfin, une nette augmentation jusqu'à la fin de la période, à l'exception des années 1997-1999.

Après un aperçu de la situation du polar en France jusqu'aux années 1970, on s'intéressera aux années 1980, qui sont celles de la légitimation du genre, pour analyser ensuite le « boom » de la publication des polars étrangers dans les années 1990.

---

2. Par exemple, europolar.eu.com et noircommepolar. com

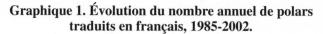

**Graphique 1. Évolution du nombre annuel de polars
traduits en français, 1985-2002.**

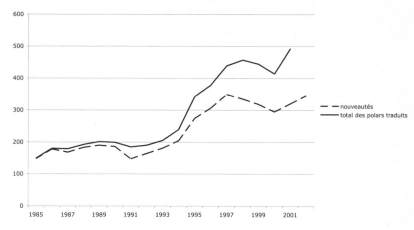

LA SITUATION DU POLAR EN FRANCE
AVANT LES ANNÉES 1980

Historiquement, le polar est un genre populaire. Il a longtemps été considéré comme du « roman de gare », faisant partie de la lecture de distraction, de loisir, mais pas considéré par le monde éditorial comme de la littérature « noble ». L'idée d'une légitimation progressive est ancienne et constitue le fil de toutes les histoires du genre. Dès 1925, le critique allemand Siegfried Kracauer affirme que le roman mettant en scène des détectives, « ouvrage extralittéraire sans valeur », conquiert « une position à laquelle on peut difficilement contester son rang et son importance »[3]. La création en 1948, par Maurice-Bernard Endrèbe, traducteur, chroniqueur et auteur lui-même, du Grand Prix des littératures policières, qui couronne tous les ans un auteur français et un auteur étranger, participe de cette tentative de valorisation. Plus récemment, l'intérêt des bibliothèques publiques pour ce genre est également significatif : plusieurs d'entre elles conçoivent notamment des guides afin d'en encourager la lecture[4].

---

3. Siegfried Kracauer, *Le Roman policier : un traité philosophique,* Paris, Payot, 1981, p. 31.
4. Voir, par exemple, Dominique Sineux, Bibliothèque centrale de prêt d'Ille-et-Vilaine, *Vous avez dit : « roman policier » ?* Rennes, 1988.

Si la question des antécédents du genre, contribuant à sa reconnais-sance, fait l'objet de diverses analyses – certains spécialistes remontent à la Révolution française et ses «romans terrifiants»[5] –, jusque dans les années 1970, le polar en France s'est développé sur le modèle policier classique du début du siècle. Les auteurs de référence étaient Agatha Christie outre-manche – deuxième auteure la plus traduite de tous les temps, qui a eu un grand succès populaire – et, un peu plus tard, Simenon. Les grandes collections de polars populaires, comme celle du Fleuve Noir, sortaient jusqu'à deux ou trois livres par mois. Les auteurs écrivaient à la chaîne. «On demandait aux auteurs, qui étaient à moitié des nègres, de publier quatre bouquins par mois, donc forcément, c'était formaté, tout ça. Évidemment, ils écrivaient des nullités» (entretien avec une directrice de collection de polars dans une maison spécialisée dans ce genre, 23 mai 2006). Ceci a contribué à la réputation de «littérature de gare» du genre, dans le sens de littérature non légitimée par le champ littéraire.

Cette réputation était renforcée par le fait qu'un grand nombre de ces polars étaient publiés directement en poche, rendant ces livres invi-sibles pour la critique et les libraires. Ceci jusqu'en 1979, l'année où Albin Michel fit le pari, réussi, de sortir *La Nuit du renard* de Mary Higgins Clark en grand format. Pour un spécialiste du roman policier, il s'agit d'un moment clé car «le succès commercial de cette formule a sans doute permis à la littérature policière d'accéder à un nouveau statut : bénéficier d'un format et d'un prix identiques à la littérature considérée comme noble»[6]. Ce changement de perspective a mis un certain temps à s'imposer à tous les acteurs. Ainsi, le Fleuve noir n'a créé sa collec-tion grand format qu'à la toute fin des années 1990. Auparavant, il propo-sait essentiellement des livres de poche, à un prix si bas que les frais de traduction étaient difficilement amortissables. Les auteurs étrangers étaient donc marginaux, bien que les pseudonymes anglophones soient courants.

---

5. Jean-François Vilar, «Noir c'est noir», préface à Ernest Mandel, *Meurtres exquis. Histoire sociale du roman policier,* Montreuil, La Brèche, 1986, p. 10. Pour Francis Lacassin, c'est *Zadig*, de Voltaire, qui inaugure le genre en mettant en scène un person-nage de détective (*Mythologie du roman policier,* Paris, Bourgeois, 1993, p. 11.)

6. Claude Mesplède, «Préface» à Jacques Breton, *Les Collections policières en France au tournant des années 1990,* Paris, Éditions du Cercle de la librairie, p. 7. Voir aussi Jacques Dubois, *Le Roman policier ou la modernité,* Paris, Nathan, 1996, pp. 13-30 et 67-84.

Cependant, le policier populaire en poche ne constituait pas l'ensemble de la publication française de polars. Il faut ici distinguer entre les sous-genres : le policier et l'espionnage, dans la tradition d'Agatha Christie et de Simenon, pain quotidien des collections populaires, diffèrent beaucoup du roman noir, dans la tradition américaine des années 1940-1950. Comme l'explique un auteur et traducteur :

«En France, le roman noir a toujours eu… une bonne partie des décideurs intellectuels, des gens qui comptaient, qu'ils soient écrivains, journalistes, etc., estimaient cette branche de la littérature, du fait qu'il y a pas mal d'auteurs importants, de Gide à Sartre, qui ont exprimé leur intérêt pour le genre… Du fait aussi qu'il y a eu quelqu'un comme Simenon, avec le succès qu'on sait… Et puis, la Série Noire a été créée par quelqu'un qui était un intellectuel… [Marcel] Duhamel. Donc, il y a toujours eu quand même un intérêt, même s'il y avait une partie des gens de culture qui affichaient un certain désintérêt, ou un certain mépris, c'était pas une attitude très répandue».

En effet, le champ du polar n'a jamais été unifié. Selon Érik Neveu et Annie Collovald[7], jusqu'à la fin des années 1970 on pouvait distinguer trois pôles de production : un pôle traditionnel, avec «Le Masque», fondé en 1927 à la Librairie des Champs Elysées, un pôle dit «populaire», avec le «Fleuve Noir», un pôle intellectuel, représenté notamment par la «Série Noire» de Gallimard, créée en 1945[8]. Cette configuration s'était stabilisée dans les années 1950.

Ces trois maisons avaient chacune un créneau bien défini. Leurs politiques étaient très différentes en termes de traduction : le Fleuve Noir, éditeur entre autres de San Antonio, traduisait très peu ; «Le Masque» s'intéressait essentiellement aux auteurs de policiers au sens classique du terme, comme Agatha Christie dont la maison a été et reste l'éditeur. Enfin, les titres de la «Série Noire» étaient en immense majorité des traductions, pour la plupart de l'américain (voir encadré *infra*). Notons qu'avant les années 1970-1980, les classiques du policier étaient essentiellement britanniques, alors que la production américaine était constituée en majorité de romans noirs, dont les règles allaient à l'encontre du policier, et qui touchaient moins le grand public que les anglais.

---

7. Annie Collovald, Érik Neveu, *Lire le noir*, Paris, éditions de la BPI, 2004, pp. 55-56.

8. Sur ces collections, voir Jacques Breton, *Les Collections policières en France au tournant des années 1990, op. cit.*, p. 23 *sq* et 39 *sq*.

Marcel Duhamel, le créateur et directeur de la Série Noire, avait dès le départ souhaité faire découvrir au public français un genre inédit, qui passait nécessairement par la traduction[9]. Dans son *Manifeste de la Série Noire*, il revendiquait clairement l'aspect dérangeant de ces romans, qui sont bien loin du politiquement correct :

« Que le lecteur non prévenu se méfie : les volumes de la "Série Noire" ne peuvent pas sans danger être mis entre toutes les mains. L'amateur d'énigmes à la Sherlock Holmes n'y trouvera pas souvent son compte. L'optimiste systématique non plus. L'immoralité admise en général dans ce genre d'ouvrages uniquement pour servir de repoussoir à la moralité conventionnelle, y est chez elle tout autant que les beaux sentiments, voire de l'amoralité tout court. L'esprit en est rarement conformiste. On y voit des policiers plus corrompus que les malfaiteurs qu'ils poursuivent. Le détective sympathique ne résout pas toujours le mystère. Parfois il n'y a pas de mystère. Et quelquefois même, pas de détective du tout. Mais alors ?. Alors il reste de l'action, de l'angoisse, de la violence – sous toutes ses formes et particulièrement les plus honnies – du tabassage et du massacre. Comme dans les bons films, les états d'âmes se traduisent par des gestes, et les lecteurs friands de littérature introspective devront se livrer à la gymnastique inverse. Il y a aussi de l'amour – préférablement bestial – de la passion désordonnée, de la haine sans merci. Bref, notre but est fort simple : vous empêcher de dormir[10]. »

Après la guerre, la réputation de la « Série Noire » se construit sur les romans noirs américains de Dashiell Hammett, Raymond Chandler, Peter Cheney ou encore James Hadley Chase, en partie grâce aux films hollywoodiens qu'ils inspirent souvent. « L'attention de l'auteur et du lecteur n'est plus portée sur l'intrigue, mais sur les personnages qui dessinent cette énigme [...]. La brutalité et l'érotisme ont remplacé les savantes déductions. Le détective ne ramasse plus de cendres de cigarette, mais écrase le nez des témoins à coups de talon. Les bandits sont parfaitement immondes, sadiques et lâches, et toutes les femmes ont des jambes splendides ; elles sont perfides et traîtresses et non moins cruelles que les messieurs », note Raymond Queneau lui-même[11]. Dans les années 1950, la collection a désormais ses adeptes et un fonds conséquent, que Marcel Duhamel n'aura de cesse d'enrichir, à commencer par les traductions des livres de Jim Thompson ou Chester Himes. Il est intéressant de noter que le premier Français de la collection, Serge Arcouët, publiait sous le pseudonyme anglais de Terry Stewart. Un auteur comme Jean Amila, devenu par la suite une icône des milieux du polar, y signe encore au début des années 1950, John Amila. La reconnaissance des auteurs français s'amorce lentement avec le succès de *Touchez pas au grisbi* d'Albert Simonin (1953)[12]. Dans

---

9. Sur sa trajectoire, voir Jean-Marc Gouanvic, *Pratique sociale de la traduction*, *op. cit.*, p. 156 *sq*.

10. http://www. gallimard. fr/catalog/Html/actu/serienoire_cit. htm

11. http://www. gallimard.fr/catalog/html/event/index/index_SerieNoire.html

les années 1960, il sera rejoint par d'autres noms, comme Pierre Simonin ou Ange Bastioni. À la fin des années 1970, la production américaine susceptible d'intéresser la Série Noire est un peu en perte de vitesse, notamment parce que la mode outre-atlantique est en train de passer aux *thrillers*. En même temps, la vague du néo-polar, principalement publiée par la «Série Noire» (éditeur de Jean-Patrick Manchette et Didier Daenincks) bouleverse le monde du polar français et commence déjà à perturber l'équilibre construit depuis les années 1950.

À la fin des années 1970, l'espace éditorial du polar est en pleine recomposition. Une grande partie de la production s'apparente à la littérature de gare : elle paraît directement en poche et se caractérise par un faible nombre de traductions, l'amortissement des coûts de traduction étant plus difficile. Le Fleuve Noir est emblématique de cette tendance. Les classiques anglais, eux, sont plutôt l'apanage de collections intermédiaires en termes de prestige symbolique, comme «Le Masque». La «Série Noire», collection plus prestigieuse, traduit plus, surtout les auteurs américains contemporains. S'ils ont parfois une dimension de critique raciale ou sociale, la dimension politique n'y est pas encore directement abordée.

Le début de la période qui nous intéresse, les années 1980, correspond à une reconfiguration du champ éditorial du polar, qui va s'opérer d'abord par le biais d'une reconnaissance du polar français comme littérature sociale.

LES ANNÉES 1980 : LA LÉGITIMATION DU POLAR COMME ROMAN SOCIAL

Au milieu des années 1980, le nombre de nouvelles traductions de polars augmente légèrement, passant d'environ 150 en 1985 à près de 200 en 1988. Ceci correspond à une évolution générale du nombre de publications de polars, qui a fortement augmenté entre le milieu des années 1970 et le milieu des années 1980.

À partir du milieu des années 1970, on l'a vu, le champ éditorial change. Annie Collovald et Érik Neveu[13] expliquent cette reconfigura-

---

12. *Ibid*, p. 45.
13. Annie Collovald, Érik Neveu, *Lire le noir, op. cit.*, pp. 55-56.

tion par plusieurs facteurs : tout d'abord, l'érosion des collections du
Fleuve Noir. La crise affecte les collections d'espionnage dès les années
1960 et s'étend aux collections policières dix ans plus tard. Ensuite, on
peut parler d'un double processus de légitimation et d'invention[14] : d'un
côté, certains auteurs sont réédités et érigés en classiques. De l'autre, des
genres nouveaux apparaissent, comme le « néo-polar »[15], impulsé par
Patrick Manchette dans les années 1980, et qui se situe dans la lignée du
« noir » américain des années 1950-1960, ainsi que dans le sillage de Jean
Amila, inspirateur d'une vision faisant la part belle à la critique sociale.

Comme nous l'a expliqué une directrice de collection de polars,
« ça s'est fait dans les années 1980, quand le polar est devenu en plus
un vecteur politique... plus une prise de parti... Quand au lieu d'être
simplement les histoires qu'il était avant, il s'est mis à refléter plus l'évolution d'une société et à servir aussi de témoin, de miroir de la société.
Et j'aurais tendance à dire que c'est là qu'on s'est dit qu'on pouvait l'utiliser pour autre chose que simplement raconter des jolies histoires ».
L'éditrice conclut en affirmant que le polar a ainsi réussi à se distinguer
du roman de gare. C'est donc la dimension politique qui a été distinctive. Cet aspect de la reconnaissance d'un genre, au côté, voire à l'avant-
garde de la littérature reconnue comme telle, suscite de nombreuses
analyses. Ainsi, il existe une « manière noire d'écrire l'histoire », suggère
Patrick Raynal dans un article significativement titré « Le roman noir
est l'avenir de la fiction ». Selon lui, dans les années qui suivent la
Deuxième Guerre mondiale, la littérature a été prise de vitesse par les
analyses des sciences humaines et sociales. Depuis, le polar a émancipé
la littérature d'une vision élitiste[16].

---

14. Qui n'est pas sans rappeler celui décrit par Boltanski à propos du champ de la
bande dessinée : Luc Boltanski, « La construction du champ de la bande dessinée »,
Actes de la recherche en sciences sociales, n° 1, 1975, pp. 37-59. Voir aussi, plus récemment, les analyses d'un acteur central de ce milieu : Jean-Claude Menu, *Plates-Bandes*,
Paris, L'Association, 2005, et aussi Thierry Groensteen, *Un objet culturel non iden-
tifié*, Paris, Éditions L'an 2, 2006.

15. Sur la formation de ce label et son succès, voir Jean-Patrick Manchette, « Ravale
ta salive petite tête ! », *Le Matin*, 24 février 1981 repris dans *Chroniques*, Paris, Rivages,
1996, p. 199-201.

16. Il s'agit d'un entretien paru dans *Les Temps Modernes* (1997, n° 595). Voir
Elfriede Muller, Alexander Ruoff, *Le Polar français : crime et histoire*, Paris, La Fabrique,
2002 et « Le polar, entre critique sociale et désenchantement », *Mouvements*, n° 15-16,
mai-août 2001.

Dès le milieu des années 1980, l'essor du néo-polar français favorise la publication de textes étrangers, généralement américains, mêlant violence et critique politique, sociale et raciale, qui n'auraient pas forcément trouvé écho plus tôt. Évoquons par exemple la collection Rivages-Noir, qui a publié Jim Thompson ou encore James Ellroy en 1986 et 1987. Cet enthousiasme se traduit à la fois par un renouvellement de l'offre dans les collections existantes (comme la « Série Noire »), notamment avec l'apparition d'auteurs sensibles à l'humeur critique et anti-institutionnelle issue de 1968[17], et par la création de nouvelles collections (« Sanguine » chez Albin Michel, « Engrenage » au Fleuve noir). En même temps, le *thriller* fait également son apparition, avec par exemple la collection « Spécial Suspense » créée chez Albin Michel en 1979, ou encore, l'apparition en 1983 du « Livre de poche/Thriller ». L'offre se modifie et se diversifie. On sort de la dichotomie littérature de gare/littérature provocatrice américaine.

L'effervescence française favorise la traduction d'auteurs espagnols et italiens, introduits par leurs homologues français, à la faveur du succès rencontré par Manuel Vázquez Montalbán, lauréat en 1981 du Grand Prix de la littérature policière pour les romans étrangers, habituellement décerné à un auteur de langue anglaise (à quelques rares exceptions près comme l'Italien Giorgio Scerbanenco en 1968). Montalbán est l'invité d'honneur, avec Westlake, du festival du polar qui se tient à Reims dans les années 1986-1987. Les auteurs de polars forment une véritable famille, par-delà les frontières. En hommage à l'écrivain espagnol, qui constitue un modèle pour ses émules italiens, Camilleri créera un personnage qui s'appelle Montalbano.

Notons que, malgré ces changements, les éditeurs publiant des polars étrangers au milieu des années 1980 sont sensiblement les mêmes que dans les années 1970. En effet, Le Seuil, Albin Michel ou encore Fleuve Noir n'augmentent réellement le nombre de polars traduits qu'à partir de la toute fin des années 1980 (Albin Michel), voire dans les années 1990 (Le Seuil, Fleuve Noir). Le marché des polars traduits reste dominé par Gallimard avec la « Série Noire » et la Librairie des Champs Elysées avec « le Masque ». Seule la collection « Rivages noir » s'impose réellement en se créant une place unique dans le champ. De petits ou moyens éditeurs comme Bourgois (éditeur de Montalbán) et Métailié

---

17. Annie Collovald, Érik Neveu, *Lire le noir*, *op.cit.*, pp. 57 et suivantes.

commencent cependant à investir dans ce genre, en se tournant vers les langues semi-périphériques, l'espagnol et l'italien. C'est un auteur de polars, Serge Quadruppani, qui dirige la « Bibliothèque italienne » chez Métailié, où il va développer le genre avec des écrivains comme Andrea Camilleri ou Laura Grimaldi.

Ainsi, la hausse des traductions au milieu des années 1980 correspond à une augmentation générale des publications de polars, traduits ou francophones. À titre indicatif, mentionnons que de 1979 à 1987, la hausse de la production dans ce secteur serait de 38 % (contre 16 % pour l'édition, 18 % pour la littérature en poche)[18]. Elle est également le produit d'une évolution dont les racines se situent dans les années 1970. Il y a alors en France un intérêt nouveau pour le genre, dont il semble que la légitimation se soit opérée par le biais du polar français.

La configuration des langues d'origine des polars traduits en français depuis les années 1980 est marquée par la suprématie absolue de l'anglais : autour de 92 % des titres traduits et des livres publiés, soit respectivement environ 4000 sur 4300 et 5000 sur les 5500 que nous avons repérés. Plusieurs facteurs entrent en ligne de compte pour expliquer cette suprématie.

En premier lieu intervient, bien sûr, la taille du marché du livre, beaucoup plus importante pour l'anglais que pour les autres langues. Mais cet argument ne suffit pas à expliquer la surreprésentation des polars traduits de l'anglais, dont la proportion est bien supérieure à la moyenne de l'ensemble des traductions littéraires de l'anglais en français, qui s'élève à deux tiers environ (rééditions comprises) selon l'Index Translationum.

Un second facteur est que la Grande-Bretagne, et surtout les États-Unis, sont historiquement de gros producteurs de polars. Certains sous-genres, comme le *thriller* ou les *serial killers*, sont exclusivement américains, du moins jusqu'aux années 1990. Il s'agit le plus souvent de sous-genres s'adressant à un grand public, et donc à visée commerciale. Qui plus est, la fin des années 1970 et les années 1980 sont marquées par une explosion de ces genres aux États-Unis. Le fait qu'on traduise presque seulement de l'anglais s'explique dès lors par la situation de monopole de cette langue dans certains sous-genres.

---

18. Jacques Breton, *Les Collections policières en France, op.cit.*, p. 13. Concernant l'accroissement des ventes, voir notamment Christine Ferniot, « La folie du polar », *Lire,* octobre 2001.

En outre, et cela vaut spécialement pour ce genre, mais aussi, de plus en plus, pour la littérature en général, le monde éditorial français est davantage tourné vers la littérature anglo-saxonne que vers les autres littératures étrangères pour des raisons d'accessibilité : en effet, la compétence linguistique dans d'autres langues que l'anglais est une ressource plus rare au sein du monde éditorial (ce qui fait aussi que les tarifs de traduction sont plus élevés pour d'autres langues). Cet argument a été avancé par la directrice de collection de polars d'une maison spécialisée lors d'un entretien :

« Je lis parfaitement l'anglais, mais je lis pas l'allemand. Et moi j'ai beaucoup plus de mal, psychologiquement, à acheter un livre que j'ai pas réussi à lire. C'est pas vraiment qu'on veut pas le faire, c'est qu'on est un peu handicapés par tout ça. Donc, la solution, évidemment, c'est d'avoir un lecteur qui lit le bouquin, mais c'est quand même jamais la même chose de l'avoir lu soi-même. Donc, l'année prochaine, dans le même ordre d'idées, il y a une fille de [l'éditeur X] qui est russe. Et donc, elle m'a apporté des bouquins d'une femme russe en me disant, c'est absolument génial, elle me raconte l'histoire, ça avait l'air sympa... Je l'ai aussi fait relire par une lectrice russe, et on en a acheté deux, ils sont en traduction. J'ai hâte de voir la traduction mi-juin, parce que moi, pour l'instant, je me retrouve dans la situation de quelqu'un qui a acheté sur la bonne foi... ou sur la recommandation d'untel ou d'une telle, mais qui ne sait pas du tout ce qu'elle a acheté. Il y a des éditeurs qui sont plus ou moins à l'aise avec ça. Moi, c'est vrai que ça me dérange beaucoup, et donc par la force des choses, je me cantonne aux polars français et anglo-saxons. »

En dernier lieu intervient également la demande (réelle ou supposée) – le public français serait plus familier du polar anglo-saxon, ce qui crée un « cercle vicieux » :

« C'est vrai que bon, un polar allemand, un polar autrichien, c'est pas très sexy. C'est un public plus curieux, plus ouvert, c'est pas la même chose que ceux qui lisent des Patricia Cornwell ou des Mary Higgins Clark. Donc c'est des petites ventes. Après, c'est le cercle vicieux : c'est des petites ventes donc on s'y intéresse moins, et si à ça vous ajoutez le problème de la lecture et de la traduction... il faut trouver des traducteurs autrichiens, en l'occurrence, plus un relecteur pour être sûrs que ça correspond, donc c'est beaucoup plus de boulot, il y a le handicap de la langue. Sauf les rares fois où vous avez dans une maison d'édition quelqu'un de langue maternelle plus originale que l'anglais. » (*ibid.*)

Les années 1980 correspondent donc à une augmentation des traductions de polars, de l'anglais principalement. En plus des classiques anglo-saxons, publiés notamment au « Masque », et des romans noirs américains type « Série Noire », de nouvelles collections proposent désormais des genres plus variés, avec l'apparition des romans à suspense, dits *thrillers*, en particulier. Cet intérêt a été suscité en partie par le néo-polar français, lequel a contribué à la légitimation de ce genre, qui était auparavant cantonné dans les représentations à de la littérature de gare. L'investissement d'intermédiaires, auteurs de polars, traducteurs et éditeurs, a peu à peu permis la découverte de types de romans jamais traduits auparavant, qui ont conquis une frange plus large du public français. En même temps, les années 1980 sont celles de la traduction de sous-genres émergents aux États-Unis, comme les *thrillers*, commerciaux mais innovants.

Entre la fin des années 1980 et le début des années 1990, on assiste à une relative stagnation du nombre de titres traduits, mais aussi du nombre de rééditions. Le nombre de titres (environ 200 par an) est le même en 1988 qu'en 1993, alors que l'ensemble des nouveautés littéraires traduites augmente dans toutes les langues, et surtout en anglais, jusque vers 1991 au moins (c'est vrai en particulier des romans). En revanche, la part du polar se stabilise autour de 9-10 % de la production littéraire française, après une chute dans la deuxième moitié des années 1980, comme on l'a vu au chapitre 5. Témoin d'une relative autonomie de ce genre, c'est un signe de la stabilisation du type d'offre éditoriale qui s'était dessinée depuis les années 1970.

L'ESSOR DES ANNÉES 1990
ET LA DIVERSIFICATION DES LANGUES TRADUITES

La période 1992-2002 est celle d'une croissance sans précédent des traductions et publications de romans policiers : le nombre annuel de nouveautés double largement, passant de 150 à 350 titres, et le nombre total de publications (nouveautés et rééditions) est multiplié par trois, de 180 à 540 environ. On peut parler d'un fort développement du genre policier en général, qui se traduit à la fois par une multiplication des sous-genres, des langues originales et des maisons d'édition concernées.

Le graphique 1 indique une légère baisse à la fin des années 1990, qui correspond à la chute de la production globale de ce genre en français.

Cette vague de traductions peut s'expliquer tout d'abord par l'anniversaire des 50 ans de la « Série Noire », et surtout par le mouvement du Poulpe, qui ont donné une visibilité nouvelle au polar français à partir du milieu des années 1990. Un auteur témoigne :

> « Il y a eu une deuxième vague, à laquelle j'ai participé, qui a été celle de l'anniversaire de la Série Noire (50 ans) et de la naissance du Poulpe, qui a aussi participé à ce moment-là… C'était assez drôle, on circulait dans toute la France. Si on avait voulu, on aurait pu aller tous les week-ends à une fête du livre ou à une rencontre autour du polar, dans des bibliothèques, invités par des gens qui souvent découvraient à quel point le polar, c'était bien. »

Mais si ce renouveau du polar français a pu réveiller l'intérêt pour le genre, il a été victime de son succès. En effet, il semble que des querelles internes aient essoufflé le mouvement. Selon une directrice de collection, l'intérêt pour le polar étranger est aussi né d'une certaine tension dans le milieu du polar français. Ce facteur s'ajoutait au développement du genre dans d'autres pays, sous l'effet de la globalisation du marché du livre. Les éditeurs ont donc naturellement cherché à découvrir des auteurs étrangers susceptibles de plaire au public français :

> « Je crois que tout le monde était à la recherche d'auteurs étrangers qui allaient avoir du succès… Il y a quand même l'exemple phare de la collection Rivages qui a réussi à dénicher des bouquins… bon, des Ellroy, tout le monde rêvait de découvrir des Ellroy et d'aller dénicher ailleurs d'autres auteurs. C'est vrai que moi, j'avais vraiment envie de trouver des auteurs. […] la vague de fond, c'est l'intérêt pour le polar, et en conséquence la recherche d'auteurs étrangers. »

Sans précédent, la vague de traductions du milieu des années 1990 se caractérise aussi par la diversification des langues d'origine. Le pourcentage des traductions de l'anglais a légèrement baissé depuis 1990, malgré une petite remontée en 1994-1995. Depuis 1997, la baisse est continue : le pourcentage de titres anglophones traduits est passé de 93 % à 88 %. En ce qui concerne l'ensemble des publications (nouveautés et rééditions), l'évolution et les pourcentages sont sensiblement les mêmes. Notons cependant qu'en 2001-2002, les traductions de l'anglais représentaient 90 % du nombre total de l'ensemble des traductions de polars, rééditions comprises, soit une part légèrement supérieure à celle des nouveautés traduites ces mêmes années. Le nombre élevé de rééditions de polars anglophones s'explique par l'importance des best-sellers (d'auteurs comme Mary Higgins Clark ou Patricia Cornwell)[19].

Les publications de polars traduits non anglophones sont, en revanche, en constante augmentation : le nombre de nouveautés a été multiplié au moins par quatre entre 1985 et 2002, passant de 10 à 40, par plus de cinq si l'on inclut les rééditions, passant de 10 à 53. Rappelons que ces chiffres, surtout pour la période récente, sont des estimations minimales, on retiendra donc seulement que le taux d'augmentation est élevé. En effet, comme le montre le graphique 2, l'augmentation est quasi-constante et surtout exponentielle depuis le tout début des années 1990.

Le nombre de langues autres que l'anglais dont on a traduit des polars en français est passé de quatre en 1985 à douze en 2001. Dans l'ordre décroissant du nombre total de traductions de polars sur la période 1985-2002, arrivent l'italien, l'espagnol, l'allemand, le japonais, le suédois, le russe, le norvégien, l'hébreu, le danois et le chinois. Viennent ensuite toutes les langues dont on a traduit un ou deux polars, généralement après 1995 : le finnois, le catalan, le néerlandais, le portugais, l'albanais, le coréen, le grec ou encore le pakistanais.

**Graphique 2. Évolution du nombre de polars traduits
en français sans l'anglais (nouveautés et rééditions), 1985-2002.**

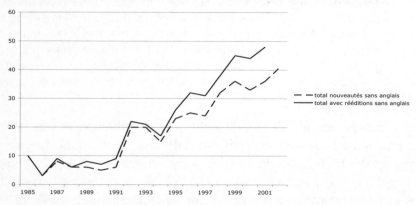

---

19. Parmi les 50 meilleures ventes françaises du genre pour la période d'avril 2005-mars 2006, on relève 1 titre traduit de l'espagnol, 2 du suédois, 14 titres écrits en français et, enfin, 33 traduits de l'anglais ou de l'américain. *Livres hebdo,* n° 645, 12 mai 2006, p. 96. Le dossier « Le polar français sort du noir », sous la direction de Claude Combet, indique, d'un point de vue créatif (et de ventes), une émancipation des auteurs français, autant des grands aînés (Manchette) que des auteurs américains ou britanniques.

Cependant, les auteurs non anglophones qui se sont fait une réputation en France sont encore peu nombreux. On peut citer, entre autres, le Suédois Mankell, l'Espagnol Perez Reverte, qui remporte en 1993 le Grand Prix des littératures policières pour les romans étrangers, l'Italien Camilleri. La directrice de collection que nous avons rencontrée affirme qu'aucun auteur non anglophone n'a détrôné les incontournables américains, mais elle pense cependant que la curiosité des éditeurs envers les autres langues pourrait être due à un manque d'inspiration outre-atlantique :

> « Je pense que c'est parce que les Anglo-saxons manquent d'inspiration. Il y a plein de choses qu'ils font très bien, mais bon, le truc, c'est que quand quelque chose marche, ils le répètent trop. Du coup, les *serial killers*, on en a par-dessus la tête, à cause, ou grâce à, je sais pas, à cause peut-être du succès du *Silence des agneaux*, j'imagine. Ça a installé la mode du *serial killer*, ça fait dix ans qu'on mange du *serial killer*. Maintenant ils vont nous faire du *Da vinci code* en veux-tu en voilà. Au niveau inspiration, il y a régulièrement un gros phénomène qui sort de chez eux, et après plein de copies conformes, si on peut dire. Et quand on a beaucoup lu, on cherche du frais, si on peut dire, et chez les autres il y a des inspirations très différentes. Et donc, du coup, ça nous tente de publier du serbo-croate ou du je ne sais quoi, parce que les thèmes sont différents, c'est nouveau, et en même temps on n'arrive pas à les vendre, donc économiquement ça tient pas la route. Donc on essaye, on essaye, et puis, bon, quand on a un Mankell on est content, sinon on arrête, c'est difficile. C'est insoluble, comme truc. »

L'éditrice met donc en évidence le dilemme propre à l'édition contemporaine, souligné dans toute la littérature sociologique sur la question, celui de composer entre recherche de profit économique et recherche de reconnaissance symbolique.

La vague de traductions des années 1990 a aussi correspondu à une recomposition du champ éditorial du polar français, qui avait commencé dès les années 1980 avec l'apparition des nouvelles maisons et collections. Désormais, ces collections ont trouvé leur place et leur catalogue est conséquent. Quelques-unes d'entre elles, dont Rivages noir est l'exemple phare, se sont construit une réputation qui les positionne directement par rapport aux collections historiques. Les extraits suivants d'entretiens le confirment :

> « Bon, il y a l'effet genre, mais il y a aussi l'effet collection. Quand tu achetais un Rivages, tu savais… moi j'en ai acheté sans connaître l'auteur. Entre Rivages et la Série Noire, après il y avait plus grand-chose à publier. » (entretien avec un auteur et traducteur).

« Donc c'est pas Gallimard, c'est pas non plus Rivages. Normalement c'est pas censé être trop trop violent, parce que c'est grand public… Le lecteur qui veut des polars plus violents, il va chez Rivages. Le lecteur qui achète un livre au Fleuve Noir, il a pas forcément envie d'être choqué, d'être agressé par des scènes trop violentes, donc on fait un petit peu attention à ça. Et puis, c'est quand même le plaisir de la lecture avant tout, donc une histoire, un rythme, des personnages. Donc c'est pas forcément le style qui est privilégié. Il y a des maisons où il faut que ça soit important, il faut qu'il y ait un vrai style. Au Fleuve Noir, il faut que ça soit efficace. Le style, la traduction le lisse… Si c'est mauvais, on remonte le style à la traduction. Si c'est très bon, tant mieux. On le baisse pas non plus, faut pas exagérer, mais c'est pas forcément un critère. » (entretien avec une directrice de collection de polars).

Il existe donc une tension dans le champ du polar étranger entre d'un côté, les best-sellers américains, généralement des *thrillers* (Patricia Cornwell) ou des policiers plus classiques (Mary Higgins Clark), de l'autre les romans noirs, américains ou autres, dont les éditeurs revendiquent la légitimité symbolique. On voit aussi émerger l'idée d'un lectorat spécialisé pour qui l'éditeur peut être un garant d'une certaine « qualité », comme le suggère la directrice de collection :

« Bon, je sais pas, il faudrait leur demander [aux lecteurs], mais quand on achète un Rivages, on est sûr de la qualité. Il y a énormément de polars donc on est blasé par le polar de base, genre Mary Higgins Clark, on l'aura compris, donc on veut quelque chose de différent. Et on est prêt aussi à être choqué par certaines choses… je parle pas juste du côté gore, je veux dire choqué moralement, il y a plus choquant que les étalages de sang. Donc je pense que quand on lit un Rivages, c'est cette démarche-là qu'on a. Mais c'est aussi qu'on a beaucoup lu de polars et on a envie d'être surpris. Et Le Seuil, c'est un petit peu moins déstabilisant, mais en général c'est de très bonnes histoires. Moi qui adore les polars, je ferais attention à ce genre de maison-là. J'aurais confiance, ça m'inspire confiance. Les Presses de la Cité, aussi, ils sont bons, même s'ils font moins de pub. Ils le revendiquent moins, ils en parlent moins, c'est dommage. […] Sauf ceux qui lisent Gallimard, bon… mais le Fleuve Noir s'adresse pas à ce public-là. Bon, après, en vrais fans de polars, on fait gaffe à ce qu'on achète. Moi, j'achète Rivages et Le Seuil, en gros, j'achèterais pas Fleuve Noir. Mais c'est pas mon public. Je me positionne pas comme… j'aimerais, mais pour l'instant on s'est pas mis sur ce créneau. »

Les sept éditeurs les plus actifs en termes de publication de nouveautés traduites sont, dans l'ordre décroissant : Gallimard, Librairie des Champs Élysées, Rivages, Albin Michel, Presses de la Cité, Seuil et Fleuve noir. La configuration reste exactement la même pour toute la période 1993-2002.

Le graphique 3 montre que le nombre de publications est relativement stable pour Albin Michel, Presses de la Cité, Seuil et Fleuve noir. Par contre, pour Gallimard et la Librairie des Champs Élysées (collections du Masque), il augmente jusqu'en 1997, puis chute nettement. L'évolution est contraire pour Rivages, diminution jusqu'en 1996, puis remontée du nombre de titres publiés vers la fin de la période.

Ceci s'explique par le fait que les deux grandes collections historiques que sont la « Série Noire » et « le Masque », qui ont toujours publié quasi exclusivement des romans anglo-américains, sont victimes du manque d'enthousiasme actuel pour les polars anglophones, et ne mettent pas en œuvre de stratégie de reconversion vers les petites langues. En revanche, Rivages, qui a fondé sa réputation sur l'originalité, s'est trouvé en perte de vitesse un peu plus tôt, dès 1994, mais commence à se redresser en publiant des auteurs allemands, espagnols et italiens.

Graphique 3. Les sept éditeurs de polars les plus actifs entre 1993 et 2002 : évolution du nombe de polars traduits.

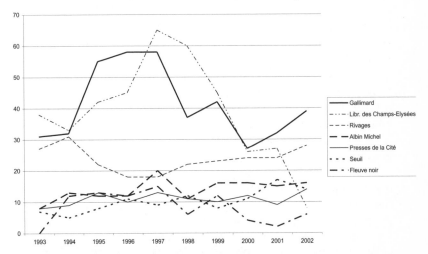

Ainsi, l'explosion des publications dans les années 1990 ne concerne pas les collections établies. Fayard lance une collection centrée sur des auteur(e)s étranger(e)s comme la Britannique P.D. James, mais aussi les

Israéliennes Batya Gour et Shulamit Lapid, qui décrivent des univers particuliers : milieux psychanalytique, universitaire ou du kibbutz pour la première, milieu de la ville du Néguev Beer Sheva pour la seconde. Parallèlement, on voit plutôt se multiplier les polars proposés par des petits éditeurs, qui se spécialisent parfois dans des domaines linguistiques, comme Philippe Picquier pour le japonais et les langues asiatiques en général. Comme si les machines rodées qu'étaient notamment la « Série Noire » et le « Masque », chacune dans son créneau, se trouvaient enrayées par l'explosion des traductions de polar d'une part, le relatif déclin de l'enthousiasme pour les polars anglophones de l'autre.

Cette question est liée à la tension entre les pôles symbolique et commercial évoquée dans les chapitres précédents et également suggérée par la directrice de collection qui rappelle qu'en France, le succès de vente tend à discréditer un livre sur le plan de sa reconnaissance symbolique :

> « Il y a aussi cette idée bien française que tout ce qui se vend bien, en culture au sens large, tout ce qui est grand public, c'est nul. La culture doit être réservée à une élite. Si on en vend 2000, c'est prestigieux. Si on en vend 200 000, c'est forcément commercial. Il y a un peu de ça, quand même. »

Et de fait, il existe d'énormes disparités de vente entre les auteurs de polars.

> « — Mais par exemple, Lehane, il est considéré comme prestigieux, et il se vend bien, non ?
> — Je connais pas les chiffres. Mais est-ce que ça se vend bien, finalement ? Moi j'adore, et tout, mais est-ce que ça fait du chiffre, je suis pas si sûre. Peut-être *Mystic River*, parce qu'il y a eu le film, mais les autres je pense pas. Même quelqu'un comme Mankell, il fait quoi, 10 ou 15 000, pas plus. Mary Higgins Clark elle fait dans les 300 000, Cornwell elle doit être dans les 100 ou 150 000. Donc, les lecteurs de polars, ceux qui savent, pensent que ça se vend bien, mais le grand public pas du tout. Donc à partir du moment où un auteur est grand public, à mon avis il perd beaucoup en estime. Mais bon, c'est pas grave, il faut le savoir. […]
> Soit vous voulez faire du chiffre, vous faites du Higgins Clark et vous vous posez pas de question. Soit vous voulez vous amuser, vous faire plaisir, vous faites du serbo-croate à 2000 exemplaires et vous mangez pas. Je suis un peu caricaturale mais c'est le problème de l'édition en général. Ça vaut pour le polar, mais c'est comme pour tous les autres genres, c'est que les livres faciles touchent un plus large public que les œuvres exigeantes, c'est une évidence. Après, moi je suis dans un grand groupe commercial dont l'idée est de faire

de l'argent, j'ai pas d'états d'âme, je lis ce que j'ai envie de lire moi et je publie ce qui se vend. Bon, en général j'essaye d'ouvrir une case populaire, je fais pas non plus l'impasse sur la qualité mais je veille à ce que ce soit grand public. »

Le dilemme soulevé ici est celui de l'édition littéraire généraliste, il n'est pas propre au polar, et on peut même dire qu'il est apparu tardivement pour ce genre. En effet, de par son identification à une littérature de gare, le polar a longtemps été en France associé à une littérature de pur divertissement, publiée à des fins essentiellement commerciales. Certes, la création de la « Série noire », puis surtout le néo-polar, ont contribué à la légitimation progressive du genre, mais il a fallu attendre les années 1990 pour que la découverte d'auteurs méconnus et innovants, de préférence de pays autres que la Grande-Bretagne ou les États-Unis, devienne une stratégie possible de distinction et de positionnement dans le champ pour des petits éditeurs à faible capital économique mais fort capital symbolique. Cette évolution a également vu la naissance d'un type de public averti, sans doute en partie le même que celui du néo-polar, qui recherche dans le polar la même forme d'exotisme qu'en littérature générale. Ce public peut donc apprécier un auteur écrivant dans une langue périphérique non seulement pour la qualité de l'intrigue policière mais aussi – et surtout – pour le témoignage qu'il apporte sur une société autre. Un directeur de collection résume ainsi cette idée : « bon, l'Islandais qu'on publie chez Métailié, le fait que ce soit un Islandais, ça a plu ». Cet auteur, Arnaldur Indridason, remportera le Grand Prix de la littérature policière en 2007.

L'analyse de l'évolution des traductions de polars en France entre 1985 et 2002 met en évidence des tendances du marché international du livre tout en présentant des spécificités qui tiennent à la fois au genre et à l'espace de réception. Tout d'abord, les années 1980 ont été celles de la légitimation du genre en France, légitimation qui s'est faite par le biais du polar français et qui s'est étendue petit à petit à un certain nombre de polars étrangers, notamment ceux publiés par la « Série Noire » et Rivages noir, mais aussi à des auteurs de langues autres que l'anglais, même si, à cette époque encore, plus de 90 % des polars traduits l'étaient de l'anglais. Dans les années 1990, le nombre de traduction a littéralement explosé, au détriment (relatif) de l'anglais et au profit des petites langues. La recherche de nouveaux auteurs d'horizons différents a témoigné, notamment pour les éditeurs à faible capital économique, d'une volonté de trouver un créneau nouveau dans le champ du polar, et dans le champ éditorial en général, celui de découvreurs. En ce sens, la problématique du rapport entre légitimité symbolique et capital économique a progressivement concerné le polar, qui était au départ perçu comme un genre presque exclusivement commercial. Le développement d'un pôle de légitimité symbolique a donc favorisé la diversification des langues traduites. Cette transformation distingue le polar des autres genres commerciaux que sont le roman rose et la science-fiction (laquelle a également connu des évolutions comparables dans la période récente).

TROISIÈME PARTIE

La traduction comme vecteur des échanges culturels

Les flux de traduction constituent, comme on l'a vu, un indicateur de l'évolution des échanges culturels internationaux. Dans cette partie seront examinés les échanges asymétriques entre la France et des langues périphériques sur le marché de la traduction pour des raisons diverses, à savoir la création relativement récente des identités nationales et la taille restreinte de la communauté linguistique dans les cas du néerlandais, du finnois et de l'hébreu, le moindre développement de l'édition dans le cas de l'arabe (qui comme l'hébreu a un pôle d'édition religieuse important).

Pourtant, avec ces quatre langues, le rapport asymétrique s'est significativement réduit depuis les années 1980. Les littératures contemporaines en néerlandais, en hébreu, en arabe et, dans une moindre mesure, en finnois, sont parvenues à percer sur le marché français, en s'appuyant sur des aides publiques des pays d'origine et sur les subventions du CNL. Le néerlandais arrive en sixième position des langues dont les éditeurs français ont acquis le plus de titres pour la traduction entre 1997 et 2005 (on passe d'une moyenne de 8 titres par an entre 1997 et 2000 et une moyenne de 29 entre 2001 et 2005), l'arabe et l'hébreu sont situés entre la onzième et la quatorzième (on passe respectivement de 5 à 8 titres et de 4 à 12 titres par an en moyenne). La littérature néerlandaise, consacrée par la Foire de Francfort, et la littérature hébraïque, qui a bénéficié du contexte politique des accords d'Oslo, ont été accueillies par les Belles Étrangères en 1993 et 1994 respectivement, tout comme les littératures égyptienne (1994), palestinienne (1997), algérienne (2003) et libanaise (2007). Les Pays-Bas ont été l'invité d'honneur du Salon du livre en 2003, Israël en 2008.

À l'opposé, la position de la littérature française dans ces pays connaît un relatif déclin face à l'hégémonie croissante de l'anglais. L'analyse à la fois quantitative et qualitative de l'évolution des traductions du français en finnois et en hébreu révèle, en dépit de contextes socio-culturels très différents, nombre de similitudes : l'importance des classiques (notamment pour la jeunesse) dans les années 1950 ; l'introduction de la littérature populaire dans les années 1960 et 1970, période où les traductions du français atteignent un pic ; puis le recentrage sur la littérature contemporaine « haut de gamme », l'anglais dominant désormais dans les genres les plus commerciaux. Le maintien de la présence de la littérature française dans ces pays tient en partie à la politique de soutien à l'extraduction du ministère de la Culture et au programme d'aide à la publication du ministère des Affaires étrangères, sans toujours y trouver de véritable écho. Également adossées à ces aides, largement médiatisées par leur réception aux États-Unis, les traductions d'ouvrages de sciences humaines et sociales du français nourrissent en revanche le débat d'idées, comme l'illustre le cas israélien.

On note aussi une baisse du nombre de traductions du français en arabe. C'est le secteur des sciences humaines et sociales qui semble en avoir le plus pâti, le nombre de traductions littéraires s'étant maintenu. Toutefois, la situation varie fortement entre d'un côté les anciennes colonies du Maghreb où le français continue à dominer comme langue des élites cultivées et première langue traduite, et de l'autre les pays du Mashrek et l'Égypte, où c'est l'anglais qui prévaut, la position du français étant en net déclin.

G. S.

Chapitre 11

L'évolution des échanges culturels entre la France et les Pays-Bas face à l'hégémonie de l'anglais
par Johan Heilbron

Comparer les traductions du français en néerlandais avec celles du néerlandais en français permet d'analyser non seulement les échanges inégaux entre une culture supranationale longtemps dominante en Europe et un pays plus périphérique dans l'espace mondial, mais aussi d'étudier des réponses divergentes à la domination contemporaine de l'anglais et de la culture anglo-américaine.

Comme petit pays entouré de plusieurs grandes puissances, les Pays-Bas ont toujours dépendu étroitement des nations voisines, aussi bien en matière économique et politique que culturelle. Le type de relations induites par cette position dans l'espace international a engendré la contrainte de suivre de près l'évolution d'autres États, surtout celle de l'Allemagne, de l'Angleterre et de la France. Une orientation internationale forte s'est ainsi imposée aux élites nationales, et elle s'est traduite, par exemple, par une maîtrise traditionnellement assez répandue de ces langues, et notamment de l'anglais. Cette ouverture vis-à-vis de l'étranger est visible dans beaucoup de domaines : dans le commerce et les échanges économiques aussi bien que dans les pratiques culturelles telles que la publication régulière de comptes rendus de livres étrangers dans les journaux, ou l'habitude de ne montrer les films qu'en version originale sous-titrée. L'ouverture vis-à-vis des grands pays voisins va de pair avec une adaptation relativement rapide aux changements des rapports de force internationaux. Cet habitus national, qu'on peut décrire comme une sorte de *suivisme actif*, s'observe dans des domaines très différents. Le politologue Peter Katzenstein a ainsi analysé la flexibilité adaptative des systèmes politiques des petits pays européens comme la Norvège, la Suède, les Pays-Bas, et l'Autriche. À l'inverse de ce qui se passe dans des pays plus grands, les élites de ces pays évitent de se replier sur le protectionnisme tandis que les structures de concertation locales – Katzenstein parle de «corporatisme démocratique» – se chargent d'encourager de telles adaptations[1].

L'absence de protectionnisme et l'adaptation rapide aux rapports de force internationaux caractérisent aussi le champ culturel de la plupart des petits pays. Les historiens de la littérature néerlandaise ont ainsi constaté que l'évolution de la littérature nationale suit globalement celle des centres littéraires les plus reconnus, et ceci apparemment sans beaucoup de particularités spécifiques[2]. Si l'on considère l'évolution des traductions aux Pays-Bas, la même tendance générale s'observe. Pendant toute la période de l'après-guerre, on constate une croissance forte et presque continue des traductions de l'anglais, croissance qui, dans la période plus récente, va de pair avec un recul des traductions du français et de l'allemand.

Dans le cas de la France, et probablement aussi dans les autres aires culturelles qui occupent une position analogue dans l'espace mondial, la résistance à l'hégémonie de l'anglais et de la culture anglo-américaine est, en revanche, beaucoup plus vive et communément vécue comme une défense légitime et même urgente des meilleures traditions nationales. Si une telle posture de défense peut prendre des formes très différentes, c'est en partie au nom de la grande tradition littéraire de la France que les éditeurs français ont publié un nombre croissant de traduc-

---

1. Peter J. Katzenstein, *Small States in World Markets*, Ithaca/London, Cornell University Press, 1985.

2. Frans Ruiter, «Regenbak of fontein: Nederlandse literatuurhistorici over volk en buitenland», *Forum der letteren*, n° 34/1, 1993, pp. 29-51; Ernst H. Kossman, «Hoe Nederlands is de Nederlandse literatuur?», *Literatuur*, n° 1, 1994, pp. 2-10.

tions, y compris des traductions de petites langues et de littératures périphériques auparavant pratiquement inconnues[3].

Les traductions du néerlandais en France et les traductions du français aux Pays-Bas semblent ainsi avoir connu une évolution inverse. Si aux Pays-Bas, les traductions du français et la connaissance de la langue française sont en déclin, les traductions du néerlandais en France ont connu une croissance certaine et même une reconnaissance proprement littéraire qui est historiquement sans précédent. Pour expliquer ces tendances divergentes, on peut avancer l'hypothèse qu'elles sont liées à des orientations géopolitiques et géoculturelles elles-mêmes divergentes, notamment vis-à-vis de la domination anglo-américaine.

L'ÉVOLUTION DU MARCHÉ
DE LA TRADUCTION AUX PAYS-BAS

L'évolution du marché du livre et de la traduction aux Pays-Bas a connu une croissance forte tout au long du 20e siècle. Pour le montrer, je me réfère pour l'essentiel aux données qui ont été produites jusqu'en 1997 par une fondation pour la recherche du livre, la Stichting Speurwerk betreffende het Boek (1960-2006). Ces données annuelles sur l'ensemble des titres produits reposent sur une même définition du livre, définition relativement stricte puisqu'elle exclut la littérature grise et ne retient que les livres publiés et republiés par des éditeurs reconnus, c'est-à-dire l'ensemble des nouveautés, rééditions et nouvelles éditions. Pour les chiffres jusqu'en 1997, il s'agit donc d'une définition à la fois cohérente et relativement restreinte du livre[4].

Le marché du livre a connu une croissance forte tout au long du 20e siècle (voir Graphique 1). Cette croissance suit en gros celle de la population, de la scolarisation et de l'augmentation du pouvoir d'achat.

---

3. Voir les chapitres 3, 5 et 6.

4. Les données utilisées proviennent des rapports annuels de la Stichting Speurwerk. Je renvoie sur ce point à un travail antérieur Johan Heilbron, «Nederlandse vertalingen wereldwijd. Kleine landen in culturele mondialisering», in Johan Heilbron, Wouter de Nooy, Wilma Tichelaar (éd.), *Waarin een klein land. Nederlandse cultuur in internationaal verband*, Amsterdam, Prometheus, 1995, pp. 206-252. Les données publiées dans ce texte ont été actualisées pour ce chapitre.

La courbe montre que le nombre de livres produits double pendant une période de 35 à 40 ans[5]. Après la chute de la production pendant la Deuxième Guerre mondiale, la croissance reprend après la Libération, croissance renforcée en particulier par l'introduction du livre de poche, qui fait baisser le prix des livres. L'introduction du livre de poche a été également un facteur important dans la croissance des traductions puisque beaucoup de classiques de la littérature mondiale (Shakespeare, Balzac, etc.) sont publiés ou republiés dans de nouvelles collections de poche.

**Graphique 1. Nombre total de livres néerlandais, 1900-1997:
nombre total de titres (nouveautés et réimpressions)
et nombre total de réimpressions.**

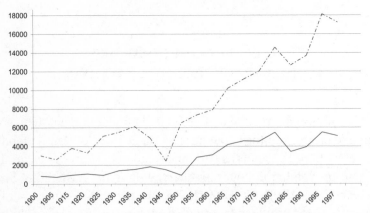

Source : Stichting Speurwerk betreffende het boek

**Graphique 2. Pourcentage des traductions
dans la production de livres néerlandais, 1946-1997.**

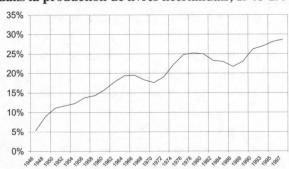

Source : Stichting Speurwerk betreffende het boek

---

5. Stichting Speurwerk betreffende het Boek, *Een eeuw boeken*, Amsterdam (sans date).

Dans l'ensemble des livres publiés en néerlandais, une partie de plus en plus importante concerne les traductions (Graphique 2). La proportion des traductions dans la production nationale des livres augmente d'environ 5 % après la Deuxième Guerre mondiale à presque 30 % à la fin du 20ᵉ siècle. Cette croissance a été possible grâce à l'introduction du livre de poche déjà évoquée et à l'augmentation du nombre des traducteurs professionnels, qui ont formé leur association professionnelle en 1956 et qui ont créé leurs propres écoles et instituts de formation depuis la fondation du premier institut pour la formation des traducteurs, l'Instituut voor vertaalkunde, en 1964. Les traducteurs littéraires, qui par la suite se sont séparés des traducteurs professionnels et techniques pour s'allier aux écrivains, ont établi un prix national de la traduction littéraire, le Martinus Nijhoff Prijs, en 1954, et ils bénéficient depuis 1969 de la possibilité d'obtenir un « honoraire additionnel » si la qualité littéraire de leur travail le justifie. En outre, une fondation publique, la Fondation néerlandaise pour la production et la traduction littéraire (NLPVF), fondée en 1965 et restructurée en 1991, gère un ensemble de bourses (bourses de travail, bourses de voyage) et d'autres programmes de soutien destinés aux écrivains et aux traducteurs littéraires[6]. Parmi les initiatives plus récentes de cette fondation, une Maison des traducteurs a été établie à Amsterdam en 1991 pour héberger des traducteurs de la littérature néerlandaise, et un nouveau prix de la traduction a été introduit en 2004.

Dans la courbe ascendante du pourcentage des traductions, deux moments de recul sont visibles. Le premier se situe autour de 1970 et correspond à une crise de surproduction de livres suivant une longue période de hausse. La crise avait notamment touché le secteur des livres de poche, plusieurs éditeurs de ce secteur ont fait faillite et d'autres ont restructuré leurs collections, avec pour conséquence le recul temporaire de la proportion des traductions[7]. Le deuxième moment de recul n'est plus uniquement conjoncturel. Dans des conditions d'une crise économique générale, le nombre des livres vendus a connu un déclin de presque 20 % entre 1982 et 1988. Ce n'est que depuis 1990 que les ventes ont commencé à augmenter à nouveau, mais elles ont connu une nouvelle baisse pendant la deuxième moitié des années 1990. Cette fois la baisse

6. Pour les activités de cette Fondation voir, par exemple, http://www.nlpvf.nl/.
7. Sandra van Voorst, *Weten wat er in de wereld te koop is. Vier Nederlandse uitgeverijen en hun vertaalde fondsen (1945-1970)*, Den Haag, Sdu Uitgevers, 1997.

n'est plus liée à la conjoncture économique, mais surtout à la concurrence d'autres médias (internet, télévision satellite et payante). Le recul
du livre par rapport à d'autres médias est particulièrement net si l'on
considère les ventes : en 2000, le nombre total des livres vendus était
18 % plus bas que 25 ans plus tôt[8].

Regardons maintenant la répartition des traductions par langue
d'origine. Les traductions de l'anglais constituent une part de plus en
plus importante des traductions. En 1997 elles représentent trois quarts
de tous les livres traduits (Graphique 3). Il y a donc un écart de plus en
plus marqué entre les traductions de l'anglais et celles de toutes les autres
langues. Mais au lieu de calculer la proportion des traductions de l'anglais dans l'ensemble des traductions, comme cela se fait habituellement, on peut aussi calculer sa proportion dans l'ensemble des livres
publiés. En utilisant cette méthode de calcul, il n'y a pas seulement
concurrence entre les langues étrangères, mais entre toutes les langues,
y compris la langue indigène. Ce raisonnement produit une image différente de l'évolution des traductions (Graphique 4).

**Graphique 3. Pourcentage des traductions de l'anglais,
de l'allemand, du français et d'autres langues
dans l'ensemble des traductions en néerlandais, 1946-1997.**

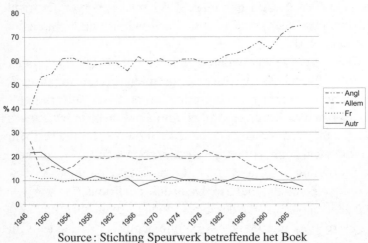

Source : Stichting Speurwerk betreffende het Boek

8. Ces chiffres ne concernent que la catégorie des « livres généraux », c'est-à-dire
les livres vendus dans les librairies générales. Il s'agit d'un chiffre de vente qui est
indépendant des ventes des livres scolaires et des livres scientifiques ou professionnels. Rapport de la Stichting Speurwerk, *Het aantal gekochte algemene boeken 1975-
2000*, Amsterdam 2001.

**Graphique 4. Pourcentage des traductions de l'anglais,
de l'allemand, du français et d'autres langues
dans l'ensemble des livres néerlandais, 1946-1997.**

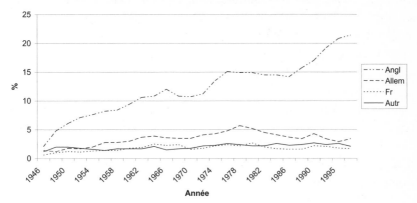

Source : Stichting Speurwerk betreffende het Boek

Les traductions de l'anglais ont connu une croissance bien plus forte que les traductions d'autres langues (voir Graphique 4). Mais on constate aussi que les traductions de l'allemand, du français et d'autres langues ont également connu une *croissance relative* jusqu'à la fin des années 1970. Dans un premier temps, ce sont donc des livres néerlandais et leurs auteurs qui ont perdu une partie de leur marché. Ce n'est qu'à partir de 1980 que la proportion des traductions du français, de l'allemand et d'autres langues dans l'ensemble des livres publiés commence à baisser. À la fin des années 1980, seules les traductions de l'anglais reprennent une croissance relative.

Une idée plus précise de ce qui est traduit peut être obtenue en croisant langues, sources et catégories de livres. La propriété dominante est la relation étroite entre domination et variété : plus une langue domine les traductions, plus elle est présente dans les différentes catégories de livres distinguées dans les statistiques de la Stichting Speurwerk. Des traductions de l'anglais figurent ainsi dans chacune des 33 catégories de livres distinguées. Les traductions de l'allemand sont présentes dans 27 catégories, celles du français dans 22 catégories, celles de l'italien dans 13 catégories, de l'espagnol dans 5, et ainsi de suite (données pour l'année 1993).

En comparant les traductions par catégorie et par langue, on constate d'abord qu'on traduit le plus dans les catégories « prose » et « jeunesse ».

Dans la catégorie «prose», la majorité des ouvrages sont des traductions (70 % en 2002), dans la catégorie «jeunesse», la proportion des traductions est de 38 %. D'autres catégories où la proportion des traductions est relativement élevée sont «religion» (30 %), «histoire» (20 %) et «technologie» (20 %). Certains genres, par contre, sont imperméables aux auteurs étrangers : les livres scolaires, les livres juridiques, ou encore les essais politiques.

Les traductions de l'anglais dans la rubrique «prose» concernent beaucoup moins les belles-lettres que la littérature de «divertissement» (best-sellers de genres divers, policiers, espionnage, science-fiction, etc.). De l'allemand on traduit, en revanche, relativement peu de «prose», mais plus de livres de «philosophie», de «religion», de science, et un nombre particulièrement élevé de livres technologiques et pratiques (agriculture, technologie, ménages, sports/jeux). La production allemande traduite est relativement peu littéraire et étant surtout scientifique, technologique et pratique, elle n'est pas étrangère aux affinités protestantes. Du français on traduit plus d'ouvrages littéraires, de jeunesse (y compris les bandes dessinées) et d'histoire. Parmi les traductions du français, il y a aussi une proportion relativement élevée de livres littéraires autres que la prose (poésie, théâtre, histoire et critique littéraire). Si l'on ajoute la grande proportion de «haute» littérature dans la catégorie «prose», on constate que l'importation des ouvrages français est toujours fortement marquée par un intérêt littéraire.

Des pays culturellement dominés, on traduit très peu et uniquement dans certaines catégories, notamment les catégories «prose» et «jeunesse». Certains pays ont néanmoins réussi à imposer une spécialité particulière. Du suédois, on traduit beaucoup de livres pour enfants (43 %) et, chose très rare, même quelques livres classés comme des livres pédagogiques. En règle générale, la non-fiction est presque exclusivement traduite des trois langues dominantes, alors que la fiction provient de beaucoup plus d'aires linguistiques. Les éditeurs proprement littéraires traduisent aussi souvent d'autres langues que les trois principales, tandis que cela est très rare pour les éditeurs non-littéraires[9].

---

9. *Cf.* Michel Geenen, *Het aandeel van vertalingen binnen het geheel van verhalende prozateksten die in 1986 door de Nederlandse uitgeverijen op de markt werden gebracht*, Amsterdam (doctoraalscriptie vertaalwetenschap), 1988.

En analysant de plus près la catégorie « prose », Michel Geenen avait observé que les titres néerlandais sont un peu moins chers que les traductions et ont plus de chance d'être réimprimés. Les traductions d'autres langues que les trois principales sont donc relativement spécialisées et souvent concentrées chez certains éditeurs (Bert Bakker pour l'italien, Van Oorschot pour le russe, Meulenhoff pour l'espagnol). Pour les langues exotiques (japonais, chinois, langues scandinaves, finnois, portugais, etc.), un éditeur, Meulenhoff, domine le marché. Ce n'est pas un hasard si cette maison d'édition, très importante dans le monde de la traduction, a été fondée en 1895 comme une entreprise d'importation de livres.

Afin de considérer les années les plus récentes, il faut consulter une autre source, qui est moins sélective que la précédente[10]. D'autres sources pour l'évolution des traductions sont les bibliographies produites par la Bibliothèque royale à La Haye, qui étaient la source des données de la Stichting Speurwerk. Elles sont beaucoup moins sélectives que les données précédemment utilisées et sont comparables aux données du dépôt légal en France. Suivant un usage sélectif de ces données, en retenant uniquement les publications qui ont un numéro ISBN et en considérant uniquement le nombre absolu des traductions par langue, ces chiffres confirment sans ambiguïté la progression de l'anglais, à la fois en nombre absolu et en proportion, pendant la période allant de 1990 à 2002[11]. Le déclin du français est, selon ces données, encore plus marqué, à la fois en nombre absolu et en pourcentage. L'allemand reste relativement stable en valeur absolue, mais recule aussi en proportion. Quant au nombre des traductions dans la catégorie « autres langues », il est caractérisé par une croissance en valeur absolue, tout en restant stable proportionnellement (autour de 2 % de l'ensemble des livres publiés). (Graphique 5 et 6).

---

10. La fondation pour la recherche sur le livre, qui était financée et contrôlée par le syndicat national des libraires et des éditeurs, a subi des réductions de budget et des réorganisations au cours des années 1990, avant d'être supprimée en 2006. Les données les plus récentes qu'elle a produites ne concernent plus l'ensemble de la production, mais sont focalisées sur les ventes et les autres aspects de la demande (listes des best-sellers, l'image du livre auprès des jeunes, etc.).

11. Sur ces données, voir Renske van Rees, *Vertalingen in transnationaal perspectief*, Doctoraalscriptie Faculteit Historische en Kunstwetenschappen, Erasmus Universiteit Rotterdam, 2004.

**Graphique 5. Nombre total de traductions en néerlandais
(tous genres confondus) de l'anglais, de l'allemand,
du français, et d'autres langues, 1990-2002.**

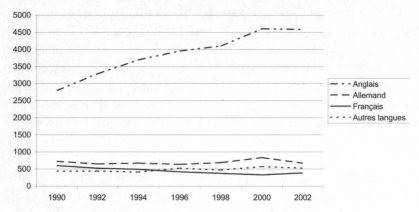

Source : Brinkmans Cumulatieve catalogus – Koninklijke bibliotheek.
Renske van Rees, Vertalingen in transnationaal perspectief,
Rotterdam, Université Erasme, 2004.

**Graphique 6. Nombre total de traductions (tous genres confondus)
de l'allemand, du français et d'autres langues, 1990-2002.**

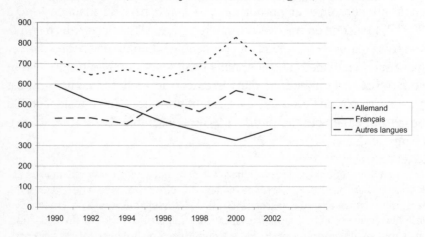

Source : Brinkmans Cumulatieve catalogus – Koninklijke bibliotheek.
Renske van Rees, Vertalingen in transnationaal perspectief,
Rotterdam, Université Erasme, 2004.

Si l'on devait les résumer brièvement, quatre conclusions se dégagent.

L'intensification des échanges internationaux dans le domaine éditorial s'est traduite depuis la Deuxième Guerre mondiale par une augmentation forte des traductions, passant de 5 % à presque 30 % de la production nationale des livres. À côté des traductions, 13 % des livres publiés aux Pays-Bas (2 258 en 1997) sont des ouvrages en langue étrangère, presque tous des ouvrages scientifiques en anglais publiés par des éditeurs scientifiques (Brill, Elsevier, Kluwer, etc.). Le monde éditorial aux Pays-Bas est donc très fortement encastré dans l'économie internationale du livre.

Dans cet espace international, la domination de l'anglais est de plus en plus marquée. Trois quart des traductions néerlandaises sont actuellement des traductions de l'anglais ; un livre néerlandais sur cinq est une traduction de l'anglais. Les traductions de l'anglais ne sont pas seulement beaucoup plus nombreuses que les traductions d'autres langues, elles sont aussi plus *variées* : les traductions de l'anglais sont présentes dans toutes les 33 catégories des statistiques du livre, ce qui est une propriété unique des traductions de l'anglais. Les traductions de l'allemand sont présentes dans 27 catégories, celles du français dans 22 catégories, celles de l'italien dans 13 catégories, de l'espagnol dans 5, et ainsi de suite. Les traductions des petites langues ou des langues les plus exotiques ne concernent souvent qu'une ou deux catégories, celles de la prose et des livres pour enfants.

Sur l'ensemble des traductions, il y a eu une certaine diminution de la diversité linguistique. Jusqu'aux années de la crise du monde de l'édition des années 1980, les traductions de l'allemand, du français et d'autres langues ont connu une croissance beaucoup moins importante que celles de l'anglais, mais une croissance tout de même, à la fois absolue et relative. Depuis les années 1980, la proportion des traductions du français et de l'allemand dans l'ensemble des livres publiés est en baisse, tandis que celle de l'anglais continue d'augmenter. Cette divergence indique une réorientation culturelle au profit de l'anglais auprès des nouvelles générations de lecteurs, au détriment du français et de l'allemand.

Le niveau élevé d'importation va de pair avec une faible exportation. Pour six livres traduits en néerlandais, un livre néerlandais est traduit dans une autre langue. Étant peu connus en dehors de leur propre pays, la position des écrivains et intellectuels néerlandais ressemble à celle d'observateurs placés derrière un «miroir sans tain», ce subterfuge utilisé par les psychologues[12]: à l'abri du miroir, ils observent, sans être vus, ce qui se déroule de l'autre côté. Le verre n'est transparent que pour eux. Les écrivains et les intellectuels hollandais sont, pour ainsi dire, des *cosmopolites isolés*: ils sont voués à lire sans être lus et, habitués à ce sens unique, ils emboîtent le pas aux centres internationaux et n'osent que très rarement en prendre la tête ou dévier des courants en vogue. On s'informe sur ce qui se passe à l'étranger, on «suit» les débats, mais moins comme participants que comme observateurs qui restent hors jeu.

LES TRADUCTIONS DU NÉERLANDAIS EN FRANCE

Considérant, dans l'autre sens, le cas des traductions du néerlandais en français, on observe une tendance inverse au cours de la même période à peu près, c'est-à-dire depuis les années 1980. Traditionnellement, le nombre des traductions du néerlandais vers d'autres langues est extrêmement faible[13]. En dépit de la position de force des Provinces-Unies dans l'Europe pré-moderne et la forte présence d'éditeurs internationaux, les écrivains néerlandais ont été très rarement traduits et n'ont pas eu de véritable reconnaissance littéraire internationale. À la différence des peintres, il n'y a pas d'école néerlandaise en littérature, et aucun écrivain néerlandais n'a réussi à entrer dans le canon littéraire international. Les commentaires des spécialistes et quelques bibliographies indiquent que, tout au long du 19e, le nombre de traductions du néerlandais vers d'autres langues a été extrêmement faible. Le premier changement date de la fin du 19e siècle. Au moment où la littérature russe et la littérature scandinave ont été découvertes dans les centres littéraires, plusieurs écrivains néerlandais ont été traduits en allemand, dans des langues scandinaves, et aussi en français[14].

---

12. Johan Goudsblom, «Le miroir sans tain», *Liber*, numéro 2, juin 1990. Voir aussi Johan Goudsblom, *Taal en sociale werkelijkheid*, Amsterdam, Meulenhoff, 1988.

13. Pour une esquisse historique des traductions du néerlandais, voir notre chapitre cité plus haut (note 4), notamment pp. 225-241.

14. *Cf.* Paul Delsemme, «Découverte des lettres néerlandaises par les français à la fin du XIXe siècle», *De Nieuwe Taalgids*, n° 55, 1962, pp. 10-20.

Cette première vague de traductions n'est pas passée inaperçue aux Pays-Bas. En 1939, la Bibliothèque royale à La Haye organisait une exposition des ouvrages néerlandais traduits. À cette occasion, les responsables constataient que les conditions de réception avaient « complètement changé » : la littérature néerlandaise n'était plus considérée comme intraduisible et avait trouvé un public en dehors des frontières. Le bibliothécaire Brummel expliquait le changement non pas par la reconnaissance tardive de qualités littéraires longtemps méconnues, mais par le fait que la demande des ouvrages littéraires ou semi-littéraires dans les pays voisins était apparemment devenue si grande que la production nationale n'était plus suffisante pour la satisfaire[15].

Prolongeant l'expérience de la première vague de traductions, une politique culturelle de promotion des traductions littéraires s'est développée après la Deuxième Guerre mondiale. De nouvelles traductions littéraires sont publiées par l'intermédiaire de la Fondation pour la promotion de la traduction des œuvres littéraires néerlandaises, la *Stichting ter bevordering van de vertaling van Nederlands letterkundig werk*. Cette fondation, créée en 1954, collabore avec des instances flamandes et entretient des relations avec les traducteurs, les agents littéraires et les maisons d'édition aussi bien néerlandaises qu'étrangères. Elle essaie d'intéresser les éditeurs étrangers en proposant des livres à traduire et en subventionnant les traductions. Mais en dépit des possibilités de subvention et des activités de promotion, le nombre de traductions reste relativement faible et leur qualité est contestée.

Les difficultés de l'exportation sont bien illustrées par les critiques de certains écrivains. L'un des plus grands écrivains néerlandais de l'après-guerre, Willem Frederik Hermans, avait vivement critiqué les pratiques de traduction et de publication cautionnées par la Fondation. Dans un essai sur « la souffrance des écrivains traduits », il rappelait la qualité douteuse des traductions en ajoutant que les maisons d'édition étrangères étaient très souvent marginales, voire obscures. Il aurait mieux valu, selon lui, faire preuve de patience que de s'arranger avec une maison d'édition plus intéressée par les subventions publiques que par l'œuvre de l'écrivain à traduire[16].

---

15. Leendert Brummel, « Voorrede », in *Vertalingen van Nederlandsche letterkunde na 1880 aanwezig in de Koninklijke Bibliotheek*, Catalogus, 11-19 Juli 1939, p. 3.

16. Willem Frederik Hermans, « Het lijden der vertaalde schrijvers » (La souffrance des écrivains traduits), dans *Klaas kwam niet*, Amsterdam, De Bezige Bij, 1983, 05-116.

Parmi les obstacles à l'exportation, il y a sans doute eu aussi l'absence d'un exemple antérieur reconnu. La littérature néerlandaise et flamande n'avait pas d'auteur internationalement connu : ni écrivain classique, ni auteur moderne, pas de Cervantes ou de Dante, et pas non plus d'Ibsen ou Strindberg, qui ont joué un rôle important pour rendre visible la littérature scandinave. Ce manque de capital symbolique, illustré par le fait que le prix Nobel n'a jamais été décerné à un écrivain de langue néerlandaise, a fait que la littérature néerlandaise n'a pas attiré de bons traducteurs. Or, faute de traducteurs de haut niveau, qui sont aussi des informateurs et des critiques, pas de chance d'obtenir une reconnaissance internationale proprement littéraire. Sans accumulation primitive, sans exemple ou modèle antérieur reconnu, il est très difficile de briser le cercle vicieux. Les stratégies internationales des peintres hollandais montrent bien l'atout d'une tradition reconnue. À la différence des écrivains, ils se réfèrent régulièrement à la tradition nationale, qu'ils commentent et qu'ils citent comme source de comparaison ou d'inspiration, même si ce n'est que pour mieux s'en défaire. Il n'est par conséquent pas exceptionnel que les écrivains comparent leur œuvre à celle des peintres. Hugo Claus avait ainsi comparé *Le Chagrin des Belges* à la peinture de Pieter Bruegel ; une histoire de la littérature néerlandaise en anglais s'intitule *Dutch literature in the Age of Rembrandt*[17].

Au cours des années 1980, plusieurs études dressent un bilan sévère des activités de traduction et de promotion de la Fondation concernée[18]. Par rapport aux efforts déployés, les résultats sont considérés comme décevants. À propos de la situation en France, on pourrait par exemple citer le témoignage de l'écrivain Cees Nooteboom lors d'un colloque franco-néerlandais en 1987 sur « Le livre traduit ». Nooteboom, auteur de récits de voyages et à l'époque l'un des rares auteurs néerlandophones traduits, n'était pourtant pas encore reconnu comme un auteur européen de premier ordre. L'inexistence de la littérature néerlandaise comme catégorie dans les librairies et les bibliothèques l'avait énervé :

---

17. Maria Schenkeveld, *Dutch Literature in the Age of Rembrandt,* Amsterdam, John Benjamins, 1991.

18. Voir par exemple Ria Vanderauwera, *Dutch Novels Translated into English,* Amsterdam, Rodopi, 1985 ; Anthony Paul, « Dutch Literature and the Translation Barrier », in Bart Westerweel & Theo D'haen (eds.), *Something Understood. Studies in Anglo-Dutch Translation,* Rodopi, Amsterdam, 1990, pp. 65-81 ; Marion van Noesel et Ans Jansen, *De Nederlandse Literatuur in Franse vertaling,* Frans en Occitaans Instituut, Utrecht, 1985 ; Herbert van Uffelen, « Nederlandse literatuur in Duitsland », *Dietsche Warande & Belfort,* n° 135 (2) 1990, pp. 202-208.

« Vous savez que les auteurs sont des êtres vains. Alors, du moment que leur livre est publié en France, ils vont par exemple à cette librairie où ils sont toujours allés, la Hune. Et ils cherchent ; ils cherchent et ils voient "littérature italienne", "littérature russe", "littérature japonaise". Ils cherchent, et ils cherchent et ils ne trouvent pas la littérature néerlandaise. Alors, ils demandent "Madame ou mademoiselle, où est-ce que je trouve la littérature…" "Ah… c'est chez les divers". Alors ils cherchent là, ils trouvent quatre livres [...], si je suis heureux, je trouve mon livre, mais plutôt pas… Et alors, déconcerté, je vais au "Divan" qui est à côté, tout près de Saint-Germain. Alors je demande "Madame, où sont vos livres néerlandais ?" "Ah, les livres néerlandais, oui, oui, ben, euh, peut-être chez les Nordiques" »[19].

Cependant, déjà au moment du colloque, plusieurs changements indiquaient que la situation n'était plus ce qu'elle était. Des traductions de qualité avaient été publiées, elles paraissaient chez des maisons d'éditions réputées, avaient obtenu une réception favorable, et quelques-unes avaient reçu des prix de traduction. Ainsi, en 1980, Philippe Noble publie chez Gallimard, dans la collection « Du monde entier », la traduction française du roman *Le Pays d'origine* (sorti en 1935 aux Pays-Bas) d'Edgar du Perron. Le roman de l'ancien ami de Malraux, qui lui avait dédicacé *La Condition humaine*, a eu une réception positive en France, et le traducteur recevra le prix Martinus Nijhoff en 1981. La traduction américaine d'Adrienne Dixon du roman *Rituals* (orig. 1980/traduc. 1983) de Cees Nooteboom est couronnée par un prix international, le prix Pegasus, ce qui produit une publicité considérable. D'autres romans, comme *Le Chagrin des Belges* (orig. 1983) d'Hugo Claus et *L'Attentat* (orig. 1982) de Harry Mulisch, qui sont de véritables best-sellers aux Pays-Bas, paraissent en traduction chez des éditeurs importants en Allemagne (Hanser, Klett-Cotta) et en France (Julliard, Calmann-Lévy) ; ils seront adaptés pour le cinéma et le film *L'Attentat* recevra l'Oscar du meilleur film étranger.

Lors du colloque franco-néerlandais sur « Le Livre Traduit », Philippe Noble constate que le cercle vicieux du manque de traductions et de la méconnaissance de la littérature néerlandaise est rompu :

« La petite nouveauté de ces dix ou quinze dernières années, c'est que ce cercle vicieux est un peu rompu, mais tout doucement, très timidement : nous

---

19. Cees Nooteboom cité dans *Table ronde : Le livre traduit*, 27-28 avril 1987, Amsterdam : Maison Descartes, 1987.

sommes là aujourd'hui pour montrer que ça continue, que ça va continuer, mais, il faut bien le dire, ne crions pas victoire trop tôt non plus».

La base de données de la Fondation néerlandaise pour la production et la traduction littéraires (NLPVF), qui contient essentiellement des traductions littéraires, indique une croissance lente au cours du 20ᵉ siècle et une accélération pendant les années 1980 et 1990 (Tableau 1).

Tableau 1. Nombre de traductions littéraires du néerlandais en français, 1900-2005.

Avant 1900	36
1900-1939	47
1940-1949	48
1950-1959	84
1960-1969	68
1970-1979	112
1980-1989	265
1990-1999	226
2000-2005	22

Source : Fondation néerlandaise pour la production
et la traduction littéraires (NLPVF).

L'évènement souvent décrit comme décisif pour la percée internationale de la littérature néerlandaise est la foire de Francfort de 1993, où les Pays-Bas étaient l'invité d'honneur, le *Schwerpunkt.* Un grand nombre d'auteurs sont publiés en allemand, avec l'aide de la Fondation publique, qui a pris en 1991 le relais de l'ancienne Fondation pour la promotion de la littérature néerlandaise traduite. Beaucoup d'écrivains sont présents à la foire et font ensuite des tournées en Allemagne. Le nombre de comptes rendus dans la presse allemande atteint en 1993 un niveau inégalé et reste à un niveau très élevé au moins pendant les quatre années suivantes[20].

Étant donné les liens de plus en plus étroits entre les mondes de l'édition allemand et français, ce n'est pas un hasard si en France, dans la même année que la Foire de Francfort, « les Belles Étrangères » sont consacrées à la littérature néerlandaise et flamande. Onze écrivains se

---

20. Suzanne Kelderman, *Sinds Frankfurt zwemmen we in de schrijvers*, Doctoraalscriptie Faculteit der Historischen in kunstwetenschappen, Erasmus Universiteit Rotterdam 2000.

présentent à Paris et participent à des tables rondes et des séances de lecture et de signature. Les « Belles Étrangères » sont un évènement tout à fait significatif pour comprendre l'augmentation et la diversification des traductions en France, ainsi que la stratégie qui sous-tend cette politique culturelle portée par une alliance entre des instances culturelles publiques et des acteurs du monde de l'édition. Créées en 1987 par le ministère de la Culture, les « belles étrangères » désignent un ensemble de manifestations publiques qui « invitent à la découverte des littératures étrangères encore mal connues du grand public » et qui accompagnent la politique d'aide à la traduction, la publication et la diffusion menée par le Centre national du livre (voir chapitre 3).

Cette politique de soutien public à la production culturelle a été réactivée dans la deuxième moitié des années 1980 dans le cadre des négociations du nouveau traité du GATT. La France était l'un des partisans les plus actifs et les plus consistants du maintien du principe de « l'exception culturelle » qui faisait partie du premier traité du GATT de 1947. Le principe permettait le soutien public pour les biens culturels, afin de les protéger d'une logique purement commerciale[21]. Même si la politique française concernait d'abord la production audiovisuelle et cinématographique, le secteur littéraire, y compris celui des traductions, a aussi profité de la réactivation de la politique culturelle.

Les statistiques des traductions pour la France devraient donc être considérées dans ce contexte d'une alliance politique et culturelle large pour la défense des logiques culturelles contre la commercialisation. Écrivains, traducteurs, éditeurs et enseignants des langues étaient impliqués dans ce mouvement à des degrés et des formes différentes. Selon la base Electre qu'on a pu consulter, la croissance du nombre des traductions du néerlandais, comme celles de l'hébreu ou de l'italien[22], s'est confirmée. Il ne s'agit pas de très grands nombres, quelques dizaines d'ouvrages par an, ce qui est loin des centaines d'ouvrages traduits annuellement du français vers le néerlandais. Mais l'augmentation est régulière, et, en ce qui concerne les traductions proprement littéraires, la croissance des nombres va de pair avec une attention critique et une

---

21. Annemoon van Hemel, Hans Mommaas et Cas Smithuijsen (éd.), *Trading Culture. GATT, European Cultural Policies and the Transatlantic Market*, Amsterdam, Boekman Fundation, 1996.

22. Gisèle Sapiro, « L'importation de la littérature hébraïque en France : entre universalisme et communautarisme », art. cité, et Anaïs Bokobza, *Translating Literature*, *op. cit.* Voir aussi chapitres 7 et 14.

reconnaissance littéraire, qui sont historiquement sans précédent. Aujourd'hui, des dizaines d'auteurs néerlandais sont traduits en France, leurs ouvrages paraissent en général dans de bonnes traductions et ils sont publiés par des maisons d'édition reconnues. Cette tendance a atteint son sommet provisoire en 2003 lorsque, dix ans après la Foire de Francfort, les Pays-Bas ont été l'invité d'honneur du Salon du livre. Cinquante-cinq auteurs néerlandais traduits ont fait acte de présence et beaucoup d'articles dans la presse ont été consacrés à cette littérature pratiquement inconnue et ignorée vingt ans plus tôt. Comme le montre le graphique suivant, le nombre des traductions du néerlandais est en hausse depuis 1985.

**Graphique 7. Évolution des traductions du néerlandais
en français, 1985-2002.**

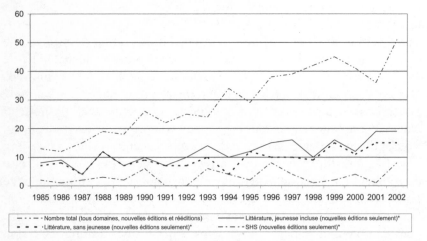

Source Electre

La catégorie la plus traduite est la littérature. Selon la base Electre, 40 % des traductions sont des traductions littéraires et 20 % des traductions de livres pour la jeunesse ; les autres catégories sont beaucoup moins importantes et, en général, fortement dispersées. La catégorie « sciences humaines », par exemple, qui représente 10 % du nombre total des traductions, est extrêmement hétérogène : elle regroupe des essais politiques, des ouvrages pratiques concernant la fiscalité avec des travaux historiques, qui d'ailleurs sont eux-mêmes très variés. En comparant la base Electre avec l'Index translationum de l'UNESCO, on constate que la dernière signale presque deux fois plus de traductions du néerlandais vers le français pour les mêmes années (presque mille titres). La différence s'explique par le fait que la source de l'Index translationum, le Dépôt légal, est beaucoup moins sélective. La répartition des traductions selon les catégories de livres est tout de même comparable : au moins la moitié des ouvrages traduits sont des ouvrages littéraires ; les autres catégories étant beaucoup moins importantes.

Si l'on considère le domaine littéraire au sens large selon Electre, on observe la répartition suivante (Graphique 8) : 64 % sont des romans, 18 % sont des ouvrages de jeunesse, les autres genres étant très minoritaires (poésie, théâtre, critique littéraire, science fiction, polars, etc.)

Graphique 8. Répartition par genre des nouveautés littéraires traduites du néerlandais, 1985-2002.

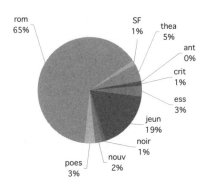

Source : Electre

Les statistiques présentées ne sont évidemment que le résultat général d'un processus qu'il faudrait analyser en détail. La base Electre, contenant plus d'informations que les bases néerlandaises, permet en effet d'analyser aussi le rôle des maisons d'édition et des traducteurs. Et dans les deux cas, éditeurs et traducteurs, on constate la même structure de marché : une concentration très forte chez quelques maisons d'édition et quelques traducteurs, et, en même temps, une très grande dispersion pour celles et ceux qui restent.

Pour les traductions littéraires (à l'exclusion des livres pour la jeunesse), par exemple, on compte entre 1985 et 2002 presque 200 traductions nouvelles (parfois en co-traduction). Ces traductions sont produites par un ensemble de non moins de 80 traducteurs, mais dix d'entre eux ont traduit à eux seuls la moitié des titres. À côté de ce petit groupe très productif et réputé, dont chacun a au moins traduit cinq titres, il y a 55 traducteurs qui n'ont traduit qu'un seul titre et qui sont donc des traducteurs nouveaux ou occasionnels. Une structure tout à fait analogue s'observe pour les éditeurs : l'ensemble de 177 titres littéraires a été publié par 56 éditeurs. Et là aussi, un petit nombre d'éditeurs domine le marché. Les cinq à six éditeurs qui ont publié la moitié des titres (Gallimard, Seuil, Calmann-Lévy, Lansman, Longue vue, Actes Sud) coexistent avec un sous-ensemble de 27 éditeurs qui n'ont publié qu'un seul titre. Ce qui confirme l'image d'une forte concentration allant de pair avec une grande dispersion.

Le marché des traductions du néerlandais apparaît donc comme un oligopole à frange, pour reprendre l'expression des économistes[23], c'est-à-dire comme un marché oligopolistique qui a des propriétés d'un marché très compétitif parce que les barrières d'entrée sont relativement faibles. Ceci vaut en général pour le marché du livre, mais dans le cas des traductions du néerlandais, il y a une raison spécifique à la faiblesse de la barrière d'entrée, à savoir la disponibilité des traducteurs et des éditeurs belges qui – traditionnellement – jouent le rôle d'intermédiaire entre la France et les Pays-Bas. Grâce à leur compétence linguistique et leur familiarité avec l'édition néerlandaise et flamande, ils fonctionnent comme une armée de réserve des intermédiaires entre la production néerlandophone et francophone. Au moment où la demande en France augmente, ils sont capables d'y répondre immédiatement. Le phénomène inverse a traditionnellement aussi existé, mais, comme j'ai essayé de le montrer dans la première partie de ce chapitre, il est de moins en moins fréquent à cause de l'affaiblissement de la demande des traductions du français aux Pays-Bas.

Si l'intérêt pour les traductions du néerlandais et du flamand a augmenté en France, ce n'est pas uniquement grâce au rôle intermédiaire des Belges. S'y ajoutent deux autres mécanismes dont il faudrait rendre compte. Le premier a été déjà évoqué rapidement, c'est la croissance des interactions entre les centres européens les plus importants, en particu-

---

23. Bénédicte Reynaud, « La dynamique d'un oligopole avec frange : le cas de la branche d'édition de livres en France », *Revue d'économie industrielle*, n° 22, 1982, pp. 61-71.

lier entre la France et l'Allemagne. Pour des raisons géo-politiques et géo-culturelles, les éditeurs allemands ont publié de loin la plus grande partie des traductions du néerlandais depuis le début du 19ᵉ siècle. Contre l'hégémonie française et, secondairement, contre la puissance anglaise, des intellectuels allemands, en particulier les germanistes, avaient réussi à construire une alliance culturelle contre les deux grandes puissances en Europe[24]. Les données disponibles sur les traductions littéraires aux Pays-Bas montrent bien qu'au début du 19ᵉ siècle, il y a eu un tournant allemand très marqué au détriment de la littérature française[25]. Les traductions allemandes des auteurs néerlandais ont pendant longtemps eu très peu d'effet sur la politique éditoriale des éditeurs français. Mais, lorsqu'au cours des années 1980 des auteurs néerlandais ont eu un certain succès en Allemagne, cela n'a plus échappé aux éditeurs français, et a ainsi renforcé l'intérêt émergent qui s'est aussi manifesté en France. L'intégration européenne peut donc favoriser le processus de traduction.

Cependant, comme l'avait montré le cas des traductions aux Pays-Bas, l'intégration européenne ne favorise les traductions d'autres langues que l'anglais que sous certaines conditions. La plus importante est l'existence d'une alliance politico-culturelle prête à s'opposer à la « globalisation » à l'américaine et à investir dans des secteurs et des projets dont la rentabilité économique n'est pas assurée. À la différence des Pays-Bas, une telle volonté et une telle alliance existe en France. La stratégie de défendre la culture et la tradition françaises passe désormais, en partie au moins, pour certains agents, par l'étranger, c'est-à-dire par des efforts pour établir plus de liens et d'échanges avec des pays et des cultures en dehors du monde anglo-saxon, y compris des cultures relativement petites et apparemment sans beaucoup de poids sur la scène internationale. L'évènement «Les Belles Étrangères» n'est qu'un exemple parmi d'autres de cette volonté politique.

---

24. Ulrike Kloos, *Niederlandbild und deutsche Germanistik 1800-1933*, Rodopi, Amsterdam, 1992.

25. Luc Korpel, *Over het nut en de wijze der vertalingen. Nederlandse vertaalreflectie (1750-1820) in een Westeuropees kader*, Rodopi, Amsterdam, 1992.

Chapitre 12

Entre littérature populaire et belles-lettres : asymétrie des rapports franco-finlandais (1951-2000)

par Yves Gambier

Pour approcher des rapports littéraires entre deux communautés linguistiques différentes, il y a plusieurs possibilités : on peut se concentrer sur la politique éditoriale et la stratégie des maisons d'édition selon leur chiffre d'affaire[1] ; on peut ne considérer que les données de l'importation et de l'exportation ; on peut aussi choisir la perspective polysystémique[2]. C'est cette dernière qui imprègne notre analyse. Le polysystème perçoit la littérature dans un ensemble social, culturel, historique. Le système littéraire est un réseau de relations s'interpénétrant, avec des agents, des institutions, des textes. La production textuelle prend sens dans un contexte donné et selon un certain répertoire (concept

---

1. Voir par exemple Pierre Bourdieu, «Une révolution conservatrice dans l'édition», art. cité ; Anne Brunila & Liisa Uusitalo, *The Dual Structure Hypothesis and the Book Industry*, Helsinki School of Economics, 1989 ; Françoise Benhamou, «Le marché du livre : un état des travaux», *Revue française de sociologie*, n° 27, 1986, pp. 545-558 ; Lewis Coser, Charles Kadushin & Walter W. Powell, *Books : the Culture and Commerce of Publishing*, New Haven, The University of Chicago, 1982.
2. Itamar Even-Zohar, «Polysystem Studies», *Poetics Today*, vol. 11, n° 1, 1990.

qui n'est pas sans analogie avec celui d'habitus de Bourdieu). Les maisons d'édition se positionnent d'après les diverses hiérarchies relationnelles. D'où les oppositions entre le centre et la périphérie du système, entre les modèles canoniques et les modèles novateurs, entre les positions primaire et secondaire (conservatrice). Les systèmes en présence forment un ensemble hétérogène ; ils évoluent grâce à leurs interactions concurrentielles. Ainsi, à telle époque, l'avant-garde peut occuper la position la plus haute et à une autre être reléguée à la périphérie. La théorie du polysystème intègre toutes les formes littéraires (prestigieuse, populaire, paralittéraire), y compris la traduction qui forme système dans les façons dont on sélectionne les ouvrages à traduire, dans les normes suivies par les traducteurs et marquées par d'autres co-systèmes. Parfois, la littérature traduite occupe une position novatrice, participant alors à la formation du centre du polysystème (c'est le cas de la traduction en Finlande au 19ᵉ siècle). À d'autres moments, cette littérature traduite est en position secondaire (périphérique) : les éditeurs ne prennent aucun risque dans leur sélection et les traducteurs reproduisent plutôt les normes et conventions établies, domestiquant, naturalisant les œuvres étrangères.

Quelques remarques s'imposent avant de présenter la nature et le volume des échanges littéraires franco-finlandais, entre 1951 et 2000. La Finlande n'a pas une tradition littéraire aussi ancienne que la France, en partie parce que le finnois écrit ne s'est développé et stabilisé qu'à partir de la seconde moitié du 19ᵉ siècle, tout en ayant des traces anciennes, avec notamment la traduction de la Bible vers les années 1550. C'est dire que ces échanges ne sont pas traversés par des stéréotypes aussi ancrés que, par exemple, les relations littéraires entre la France et l'Italie.

Les données qui suivent portent sur la réception des livres traduits et retraduits, objets matériels, comptables, douaniers, et non sur la réception au second degré qui englobe lectures critiques, comptes rendus, analyses de textes à proprement parler. Ces données nationales ne sont pas sans poser de problèmes de définition : un auteur français n'est pas forcément né en France mais il y est édité ; un auteur finlandais n'écrit pas nécessairement en finnois mais aussi en suédois.

Par ailleurs, la «littérature française» considérée ici comprend la prose dans son ensemble (romans, nouvelles, biographies romancées, etc.) – qu'elle soit canonique ou populaire ; elle exclut la poésie (plutôt diffusée dans des revues), les pièces de théâtre (souvent jouées mais pas obligatoirement publiées), les essais (en sciences humaines), la littérature pour enfants (longtemps peu ou mal répertoriée), les bandes dessinées, les anthologies. Par contre, la « littérature finlandaise » englobe romans, nouvelles, poésie et théâtre.

Le travail sur lequel s'appuie une partie de cette présentation a démarré dès 1976, pour aboutir à une bibliographie systématique en 1992, en même temps que la célébration du 150ᵉ anniversaire du *Kalevala* (épopée nationale élaborée à partir de 1842), bibliographie complétée et rééditée en 1997[3]. Depuis, l'informatisation des bibliothèques finlandaises et celle des journaux[4] ont changé la donne : ainsi par exemple, il est apparu que Maupassant, dont deux ouvrages avaient été traduits en finnois et un en suédois (en Finlande), avait vu nombre de ses nouvelles publiées en finnois dans le magazine *Päivälehti*. Par ailleurs, la crise économique des années 1990 (après la chute du mur de Berlin et surtout l'effondrement du système soviétique) a transformé le marché, même si le recul est encore insuffisant pour en mesurer la profondeur (les « grandes » maisons d'édition perdurent). Enfin, il faut signaler un projet scandinave en cours, portant sur le réalisme français traduit en Scandinavie (1830-1900), et qui a abouti jusqu'à présent à la collecte de 3 600 références dont 200 pour la Finlande[5].

LA LITTÉRATURE FRANÇAISE EN FINNOIS

C'est en 1834 que paraît le premier roman traduit en finnois (*Kultala* du Suisse alémanique Zschokle) et en 1849 que sort le premier roman français traduit en finnois (*Guillaume Tell* d'Alexandre Dumas père). Auparavant, une élite cultivée lisait directement en langue étrangère. On trouve ainsi nombre d'ouvrages en français dans les manoirs qui longent la route entre Stockholm et Saint-Petersbourg.

---

3. Yves Gambier, *La Littérature finlandaise en français. Bibliographie 1842-1997*, Turku, Université de Turku, Centre de traduction et d'interprétation, 1997.

4. *Historiallinen sanomalehtikirjasto 1771-1890* (Bibliothèque historique de la presse). http://digi. lib. helsinki. fi/index. html

5. *Le Réalisme français en Scandinavie* (RFS) (projet de recherche nordique lancé en 2000) : http://www.realisme.net ; Bibliographie RFS des traductions scandinaves de la littérature française (BREFS) : http://www.hf.uio.no/ilos/forskning/brefs

Entre 1850 et 1880, divers efforts sont réalisés sous la pression du mouvement nationaliste fennomane pour fixer le finnois écrit en dépit d'une russification rampante – le Grand duché de Finlande faisant partie de la Russie entre 1809 et 1917. Le rôle des traducteurs ne semble pas du tout négligeable dans le développement lexical et grammatical de la langue ni dans le développement littéraire à partir de modèles étrangers[6] : la traduction sert alors à établir, à enrichir la littérature nationale, plutôt qu'à faire connaître les littératures étrangères. Après 1917, année de l'indépendance, les traductions sont publiées par des associations universitaires – les dimensions politique et linguistique prédominant sur l'aspect commercial. Vers 1940, la littérature en finnois dépasse désormais en volume les traductions.

Au début des années 1950, le bouleversement du marché de l'édition après la guerre, l'urbanisation (qui va s'accélérer après les années 1980), les nouvelles formes de marketing, et une certaine ouverture culturelle (en contradiction avec la finlandisation politique) favorisent l'importation de romans et de nouvelles traduits du français en Finlande. L'ouverture vers l'étranger suscite à cette époque la création de collections de traductions, à un point tel que vers 1955 le nombre de traductions l'emporte sur le nombre de romans publié en finnois. La lecture est alors une activité privilégiée, grâce notamment au réseau de bibliothèques municipales et aux bibliobus. Parallèlement, de nouvelles tendances littéraires émergent en France, comme par exemple le nouveau roman. À partir de 1975, la littérature anglo-saxonne tend à l'emporter sur celle des autres langues ; par ailleurs, la « littérature » est traduite pour elle-même, loin de toute tension avec une littérature nationale à constituer.

Qui ont été les éditeurs et les traducteurs de littérature de langue française ? Peut-on parler à la fois d'une politique éditoriale globale et spécifique pour chaque maison d'édition ? Quels ont été les facteurs de décision pour sélectionner tel auteur, tel ouvrage ? Quels sont les types d'auteurs et d'ouvrages qui ont été alors les plus fréquemment traduits ? Les prix littéraires ont-ils influé sur l'importation et les décisions de traduire ? Le présupposé de certains universitaires et historiens de la

---

6. Hannu Riikonen, Urpo Kovala, Outi Paloposki & Pekka Kujämäki (eds), *Suomennoskirjallisuuden historia* (Histoire de la traduction littéraire en Finlande), 2 volumes, Helsinki, Suomalaisen Kirjallisuuden Seura (SKS), 2007.

littérature selon lequel on traduit la littérature française canonique, plutôt que légère, divertissante (les romans policiers étant rattachés à la littérature anglo-saxonne) résiste-t-il aux données disponibles ?

Le corpus est constitué de 621 titres écrits en français, édités en France, d'où l'inclusion d'écrivains comme Mohammeb Dib, Elie Wiesel, etc. Ces titres ont été recensés à partir de sources fiables. On a en effet consulté la bibliographie nationale Fennica[7], disponible sous forme de livre et de Cédérom avant 2000, puis en ligne après 2000, les bibliothèques universitaires (celle de Helsinki servant de dépôt légal pour tout ce qui est publié dans le pays), des bibliographies spécialisées comme par exemple sur les romans policiers et d'espionnage (1864-1984)[8], les catalogues des dix plus grands éditeurs (les petits souvent disparaissant sans laisser de traces ni d'archives), quelques histoires des littératures, souvent canoniques. Parmi les problèmes à signaler pour cette collecte, on mentionnera l'absence de l'origine du titre traduit en finnois, l'absence parfois de date de l'original, et enfin l'absence d'indication permettant de savoir s'il s'agit d'une retraduction ou d'une réédition pure et simple. Ont été incluses les traductions indirectes, c'est-à-dire traduites du français par l'intermédiaire d'une autre langue (26 cas sur 621, soit environ 4 % du total). Par contre, les ouvrages d'auteurs non édités en France mais traduits via le français (par exemple le Roumain Gheorgiu) et les traductions vers le suédois n'ont pas été relevés.

Entre 1950 et 1970, le nombre de traductions du français et le nombre d'auteurs français concernés ont régulièrement augmenté, atteignant leur apogée dans les années 1966-1970. Entre 1970 et 1980, la situation connait un certain tassement, même si en 1970 est signé le premier accord culturel bilatéral entre la Finlande et la France. Par contre, il y a croissance de la littérature finlandaise et de toutes les traductions littéraires prises globalement. Vers 1985, on note un léger fléchissement du nombre de traductions français-finnois, avec cependant une augmentation du nombre d'auteurs traduits, alors qu'auparavant on publiait davantage du même écrivain (Tableau 1).

---

7. *Fennica/Suomen Kansallisbibliografia* (Bibliographie nationale de Finlande) : http://fennica.linneanet.fi

8. Simo Sjöblom, *Rikoskirjallisuuden bibliografia 1864-1984,* Hämeenlinna, Karisto, 1985.

Tableau 1. Nombre de traductions français-finnois (569)
/ nombre d'auteurs traduits

1951-55	1956-60	1961-65	1966-70	1971-75	1976-80	1981-85	1986-90
45/37	72/37	78/58	87/51	66/53	72/44	75/40	74/56

La moyenne sur les quatre décennies s'établit à un roman et demi par auteur. À titre d'exemples, on remarquera qu'on traduit 28 romans de Simenon (y compris les Maigret) entre 1956 et 1960, qu'entre 1966 et 1970, c'est le cas de 17 autres romans de Simenon et de 11 ouvrages de Jean Bruce (*agent OSS 117*), qu'entre 1976 et 1980, on traduit 10 romans de Frédéric Dard et entre 1981 et 1985, 20 romans de Gérard de Villiers (série des SAS).

Ce qui advient avec la littérature traduite du français arrive aussi avec d'autres langues (nordiques, italienne, hongroise, etc.), sauf l'anglais (voir tableau 2) : la traduction littéraire du français qui représentait 11 % des traductions en 1968 égale aujourd'hui environ 5 % du total ; pour l'allemand, la part de 7 % en 1953 est tombée à 3 % à l'heure actuelle. À l'opposé, la littérature de langue anglaise qui était de 56 % de toutes les traductions littéraires en 1953, est passée à 61 % en 1961, puis à 63 % en 1978, enfin à 70 % dans les années 1990 (il s'agit surtout de littérature populaire, de gare), parallèlement à l'augmentation des importations de films et programmes télévisés.

Tableau 2. Part des ouvrages littéraires traduits en finnois
selon les pays d'origine

années	France	Pays nordiques	Grande-Bretagne & USA	Allemagne	URSS	Autres
1953	4,9%	11,8%	56,4%	7,4%	2,5%	16,7%
1958	6,7%	6,8%	59,5%	6,7%	5,2%	15,1%
1963	7,5%	6,4%	61,5%	5,5%	4,9%	14,1%
1968	11,3%	8,7%	61,7%	4,3%	4,8%	9,1%
1973	7,7%	11,4%	62,3%	1,6%	5,6%	10,4%
1978	8,0%	5,4 %	63,1%	3,4%	6,3%	13,3%

Considérons maintenant les importations de la littérature française en Finlande, selon trois types d'agents : les auteurs, les éditeurs et les traducteurs.

Entre 1951 et 1990, 235 auteurs français ont été traduits dont 147 une seule fois. Parmi les 16 plus traduits, certains peuvent être considérés comme canoniques ou «légitimes», notamment du 19e siècle: Simenon (premier auteur avec 91 traductions), Jules Verne (second avec 23 traductions), Françoise Sagan (quatrième avec 16 traductions), Henri Troyat (sixième avec 15 traductions), Alexandre Dumas père, Simone de Beauvoir, Balzac, Maupassant, Proust, Michel Tournier (quinzième avec 8 traductions), Marguerite Duras (seizième avec 7 traductions), etc.

D'autres relèvent de la littérature populaire et du roman de gare: Gérard de Villiers (troisième avec 22 traductions dont 6 du français, 3 de l'anglais et 11 de l'allemand – 20 de ces traductions ayant été publiées chez Harlequin Enterprises, filiale de la maison d'édition de Toronto, et deux à partir du français chez Otava, maison prestigieuse et ancienne) Juliette Benzoni, auteure des séries «Marianne» et «Juliette» (quatrième avec 16 traductions, vite parues après les sorties en français, dans les années 1960-1970); Sergeanne Golon, fameuse pour ses aventures d'Angélique (huitième avec 12 traductions); Jean Bruce et Frédéric Dard (neuvième ex-aequo avec Simone de Beauvoir) avec 11 traductions et une collection propre en finnois: *Agentti OSS 117* et *Malko* (San Antonio).

La littérature française servie aux lecteurs finlandais ne relève donc pas exclusivement de la production «haut de gamme». En outre, les traductions ne collent pas aux tendances de la littérature en France à la même époque (existentialisme, nouveau roman). Sur les 16 auteurs de langue française les plus traduits en Finlande, six sont répertoriés dans l'Index Translationum: il s'agit de Simenon, Jules Verne, Balzac, Dumas (père), Maupassant et Gérard de Villiers. S'il y a un décalage entre les originaux canoniques et les dates de leur traduction, par contre ce décalage se réduit fortement entre les originaux non canoniques et leurs dates de traduction.

De ces 16 auteurs les plus traduits, trois seulement ont reçu un des prix littéraires attribués en France – le Goncourt[9] pour Simone de Beauvoir en 1954, pour Michel Tournier en 1979 (auquel il faut ajouter le Grand Prix de l'Académie française en 1967) et pour Marguerite Duras en 1984. Tous les Prix Nobel ont été traduits en finnois après l'obtention de ce Prix (Mauriac 1952, Camus 1957, Perse 1960, Sartre 1964), sauf Claude Simon dont trois livres avaient déjà été traduits avant 1985.

---

9. Prix Goncourt: http://www.academie-goncourt.fr.

En fait, sur les 155 auteurs primés par le Nobel, le Goncourt, le Femina, le Médicis, le Grand Prix de l'Académie, 34 seulement ont été traduits en finnois.

Tableau 3 : **Lauréats de prix littéraires** (en italique : auteurs dont des ouvrages ont été traduits après la remise du prix mais dont l'œuvre primée elle-même n'a pas été traduite).

Année	Goncourt (maison d'édition)	Nobel
1952		Mauriac
1954	De Beauvoir (Kirjayhtymä)	
1956	*Gary* (Otava)	
1957	Vailland (Gummerus)	Camus
1959	Schwarzbart (Otava)	
1960	Horia (Gummerus)	Saint-John Perse
1962	Langfus (WSOY)	
1964	Conchon (WSOY)	Sartre
1966	Charles-Roux (WSOY)	
1967	*De Mandiargues* (WSOY)	
1969	Marceau (WSOY)	
1970	Tournier (Otava)	
1975	Ajar (Otava)	
1978	Modiano (WSOY)	
1983	Tristan (Gummerus)	
1984	Duras (Otava)	
1985	Quéffelec (Otava)	Simon
1987	Ben Jelloun (Gummerus)	
1990	Rouaud (Tammi)	

Ainsi, les romans valorisés en France ne sont pas toujours appréciés par les éditeurs finlandais (en termes d'affaires) puisqu'un ouvrage traduit sur quatre a été récompensé. Les prix n'aident qu'en partie à la promotion de leurs auteurs, en Finlande au moins. Sans doute parce que les droits d'auteur sont alors plus élevés.

Qui sont les éditeurs qui publient des traductions du français ? La publication de la littérature traduite est de fait très concentrée en Finlande. Ainsi, par exemple, entre 1967 et 1978, 90 % de tous les titres littéraires dont une proportion oscillant entre 53 % et 61 % pour les traductions, ont été produits par sept maisons d'édition. En plus, on peut noter une assez forte stabilité des éditeurs finlandais envers les traductions du français : Otava (maison fondée en 1890)[10] en a offert 214, WSOY (depuis 1878) 112 et Tammi (lancée en 1943) 71 – soit à eux trois 65 % des romans mis en finnois ; Gummerus (depuis 1872) suit avec seulement 50 traductions tandis que quinze éditeurs n'ont sorti qu'un seul roman traduit.

Par ailleurs, il faut remarquer l'essor rapide du nombre de titres publiés puisque ce nombre a été multiplié par quatre entre 1945 et 1981, avec néanmoins une baisse des ventes, en rapport avec la multiplication des titres et le changement dans les pratiques de la lecture (années 1980-1990), laquelle est de plus en plus concurrencée par la télévision et la vidéo. Toutefois, quelle qu'ait été la conjoncture depuis les années 1950, six œuvres de prose sur dix ont été des traductions. L'évolution s'est faite au profit surtout de la littérature de gare, en lien étroit avec l'accroissement du nombre des points de vente, de la distribution en kiosque.

Dans ce paysage éditorial, l'écart entre la date de parution de l'original et celle de la traduction a tendu à se réduire : 260 ouvrages sur 569 (621) sont sortis dans les 5 ans, 75 sont sortis entre 6 et 10 ans après l'original, 29 entre 11 et 20 ans – soit un total de 364 titres. Mais 57 ouvrages ont mis plus de 100 ans à être traduits !

**Tableau 4. Écart (de 0 à 5 ans à plus de 101 années)
entre la date de sortie de l'original en français
et la date de parution de la traduction en finnois**

Années	0-5	6-10	11-20	21-30	31-50	51-100	101-	Total
1951-55	14	7	1	5	1	5	12	45
1956-60	38	13	1	4	2	6	8	72
1961-65	53	6	1	6	3	2	7	78
1966-70	39	17	4	7	5	4	11	87
1971-75	39	4	7	3	7	6	3	66
1976-80	34	10	7	8	2	6	5	72
1981-85	33	11	7	4	7	6	7	75
1986-90	40	7	1	10	4	8	4	74
Total	**260**	**75**	**29**	**47**	**31**	**43**	**57**	**569**

10. Voir les pages en anglais des éditeurs suivants. Otava : http://www.otava.fi/en_GB ; WSOY : http://www.wsoy.fi/index.jsp?c=/page&id=89&chpater=71 ; Tammi : http://www.tammi/fi/sivut/4

Il faut admettre que les traducteurs à partir du français ont été très nombreux, sans doute maints d'entre eux n'étant qu'occasionnels. En effet, on compte 198 traducteurs pour 621 ouvrages traduits (soit 3 romans par traducteur, en moyenne). En réalité, 57 seulement ont traduit plus de deux ouvrages – deux traducteurs ayant réalisé 36 traductions chacun ; un ayant 32 traductions à son actif, un autre 27, un autre encore 20, etc. 115 n'ont fait qu'une seule traduction !

Sans en dresser ici un profil détaillé, on peut distinguer quatre groupes de traducteurs : les traducteurs salariés mais non comme traducteurs littéraires ; les indépendants qui ont traduit à partir de plusieurs langues, le français étant une de ces langues secondes ; les écrivains-traducteurs (sans doute, une vingtaine) ; les traducteurs de littérature, vivant de ce travail. C'est une situation devenue viable à partir des années 1970 grâce au système de bourses et de subventions de l'État finlandais, mis alors en place. De 1951 à 1990, le traducteur typique de la littérature française est une traductrice de un à deux romans du français, à côté d'un autre travail rémunéré. Sur les dix traducteurs les plus productifs, trois (hommes) sont mentionnés dans *Suomen kirjailijat 1945-1980*[11]. Souvent diplômés de l'Université, ces auteurs ont aussi souvent composé leurs propres œuvres littéraires, et poursuivent une autre activité rémunérée. Pendant les quatre décennies observées, seule Anniki Suni a pu vivre exclusivement de ses traductions littéraires, après avoir travaillé à la chaîne publique de télévision jusqu'à la fin des années 1970. De 1978 à 1990, elle a traduit du français 36 livres dont 26 dans la seule décennie des années 1980 – entre autres, Émile Ajar, Simone de Beauvoir, Tahar Ben Jelloun, Marguerite Duras, Gustave Flaubert, Marcel Proust, Danièle Sallenave, Françoise Sagan, Michel Tournier. Soit en douze ans, trois livres par an.

Toutes les données réunies concourent à mettre en évidence la corrélation entre « grande » maison d'édition, nombre de traductions et nombre élevé de traductions par traducteurs, selon une sorte de fidélisation réciproque. Le prestige d'un éditeur fait que le traducteur va lui rester plutôt attaché ; parallèlement, il va souvent traduire les travaux d'un même auteur. Par exemple, Jules Verne a huit traducteurs pour 22 traductions (l'un d'entre eux ayant traduit onze titres, deux ayant traduit trois titres chacun, et cinq ayant traduit un seul titre). De ces huit, un seul a traduit d'autres auteurs.

---

11. Livre sur les écrivains finlandais de l'après-guerre, édité en 1985 par M.Hirvonen, H.Launonen, A.Nybondes & I.Bäksbacka.

Deux tendances marquent donc l'importation de la littérature française en Finlande pour cette période qui s'étend de 1951 à 1990 : d'abord, l'image dominante est celle d'une littérature populaire, plutôt que canonique, surtout dans les années 1960-1970, l'espace éditorial étant néanmoins partagé entre un pôle commercial et un pôle légitime ; ensuite, le nombre d'ouvrages traduits est resté assez élevé.

LA LITTÉRATURE FINLANDAISE EN FRANCE
ENTRE 1980 ET 2000

Les traductions du finnois en français sont moins nombreuses que celles du français en finnois et s'étalent sur une plus courte durée : il y a relativement peu de traductions littéraires à partir du finnois avant 1980. Comme déjà indiqué, sont ici pris en compte roman, poésie et théâtre. Sont exclus les anthologies, les récits publiés dans des revues, les essais, les livres historiques. Notre objectif est également un peu différent : il s'agit maintenant de saisir ce qui amène à traduire une littérature périphérique. L'étude des 116 ouvrages, dispersés entre 45 éditeurs, devrait nous permettre de répondre aux questions suivantes : existe-t-il des stratégies déclarées de la part des maisons d'édition ? Comment celles-ci sélectionnent-elles, distribuent-elles, promeuvent-elles une littérature relativement récente, écrite en grande partie dans une langue méconnue ? Y a-t-il des traits communs aux ouvrages finlandais traduits du finnois ou du suédois ?

Pour obtenir des réponses, nous avons mené une recherche bibliographique et réalisé des entretiens plutôt qu'élaboré des statistiques, afin de faire apparaître les critères qualitatifs mis en avant par les acteurs. Ces démarches n'ont pas exclu un regard critique sur la position des maisons d'édition sur le marché. Ont été interviewés deux spécialistes de littérature finlandaise (novembre 2001, par courriels) et cinq éditeurs (sur place, en France). Les deux personnalités en question sont Tarmo Kunnas, professeur d'Université en littérature comparée, et Iris Schwanck, directrice du Centre d'information sur la littérature finlandaise[12], la fonc-

---

12. Suomalaisen Kirjallisuuden Seura (SKS) (Centre d'information sur la littérature finlandaise) http://www.finlit.fi (cliquez sur Fili puis sur Translation data base : traductions de la littérature finlandaise depuis 1853).

tion de ce Centre qui relève de la politique culturelle de l'État étant de faire connaître la littérature finlandaise à l'étranger et d'aider à prendre des risques pour éditer sans pour autant déterminer les choix des éditeurs. Les cinq éditeurs étaient les représentants de deux grandes maisons d'édition : Gallimard et Denoël (rachetée entre-temps par le premier), d'une moyenne : Actes Sud, et deux petites : L'Élan/Nantes et les éditions Riveneuve/Marseille. Les questions posées ont porté sur les fonctions de l'enquêté, sa perception de la littérature finlandaise en France, ses opinions sur le comportement du lecteur dans l'Hexagone, ses réactions à propos de la liste des 116 titres répertoriés et sur la pratique éditoriale en général. D'évidence, l'analyse de ces métadiscours, avec leurs ruses, leurs projections, leurs non dits, leurs ambiguïtés, leurs affirmations convenues, n'est pas facile.

La littérature finlandaise en France a connu une évolution certaine ces dernières années. En effet, si dans les années 1980, on trouve 25 éditeurs pour 44 ouvrages finlandais traduits, dans les années 1990, il y en a 26 pour 72 ouvrages traduits, grâce en partie à des aides françaises du CNL (Centre national du livre)[13] et à des fonds finlandais d'aide à la traduction, une communauté nationale pouvant se donner les moyens non seulement pour importer des littératures (intraductions) mais aussi pour exporter la sienne (extraductions), de sa littérature classique à la contemporaine.

Il faut noter que certains auteurs ont été traduits ailleurs avant de l'être en français (par exemple Monika Fagerholm : *Femmes merveilleuses au bord de l'eau* qui a été traduit en norvégien, danois, allemand… avant de paraître chez Gallimard en 1998). D'autres auteurs n'ont été traduits qu'en France (par exemple Bo Carpelan, suédophone, et nombre d'auteurs édités chez l'Élan). Enfin, quelques écrivains avaient déjà été traduits en français plus tôt, avec d'autres textes (c'est le cas par exemple de Mika Waltari).

Dans cette importation des textes étrangers, divers intervenants ont un poids déterminant : le directeur de collection, par exemple chez Actes Sud, sans forcément que ses critères de décision soient purement subjectifs ; les membres du comité de lecture (par exemple chez Gallimard), qui se décident sur des extraits en français ou en anglais. Parfois, une note ou une recommandation des traducteurs peut influer (ce fut le cas

---

13. http://www.centrenationaldulivre.fr/(voir en particulier les «ouvrages soutenus»).

par exemple d'Anne Papart qui a su imposer Rosa Liksom à la Découverte, en 1990, 1992 et 1995, les trois seuls ouvrages finlandais chez cet éditeur). On ne saurait négliger non plus le rôle de promotion joué par le festival *Les Boréales* qui a lieu à Caen, en novembre de chaque année, avec des invitations d'auteurs et des lancements de traductions[14].

Malgré tout, la diffusion de la littérature finlandaise en France reste modeste, avec des tirages compris entre 200 et 1 500 exemplaires (en moyenne) – les éditeurs rentrant ainsi rarement dans leurs frais. Ainsi, par exemple, le *Chaperon rouge* (300 pages) de Märtä Tikkanen (suédois-français) a été tiré en 1999 par les éditions de l'Élan à 500 exemplaires. L'achat des droits s'est élevé à 5 000 Frs, les frais de traduction à 25 200 Frs, la composition et la mise en page à 6 000 Frs, le montage et la photogravure à 6 700 Frs, l'impression à 10 500 Frs, le façonnage à 4 600 Frs, le papier à 3 500 Frs, la publicité et le service de presse à 1 500 Frs, soit un total de 63 000 Frs dont 40 % pour la traduction.

Pourquoi publie-t-on de la littérature finlandaise ? Les raisons sont assez hétéroclites et ne peuvent être ici hiérarchisées : on justifie le choix tantôt par la thématique plutôt que par le style (en se référant à la mythologie, à l'exotisme, au monde arctique, à la proximité de la nature, etc. – vendant de la sorte un livre un peu comme on vend le tourisme en Laponie, selon certains stéréotypes sur le Nord), tantôt par le souci d'assurer la continuité de l'œuvre d'un auteur ou encore par la volonté de diversifier les offres de lecture. Au final, la liste des auteurs traduits du finnois vers le français est assez diversifiée. Parmi les classiques, on citera Alexis Kivi (1834-1872), Juhani Aho (1861-1921), Franz Emil Sillanpää (1888-1964), prix Nobel de littérature en 1939, Mika Waltari (1908-1979), Tove Jansson (1914-2001). Parmi les contemporains, le plus connu est sans doute Arto Paasilina (1942-) : le succès de librairie du *Lièvre de Vatanen*, sorti en français en 1989, a conduit à sa réévaluation en Finlande. On mentionnera aussi Bo Carpelan, de langue suédoise (1926-), Pentti Holapaa (1927-), Paavo Haavikko (1931-), Märtä Tikkanen (1935-), Daniel Katz (1938-), Antti Tuuri (1944-), Matti Joensuu (1948-), auteur de romans policiers, Leena Lander (1955-), Rosa Liksom (1958-), et la suédophone Monika Fägerholm (1961-). On notera que les femmes sont aussi présentes que les hommes parmi les écrivains récemment traduits.

---

14. *Festival Les Boréales* (littérature, danse, concerts, cinéma, expositions), 16ᵉ édition en 2007. www.crl.basse-normandie.com.

L'évolution croisée des littératures entre la France et la Finlande et entre la Finlande et la France est divergente pour différentes raisons : il y a d'abord les différences des systèmes littéraires de départ, le français étant plus ancien que le finlandais en train de se construire. Il y a en outre des différences dans les maisons d'édition (grandes, moyennes, petites en France ; seulement grandes en Finlande), sans oublier les différences dans les aides à la traduction, peut-être plus systématiques en Finlande qu'en France. Enfin, on ne saurait négliger de mettre en rapport cette évolution avec les politiques traductionnelles prises dans un sens plus large, pour ne pas les réduire à un face-à-face littéraire entre deux pays : la traduction est quasi omniprésente dans le quotidien finlandais alors qu'elle est plus discrète ou moins visible en France. En outre, cette évolution est marquée par d'autres enjeux tels que celui de la place du livre (littéraire ou pas), celui de la lecture et celui de la place de l'apprentissage des langues, nous confrontant à un paradoxe : si l'anglais est devenu quasiment langue seconde en Finlande, cela n'empêche pas qu'on traduise toujours plus à partir de cette langue.

Chapitre 13

Les flux de traduction entre le français et l'arabe depuis les années 1980 : un reflet des relations culturelles

par Richard Jacquemond

L'étude comparée des flux de traduction du français vers l'arabe et, à l'inverse, de l'arabe vers le français, offre une illustration assez exemplaire de l'échange culturel inégal entre une langue centrale ou dominante (le français) et une langue périphérique ou dominée (l'arabe)[1]. Il peut sembler paradoxal de classer l'arabe dans les langues périphériques. Langue maternelle de plus de 200 millions de personnes et seconde langue d'au moins 100 autres millions (ce qui la classe au 5ᵉ ou au 6ᵉ rang mondial)[2], c'est l'unique langue officielle de 17 des 22 États membres de la Ligue arabe et l'une des langues officielles des cinq autres (Irak, Soudan, Djibouti, Somalie, Comores), ainsi que de trois États qui n'en font pas partie (Erythrée, Tchad, Israël) ; c'est aussi, depuis 1973, une des six langues officielles de l'ONU. C'est

---

1. Pour une mise en perspective historique de la question, *cf.* Richard Jacquemond, « Translation and Cultural Hegemony : The Case of French-Arabic Translation », art. cité.

2. Nous restons ici délibérément imprécis, les chiffres et classements du nombre de locuteurs des grandes langues du monde variant considérablement selon les sources.

encore la langue d'expression privilégiée de l'islam, religion de plus d'un milliard d'humains, et, historiquement, une grande langue de culture au même titre que le grec, le latin ou le chinois. Pourtant, du point de vue de son poids dans les échanges culturels internationaux ou dans l'économie mondiale de la connaissance, c'est bien une langue périphérique. On peut le mesurer à de nombreux indices, et notamment, à la suite de Johan Heilbron, à travers les flux de traduction[3] : 5ᵉ ou 6ᵉ langue la plus parlée dans le monde, l'arabe n'est, selon l'Index Translationum, que la 17ᵉ du point de vue du nombre de titres traduits à partir d'elle (9 113) et la 30ᵉ du point de vue du nombre de titres traduits vers elle (9 038)[4].

Cependant, la mesure du poids international de l'arabe à travers cet indice pose divers problèmes qu'il convient de discuter au préalable, même si, on le verra, cette discussion n'aboutit pas à remettre en cause l'hypothèse de départ, à savoir la position dominée de l'arabe dans les échanges culturels internationaux, comme le montrera l'examen des flux de traductions récents entre le français et l'arabe.

LES FLUX DE TRADUCTION :
UN INDICATEUR UTILE MAIS PROBLÉMATIQUE

Depuis le tournant du millénaire, l'accumulation des conflits et des crises en tout genre dans le monde arabe alimente un discours pessimiste, y compris au sein d'élites arabes qui, après avoir volontiers rejeté sur l'étranger (néo-)colonial ou dominant la responsabilité du «malheur arabe»[5], semblent aujourd'hui plus portées à l'autocritique. Exemple caractéristique de cet air du temps, la série des *Rapports sur le développement humain arabe* du Programme des Nations unies pour le déve-

---

3. Johan Heilbron, «Towards a Sociology of Translation. Book Translations as a Cultural World-System», art. cité.

4. Toutes les données issues de l'Index Translationum proviennent de consultations de la base de données de l'UNESCO effectuées dans le courant du mois d'avril 2008.

5. Selon le mot de Samir Kassir, *Considérations sur le malheur arabe*, Arles, Actes Sud Sindbad, 2004.

loppement (PNUD), et particulièrement celui de 2003[6]. Sous-titré « Construire une société de la connaissance », ce rapport, élaboré par une équipe de chercheurs arabes, dresse un tableau alarmiste de l'état actuel du monde arabe quant à la production et la circulation de l'information et du savoir. Nombre de ses analyses et conclusions ont été abondamment reprises et diffusées dans les médias arabes et étrangers, notamment l'idée selon laquelle le faible nombre d'ouvrages traduits en arabe serait un des indices les plus clairs de la crise de la culture arabe contemporaine :

> La plupart des pays arabes n'ont pas retenu les leçons du passé et le champ de la traduction demeure chaotique. En termes de quantité, en dépit de l'augmentation du nombre de livres traduits dans le monde arabe de 175 par an dans la période 1970-75 à 330, ce chiffre correspond au cinquième des traductions publiées en Grèce. Le total des livres traduits de l'époque d'Al-Ma'mûn à aujourd'hui s'élève à 10 000 – l'équivalent de ce que l'Espagne traduit en un an (Shawqi Galal, 1999, 87)[7].

Ces chiffres ont évidemment de quoi frapper les esprits. Or ils sont très loin de la réalité. La source citée, un court essai d'un intellectuel et traducteur égyptien[8], fait référence à des données qui proviennent d'une collecte statistique réalisée par l'ALECSO (Arab League Educational, Cultural and Scientific Organization : « l'UNESCO arabe ») en 1985, dans le cadre d'un « Plan national [comprendre 'panarabe'] pour la traduction » qui resta finalement lettre morte. La phrase « Le total des livres traduits de l'époque d'Al-Ma'mûn à aujourd'hui s'élève à 10000 » est elle-même tirée de ce document de 1985[9]. Il s'agit donc de données relativement anciennes, mais aussi et surtout très lacunaires. En effet, l'ALECSO s'était

---

6. UNDP, Arab Fund for Economic and Social Development, *The Arab Human Development Report 2003, Building a Knowledge Society*, New York, United Nations Publications, 2003. Également accessible en ligne : www. sd.undp.org/HDR/AHDR %20 2003%20- %20English.pdf

7. UNDP, *Arab Human Development Report 2003, op. cit.*, p. 67.

8. Shawqi Galal, *Al-Tarjama fî l-'âlam al-'arabî : al-wâqi' wa-l-tahaddî* (La traduction dans le monde arabe : réalité et défi), Le Caire, Conseil supérieur de la culture, 1999.

9. Al-Ma'mûn est le calife abbasside (813-833) dont le nom est associé à l'âge d'or de la traduction arabe : un mouvement de traduction d'une ampleur sans précédent dans l'histoire, qui s'étend en fait sur tout le premier siècle abbasside (environ 750-850) et est à l'origine de l'essor de la science arabe (voir Dimitri Gutas, *Pensée grecque, culture arabe. Le mouvement de traduction gréco-arabe à Bagdad et la société abbasside primitive*, trad. Abdessalam Cheddadi, Paris, Aubier, 2005).

appuyée à l'époque sur les données fournies par les États arabes, lesquels n'avaient que très partiellement répondu à ses demandes.

Ces mêmes États recueillent de façon tout aussi lacunaire les données bibliographiques à partir desquelles l'UNESCO élabore l'Index Translationum, la base de données qui permet d'analyser les flux internationaux de traduction depuis les années 1980. En pratique, seuls deux États arabes alimentent l'Index de manière satisfaisante : l'Égypte (3 502 traductions arabes recensées depuis 1979) et la Syrie (1 772). Ces chiffres semblent assez proches de la réalité telle qu'on peut la mesurer par l'observation directe et la consultation des catalogues d'éditeurs dans ces deux pays. À l'inverse, l'autre grand centre (avec l'Égypte) de l'édition arabe, le Liban, est, lui, complètement absent, du fait de l'absence de dépôt légal dans ce pays : l'Index ne donne que 78 traductions arabes publiées au Liban depuis 1978, alors qu'on sait que depuis les années 1960, il s'y publie au moins autant de traductions qu'en Égypte. Ainsi, une enquête portant uniquement sur les traductions du français publiées au Liban depuis 1980, enquête malheureusement inachevée, a recensé plus de 1 500 traductions[10]. Les lacunes sont tout aussi importantes quant aux pays où le secteur de l'édition est de formation plus récente. Une enquête sur l'édition au Maroc recense 426 traductions arabes de 1985 à 2003, contre 24 seulement répertoriées dans l'Index Translationum sur la même période[11]. Une étude sur l'Arabie saoudite couvrant la période 1980-1993 recense 412 traductions : l'Index n'en compte que 57 pour la même période[12].

En fait, depuis la fin du duopole égypto-libanais sur le livre arabe et l'émergence progressive, à partir des années 1970, d'une édition natio-

----

10. Enquête menée en 2004-2005 par le Bureau du livre de l'Ambassade de France à Beyrouth, dans le cadre du « Plan traduire » du ministère des Affaires étrangères. Une base de données en ligne a été élaborée, dont l'objectif était à terme de recenser toutes les traductions du français publiées dans le monde arabe depuis 1980. Quelque 1 500 traductions libanaises ont été saisies et mises en ligne sur le site www.tradarabe.org, puis le projet semble avoir été interrompu.

11. Mohamed-Sghir Janjar, *L'Édition dans le Maroc indépendant, 1955-2003 : état des lieux*, étude accessible en ligne : www.rdh50.ma/fr/pdf/contributions/GT9-3.pdf.

12. Nura Salih bin Sulayman al-Nasir, *Tarjamat al-kutub ila l-lugha l-'arabiyya fi l-mamlaka al-'arabiyya al-sa'udiyya wa-dawru-ha fi ithra' al-intaj al-fikri* (La traduction de livres vers l'arabe en Arabie saoudite et son rôle dans l'enrichissement de la production intellectuelle), Riyad, Bibliothèque du roi 'Abd al-'Aziz, 1419/1998.

nale dans la plupart des pays de la région, le paysage éditorial arabe s'est énormément diversifié et il est très difficile de se faire une idée précise de l'état réel tant de la production éditoriale que de la part qu'y représentent les livres traduits. Sans entrer dans le détail, les projections que l'on peut faire à partir des enquêtes disponibles aboutissent à proposer une évaluation de l'ordre de 2 000 traductions au moins publiées annuellement à l'échelle arabe depuis le début des années 2000, y compris les rééditions et réimpressions[13]. Par comparaison, les dernières années complètes de l'Index Translationum (2000 à 2003) donnent un total de 2 334 traductions arabes, soit une moyenne de 558 par an.

Autre comparaison intéressante : si l'on prend maintenant les quatre premières années complètes de l'Index (1980-1983), on trouve 745 traductions arabes (186 par an en moyenne)[14]. Sur vingt ans, l'Index enregistre donc un triplement de ces traductions. Même si ces données sont très lacunaires, la progression qu'elles relèvent semble correspondre à la réalité du marché. En effet, d'une part, rien n'indique que la transmission des données bibliographiques des États arabes vers l'UNESCO s'est améliorée depuis les années 1980 ; et d'autre part, ce triplement du nombre des traductions intervient dans un contexte de forte augmentation de la production éditoriale dans le monde arabe, augmentation liée d'abord, comme on l'a dit, à la diversification des centres de production. Autrement dit, il y a tout lieu de penser qu'en dépit d'une très forte augmentation en valeur absolue, la part relative des traductions dans la production éditoriale arabe, elle, n'a pas ou peu augmenté et se situe toujours aux alentours de 5 %. C'est peu, comparé à la part des traductions dans les pays européens (Grande-Bretagne exceptée), mais cela correspond à la situation du marché chinois par exemple[15].

Si l'on envisage maintenant la traduction à partir de l'arabe vers les grandes langues européennes et singulièrement vers le français,

---

13. Pour un exposé plus détaillé de la construction de cette évaluation, cf. Richard Jacquemond, « Les Arabes et la traduction : petite déconstruction d'une idée reçue », *La Pensée de midi*, n° 21, juin 2007, pp. 177-184. Franck Mermier propose pour sa part une estimation de 2 000 à 3 000 traductions par an à l'échelle arabe (*Le Livre et la ville. Beyrouth et l'édition arabe*, Arles, Actes Sud Sindbad, 2005, p. 181).

14. Après déduction des traductions arabes publiées en URSS (voir *infra*).

15. À la fin des années 1990, le marché du livre chinois est évalué à 140 000 titres par an, dont 6 % de traductions (Hu Shouwen, « China : An Open Land for the Rights Business », in Robert Baensch, *The Publishing Industry in China*, Transaction Publishers, 2003, p. 134).

l'Index Translationum redevient un outil à peu près fiable, puisque cette fois, les données sont celles fournies par la BNF ou ses équivalents. On comprend du coup que l'apparente égalité des flux d'intraduction (9 038 entrées) et d'extraduction (9 113), qui donnerait à penser que l'arabe est dans une situation d'échange culturel parfaitement égal, est en fait une illusion d'optique due à l'écart dans la qualité de la collecte statistique.

Le critère des flux de traductions comme mesure des échanges culturels entre deux pays ou deux aires linguistiques pose un autre problème dans le cas de l'arabe. En effet, pour être pleinement significatif, ce critère implique que l'on compare deux aires monolingues, relativement étanches l'une à l'autre comme, par exemple, la France et les Pays-Bas analysés par Johan Heilbron (voir chapitre 11). Or l'aire linguistique arabe (et donc le marché arabe du livre) se caractérise par l'inachèvement du processus d'arabisation. Suite à la période coloniale marquée à la fois par la renaissance (*nahda*) culturelle arabe et par l'imposition du français et de l'anglais et leur diffusion dans les élites locales, les indépendances ont été suivies de politiques d'arabisation plus ou moins systématiques et plus ou moins réussies, mais qui, à la notable exception de la Syrie, n'ont jamais pu être menées à leur terme. Aujourd'hui comme hier (voire davantage), les élites arabes qui sont les plus fortes consommatrices d'écrit continuent de recourir au livre écrit en anglais ou en français, que ce soit dans des proportions massives (Maghreb) ou plus modestes (Machrek).

Surtout, le livre traduit pâtit de la faiblesse structurelle du marché du livre arabe. Dans les sociétés européennes, l'alphabétisation de masse et l'inculcation de la lecture en tant qu'activité de loisir solitaire ont précédé l'avènement des médias audiovisuels, permettant au livre d'offrir à ces médias une résistance somme toute vigoureuse. Dans le monde arabe, ces nouveaux médias se sont imposés à des sociétés largement analphabètes, où la pratique de la lecture ne s'était guère diffusée au-delà des élites urbaines. On peut le mesurer à la présence discrète, sur les marchés arabes, des grands best-sellers mondiaux de type Agatha Christie et Jules Verne ou, pour prendre des exemples plus récents, J.K. Rowling ou Paulo Coelho : ces auteurs sont traduits en arabe, mais pour des ventes incomparablement plus faibles que celles qu'ils ont en Europe ou en Amérique du Nord. Cette faiblesse ne tient pas à des causes culturelles, le lecteur arabe ayant on ne sait quelle prévention vis-à-vis de l'imaginaire européen, américain ou autre, comme le montre par exemple le succès des séries américaines ou des dessins animés japonais auprès des téléspectateurs arabes. C'est plutôt le rapport au livre en tant que bien symbolique et à la lecture en tant que pratique sociale qui est en cause. Plus précisément, peut-être, le rapport à une certaine pratique de la lecture, activité de loisirs, gratuite et hédoniste, car d'autres types de livres, eux, résistent bien aux nouveaux médias et trouvent un public croissant : les livres religieux d'une part, et les livres éducatifs et pratiques d'autre part. Conception utilitariste de la lecture : le livre est un investissement dont on attend un rapport, dans ce monde ou dans l'autre. En Égypte, au Liban et ailleurs, c'est dans ces deux secteurs (livre religieux et livre éducatif ou pratique) qu'on trouve les entreprises éditoriales les plus puissantes.

LA TRADUCTION DU FRANÇAIS VERS L'ARABE

La relative faiblesse des flux de traduction vers l'arabe ne peut donc être interprétée de manière univoque. Cette mise au point faite, l'observation des flux de traduction entre le français et l'arabe n'en est pas moins riche d'enseignements, sur divers plans.

La place du français comme langue source

Pour faire parler les statistiques de l'Index Translationum de ce point de vue, il faut d'abord neutraliser une sorte d'anomalie : jusqu'en 1991, le russe représente 31,7 % des traductions arabes recensées par l'Index (1 329 notices sur 4 191), mais la plupart de ces traductions sont publiées en URSS (1 172 sur 1 329, soit 88,2 %). Si l'on extrait de la statistique ces traductions publiées en URSS, on constate que la part du français et de l'anglais pris ensemble reste stable : environ 75 % des traductions, les autres langues se partageant le quart restant. Mais au sein de ces 75 %, le rapport est de plus en plus défavorable au français, dont la part tombe de 20,7 à 12,4 %.

Tableau 1. Langue d'origine des ouvrages traduits en arabe
(non compris les traductions publiées en URSS)

Langue	1980-1989	1990-1999	2000-2005
Anglais	1 106 *(54,1 %)*	1 588 *(57 %)*	1 571 *(64,6 %)*
Français	423 *(20,7 %)*	431 *(15,5 %)*	303 *(12,4 %)*
Allemand	104 *(5,1 %)*	124 *(4,5 %)*	112 *(4,6 %)*
Russe	124 *(6,1 %)*	83 *(3 %)*	70 *(2,9 %)*
Espagnol	47 *(2,3 %)*	87 *(3,1 %)*	67 *(2,8 %)*
Italien	25 *(1,2 %)*	31 *(1,1 %)*	37 *(1,5 %)*
Autres langues	217 *(10,6 %)*	443 *(15,9 %)*	272 *(11,2 %)*
Total	**2 046 *(100 %)***	**2 787 *(100 %)***	**2 432 *(100 %)***

Source : Index translationum

Autrement dit, et hormis le cas particulier du russe, le français est la seule langue qui voit sa position sérieusement reculer dans la période. La question est de savoir si cette évolution enregistrée par l'Index Translationum serait confirmée ou infirmée par des données plus complètes. Pour le Liban, qui est le grand absent de l'Index, l'observation directe (à partir notamment des catalogues d'éditeurs) montre une évolution comparable, à savoir un recul relatif de la part du français au profit de l'anglais.

La place du français selon les pays

Dans le tableau suivant, on n'a retenu que les pays pour lesquels l'Index donne un nombre significatif (supérieur à 100) de traductions :

Tableau 2. Traductions en arabe par pays de publication.

Pays	Total	Trad. de l'anglais	Trad. du français
Égypte	3 502	2 723 *(77,8 %)*	269 *(7,7 %)*
Syrie	1 772	710 *(40,1 %)*	466 *(28,5 %)*
Koweït	532	244 *(45,9 %)*	70 *(8,4 %)*
Arabie saoudite	404	316 *(78,2 %)*	9 *(2,2 %)*
Jordanie	280	179 *(63,9 %)*	26 *(9,3 %)*
Algérie	219	33 *(15,1 %)*	131 *(59,8 %)*
Tunisie	160	27 *(16,9 %)*	98 *(61,3 %)*

Source : Index translationum

Le français domine nettement l'anglais comme langue-source dans les anciennes colonies du Maghreb. Au Maroc, absent de ce tableau, le français est la langue d'origine de 87,5 % des 539 traductions arabes répertoriées par M.S. Janjar sur la période 1955-2003[16]. Au Machrek, on n'a malheureusement pas d'indication précise sur le rapport français-anglais au Liban : les catalogues d'éditeurs suggèrent que le français continue de l'emporter sur l'anglais, mais que l'écart entre les deux s'est réduit dans les dix ou quinze dernières années. En Syrie, le français, première langue-source des traductions arabes jusqu'aux années 1980, a ensuite été doublé par l'anglais. Les autres États mentionnés dans ce tableau étant plutôt de tradition anglophone, c'est logiquement l'anglais qui domine comme langue d'origine. On aurait pu penser que cette domination serait moins nette en Égypte, qui cultiva longtemps une certaine francophilie pour contrecarrer l'influence britannique. Or la part du français dans les traductions y apparaît plus faible qu'en Jordanie et au Koweït.

Les catégories de livres traduits du français en arabe

L'effritement de la position du français s'explique-t-il par la perte d'attractivité de tel ou tel secteur de la production éditoriale française ? Sur ce point, la position des traductions arabes est originale. En effet, elles se caractérisent par la part relativement faible qu'y occupe la catégorie « littérature » : un tiers des traductions, alors que sur le marché mondial cette catégorie compte pour 50 %. Cela confirme la remarque faite plus haut sur la tendance « utilitariste » du marché éditorial arabe. Or s'agissant des traductions du français, la part de la littérature, équivalente à celle de l'ensemble des langues d'origine au début de la période (38 et 36 % respectivement), augmente nettement ensuite, atteignant 56 % dans les années 2000-2005.

---

16. Mohamed-Sghir Janjar, *L'Édition dans le Maroc indépendant*, *op. cit.*, p. 16.

Tableau 3. Évolution des traductions en arabe par catégories.
(évolution toutes langues d'origine confondues comparée à l'évolution
pour les traductions du français ; non compris les traductions publiées
en URSS jusqu'en 1991).

Catégorie de livres	1980-1989		1990-1999		2000-2005	
	Toutes langues	Trad. du français	Toutes langues	Trad. du français	Toutes langues	Trad. du français
Littérature	745 *36,4%*	163 *38,5%*	864 *31%*	181 *42%*	814 *33,5%*	170 *56,1%*
Essais et SHS	715 *35%*	166 *39,2%*	897 *32,2%*	170 *39,5%*	692 *28,5%*	98 *32,3%*
Religion	174 *8,5%*	10 *2,3%*	384 *13,8%*	22 *5,10%*	204 *8,4%*	10 *3,3%*
Autres	412 *20,1%*	84 *20%*	642 *23%*	58 *13,4%*	722 *29,7%*	25 *8,3%*
Total	2 046 *100%*	423 *100%*	2 787 *100%*	431 *100%*	2 432 *100%*	303 *100%*

Source : Index translationum

Pour la catégorie «Essais et SHS» (construite par regroupement
de trois catégories du classement décimal de l'UNESCO : philosophie
et psychologie ; droit, sciences sociales et éducation ; histoire, géographie et biographie), leur part recule légèrement, toutes langues confondues, et il en va de même lorsqu'on l'envisage pour les seules traductions
du français. Nous avons conservé la catégorie «religion» à part, pour
tester son évolution dans une période caractérisée par la montée en puissance du «livre islamique» dans l'édition arabe[17] : sa part augmente
dans les années 1990 avant de retomber au niveau des années 1980.
L'observation directe montre aussi un recul de la présence de ce type
d'ouvrages sur le marché, comme si le pic de l'effet de mode était passé.
Il est notable que très peu de traductions du français relèvent de cette
catégorie. Enfin, la catégorie «Autres» regroupe les quatre dernières
catégories de la classification décimale suivie par l'UNESCO (généra-
lités et dictionnaires ; nature et sciences exactes ; sciences appliquées ;
arts, jeux et sports). On trouve là notamment tout le domaine du «livre
pratique». Cette catégorie est en expansion (elle passe de 20 à 30 %)
toutes langues d'origine confondues, mais recule sensiblement pour les

---

17. Sur le «livre islamique» arabe, cf. Yves Gonzalez-Quijano, *Les Gens du livre :
édition et champ intellectuel dans l'Égypte républicaine*, Paris, CNRS Éditions, 1998,
spécialement le chapitre 7.

traductions du français (de 20 % à moins de 10 %) : évolution qui correspond à ce que l'on peut observer de manière empirique, avec la présence croissante sur le marché de traductions arabes de manuels américains de *self help*, de la psychologie familiale à l'informatique en passant par l'économie et la gestion.

En conclusion, les tendances que l'on peut extrapoler à partir des statistiques de l'Index Translationum sont peu favorables au français. Sa part globale dans les traductions arabes est en nette diminution depuis les années 1980 ; dans les principaux pays arabes éditeurs de traductions, il est soit très loin derrière l'anglais (Égypte), soit en recul (Liban et Syrie), et sa position serait encore plus défavorable sans l'émergence récente d'un marché du livre arabe traduit dans les pays du Maghreb. Enfin, du point de vue des catégories, la montée de la littérature et le recul concomitant des traductions arabes d'essais, de sciences humaines et sociales et de livres scientifiques et pratiques français peuvent indiquer un certain repli des traductions du français sur une image traditionnelle, « littéraire », de la culture française.

Dans quelle mesure les politiques de soutien à l'extraduction parviennent-elles à limiter ce recul ? Pour l'aire arabe, les programmes d'aide à la publication (PAP) du ministère des Affaires étrangères ont permis d'aider environ 800 titres depuis 1990, mais il s'agit pour la moitié seulement de traductions, l'autre moitié consistant en des aides à des cessions de droit pour des éditions locales en français[18]. Il faut y ajouter les aides à l'extraduction du CNL (ministère de la Culture) : de 1989 à 2003, 300 aides ont été accordées pour l'arabe[19]. L'ensemble des traductions arabes aidées par les pouvoirs publics français représente donc environ 700 titres sur 15 ans, chiffre à comparer avec les 734 traductions du français à l'arabe répertoriées par l'Index Translationum pour la période 1990-2005 (voir tableau 1) ! Certes, on a suggéré plus haut que le nombre réel de traductions arabes est trois ou quatre fois supérieur à celui enregistré par l'Index. Si tel est le cas, cela signifierait qu'un tiers à un quart des traductions arabes du français publiées dans le monde

---

18. Ministère des Affaires étrangères-ADPF, *Lire les auteurs français à l'étranger. Les programmes d'aide à la publication. 1990-2005*, catalogue téléchargeable sur le site du ministère : http://www.diplomatie.gouv.fr/fr/actions-france_830/livre-ecrit_1036/politiques-ecrit_12690/lire-les-auteurs-francais-etranger_12691/

19. Liste communiquée par le CNL à l'occasion d'une réunion professionnelle sur les politiques de soutien à la traduction dans le monde arabe (Tanger, janvier 2004).

arabe depuis 1990 bénéficient d'une aide publique française : c'est dire l'importance de cette politique publique de soutien à l'extraduction s'agissant de l'aire arabe.

Traduction ou retour à l'original ?

Avant de passer à l'examen du flux inverse, c'est-à-dire la traduction de l'arabe vers le français, arrêtons-nous sur un domaine dont on ne sait trop de quel côté des flux il se situe : je veux parler de la traduction arabe de toute une production, écrite en français, mais qui porte sur le monde arabe, qu'il s'agisse de littérature de fiction, de récits divers, d'essais, ou d'ouvrages de sciences sociales, et que leurs auteurs soient français (voyageurs et expatriés, chercheurs, journalistes, etc.) ou arabes, ou les deux à la fois comme lorsqu'il s'agit d'écrivains, intellectuels ou chercheurs arabes installés de longue date en France comme les romanciers Tahar Ben Jelloun et Amin Maalouf ou l'islamologue Mohamed Arkoun – trois auteurs abondamment traduits et très lus en arabe.

Une caractéristique en effet de l'échange culturel entre la France et le monde arabe est que pour une large part, il se passe de la traduction. Dans l'époque moderne, époque coloniale et post-coloniale, la connaissance et la représentation du monde arabe en France se sont construites par la médiation du champ orientaliste bien plus que par l'importation, *via* la traduction, de savoirs et de représentations constitués en arabe. Dans le même temps, le français est devenu, à la faveur de la colonisation, puis est demeuré, après les indépendances et à la faveur d'autres processus de domination plus complexes, la langue d'expression d'une part importante des élites littéraires et intellectuelles arabes, qu'il s'agisse d'acteurs installés au Nord ou au Sud de la Méditerranée, ou encore allant et venant ici et là suivant les contextes politiques et les opportunités professionnelles.

Ainsi, une enquête menée à l'Institut du monde arabe sur la production éditoriale française de l'année 1986 avait recensé, sur un total d'environ 18 800 nouveautés, 529 titres concernant le monde arabe. Parmi ces 529 titres, 500 étaient écrits en français ou traduits d'une autre langue européenne, et 29 traduits de l'arabe (ou accessoirement du turc, du persan ou de l'hébreu)[20]. Les traductions l'emportent dans une seule catégorie, celle de la religion (11 titres traduits contre 8 écrits dans une langue européenne), et c'est dans la catégorie « littérature » qu'elles sont le plus nombreuses (14 titres, pour 58 écrites originellement dans une langue européenne). Quelques années plus tard, l'Institut du monde arabe a publié, sous le titre *Écrivains arabes d'hier et d'aujourd'hui*, une bibliographie par auteur des œuvres littéraires disponibles dans l'édition française fin 1995[21] : à cette date, sur 280 auteurs arabes contemporains publiés en France, 205 écrivent en français et 75 sont traduits de l'arabe. Cela souligne le progrès de la traduction de l'arabe (j'y reviendrai plus loin) mais aussi le maintien et même le développement d'une abondante création littéraire arabe d'expression française. À défaut d'une bibliographie complète plus récente, on peut se reporter à la bibliographie sélective *France-Arabie* publiée en 2005 par l'ADPF[22], qui compte plus de 3 000 titres. Ce qui frappe dans cette sélection, c'est la présence massive, beaucoup plus importante que par le passé, d'auteurs en sciences humaines et sociales originaires des pays arabes et notamment du Maghreb. Dans le champ intellectuel ou académique comme dans le champ littéraire, le fait d'écrire directement en français procure des avantages matériels et symboliques évidents.

Quand on consulte tant les notices de l'Index Translationum que les catalogues des éditeurs arabes, on constate que toute cette production en français sur le monde arabe, qu'il s'agisse de la production orientaliste au sens large ou de celle des auteurs arabes écrivant en français, est très largement traduite en arabe. Son importance quantitative est impossible à évaluer précisément, car elle traverse les catégories de la classification décimale utilisée par l'Index et la plupart des bibliographies, mais c'est indubitablement une des priorités de la traduction arabe contemporaine. À titre d'exemple, un comptage que nous avons effectué sur le catalogue du « Projet national de traduction », grand programme

20. Gilles Kepel, « Synthèse » de l'atelier Édition-Traduction, actes du colloque *Le Monde Arabe dans la vie intellectuelle et culturelle en France*, 18-20 janvier 1988, Paris, Institut du monde arabe, 1989, p. 112.

21. Farouk Mardam Bey (dir.), *Écrivains arabes d'hier et d'aujourd'hui*, Paris et Arles, Institut du monde arabe et Actes Sud Sindbad, 1996.

22. Farouk Mardam Bey (dir.), *France-Arabie. Bibliographie sélective des ouvrages français disponibles sur le monde arabe*, Paris, ADPF-Ministère des Affaires étrangères, 2005. (ADPF : Association Diffusion de la pensée française).

public égyptien lancé en 1995, donne les résultats suivants : sur les 1 000 titres que compte exactement le catalogue publié en 2006, 95 se rapportent directement à l'Égypte (égyptologie, histoire, culture et société contemporaines), 110 traitent du monde arabe et/ou musulman et 50 autres sont des ouvrages écrits originellement en anglais, français ou allemand par des auteurs arabes (majoritairement égyptiens). Au total donc, 255 traductions sur 1 000 (25,5 %) relèvent de ce qu'on peut appeler un *retour à l'original* : une réappropriation, en arabe, de savoirs et représentations sur soi produit dans d'autres langues.

LA TRADUCTION DE L'ARABE EN FRANCE

Comme on l'a dit plus haut, l'Index Translationum est ici un outil plus fiable, dans la mesure où les données fournies par le dépôt légal français sont plus complètes. On verra qu'elles posent d'autres problèmes, mais utilisons-les déjà pour un premier éclairage global. Une des recherches proposées par l'Index Translationum est le « Top 10 » des pays traduisant à partir d'une langue donnée. De manière intéressante, la France est en tête du « Top 10 » des pays traduisant de l'arabe, avec 1 222 notices (sur un total de 9 113, soit 13,4 %), devant l'Espagne (929) et l'Allemagne (696). Les États-Unis et la Grande-Bretagne arrivent en 6e et 10e position. On trouve aussi dans ce « Top 10 » trois pays musulmans (la Turquie, l'Iran et l'Indonésie) : occasion de rappeler que si l'arabe est une langue dominée dans les échanges avec les langues européennes, il se trouve en position dominante dans ses échanges avec les autres aires linguistiques du monde musulman.

Mais revenons à la France. En examinant l'évolution dans le temps, on constate un net changement autour de l'année 1990 : jusqu'à cette année incluse, il se publie en France entre 10 et 28 traductions de l'arabe par an (20 en moyenne) ; à partir de 1991, jamais moins de 30, avec une pointe à 109 en 2001 (68 par an en moyenne). Comme le montre le graphique ci-dessous, ce changement est propre à la France : au niveau mondial, le nombre de traductions de l'arabe n'augmente pas significativement sur la période, excepté deux pointes, en 1999 et 2004, qu'on a du mal à s'expliquer.

**Graphique 1. Évolution comparée des traductions arabes
en France et dans le monde, 1979-2004**

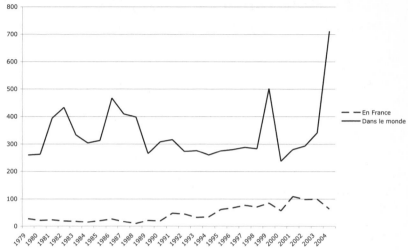

Source : Index Translationum

On sait en revanche que le nombre de traductions publiées en France a fortement augmenté : quand il paraît en moyenne 20 traductions de l'arabe par an en France (période 1979-90), la moyenne des traductions françaises est de 3 179 titres/an ; dans la période suivante (1991-2004) où l'on a 68 traductions de l'arabe/an en moyenne, la moyenne de l'ensemble des traductions est passée à 7 209 titres/an. Autrement dit, la « part de marché » de l'arabe dans les traductions paraissant en France augmente bien, passant de 0,6 % à 0,9 %, mais reste à un niveau assez dérisoire.

Pour comprendre le saut quantitatif qui se produit en France autour de 1990, il faut affiner l'analyse et examiner les catégories de livres traduits en parcourant les listes que donne l'Index dans chaque catégorie.

Les catégories ci-dessous ne correspondent pas exactement à celles de l'Index. Pour « faire parler » la catégorie « littérature », nous avons dépouillé et distribué ses notices en trois sous-catégories : littérature moderne, littérature classique, et contes et *Mille et une Nuits*. Dans la catégorie « religion », nous nous sommes contenté de faire apparaître les traductions du Coran. L'ensemble « Autres » regroupe les huit autres caté-

gories du classement décimal adopté par l'Index : s'agissant des traductions arabes, les classements de l'Index se révèlent ici particulièrement
aléatoires. En effet, les ouvrages anciens ne se prêtent pas à ce type de
classification : ainsi les traductions du grand philosophe mystique Ibn
'Arabi sont classées tantôt en littérature, tantôt en religion, tantôt en philosophie. Les choix opérés pour les ouvrages modernes sont aussi contes-
tables : par exemple les nombreuses autobiographies d'écrivains arabes
modernes sont classées en « Histoire, géographie et biographie » et non
en littérature. Nous les avons donc réintégrées en « littérature moderne »,
avec quelques autres titres manifestement mal classés et, avant de regrouper
cet ensemble « Autres », nous avons séparé les auteurs classiques des
auteurs modernes, ce qui fait ressortir l'extrême rareté des traductions
d'essais politiques ou de textes de sciences humaines et sociales arabes
contemporains (une quinzaine de titres sur toute la période 1979-2004).

**Graphique 2. Traductions de l'arabe en français parues en France
par catégories : comparaison 1979-1990 et 1991-2004.**

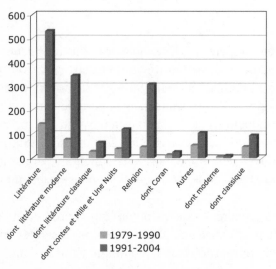

Source : Index Translationum

   D'une période à l'autre, toutes les catégories et sous-catégories
sont en hausse, mais l'essentiel de l'augmentation est fourni par deux
d'entre elles : la littérature moderne (de 77 à 345 notices : + 448 %) et,
plus spectaculairement encore, la catégorie « religion » (de 46 à 309

notices : + 672 %). Ce dernier chiffre illustre bien l'émergence d'un marché du « livre islamique », en France et en français, à partir des premières années 1990[23]. On distingue aisément, en parcourant ces 309 notices d'ouvrages de « religion » traduits de l'arabe en français, ceux qui relèvent de l'édition française classique dans le domaine (pour l'essentiel, des traductions du Coran et des ouvrages relevant de l'islamologie et du soufisme) et ceux qui relèvent de ce nouveau type d'édition à destination du public des musulmans de France (la majorité des notices). Il s'agit en effet pour l'essentiel d'ouvrages d'éducation et d'édification religieuses, d'auteurs classiques ou (plus souvent) contemporains, dont la traduction en français s'impose dans un contexte de développement de la pratique religieuse dans cette communauté qui, dans son immense majorité, n'a pas accès à la lecture en arabe.

Avant de revenir plus longuement sur la traduction de la littérature arabe moderne en France, un mot sur la catégorie que nous avons appelée « contes et *Mille et Une Nuits* ». L'Index traite comme des traductions les très nombreuses éditions des *Nuits*, dont la plupart sont des éditions illustrées d'un ou plusieurs contes choisis (toujours les mêmes : Aladin, Ali Baba, Sindbad, etc.) et ne sont pas à proprement parler des traductions ; c'est la raison pour laquelle les *Mille et Une Nuits* sont en tête du « Top 10 » des auteurs les plus traduits de l'arabe selon l'*Index*, avec 1 010 notices, loin devant le *Coran* (501) et le Nobel de littérature égyptien Naguib Mahfouz (361). Mais au-delà des *Nuits*, on trouve de très nombreuses traductions françaises de contes arabes, elles aussi souvent destinées à la jeunesse ; il s'agit d'ailleurs pour partie d'éditions bilingues français-arabe, ce qui donne à penser que le public visé est notamment celui des jeunes Français d'origine arabe, que l'on familiarise ainsi avec leur langue et leur culture d'origine.

L'essor de la littérature arabe moderne en traduction française

La littérature arabe moderne, née dans les premières décennies du 20e siècle dans les centres urbains d'Égypte et du Levant et dans les

---

23. Sur ce phénomène, voir Soraya El Alaoui, *Les Réseaux du livre islamique. Parcours parisiens*, Paris, CNRS Éditions, 2006, spécialement le chapitre 6, « L'édition locale ».

capitales européennes et américaines de l'émigration arabe, prend véritablement son essor après la Seconde Guerre mondiale et rayonne progressivement sur l'ensemble de l'aire arabe. Ce n'est guère que depuis les années 1970 qu'on trouve une production romanesque significative, en qualité et en quantité, au Maghreb, et plus récemment encore dans la péninsule Arabique. C'est donc une littérature jeune ; logiquement, sa traduction est elle aussi très récente.

De 1948 à 1968, il paraît en tout et pour tout 19 traductions françaises d'œuvres littéraires arabes modernes : à peine une par an[24]. Après 1967 et la guerre des Six jours, l'émergence de la question palestinienne et plus généralement la vague tiers-mondiste donnent une nouvelle visibilité à la culture arabe contemporaine. Dans les années 1970 paraissent les premières traductions anglaises et françaises du Soudanais Tayyeb Salih (né en 1929), de l'Égyptien Naguib Mahfouz (1911-2006), du Palestinien Ghassan Kanafani (1936-1972), du Marocain Mohamed Choukri (1935-2003), des poètes Mahmoud Darwich (Palestine, né en 1942), Adonis (Syrie-Liban, né en 1931), etc. Il s'agit, on le voit, d'écrivains alors jeunes, parmi lesquels Mahfouz fait figure de vétéran ; sa traduction tardive (*Passage des miracles*, sa première traduction française, paraît en 1970, 23 ans après l'original) souligne l'effet de méconnaissance induit par la fermeture de la France à la culture arabe dans les années 1950 et 1960.

La dimension militante de ce moment fondateur de la traduction de la littérature arabe se manifeste aussi dans le profil des acteurs (traducteurs, éditeurs, institutions). Le principal éditeur dans ce domaine est Sindbad, maison créée en 1972 par Pierre Bernard et qui se spécialise dans le domaine arabe (avec quelques incursions dans les domaines turc et persan). Cette entreprise éditoriale est rendue possible par un accord avec le gouvernement algérien, qui permet à Sindbad d'exporter entre un tiers et la moitié de sa production en Algérie[25]. Outre Sindbad, on trouve quelques traductions littéraires de l'arabe chez Maspero, Minuit, Messidor (éditeur lié au Parti communiste français), ou dans de petites maisons créées et/ou financées par des acteurs arabes (Publisud, Le

24. Nada Tomiche, *La Littérature arabe traduite. Mythes et réalités*, Paris, Geuthner, 1978, tableaux p. 3 et 6-7.

25. Sur la trajectoire de Pierre Bernard et l'histoire des éditions Sindbad, voir Maud Leonhardt Santini, *Paris, librairie arabe*, *op. cit.*, spécialement le chapitre 7, « Les éditions Sindbad, de Pierre Bernard à Farouk Mardam-Bey ».

Sycomore). Les publications chez les grands éditeurs de littérature étrangère traduite sont plus tardives et restent très rares : il faut attendre 1978 pour trouver un roman traduit de l'arabe dans la collection « Du monde entier » de Gallimard (*Chronique du figuier barbare*, de la Palestinienne Sahar Khalifa), et 1985 pour la collection « Cadre vert » du Seuil (*Zayni Barakat*, de l'Égyptien Gamal Ghitany).

L'année 1985 marque un tournant : « [...] après 1985, aucune année ne comptabilise moins de 10 titres parus dans le domaine de la littérature arabe contemporaine. [...] De 1990 à 1994, la moyenne dépasse les 17 titres annuels et de 1995 à 2000 elle atteint vingt-cinq[26] ». L'année 1985 voit aussi le lancement de la collection « Lettres arabes », publiée par Lattès avec un important soutien financier de l'Institut du monde arabe (IMA, qui vient d'être alors créé à Paris) et où paraissent de 1985 à 1990 onze romans et recueils de nouvelles traduits de l'arabe. On voit l'importance des soutiens publics, arabes (l'Algérie finançant Sindbad) et franco-arabes (l'IMA[27]) dans cette période pionnière pour la littérature arabe moderne en France.

Le flux est bientôt accéléré par le relatif succès commercial rencontré par Naguib Mahfouz après qu'il a reçu en 1988 le prix Nobel de littérature – le seul attribué à un écrivain arabe à ce jour. Sa bibliographie occupe une place de choix dans l'ensemble (4 titres de lui traduits en français avant le Nobel, 32 de 1989 à 2006). Ce mouvement profite surtout aux écrivains égyptiens et libanais, qui dominent la production arabe[28] ; d'autres pays sont très peu représentés, soit parce qu'ils sont encore marginaux dans l'espace littéraire arabe (péninsule Arabique et Maghreb), soit pour des raisons plus politiques (Syrie, Irak) ; inversement, la littérature palestinienne est relativement bien traduite, là aussi pour des raisons politiques. D'autre part, à partir de 1990, les soutiens spécifiques (Algérie, IMA) évoqués plus haut disparaissent et sont relayés par les aides ordinaires à l'intraduction du CNL (voir chapitre 3), lequel

---

26. *Ibid.*, p. 166-167.

27. Aux termes de l'acte de fondation signé en 1980, l'Institut du monde arabe devait être financé à égalité par la France et les États arabes signataires ; en pratique, depuis sa création, la majorité de ces derniers ont soit refusé de verser leur contribution, soit l'ont versée avec des retards considérables. *Cf.* Thierry Fabre, « L'Institut du monde arabe entre deux rives », *Vingtième siècle*, n° 32, 1991, pp. 75-79.

28. Sur l'Égypte, voir Richard Jacquemond, *Entre scribes et écrivains, Le champ littéraire dans l'Égypte contemporaine*, Arles, Actes Sud Sindbad, 2003.

consacre également plusieurs opérations « Belles étrangères » aux littératures des pays arabes : Égypte (1994), Palestine (1997), Algérie (2003)
et Liban (2007).

Aujourd'hui, la littérature arabe moderne s'est donc fait une petite
place dans le champ éditorial français et un fonds significatif de textes
a été constitué. Cependant, l'acquis reste fragile. D'après le comptage
de Maud Leonhardt Santini, qui porte sur 379 parutions de 1979 à 2000
(rééditions comprises), seule une petite minorité des textes traduits (10 %)
ont été publiés (ou réédités) chez les grands éditeurs (Gallimard, Le
Seuil, Albin Michel, Flammarion) ; 25 % l'ont été par de tout petits
éditeurs (il s'agit notamment de traductions poétiques) ; tandis que 42 %
relèvent d'éditeurs « dont la politique éditoriale est axée sur des problé-
matiques relatives au monde arabe ou au tiers monde »[29] ; le reste relevant d'éditeurs au projet plus politique que littéraire (Messidor, Des
Femmes, Le Cerf). La majorité des publications sont donc soit très peu
visibles, soit enclavées dans des circuits éditoriaux qui tendent à enfermer
la littérature arabe dans son aire géographique ou à la surpolitiser.

En termes de diffusion, seul Mahfouz atteint des tirages importants
(plus de 10 000 exemplaires). Quelques auteurs se situent aujourd'hui,
pour leurs titres les plus vendus, entre 5 000 et 10 000 : les Égyptiens
Sonallah Ibrahim et Gamal Ghitany, la Libanaise Hanan El Cheikh, son
compatriote Elias Khoury. Ghitany, Ibrahim et Khoury sont des auteurs
caractéristiques de la génération des années 1960 : tout en dépassant les
procédés du naturalisme, leurs romans restent largement fidèles au double
paradigme du réalisme et de l'engagement. Cela vaut aussi pour ceux
de Hanan El Cheikh, qui ont l'avantage (d'un point de vue « commercial ») d'être centrés sur la condition féminine (voir *infra*). Les recueils
du poète palestinien Mahmoud Darwich se vendent à plusieurs milliers
d'exemplaires, succès de librairie que bien des poètes français de renom
pourraient lui envier, mais qui repose sur le malentendu d'une réception
surpolitisée. Enfin, depuis 2006, la littérature arabe en traduction française tient son premier vrai best-seller : *L'Immeuble Yacoubian* (Actes
Sud, 2006), premier roman de l'Égyptien Alaa El-Aswany, qui selon
son éditeur se serait vendu à quelque 150 000 exemplaires en dix-huit
mois. C'est une sorte de *remake* du *Passage des miracles* de Mahfouz :
un roman de facture très conventionnelle, où la description d'un micro-

---

29. Maud Leonhardt Santini, *Paris, librairie arabe*, *op. cit.*, p. 178-179.

cosme, espace restreint situé dans la capitale, fonctionne comme métaphore de la société égyptienne. Le succès de *L'Immeuble Yacoubian* confirme la tendance indiquée par les auteurs qui dominent le marché de la littérature arabe moderne en traduction, de Mahfouz à Elias Khoury, c'est-à-dire la domination de la lecture ethnographique et/ou politique de cette littérature – situation qu'elle partage avec d'autres littératures dominées.

Une autre caractéristique de ce marché est la place particulière qu'il fait aux femmes. En 1961, Le Seuil publie *Je vis !* récit autobiographique d'une jeune Libanaise, Leila Baalbaki, en rupture avec la morale dominante de son pays : traduction exceptionnelle à la fois par sa rapidité (trois ans après l'original) et son contexte (c'est *la seule* traduction d'un auteur arabe moderne publiée en France par un éditeur majeur entre 1948 [Taha Hussein, *Le Livre des jours*, Gallimard] et 1978 [Sahar Khalifa, *Chronique du figuier barbare*, Gallimard]). Cette exception historique est révélatrice de la réception particulière des écrivaines arabes dans les espaces littéraires centraux, réception où se mêlent exotisation (le voyeurisme [post-]colonial) et politisation (la solidarité avec la cause de la femme arabe opprimée).

Certes, pour les femmes comme pour les hommes, la barrière de la langue reste déterminante : d'Assia Djebar, qui publie depuis les années 1950, aux nouvelles générations (Nina Bouraoui, Malika Mokeddem, Maïssa Bey…), les écrivaines d'expression française jouissent d'une position plus favorable que leurs consœurs d'expression arabe. Mais ces dernières sont avantagées par rapport à leurs pairs de sexe masculin. La comparaison des dates de parution des originaux et des traductions révèle que les œuvres des femmes accèdent à la traduction souvent plus rapidement que celles des hommes. Qui plus est, les femmes intéressent davantage les grands éditeurs : outre les exemples anciens de Leila Baalbaki et Sahar Khalifa (passée de Gallimard à Flammarion puis au Seuil pour son dernier roman, *Un printemps très chaud*, 2008), on peut citer aussi l'Algérienne Ahlham Mostaghenmi, chez Albin Michel dans la collection « Les grandes traductions » (*Mémoire de la chair*, 2002 et *Le Chaos des sens*, 2006) ou la Libanaise Najwa Barakat, dans la collection « Cosmopolite » de Stock (*Le Bus des gens bien*, 2002) – aucun écrivain arabe n'avait été traduit avant elles dans ces deux collections.

Exotisation et surpolitisation caractérisent aussi la réception des écrivaines arabes : les plus traduites et les plus lues sont celles dont les

œuvres confirment le plus ces représentations de la femme arabe
«opprimée» et/ou à la sexualité déviante ou débridée. Ces thématiques
sont largement ignorées par les nouvelles générations d'écrivaines arabes,
dont certaines sont d'ores et déjà traduites en français (les Égyptiennes
Somaya Ramadan et May Telmessany, la Palestinienne Adania Shibli).
En cela, elles sont en phase avec les évolutions tant de l'espace littéraire
international (où les écrivaines, de plus en plus présentes et visibles,
sont souvent en première ligne dans la rupture avec le paradigme du
réalisme et de l'engagement) que du champ littéraire français, où les
écritures individualistes, en particulier féminines, occupent une place
privilégiée. Elles ont pourtant, en dépit de leur qualité littéraire, beaucoup de difficultés à s'imposer (peu de recensions critiques, faibles
ventes). Là encore, tout semble se passer comme si les espaces littéraires centraux cherchaient à maintenir les littératures les plus dominées
dans la sphère du document ethnographique et du témoignage politique,
c'est-à-dire à les cantonner dans le paradigme du réalisme et de l'engagement, et leur refusaient le droit de se réapproprier leurs valeurs les
plus autonomes et les plus universelles (voir chapitre 6).

En conclusion, dans un contexte où le nombre de traductions
publiées a considérablement augmenté, doublant sur le marché français
et triplant sur le marché arabe, les évolutions sont contrastées. Sur le
marché arabe, où le livre traduit tend à couvrir tout le spectre de la
production éditoriale, la part du français est en baisse mais notre langue
résiste mieux dans ses points forts traditionnels (littérature et sciences
humaines), et la présence d'une politique forte de soutien à l'extraduction, depuis 1990, est un facteur déterminant de cette résistance. Un
autre facteur est le fort développement de la production éditoriale française sur le monde arabe (champ orientaliste et auteurs arabes d'expression française), production qui est de plus en plus traduite en arabe.
Inversement, la traduction de l'arabe augmente considérablement sur le
marché français du livre à partir des années 1985-1990, plaçant la France
en tête des pays traduisant de l'arabe dans le monde ; ce mouvement de
traduction reste concentré quasi exclusivement sur les domaines littéraire et religieux, mais alors qu'auparavant la production arabe classique
dominait, elle est désormais largement distancée par la production
contemporaine, tant en littérature qu'en religion. Ainsi, par l'ensemble
des évolutions qu'ils enregistrent, les flux de traduction entre l'arabe et

le français répercutent assez fidèlement l'évolution récente des relations culturelles entre la France et le monde arabe, caractérisée par l'intensification des échanges et l'imbrication croissante des champs de production intellectuelle, qui contraste avec la montée des fermetures, des formes de méconnaissance et de mé-représentation au niveau des sociétés globales.

Chapitre 14

De la construction identitaire à la dénationalisation : les échanges intellectuels entre la France et Israël

par Gisèle Sapiro

Si les flux de traductions du français en hébreu et de l'hébreu en français relèvent, *a priori*, d'un rapport asymétrique entre langue centrale et langue périphérique, ce rapport a fortement évolué depuis la première moitié du 20ᵉ siècle, passant d'une traduction de l'hébreu en français pour quinze traductions du français en hébreu dans les deux premières décennies de la création de l'État d'Israël à une pour quatre dans les années 1970, puis à une pour trois dans la décennie 1980, jusqu'à s'égaliser dans les années 1990 (voir tableau 1).

Cette évolution tient aux transformations des relations structurant l'espace des échanges culturels internationaux. Au début de la période, la culture française jouissait d'une hégémonie dans le monde, quand la culture hébraïque était en formation. La montée de l'impérialisme culturel américain et la mondialisation ont entraîné un relatif déclin de l'hégémonie française, au moment où la littérature hébraïque accédait à la reconnaissance internationale. À l'aube du 21ᵉ siècle, l'hébreu arrivait en douzième position parmi les langues les plus traduites en français, selon les données du SNE. Cette position est l'aboutissement du processus de construction historique d'une littérature nationale et de sa reconnaissance internationale, dont l'invitation au Salon du livre de Paris en 2008, l'année où Israël fête son 60e anniversaire, est la marque.

Tableau 1. Flux croisés de traduction du français en hébreu et de l'hébreu en français[1]

Date	Français-Hébreu	Hébreu-Français
1949-1959	216	14
1960-1969	369	23
1970-1979	141	34
1980-1989	182	63
1990-1999	110	108

Les violentes critiques dont a fait l'objet l'invitation sont révélatrices de l'imbrication des enjeux littéraires et politiques dans les échanges littéraire internationaux ainsi que des transformations de cet espace. Deux types de raisons politiques ont été invoquées et parfois mélangées : certaines organisations pro-palestiniennes ont appelé au boycott

---

1. Les données concernant les traductions du français en hébreu proviennent de deux bases constituées par l'Ambassade de France en Israël, l'une, sans doute lacunaire, pour la période antérieure à 1995, l'autre pour la décennie 1995-2005. La base de données des traductions de l'hébreu en français a été constituée d'après les bibliographies périodiques de l'Institut de traduction de la littérature hébraïque et complétée par une vérification systématique dans les catalogues de la BNF et de la bibliothèque de l'Alliance israélite universelle, avec le concours de Dorrit Shilo, dans le cadre du programme de coopération « Arc-en-ciel » entre le Centre de sociologie européenne (CNRS-EHESS) et The Unit for Culture Research de l'Université de Tel-Aviv. Ces données ne prennent pas en compte les traductions d'ouvrages de l'hébreu ayant trait à la religion. En outre, du fait de la source, elle ne comprend que les ouvrages littéraires ou les essais écrits par des écrivains (y compris la littérature pour enfants). Cependant, cette dissymétrie entre les deux bases n'est pas significative quantitativement, car très peu de livres d'autres catégories ont été traduits de l'hébreu en français : les livres pratiques ou scientifiques ne circulent pas en ce sens, et les traductions d'essais sont rares et se sont développées surtout à la toute fin de la période considérée.

de l'événement comme protestation contre l'occupation des territoires de Cisjordanie, d'autres ont critiqué le fait que seuls des auteurs publiant en hébreu ont été invités, au détriment des autres langues de publication en Israël, confondant souvent langues officielles (l'hébreu et l'arabe) et langues pratiquées par les populations émigrées.

Cette critique, nourrie pas les prises de position d'écrivains israéliens qui ont eux-mêmes contesté ce choix, est particulièrement intéressante car elle révèle un présupposé tacite sur lequel se sont établis historiquement les échanges culturels internationaux, en lien étroit avec la construction culturelle des États-nations, à savoir l'identification d'une littérature nationale à une langue, au détriment des autres langues régionales et des langues d'émigration : rares sont les États comme l'Espagne où les langues régionales (le catalan) ont acquis une reconnaissance nationale, et c'est encore plus rare pour les langues des communautés immigrées. Cependant, les unités étatiques territoriales ne coïncident pas non plus toujours avec les identités culturelles et linguistiques nationales. Il suffit de citer les exemples de la Suisse, de la Belgique et du Canada, où les littératures nationales se sont définies en fonction de leur espaces linguistiques de référence, francophone, germanophone et anglophone (ou flamand pour la Belgique), tout en s'affirmant les unes contre les autres au sein de l'État.

Le cas israélien illustre ces logiques de façon exacerbée. En effet, la création d'une unité étatique territorialisée est le fruit du projet sioniste de construction d'une identité culturelle nationale laïque fondée sur l'hébreu. Cette langue ancienne fut rénovée, ou plutôt réinventée comme langue littéraire et savante laïque dans le cadre de la Haskala, les Lumières juives, au 18e siècle, et adoptée à la fin du 19e siècle comme langue nationale dans le cadre du projet sioniste, lequel n'était encore qu'une option parmi d'autres au sein du nationalisme juif[2].

L'unification linguistique des communautés juives immigrées en Israël autour de l'hébreu a été réalisée par le biais d'une politique active de répression des langues qu'elles parlaient, y compris le yiddish, le ladino et l'arabe. Bien que l'arabe soit la seconde langue officielle et la langue de scolarisation de la population arabe israélienne, la littérature produite au sein de cette dernière s'est longtemps située dans l'espace arabophone. Sa marginalisation dans cet espace explique peut-être en

---

2. Voir notamment Alain Dieckhoff, *L'Invention d'une nation. Israël et la modernité politique*, Paris, Gallimard, 1993.

partie sa revendication de reconnaissance au sein de l'espace national israélien, revendication qui s'est fait jour dans les années 1980. Elle a contribué à remettre en cause l'identification tacite entre littérature israélienne et littérature en hébreu, qui reposait sur une occultation, voire un refoulement de l'existence de la communauté arabe et plus largement du problème palestinien.

L'amalgame entre les langues officielles et non officielles illustre les transformations de l'espace des échanges culturels internationaux sous l'effet de la mondialisation : expression du multiculturalisme introduit en Israël comme en France dans les années 1990, elle participe de la remise en cause des États-nations comme constructions idéologiques et de leur rôle dans la circulation internationale des biens culturels.

On procédera dans une première partie à une mise en perspective historique des enjeux qui ont présidé aux traductions du français en hébreu et de l'hébreu en français dans le cadre du projet de fabrication d'une culture nationale. La seconde partie sera consacrée aux effets de la mondialisation sur ces échanges[3].

Le rôle de la traduction dans la construction d'une littérature nationale

La spécificité d'Israël par rapport à d'autres jeunes pays tient au lien privilégié construit par le sionisme entre origine religieuse et appartenance nationale. Israël est donc non seulement le lieu de production d'une culture nationale en langue hébraïque mais aussi le centre d'un

---

3. Ce chapitre synthétise les résultats des enquêtes que nous avons menées sur l'importation de la littérature hébraïque en France et sur les traductions du français en hébreu et qui ont donné lieu à des analyses plus détaillées ; voir Gisèle Sapiro, « L'importation de la littérature hébraïque en France : entre communautarisme et universalisme », art. cité ; « Les enjeux politiques de la réception de la littérature hébraïque en France », in Isabelle Charpentier et Lynn Thomas (dir.), *Comment sont lues les œuvres ? Actualités des recherches en sociologie de la réception et des publics*, Paris, Creaphis, 2006, pp. 217-228 ; « Entre volontarisme et mondialisation : les échanges culturels entre la France et Israël », in Pascal Ory (dir.), *Les Relations culturelles internationales*, actes du colloque mai 2006 (BNF), sous presse ; « De la construction d'une culture nationale à la mondialisation : les traductions du français en hébreu », in Anna Boschetti (dir.), *Pour un comparatisme réflexif*, à paraître.

espace international constitué par les instances sionistes, l'Organisation sioniste mondiale, et son bras exécutif, l'Agence juive, fondée en 1929 et porte-parole officiel de la communauté juive auprès de la Société des nations, qui ont leur siège en Israël. L'avènement en 1948 de l'État d'Israël, qui réalisait le projet sioniste, a renforcé la position de cet État comme centre de l'espace sioniste international.

Apparue à la fin du 18e siècle, d'abord en Allemagne puis en Europe de l'Est, dans le cadre de la Haskala, la production intellectuelle en hébreu s'est décentrée en Palestine dans les années 1920-1930, avec la formation d'un champ éditorial de publications laïques en hébreu. Dès l'origine, les traductions firent partie intégrante du projet de sécularisation des communautés juives. Elles se sont fortement développées après la Première Guerre mondiale, en lien étroit avec le succès croissant du projet de la vernacularisation de l'hébreu et le développement spectaculaire de l'édition en Palestine[4]. Elles jouèrent ainsi un rôle dans la construction d'une culture et d'une littérature nationales laïques[5].

Langue de communication du Levant, le français occupait, sous l'Empire ottoman, une position dominante au sein de la communauté juive immigrée, tant en raison du rôle de l'Alliance israélite universelle et de l'administration du Baron de Rotschild, que de sa valeur symbolique pour les élites cultivées venues d'Europe de l'Est, malgré la forte concurrence de l'allemand. Après l'instauration du régime militaire britannique à l'issue de la Première Guerre mondiale, le français disparut progressivement comme langue de l'administration au profit de l'anglais et de l'hébreu, reconnu comme langue officielle avec l'arabe. La culture française subit alors un relatif déclin. Les traductions littéraires de l'anglais et de l'allemand prédominaient : elles représentaient respectivement 29 % et 26,5 % de l'ensemble des traductions faites entre 1930 et 1945[6]. Moins représenté du point de vue du pourcentage d'œuvres traduites (14 %), le russe jouait cependant un rôle central de médiation pour l'accès

---

4. Zohar Shavit, «Fabriquer une culture nationale. Le rôle des traductions dans la constitution de la littérature hébraïque», art. cité.

5. Itamar Even-Zohar, « The Emergence of a Native Hebrew Culture in Palestine, 1882-1948 », *Poetics Today*, vol. 11, n° 1, spring 1990, pp. 175-191 ; « The Position of Translated Literature within the Literary Polysystem », *Poetics Today*, vol. 11, n° 1, 1990, pp. 45-52.

6. Selon le comptage réalisé par Gideon Toury, *Descriptive Translation Studies and Beyond*, *op. cit.*, chap. 7.

aux autres cultures et pour les normes d'écriture littéraire[7]. Nombre de traductions du français en hébreu ont néanmoins paru dans l'entre-deux-guerres, de littérature contemporaine (*Jean-Christophe* de Romain Rolland, *La Condition humaine* de Malraux), de classiques (*Madame Bovary*) et de philosophie (*La Science et l'hypothèse* d'Henri Poincaré).

Les traductions du français s'intensifient après la création de l'État d'Israël. Après avoir mis un certain temps à le reconnaître, le gouvernement français engage dans les années 1950 une étroite coopération avec le jeune État, notamment dans le domaine nucléaire[8]. L'alliance privilégiée, qui se manifeste lors de l'opération militaire menée contre l'Égypte au sujet du canal de Suez à l'automne 1956, durera jusqu'en 1967. Elle semble avoir bénéficié à l'exportation de la culture dominante vers la culture dominée : les traductions du français en hébreu atteignent un pic pendant cette période, alors qu'elles sont encore rares en sens inverse. Cette asymétrie s'explique avant tout par les différences entre les circuits d'exportation et les conditions de réception. Alors que la diplomatie culturelle française trouve des relais auprès de la bourgeoisie immigrée d'Europe centrale et orientale ou des Balkans, pour qui la maîtrise du français constitue un capital symbolique et une marque de statut social[9], la littérature hébraïque est exportée par l'agence juive et relayée par les instances communautaires, qui cherchent à gommer sa différence, pourtant revendiquée, par rapport à la culture juive ; en outre, l'enseignement de l'hébreu n'étant pas institutionnalisé, le vivier des traducteurs est limité, et contrôlé par le circuit d'exportation.

Mais plus qu'aux relations diplomatiques, cet écart tient à des facteurs socio-culturels, à savoir l'inégalité des positions respectives des deux cultures sur le marché mondial de la traduction – le français, langue centrale, profitant en outre du rejet de l'allemand par les rescapés de la Shoah –, l'essor de l'édition en hébreu, l'élargissement du public potentiel avec les vagues d'immigration en Israël, le développement du système scolaire, et les initiatives qu'ont pu prendre des intermédiaires du champ littéraire férus de culture française.

---

7. Itamar Even-Zohar, « Israeli Hebrew Literature », *Poetics Today*, vol. 11, n° 1, 1990, pp. 169-170.

8. Voir Elie Barnavi, « Israël et la France : des relations en dent de scie », in Alain Dieckhoff (dir.), *L'État d'Israël*, Paris, Fayard, 2008, pp. 349-360.

9. Eliezer Ben Raphaël, « Le français au-delà de la francophonie », *France culture. Arts, sciences et techniques*, 7, mars-avril 1999, pp. 31-35.

Les deux décennies qui suivent la création de l'État d'Israël se caractérisent en effet par une intense activité de « rattrapage » dans la traduction de classiques de la littérature, y compris pour la jeunesse (environ 230 classiques traduits du français, soit quatre fois plus que les titres de littérature contemporaine). Ils participent de la construction de la culture nationale du jeune État d'Israël et de l'établissement d'un répertoire de modèles d'écriture en hébreu[10]. En cette période de construction nationale, la littérature se voit assigner la tâche de narrer le combat pour l'indépendance et l'épopée de l'édification de la société israélienne[11]. Introduit par la médiation de la culture russe, le roman réaliste du 19e (Balzac, Hugo, Maupassant, Zola), est proposé comme trame narrative. Cependant, dès le milieu des années 1950, les évolutions du champ littéraire français sont répercutées de manière plus directe, avec la traduction des auteurs phares de l'existentialisme, Sartre, Camus, Beauvoir, ainsi que des auteurs qui émergent alors, Gary, Yourcenar, Sagan.

Dans les années 1960, les traductions du français atteignent un pic avec 369 titres, soit près du double de leur nombre dans la décennie précédente. Alors que les traductions étaient jusque-là principalement l'apanage des maisons d'édition liées au mouvement ouvrier sioniste, la hausse est principalement due à l'activité débordante des éditions Mizrahi, fondées en 1955 par un autodidacte émigré de Turquie, qui se lance dans les genres populaires (romans policier, suspense, roman rose), les best-sellers, les séries pour enfant et la vulgarisation scientifique (comme les « Que sais-je ? »). Mais, les traductions des nouveaux courants de la littérature française, l'existentialisme notamment, servent aussi de modèle à la génération d'écrivains qui émerge dans les années 1960, Amos Oz, A. B. Yehoshua, Yehoshua Kenaz (un des principaux importateurs de la littérature française), favorisant l'autonomisation de la littérature hébraïque par rapport au projet de construction de la nation. Leur œuvre traite entre autres du thème de l'individu face à la collectivité.

La création en 1962 de l'Institut de traduction de la littérature hébraïque, chargé de promouvoir cette littérature à l'étranger, marque parallèlement l'autonomisation de la culture israélienne par rapport à l'internationale sioniste. Jusque-là, sa diffusion était prise en charge,

---

10. Sur la notion de répertoire, voir Itamar Even-Zohar, « The 'Literary System' », *Poetics Today*, vol. 11, n° 1, 1990, pp. 27-44.

11. Voir Shlomo Sand, *Les Mots et la terre. Les intellectuels en Israël*, Paris, Fayard, 2006, p. 163 *sq.*

dans une perspective idéologique et pédagogique, par les instances sionistes chargées d'assurer le lien entre Israël et la diaspora : l'Organisation sioniste mondiale, l'Agence juive ou encore le département de l'Éducation et de la culture en Diaspora, qui s'occupait les traductions d'ouvrages pour la jeunesse. Ces instances disposaient d'un ensemble de moyens de diffusion, revues, éditions, en différentes langues.

Ce circuit d'exportation conditionne la réception de la littérature hébraïque à l'étranger. Dans les années 1950-1960, en effet, elle n'est pas perçue en France comme distincte de l'identité ou de la culture « juive », alors même qu'elle s'est construite contre cette identité diasporique. Les traductions de l'hébreu en français sont rares, malgré une production littéraire déjà abondante en cette langue. Si le réalisme socialiste prédomine, *Convoi de minuit* de S. Yizhar, œuvre très controversée lors de sa publication en 1950 du fait de l'évocation de l'expulsion de la population arabe vers les camps de réfugiés, devra attendre cinquante ans pour paraître en français (chez Actes sud). Outre les ouvrages exportés par l'Organisation sioniste mondiale à destination du public juif, les rares traductions de l'hébreu en français parues à cette époque s'inscrivent soit dans la littérature de témoignage sur les camps de concentration, soit dans la culture et la pensée juive. Les circuits d'importation se répartissent entre d'un côté les instances communautaires juives françaises, encore largement dominantes, et quelques acteurs du champ littéraire français, qui soulignent eux aussi la dimension spiritualiste de l'identité juive. Côté communautaire, le Fonds social juif unifié de France finance une collection intitulée « Présence du judaïsme » chez Albin Michel où paraissent indifféremment des ouvrages sur les fêtes juives et des œuvres littéraires écrites en français (André Spire, Edmond Fleg) ou traduites du yiddish ou de l'hébreu. Dans cette collection paraît en 1959 un recueil de contes d'Agnon, écrivain de l'entre-deux-guerres qui a décrit la vie de la communauté juive en Palestine, traduit pour la première fois sept ans avant qu'il n'accède à la consécration internationale avec l'obtention du prix Nobel. De manière générale, la sélection des œuvres traduites, qui privilégie les auteurs tournant en dérision le modèle épique, sur le mode satirique comme Ephraïm Kishon ou Amos Kenan, ou sur le mode contestataire comme Aharon Amir, est en total décalage avec l'état du champ littéraire israélien, où dominent la veine réaliste des récits héroïques de la guerre d'Indépendance et la geste de la construction du pays (Moshe Shamir, Aharon Megged, Nathan Shaham,

Hanokh Bartov). La parution aux Éditions du Seuil en 1961 du roman très critique d'Aharon Amir sur la guerre d'Indépendance, *Les Soldats du matin*, n'a presque pas d'écho. Au-delà du processus d'autonomisation de la littérature hébraïque, cette situation va évoluer sous l'effet de facteurs à la fois politiques et culturels. Le premier est la spécialisation et la professionnalisation de médiateurs qui accompagnent l'accession de cette littérature à une reconnaissance internationale : Institut de traduction de la littérature hébraïque, agents littéraires privés, traducteurs. L'admission de l'hébreu comme première ou deuxième langue au baccalauréat, ou comme langue facultative, dans le cadre des accords signés entre la France et Israël en 1962, déclenche une dynamique de spécialisation dans l'hébreu moderne qui favorise la traduction (le CAPES d'hébreu sera créé en 1973, l'agrégation en 1977)[12]. Le prix Nobel décerné en 1966 à Agnon, s'il ne peut que confirmer l'identification de la littérature hébraïque à la culture juive, a sans doute contribué à éveiller l'intérêt des éditeurs pour la littérature d'un pays que la guerre des Six jours place à la «une» de l'actualité.

Ainsi, l'importation de la littérature hébraïque en France prend son essor au moment même où se rompt l'alliance entre les deux pays, à la suite de la phrase du général de Gaulle qualifiant Israël en 1967 de «peuple d'élite, sûr de lui-même et dominateur» et du revirement proarabe de la politique étrangère de la France. Cette rupture contribue, en revanche, au déclin de la place de la littérature et de la culture françaises en Israël. À la différence des traductions de l'hébreu en français, qui augmentent de 50 %, le nombre d'ouvrages traduits dans l'autre sens se voit divisé par 2,5 (141). Le rapport entre les flux dans les deux sens passe ainsi de 1/15 dans les décennies précédentes à 1/4.

Par-delà la conjoncture diplomatique défavorable, plusieurs facteurs d'ordre socio-culturel peuvent contribuer à expliquer la chute des traductions du français en hébreu. D'une part, le processus de «rattrapage» nécessaire à la constitution d'une culture nationale et de programmes scolaires est arrivé à son terme. C'est en effet surtout le nombre de classiques et de livres pour la jeunesse qui diminue. D'autre part, la quasi-disparition de la littérature populaire, des livres pour la jeunesse et des ouvrages de vulgarisation parmi les traductions du français tient à la fois au développement de la production autochtone dans ces domaines,

---

12. Entretien avec Francine Kaufman, 26 juin 2004.

avec l'élargissement d'un public né et scolarisé en Israël, dont l'hébreu est la première langue, à la diversification des loisirs, avec l'apparition de la télévision, et à l'intensification des échanges politico-culturels avec les États-Unis, qui deviennent le principal pourvoyeur de produits de culture populaire. Parmi les traductions en hébreu publiées en 1970 et 1979, selon l'Index Translationum, 58 % proviennent de l'anglais (54 % pour la littérature), soit un pourcentage beaucoup plus élevé que la moyenne dans le monde, qui s'établit à cette époque à 40 %, 11 % de l'allemand (10 % pour la littérature), taux qui correspond à la moyenne mondiale, tandis qu'avec moins de 7 % (mais plus de 8 % pour la littérature), le français semble stagner en-deça de sa part sur le marché mondial de la traduction (qui se situe entre 10 % et 12 %). Le nombre de traductions du français recensées par l'Index pour cette période étant cependant deux fois moins élevé que celui dont nous disposons, il se peut que sa part soit plus proche des 10-12 %[13].

Qui plus est, en Israël les rapports avec les autres cultures sont de plus en plus médiatisés par la culture américaine, qui devient hégémonique dans le monde. Or, aux États-Unis, le français est la langue des élites intellectuelles, et les ouvrages importés de France relèvent généralement de la littérature classée par les agents du marché « haut de gamme ». Le statut du français en Israël est plus ambigu : pour les émigrés issus de la bourgeoisie d'Europe centrale et orientale comme des Balkans, c'est une langue de culture dont la maîtrise constitue un capital symbolique et signifie un statut social, par lequel elles se démarquent des populations d'origine plus modestes émigrées des pays de langue arabe, y compris les communautés francophones venues du Maghreb, dont le rapport au français est d'ordre ethnoculturel[14]. Dans le système scolaire hébréophone, le français, deuxième langue optionnelle avec l'arabe, jouit également d'une image élitiste, comme en témoigne la surreprésentation des élèves issus de fractions sociales favorisées parmi ceux ayant opté pour cette matière[15]. Or l'arrivée du Likoud au pouvoir en

---

13. La base de l'Index ne donne que 66 traductions, alors que nous en comptons 141 d'après la base de l'Ambassade de France.

14. Selon une distinction établie par Eliezer Ben Raphaël, « Le français au-delà de la francophonie », *France culture*, art. cité.

15. À l'inverse, en 1986, moins de 10 % des enfants des communautés francophones émigrées du Maghreb apprenaient le français à l'école. *Cf.* Eliezer Ben Raphaël, « Symbole d'identité ou capital symbolique : le parcours social du français en Israël », *Revue française de sociologie*, vol. 31, n° 2, 1990, pp. 315-329.

1977 avec l'appui des communautés juives issues des pays de langue arabe, qui met un terme au règne du Parti travailliste, et l'ascension de nouvelles élites dépourvues de capital culturel, légitime une idéologie populiste qui donne forme au ressentiment de ces communautés contre la domination de la culture européenne, dont la culture française devient le symbole. À ces facteurs qui articulent des enjeux socio-culturels et géopolitiques, s'ajoute la relative clôture du champ littéraire israélien corrélative de l'intensification de la production autochtone, ajustée au public que compose la nouvelle génération des lecteurs nés en Israël.

L'augmentation du nombre des traductions de l'hébreu en français (44 nouveaux titres de 1971 à 1981) dans les années 1970 témoigne de la reconnaissance qu'acquiert la littérature hébraïque sur la scène internationale. La différenciation de l'espace de réception entre un pôle « communautaire » et/ou spiritualiste et un pôle de consécration « universelle » en est également le signe. Les traductions des auteurs de la génération de l'État, Amos Oz, Yoram Kaniuk, A.B. Yehoshua, dans des collections de littérature étrangères chez Calmann-Lévy, Stock et Denoël, contribuent à dégager cette littérature du cadre communautaire. Elles ont été proposées par l'intermédiaire d'agents littéraires privés – donc par le marché du livre – ou par d'autres types de médiateurs, comme la traductrice Madeleine Neige, ce qui reflète l'autonomisation relative du champ littéraire israélien par rapport au champ politique. Si la presse francophone reconnaît à travers ces auteurs l'existence d'une « littérature israélienne autonome et d'une belle vigueur », comme l'écrit un commentateur en 1974[16], la réception à tonalité spiritualiste se maintient cependant à travers les commentaires consacrés aux œuvres des deux figures tutélaires que sont Agnon et David Shahar, son cadet et émule.

La réception de l'œuvre de ce dernier illustre à la fois le processus d'universalisation par lequel s'opère la réception de cette littérature et les contresens qu'elle peut engendrer sur l'œuvre ou sur son auteur. Traduite chez Gallimard, l'œuvre de Shahar évoque la cohabitation pacifique entre les différentes communautés religieuses qui peuplent Jérusalem sous le mandat britannique, la narration suivant le cours de la

---

16. Jean Pache, « S. J. Agnon, A. B. Yehoshoua, A. Spiraux. Des Prix Nobel, de la Terre promise et du jardin à la française », *24h. Le Grand Quotidien suisse*, 25 février 1974. Voir aussi l'article de Guy Le Clec'h consacré à Amos Oz et David Shahar dans *Le Figaro* du 24 septembre 1971, qui conclut à la « vitalité de la littérature israélienne actuelle ».

mémoire. Consacré par la critique comme le «Proust oriental», il obtient en 1981 le prestigieux prix Médicis de littérature étrangère. Si le processus d'universalisation se teinte d'une note d'exotisme, la consécration n'est pas exempte d'enjeux politiques : le couronnement du *Jour de la Comtesse*, qui évoque l'émeute de l'année 1936 mettant un terme à la cohabitation pacifique entre les communautés, intervient deux ans après la signature du traité de paix entre Israël et l'Égypte et dans le contexte de l'assassinat du président Sadate. Sa lecture comme un message pacifiste par la presse française de gauche, qui y voit un «*Guerre et Paix* oriental»[17], se fait au prix d'un contresens sur les positions de l'auteur.

Les échanges s'intensifient dans les années 1980, le rapport entre nombre de titres traduits passant à 1 pour 3 (183 contre 63). La forte hausse du nombre de traductions de l'hébreu en français, qui double pendant cette période, avec 80 nouveaux titres traduits de 1982 à 1992, est liée à la diversification et à la spécialisation des médiateurs : à côté de l'Institut de traduction de la littérature hébraïque, dirigé par Nilli Cohen, qui développe ses activités, apparaît l'agence littéraire privée de Deborah Harris, tandis que les traducteurs, plus nombreux, se professionnalisent. La réception de la littérature hébraïque en France est alors marquée par la politisation du champ littéraire israélien.

Les années qui suivent la guerre du Liban voient en effet la première remise en cause du consensus national sioniste, renforcée en 1987 par l'Intifada. À la différence de l'esthétisme détaché d'un Shahar, les écrivains de la «génération de l'État», engagés auprès du mouvement «Paix Maintenant», comme Amos Oz ou A.B. Yehoshua, ou dans des groupements plus radicaux, comme le comité des écrivains juifs et arabes fondé en 1987 par Yoram Kaniuk et Émile Habibi, sont devenus des voix de la mauvaise conscience nationale, tout en veillant à dissocier clairement leur engagement de leur œuvre.

Le questionnement de l'identité nationale, mené par des intellectuels, se manifeste aussi dans la transformation des frontières et des hiérarchies du champ littéraire. Les écrivains émigrés comme Aharon

---

17. Yves Thoraval, «David Shahar, *L'Agent de sa majesté*», *Europe*, n° 164, octobre 1983. Voir aussi *** «Traductions : l'école de la vertu», *La Montagne*, Clermont-Ferrand, 8 janvier 1984. Dans *Libération*, Bernard Genies le présente comme un «militant de la réconciliation des différentes communautés religieuses et raciales qui vivent sur ce baril de poudre qu'est le Proche Orient» («Le Médicis à deux têtes», *Libération*, 24 novembre 1981).

Appelfeld, dont l'œuvre traite de la période de la Shoah, accèdent à la consécration. Émile Habibi, écrivain issu de la minorité arabe, est quant à lui traduit en hébreu et reconnu comme écrivain israélien (il obtiendra le prix Israël pour les lettres en 1992 ; plusieurs de ses livres ont paru chez Gallimard), remettant en cause l'identification tacite qui prévalait jusque-là entre littérature israélienne et littérature en hébreu (l'arabe est, rappelons-le, la deuxième langue officielle du pays et la langue de scolarisation de la communauté arabe). En choisissant d'écrire en hébreu sa propre œuvre, son traducteur, l'écrivain Anton Shammas, vient bousculer un autre présupposé sioniste : l'identification entre littérature hébraïque et identité juive.

Dans la presse nationale française, l'engagement politique des écrivains israéliens, qui évoque le modèle des intellectuels français, est salué par la critique : on n'hésite pas à appeler Amos Oz « le Sartre israélien », alors même que l'émergence d'une gauche radicale postsioniste le fait apparaître comme modéré sur la scène politique nationale. Tout en soulignant qu'il ne s'agit pas de « littérature engagée » et en rappelant la dimension universelle de leurs œuvres, la critique française met l'accent sur la peinture de la société israélienne qui en forme la toile de fond et sur les implications politiques des thèmes traités (combat contre le fanatisme, humanisme, dialogue, etc.). Elle n'a pas relevé l'absence des Palestiniens dans les univers fictionnels, qui leur est reprochée par des critiques israéliens de la nouvelle génération (notons qu'à part *L'Amant* d'A.B. Yehoshua, dont la traduction est sortie en 1979, deux ans après la publication originale, les rares romans où apparaît un personnage palestinien, *Les Confessions d'un bon arabe* de Kaniuk – paru sous pseudonyme en 1983 – et *Le Sourire de l'agneau* de David Grossman, n'ont vu le jour en français que dix ans plus tard ou plus ; le roman de Yehoshua a également été réédité en 1994, au lendemain des accord d'Oslo).

Sans doute est-ce dû en partie au fait que la question palestinienne est traitée dans les essais de ces auteurs, à l'instar du *Vent jaune* de David Grossman, reportage sur les territoires occupés réalisé en pleine Intifada, dont la traduction sort au Seuil en 1988, un an après sa parution. Dû à l'actualité, le lancement de ce nouveau venu sur le marché français par la traduction d'un essai, alors que ses aînés se sont d'abord fait connaître en France par leurs œuvres de fiction, accentue la politisation de la réception. Cependant, Le Seuil, a également veillé à dissocier l'œuvre littéraire de l'engagement politique de son auteur.

L'intérêt pour les prises de position politiques de ces écrivains s'est accentué depuis l'Intifada, puis les accords d'Oslo, quand le camp pacifiste est apparu représentatif d'une large part de la population israélienne. Lauréat du prix Femina étranger en 1988, année de la Première Intifada, Amos Oz a obtenu en 1992 le prix de la Paix de la foire de Francfort. Depuis ce moment, la presse française du centre gauche (*Le Monde*, *Libération*, *Le Nouvel Observateur*) invite des intellectuels israéliens à s'exprimer dans ses colonnes, demande qui s'est accrue dans la dernière période.

Côté israélien, si la critique française de l'occupation des territoires de Cisjordanie et de la guerre du Liban alimente des sentiments francophobes largement entretenus dans la presse, les années 1980 voient le nombre de titres traduits du français remonter (182). La création, en 1974, du Conseil de traduction des Belles-Lettres israélien (Mif'al Targoume Mofet), destiné à soutenir et orienter les traductions en hébreu de chefs d'œuvres de la littérature mondiale, a relancé l'activité de traduction de classiques[18]. Cependant, la hausse est principalement due à la littérature contemporaine, le rapport entre romans classiques et contemporains se renversant au profit de ces derniers : 75 contre 14. Ceci correspond au développement de l'édition israélienne dans cette décennie et à la médiation exercée par la culture américaine dans le rapport à la littérature française. Patrick Modiano et Romain Gary sont les auteurs les plus traduits. Ce sont les auteurs phare de deux maisons en plein essor, qui deviennent les principales importatrices de la littérature française, avec une vingtaine de titres chacune : Zemora Bitan et Maariv. Sont également traduits Albert Cohen, Émile Ajar, Marguerite Yourcenar, Marguerite Duras, Alain Robbe-Grillet, Nathalie Sarraute, Tahar Ben Jelloun. Mais la part du français dans les traductions en hébreu n'a remonté qu'à 8 % (8,8 % pour la littérature), alors que les traductions de l'anglais passent de 58 % à 74 % en une décennie (un peu moins pour la littérature : 72 %), l'allemand étant retombé à 6,5 %, selon l'Index Translationum.

---

18. Une quinzaine d'œuvres traduites du français en bénéficieront jusqu'au début des années 2000. Ce sont des œuvres de Camus, Flaubert, Anatole France, Alain Fournier, Michel Leiris, Laclos, Nerval, Proust, Rousseau, Rabelais, Sartre, Margueritte de Navarre. Une vingtaine d'autres titres sont en projet.

LES EFFETS DE LA MONDIALISATION

Les effets de la mondialisation se font ressentir dans les années 1990, avec d'un côté le déclin relatif du français sur la scène internationale face à la domination croissante de l'anglais, de l'autre le renforcement de la position de l'hébreu, avec l'entrée de l'édition israélienne au cœur de la compétition éditoriale internationale. Selon l'Index Translationum, entre 1990 et 1999, parmi l'ensemble des traductions en hébreu, celles du français représentent, comme l'allemand, moins de 5 % (soit deux fois moins que la part des traductions du français dans le monde, qui est de 10 % dans cette décennie), quand la part des traductions de l'anglais atteint 83 %. En revanche, parmi les traductions littéraires (qui constituent près de trois quarts de l'ensemble des traductions), la part de toutes les langues centrales a fortement reculé, au profit des langues semi-périphériques et périphériques : celles de l'anglais ne représentent plus que 43 % (contre 72 % dans la décennie précédente), de l'allemand environ 5 %, du français 3 %. Notons aussi que le nombre global de traductions a diminué par rapport à la décennie précédente, au profit de la production en hébreu.

Dans la première moitié des années 1990, il n'y avait plus qu'une vingtaine de titres littéraires traduits du français en hébreu. L'édition israélienne, qui répercute plus vite les transformations du marché international que l'édition française, connaît alors de grandes mutations sous l'effet de l'introduction des politiques néolibérales et de la déréglementation : concentration autour de grands groupes, marchandisation, tandis que la production originale en hébreu s'accroît. La particularité de ce marché est l'intégration verticale autour d'un duopole de chaînes de distribution qui détiennent près de 60 % de parts du marché, l'ancienne librairie Steimatsky, qui s'est développée à la fin des années 1980 sur le modèle américain, passant de quatre points de vente à 120 dès 1994 (elle atteint aujourd'hui 150), et la chaîne Tsomet Sefarim qui a émergé dans la seconde moitié des années 1990[19]. Les fusions et regroupements suivent :

---

19. Nous nous appuyons sur l'enquête réalisée par Amit Rotbard et Galia Uri-Asseo, *Le Livre français en Israël*, pour le Service culturel de l'Ambassade de France en Israël, 1994, polycopié (archives de l'Ambassade de France en Israël), et sur celle plus récente effectuée par Moshe Sakal sur *l'Édition en Israël* pour le BIEF (une synthèse a paru sous le titre « Le marché du livre en Israël », dans le numéro spécial « Salon du livre de Paris mars 2008 » de *La Lettre* n° 75 du BIEF, mars 2008, pp. 2-24). Voir aussi Kobi Ben-Shimon, « People of the Book turn into People of the Bestseller », *Haaretz*, 13 décembre 2007. http://www.haaretz.com/hasen/spages/933611.html.

en 2001 se constitue le puissant groupe Kinneret-Zemora Bitan, qui s'associe l'année suivante à la chaîne Tsomet Sefarim, tandis que les éditions Keter s'associent à Steimatsky et que les deux vieilles maisons HaKibbutz HaMeuhad et Sifryiat HaPoalim s'unissent, les groupes Maariv et Yediot, qui publient les quotidiens éponymes, ayant aussi leur propre maison d'édition. Si les années 1990 ont vu émerger de nouveaux éditeurs, certains (comme Babel et Hargol) ont été rachetés par un de ces grands pôles dans la décennie suivante, tout en conservant leur autonomie.

Les échanges intellectuels internationaux sont pris en charge par des agents qui se professionnalisent. La Foire du livre de Jérusalem, fondée en 1961, est devenue, après l'arrivée de Zeev Burger à sa tête en 1981, une des rencontres internationales importantes (elle propose notamment un stage pour agents littéraires et jeunes éditeurs)[20]. L'Institut de traduction de la littérature hébraïque, fondé en 1962, et qui a redéfini ses activités dans les années 1980, joue un rôle très actif dans l'exportation de la littérature hébraïque dans le monde, parallèlement à l'agent littéraire privé Deborah Harris, qui s'occupe aussi d'achat de droits de traduction en hébreu, tout comme les agences Pikarski et Hamol (cette dernière appartenant à l'association des éditeurs israéliens)[21]. La conjoncture politique des accords d'Oslo contribue aussi au renforcement de la position de la littérature hébraïque sur la scène internationale[22]. Entre les années 1984-1985 et 1996-1997, le nombre de livres traduits de l'hébreu en d'autres langues est multiplié par 2,5[23].

---

20. Asher Weill, *Jerusalem: city of the Book. 40 years of the Jerusalem International Book Fair*, Israel, Jerusalem International Book Fair, 2001, et entretien avec Zeev Birger, 26 août 2002.

21. Pikarski représente les groupes Random House, Penguin, Harper Collins, Bloomsbury, l'agence William Morris et d'autres éditeurs. Hamol représente notamment Simon & Schuster, Random House Allemagne, Kensington et New Harbinger.

22. Voir Gisèle Sapiro, «Entre volontarisme et mondialisation: les échanges culturels entre la France et Israël», in Pascal Ory (dir.), *Les Relations culturelles internationales*, actes du colloque mai 2006 (BNF), sous presse.

23. Le nombre global des traductions passe de 1752 à 3819 pour les livres et supports périodiques confondus, et de 146 à 343 pour les livres et anthologies, selon les données de l'Institut de traduction de la littérature hébraïque, « Number of Items Listed in the Years 1984-1997 » et «Number of Books and Anthologies entered into Data Base», in Institut de traduction de la littérature hébraïque (ITHL), «Données sur l'activité de l'Institut. Présentées pour une rencontre avec Monsieur Nahman Shaï, directeur du ministère de la science, de la culture, et du sport», 18 avril 2000. Document inédit aimablement communiqué par la directrice de l'Institut Nilli Cohen.

Les traductions de l'hébreu en français dépassent la centaine dans les années 1990 (soit autant que les traductions du français en hébreu). On peut parler d'une « normalisation » de la réception de la littérature hébraïque, au sens où la diversification des importateurs et leur spécialisation permettent de faire écho de manière presque directe aux transformations du champ littéraire israélien, les délais entre la parution de l'original et la traduction s'étant fortement réduits.

La féminisation de la littérature traduite de l'hébreu est le premier signe de cette « normalisation ». Sur près de 100 titres traduits de 1993 à 2001, un quart sont écrits par des femmes, contre 6 % dans la période précédente. La dispersion est en outre moins grande depuis cette date que pour la période précédente – 25 titres pour treize auteures depuis 1993 (dont trois ont déjà été traduites avant 1993) contre 8 pour sept de 1982 à 1992 –, ce qui témoigne d'une véritable politique d'auteures. Si cette féminisation reflète en partie les transformations de la littérature hébraïque elle-même, en particulier l'augmentation significative du nombre d'écrivaines en Israël, ceci ne peut expliquer l'absence d'auteures reconnues des générations précédentes comme Amalia Cahana-Carmon ou Ruth Almog parmi les auteurs traduits en français[24]. Révélateur de l'hypersélectivité des circuits internationaux et surtout du champ littéraire français à l'égard des femmes jusque-là, ce changement est donc aussi l'expression de l'évolution de la place des femmes sur le marché international du livre. En effet, le pourcentage de titres d'écrivaines sur l'ensemble des livres traduits de l'hébreu pour toutes les langues confondues est passé de moins de 15 % à près de 40 %[25]. Bien qu'ayant tenté de rattraper le mouvement, les éditeurs français sont restés en retrait par rapport à la tendance de ce marché.

La féminisation est également manifeste chez les traducteurs/rices de l'hébreu en français : 70 sur les 98 livres de littérature hébraïque traduits de 1993 à 2001 soit plus de deux tiers, l'ont été par des femmes, (vingt pour quatorze traducteurs masculins, et cinq non réponses), contre la moitié dans la décennie précédente. Elle va de pair avec la féminisation des auteures, puisque sur les 35 livres de femmes traduits au total,

---

24. Sauf dans des anthologies comme celle de Nilly Mirsky (dir.), *Anthologie de nouvelles israéliennes contemporaines*, Paris, Gallimard, 1998 (dirigée par une femme, en l'occurrence).

25. Selon les données établies par l'Institut de traduction : « Female Authors/Male Authors in Hebrew Literature in Translation. Entire Books », ITHL, document cité.

seulement 6 l'ont été par un homme, alors que la production masculine est traduite à peu près également par des hommes et par des femmes. La spécialisation et la professionnalisation de ces traductrices est visible dans la concentration de près de deux tiers des titres parus (60) aux mains de dix d'entre elles, dont la plupart avaient commencé à traduire dans la période antérieure. Elles sont cinq à avoir traduit entre 12 et 20 titres publiés, sans compter les ouvrages parus en 2002.

Cette professionnalisation a été rendue possible par l'accroissement de la demande éditoriale pour cette littérature, qui continue à se diversifier. Avec 14 titres traduits au cours de ces années, Fayard devient, auprès d'Actes Sud (14), le premier éditeur de littérature hébraïque en France. Il est suivi par Gallimard (8) et Calmann-Lévy (7), puis Le Seuil (5), une maison de création récente : Metropolis (5), Albin Michel (2), Flammarion (2), Denoël (2), Grasset (2), Hachette Jeunesse (2), 32 autres titres se répartissant entre des petites maisons ou des filiales comme le Mercure de France. Quatre titres ont paru chez un nouvel éditeur, Stavit, spécialisé dans le domaine de la culture juive.

La diversification s'observe également du point de vue des genres traduits : roman policier (Batya Gour, chez Fayard), littérature pour la jeunesse (Uri Orlev, chez Actes sud et Flammarion), essais (Yehoshua, Oz, Grossman, Kaniuk/Habibi), théâtre (Hanokh Levin, Éditions théâtrales/Maison Antoine Vitez) s'ajoutent au roman. Cette diversification reflète le développement du marché du livre israélien. Si l'actualité peut favoriser l'intérêt pour cette littérature, et si l'engagement pacifiste des auteurs est toujours célébré dans les portraits qu'en publie la presse nationale française, le choix et la réception des œuvres apparaît comme autonomisé tant des enjeux politiques que des enjeux économiques.

La nouvelle génération se démarque de ses aînés par sa tentative de distanciation par rapport aux réalités de la société israélienne et son inscription dans un espace de la littérature mondiale. Les œuvres romanesques des écrivains de la génération de l'État, qui continuent de paraître, restent en effet marquées par une tension entre la description de la société israélienne (Amos Oz, A.B. Yehoshua et Meir Shalev, chez Calmann-Lévy, Amos Oz étant passé chez Gallimard ; Yaakov Shabtaï, Yehoshua Kenaz, chez Actes Sud) et la question de ses liens avec l'histoire et la mémoire juive (Yoram Kaniuk, chez Fayard, Aharon Appelfeld, passé de Gallimard au Seuil, Sami Michaël dont la description de la vie des juifs d'Irak est parue chez Denoël) – tension qui se retrouve dans l'œuvre de leur cadet David Grossman (Seuil). Plus orientée vers le marché international, la nouvelle génération d'écrivain(e)s apparue dans les années 1990 tend au contraire à gommer les spécificités spatio-temporelles, à les réinscrire dans l'expérience individuelle, la subjectivité, l'intimité (Zeruya Shalev et Alona Kimhi chez Gallimard, Judith Katzir chez Losfeld, Eleonora Lev au Seuil), ou encore à opérer une mise à distance par la dépersonnalisation, l'humour noir, le fantastique (Orly Castel-Bloom et Edgar Keret chez Actes Sud), autant de stratégies d'écriture visant à rendre les œuvres «traduisibles» et à les inscrire d'emblée dans l'espace de la littérature mondialisée. La vogue de multiculturalisme a en outre favorisé l'apparition d'écrivains issus de familles juives en provenance du Maghreb et du Moyen Orient, qui revendiquent une identité longtemps opprimée (Yossi Sucary, traduit chez Actes Sud), ainsi que d'écrivains appartenant à la communauté religieuse orthodoxe.

L'activité de traduction du français en hébreu reprend au milieu des années 1990, en bonne partie grâce au système d'aides publiques françaises qui s'organise au début des années 1990 avec le développement du soutien du Centre national du livre à la traduction et le lancement du Programme d'aide à la publication par le ministère des Affaires étrangères. En Israël, le PAP Ben Eliezer est mis en place par l'Ambassade de France en 1995. De 1995 à 2000, une centaine de traductions du français voient le jour. Le rythme de publication s'accélère à partir de 2000, passant d'une moyenne annuelle de vingt titres par an à la fin des années 1990 à une cinquantaine : 443 titres ont ainsi été traduits entre 2000-2008, par une vingtaine de maisons d'édition[26]. Cependant, cette hausse semble inférieure à la croissance de la production de livres en français et même des traductions en hébreu, dont elle ne représente toujours qu'environ 5 %, soit deux fois moins que la moyenne des traductions du français dans le monde, proche de 9 % pour la période 2000-2005.

Ce sont les essais qui ont contribué à cette augmentation. Alors qu'ils ne représentaient jusque-là qu'un quart des traductions, ils attei-

---

26. Catalogue de l'Ambassade de France en Israël, *Le Programme d'Aide à la Publication (P.A.P.) Eliezer Ben Yehuda. Ouvrages de langue française traduits en hébreu édités en Israël entre 1995 et 2005*, 2006, et Institut français de Tel-Aviv, *Ouvrages de langue française traduits en hébreu et édités en Israël 2000-2008*, 2008.

gnent désormais 40 %, la part de la littérature s'étant réduite de 7-8 %. Ils se répartissent pour moitié (environ 20 % pour chaque catégorie) entre les sciences humaines et sociales d'un côté et les essais, documents, biographies de l'autre. Les sciences humaines et sociales incluent quelques classiques de la philosophie (Diderot) et de la sociologie (Durkheim, Mauss), mais surtout des penseurs de la deuxième moitié du 20ᵉ siècle, Barthes, Lévi-Strauss, Foucault, Derrida, Bourdieu, Lévinas. Notons que cette importation est médiatisée par la réception de ces auteurs aux États-Unis (la construction de la *French Theory*). Dans la catégorie des essais se trouvent aussi bien des biographies que des essais d'écrivains comme Baudelaire, Bataille et des essais contemporains.

Environ 59 % des titres relèvent de la fiction, dont un tiers seulement (20 % de l'ensemble) de la littérature classique (de Balzac à Sartre et Camus en passant par Flaubert, Maupassant, Mérimée, Zola, Huysmans, Apollinaire), et 17 titres spécifiques pour la jeunesse (6 %). Les auteurs contemporains incluent majoritairement des lauréats de prix littéraires comme Andréï Makine, Jean-Christophe Rufin, Jean Echenoz, et des auteurs à succès comme Daniel Pennac, Frédéric Beigbeder, Amélie Nothomb ou Michel Houellebecq, plus rarement, des écrivains exigeants à diffusion plus restreinte comme Christian Oster ou Marie Ndiaye.

Bien que la volonté de diversification et les effets de concurrence et d'imitation conduisent à rapprocher les catalogues (et à disperser les auteurs entre plusieurs maisons), on peut distinguer trois groupes d'éditeurs traduisant du français. Le premier, lié aux chaînes et illustrant la tendance à la rationalisation, est tourné vers la littérature contemporaine à succès. Mis à part *Gargantua* de Rabelais, Kinneret-Zmora-Bitan, dont le catalogue se compose pour les trois quarts de traductions, en avait publié une cinquantaine entre 1995 et 2005, dont des romans de Jean-Christophe Rufin, Marc Lévy, Anne Gavalda, Amélie Nothomb, ainsi que quelques biographies d'écrivains. Il a acquis les droits de traduction des *Bienveillantes* de Jonathan Littel. Keter n'en avait sorti que sept dont Jacques Werber, Philippe Claudel, Andreï Makine. Il a publié plus récemment *Suite française* d'Irène Nemirovsky.

Le pôle de l'édition traditionnelle privilégie les classiques ou les œuvres ayant acquis une reconnaissance littéraire : il est représenté par HaKibbutz HaMeuhad-Sifryiat HaPoalim, Am Oved, auxquels il faut ajouter un éditeur apparu en 1987, Carmel, qui se distingue cependant par l'édition d'essais politiques résonant avec l'actualité comme *Le Portrait du colonisé* de Memmi. On trouve aussi au catalogue de ces maisons de la littérature contemporaine, mais plus exigeante et consacrée au pôle de production restreinte pour HaKibbutz HaMeuhad, (Claude Simon, Le Clézio, Jean Rouaud), dont la prestigieuse collection « HaSifria HaHadasha » publie à la fois des traductions de chefs d'œuvre de la littérature universelle dans différentes langues avec l'aide de Mif'al Targoume Mofet (Balzac, Maupassant, Gogol, Proust, Borges, Thomas Mann, Beckett…), et des auteurs contemporains, notamment des lauréats du prix Nobel comme José Sarramago, Toni Morrison. « Nous ne courons pas après le dernier best-seller en France ou après le dernier Goncourt », explique le directeur de maison[27].

Enfin, le troisième groupe est composé de petites maisons d'édition de création récente (certaines indépendantes, d'autres ayant été rachetées), qui revendiquent une ligne avant-gardiste et postmoderne. Les éditions Babel, désormais affiliées au groupe Kinneret-Zemora Bitan-Dvir, ont introduit en Israël Sade, Bataille, Artaud et l'œuvre de Pérec, dont seul *W* était traduit jusque-là. En littérature contemporaine, Michel Houellebecq est l'auteur phare de la maison, à côté de Virginie Despentes, Frédéric Beigbeder ou Valère Novarina. Visant à combler les lacunes quant aux traductions des classiques de la modernité, Babel a également publié des essais de Barthes, Debord et Fanon. Mais l'essor des traductions des essais de sciences humaines de la deuxième moitié du 20ᵉ siècle est surtout dû à la création, en marge de l'édition universitaire traditionnelle, qui traduit peu et privilégie les classiques, de nouvelles maisons d'édition savantes indépendantes, en particulier Resling. Cette maison se distingue par le nombre élevé de traductions du français (une trentaine de titres dans les cinq années qui ont suivi sa création en 2000, et au moins autant depuis), sur un catalogue qui se compose de plus de deux tiers de traductions. Mis à part quelques classiques (Durkheim, Mauss, Saussure), elle se rattache à la mouvance du postmodernisme et du poststructuralisme, avec des textes de Bataille, Barthes, Derrida, Lacan, Foucault, Deleuze, Althusser, Lévi-Strauss, Bourdieu, Kristeva, Irigaray et Badiou. Si l'introduction de ces auteurs en Israël est médiatisée, comme on l'a suggéré plus haut, par la construction américaine de la *French Theory,* elle est mise chez ces éditeurs au

---

27. Entretien avec Uzzi Shavit et Avram Kantor, 7 juin 2006.

service d'un regard critique sur l'impérialisme culturel américain et sur la société israélienne, qui a contribué à renouveler le débat intellectuel, sans échapper aux critiques à connotation populiste discréditant en bloc la pensée française comme élitiste et jargonneuse.

Les traductions d'ouvrages ne représentent pas l'intégralité des échanges intellectuels entre deux cultures, mais elles en constituent un bon indicateur. L'étude comparée de l'évolution des traductions du français en hébreu et de l'hébreu en français reflète le développement de la production culturelle d'un petit pays de création récente, qui est parvenue à s'imposer sur la scène internationale, quand la culture française déclinait. Cette évolution n'est pas le fruit d'un ajustement mécanique entre les marchés mais d'un travail spécifique réalisé par les intermédiaires pour faire reconnaître la littérature hébraïque contemporaine sur la scène internationale. Si le déclin relatif de la place de la culture française en Israël résulte en partie de facteurs politiques et socio-culturels spécifiques, il tient aussi à des facteurs géopolitiques plus généraux, ainsi qu'à l'évolution des rapports de force sur le marché mondial de la traduction. Cependant, après un recul au milieu des années 1990, la position du français sur ce marché a regagné du terrain, grâce à la mise en place d'une politique culturelle spécifique en France et une meilleure coordination des actions d'agents publics et privés.

Il faut en outre préciser que la description de cette évolution croisée est surtout valable pour le secteur littéraire, qui a longtemps été le principal secteur d'échanges et celui où sont apparus des intermédiaires spécialisés. En effet, la part de la littérature demeure plus importante dans les traductions de l'hébreu en français que du français en hébreu. Les sciences humaines françaises ont connu une diffusion mondiale, médiatisée par leur réception aux États-Unis, et sont de plus en plus traduites en hébreu, grâce aux aides publiques. Or elles jouent un rôle beaucoup plus important dans le débat intellectuel israélien que la littérature française contemporaine, dont la réception demeure limitée à l'heure actuelle.

À l'orée du deuxième millénaire, l'écart des flux de traduction entre la France et Israël semblait s'être creusé à nouveau : en 2004, le nombre de titres de livres acquis par les éditeurs pour être traduits de l'hébreu en français, s'élevait, selon les données du Syndicat national de l'édition, à 11, ce qui plaçait l'hébreu en onzième position, derrière l'anglais, le japonais, l'allemand, l'italien, l'espagnol, le russe, le néerlandais, le suédois, le norvégien et le chinois[28]. Dans l'autre sens, 45 titres étaient cédés cette année-là pour être traduits du français en hébreu (dont un tiers de littérature et un tiers de sciences humaines). En 2005, année où le français arrivait en quatrième position des langues les plus traduites en hébreu, derrière l'anglais, l'allemand et l'italien, le Syndicat national de l'édition recensait 60 cessions contre 4 acquisitions, et l'année suivante 54 (dont la moitié de littérature et un quart de sciences humaines[29]) contre 5. Ces données, qui n'incluent pas les livres qui sont dans le domaine public (et dont l'importation en hébreu continue à être significative, en particulier dans les sciences humaines), semblent témoigner d'une évolution du rapport de force favorable au français, fruit du renforcement de sa position sur le marché mondial de la traduction dans la dernière décennie, après la chute du milieu des années 1990. Mais l'écart a sans doute été compensé par les acquisitions de droits de l'hébreu en 2007, en vue du Salon du livre 2008. Au final, ces évolutions récentes montrent surtout ce que l'intensification des échanges doit aux intermédiaires et aux instances de l'intermédiation.

---

28. Parmi ces 11 titres, 5 relevaient de la catégorie littérature, 3 de la bande dessinée, un des sciences humaines, un livre de jeunesse, un livre document. Syndicat national de l'édition, *Repères statistiques – international*, 2004, p. 10.

29. 17 de sciences humaines, 16 de littérature, 7 livres de jeunesse, 2 bandes dessinées, 2 religion, un document. *Ibid.*, p. 6.

Conclusion
par Gisèle Sapiro

Les effets de la mondialisation sur la circulation des biens cultu-rels peuvent être étudiés concrètement à travers l'évolution des moda-lités de transfert et des catégories de biens échangés, comme nous l'avons montré pour le cas des traductions d'ouvrages de littérature et de sciences sociales. Les logiques qui déterminent les échanges culturels sont diverses : politiques, économiques, spécifiquement culturelles. Si la logique marchande joue un rôle de plus en plus central dans le domaine du livre, à la faveur du processus de rationalisation et concentration de cette indus-trie, de l'encastrement croissant des marchés nationaux dans un marché international et de l'unification progressive d'un marché mondial de la traduction, les logiques politiques et culturelles continuent à y avoir un poids, variable selon les secteurs et les langues. Les effets spécifiques des crises politiques sur la circulation transnationale des œuvres sont ainsi observables pour les littératures des pays d'Europe de l'Est, même si la chute du mur de Berlin en 1989 semble avoir eu un impact moindre que les événements de 1956 en Hongrie ou ceux de 1968 en Tchécoslo-vaquie dans la reconfiguration de leur réception en Europe de l'Ouest. Par ailleurs, certaines des évolutions de ce marché sont l'expression de processus socioculturels plus globaux et inscrits dans la longue durée, comme la féminisation (des auteurs et des médiateurs), mais qui s'opè-rent de manière différenciée et décalée selon les traditions nationales, les catégories de livres et les genres.

Le marché mondial de la traduction se présente selon la structure de l'oligopole à frange, qui se superpose à l'opposition centre-périphérie : concentration élevée autour d'un petit nombre de pays centraux qui forment des pôles éditoriaux importants, forte dispersion dans la périphérie. Cette structure se retrouve au niveau national, où elle correspond à la structure du marché éditorial : d'un côté, une concentration des traductions autour des grandes maisons d'édition littéraires et quelques petits ou moyens éditeurs de création plus récente qui ont réussi à s'imposer en jouant un rôle actif dans l'introduction de littératures de langues semi-périphériques ou périphériques, le cas d'Actes Sud étant exemplaire ; de l'autre, une grande dispersion des titres, le nombre total d'éditeurs s'élevant, comme on l'a vu, à près de 500 pour les traductions de l'anglais, environ 250 pour l'allemand, l'espagnol et l'italien, une centaine pour l'arabe, une soixantaine pour les langues périphériques comme le néerlandais, le suédois et l'hébreu, environ vingt-cinq pour le finnois. Si le marché de la traduction présente logiquement les caractéristiques structurelles du marché national, il ne le recoupe pas complètement, l'investissement des éditeurs dans la traduction requérant des conditions et des dispositions spécifiques. C'est ce qui explique le fait qu'il n'en épouse pas directement les fluctuations. Celles-ci sont en effet l'expression non seulement de la conjoncture du marché national, mais aussi des logiques qui lui sont propres (compétences linguistiques, enjeux culturels, politiques, identitaires, etc.) et de son encastrement de plus en plus affirmé dans le marché mondial de la traduction.

L'intensification des échanges internationaux dans le domaine du livre, attestée par l'augmentation du nombre de traductions et la diversification des langues traduites, est avant tout une conséquence du développement du marché international du livre. Elle s'accompagne d'une domination croissante de l'anglais et d'un essor des genres de livres à rotation rapide, jeunesse, polar, roman rose, best-sellers, parmi lesquels les traductions de l'anglais sont surreprésentées par rapport aux autres langues. Loin de l'image enchantée d'un dialogue des cultures, on assiste à l'émergence d'une littérature mondialisée, qui relève souvent du mode de production industriel plutôt qu'artisanal, les échanges dans le secteur du livre étant de plus en plus marqués par la quête de la rentabilité à court terme.

Parallèlement à cette domination croissante, qui s'est faite notamment au détriment des autres langues centrales, et en premier lieu le russe, mais aussi, dans une moindre mesure, le français et l'allemand, on observe néanmoins une diversification des échanges, avec la présence de langues de plus en plus nombreuses et l'essor de quelques pôles éditoriaux autrefois marginaux. C'est le cas notamment du pôle asiatique, avec la participation croissante de la Chine et de la Corée à ces échanges. Ce phénomène justifie en soi qu'on parle de mondialisation. *A fortiori* si l'on considère que les échanges avec les pays asiatiques prennent le pas sur les flux de traduction intra-européens. Ces derniers se caractérisent par un affaiblissement de la position du français dans les pays nordiques (Suède, Norvège, Pays-Bas), dont les productions continuent néanmoins à être présentes sur le marché français. En revanche, les échanges avec les pays du Sud de l'Europe (Espagne, Portugal, Italie) se sont intensifiés pendant la période étudiée. Les pays d'Europe de l'Est semblent se relever progressivement de la baisse d'intérêt qu'ils ont subie au milieu des années 1990.

Face à la concurrence de plus en plus agressive des éditeurs anglo-américains, l'édition française a redéployé une stratégie de conquête de nouveaux marchés, épaulée par l'État. Cette stratégie semble avoir porté ses fruits à en juger par les évolutions les plus récentes.

Si l'on considère à présent le type de produits échangés, on constate que, loin de disparaître, les livres à rotation lente, notamment les «belles-lettres» et les sciences humaines et sociales, ont également bénéficié de l'accélération de la circulation des produits culturels, mais dans une proportion moindre que les genres les plus commerciaux. Or, dans ces secteurs, l'anglais est sous-représenté au profit d'autres langues. En littérature, le pôle de production restreinte se caractérise par la diversification des langues traduites pendant la période considérée. Ce phénomène s'observe non seulement dans les collections de littérature étrangère, mais aussi dans un genre plus codifié, le polar, évolution toutefois limitée à son pôle intellectuel, dont la circulation est plus restreinte. Face à l'écrasante domination de l'anglais sur le marché mondial de la traduction, et à la concentration des traductions de cette langue chez les éditeurs les mieux dotés en capital économique, l'investissement dans des langues semi-périphériques ou périphériques constitue une ressource pour les petits éditeurs, qui se constituent ainsi un créneau de spécialisation, selon la stratégie de «niche».

Les effets spécifiques de l'accentuation des contraintes commerciales dans ces secteurs de moins en moins protégés se font pourtant ressentir. Ce sont les genres à diffusion la plus restreinte, comme la poésie et le théâtre, qui sont les premiers touchés. Néanmoins, comme on l'a vu, leur part reste significative parmi les traductions littéraires des langues semi-périphériques et périphériques, alors qu'elle tend à se réduire dans la production littéraire en français.

L'investissement dans la traduction d'ouvrages de littérature et de sciences humaines et sociales apparaît ainsi comme une des stratégies de résistance du pôle intellectuel de l'édition française (en particulier des petits éditeurs) face à la marchandisation croissante des biens culturels. Sous ce rapport, l'étude de la circulation internationale des livres par voie de traduction montre que le processus de la mondialisation est un processus complexe, qui n'est pas le simple reflet d'un impérialisme économique, mais implique aussi des modes de résistance à cette domination. Le livre demeure un des vecteurs privilégiés de cette résistance, par le maintien de critères intellectuels, par la préservation d'une diversité culturelle lisible dans le nombre de langues traduites, et en se faisant le véhicule de discours ouvertement critiques qui peuvent connaître une diffusion mondiale, à l'instar de *No Logo* de Mélanie Klein (traduit en français chez Actes Sud en 2001). Langue de médiation, en français joue ainsi un rôle dans le maintien de la diversité culturelle sur le marché mondial de la traduction.

La circulation des littératures de langues périphériques comme le néerlandais ou l'hébreu, ou même de langues semi-périphériques comme l'espagnol, n'est en effet ni le simple reflet de l'intensification des échanges culturels internationaux, ni le résultat direct des relations culturelles officielles entre les pays. Si le capital symbolique accumulé par une langue dans un domaine ou un genre particulier (comme la poésie pour l'espagnol ou la nouvelle pour l'italien) entre en ligne de compte, il n'est une condition ni nécessaire (voir le cas du néerlandais), ni suffisante. Il faut prendre en compte le rôle joué par un groupe d'importateurs ou de médiateurs, qui se spécialisent, dans une conjoncture d'élargissement de la demande des éditeurs (qui n'implique pas la demande du public) et de leur volonté de diversifier leur catalogue. L'apparition d'un tel groupe doit être mis en relation avec les conditions d'acquisition de la langue, associée à un certain capital culturel : d'un côté, l'enseignement de la langue dans le pays d'accueil ; de l'autre, les trajectoires migratoires, dont les facteurs sont variables (raisons économiques, études, attraction culturelle, quête identitaire, exil politique).

Cette condition nécessaire n'est pas à elle seule suffisante non plus. Le travail spécifique de ces importateurs doit être relayé par des média-teurs professionnels du monde de l'édition : agents littéraires, éditeurs, lecteurs. Le rôle des agents littéraires (étatiques ou privés), que nous avons pu observer dans le cas de la littérature hébraïque, reste encore à étudier. En outre, si l'on trouve parmi eux, notamment du côté des petits éditeurs, des importateurs culturels qui reconvertissent leur compétence linguistique dans une entreprise éditoriale, comme dans le cas des éditions de La Différence, dont le fondateur est d'origine portugaise, ou les éditions Noir sur Blanc, dont le directeur est d'origine polonaise (cette compétence pouvant bien sûr être aussi acquise), la disposition de ces médiateurs cardinaux que sont les grands éditeurs littéraires à traduire une œuvre d'une langue périphérique tient également à l'actualité édito-riale et médiatique.

L'actualité éditoriale peut être déterminée par des événements au niveau national (Salon du livre, Belles étrangères, prix aux littératures étrangères, succès d'un auteur comme dans le cas de Montalbán) ou international (prix Nobel, invitation à la foire de Francfort, etc.), les événements nationaux faisant eux-mêmes de plus en plus écho aux événe-ments internationaux, à la faveur du rôle prescripteur de certaines instances, comme la foire de Francfort : ainsi, comme on l'a vu, l'invi-tation des Pays-Bas en 1993 a entraîné son invitation aux Belles Étran-gères la même année ; par ailleurs, un succès mondial comme celui du *Nom de la Rose* d'Umberto Eco a pu favoriser l'intérêt pour la littéra-ture italienne en France.

Les espaces de réception nationaux conservent cependant leurs spécificités : la réussite commerciale ne se transpose pas automatique-ment d'un pays à l'autre, loin de là. Le succès d'estime fondé sur des critères culturels relativement autonomes a plus de chances de se réper-cuter ailleurs, une fois la frontière franchie, même si l'on observe des décalages dans certains cas (comme ceux de Paul Auster et de David Shahar, qui jouissent d'un plus grand prestige en France que dans leurs pays).

Cependant, lorsque le nom propre de l'auteur n'enferme pas déjà un capital symbolique, la réception d'un ouvrage traduit dépend de son aptitude à traverser précisément les frontières culturelles, c'est-à-dire à apparaître comme étant d'intérêt universel malgré ou grâce à ses spéci-ficités. Les stratégies d'universalisation opèrent au moins à deux niveaux :

celui de l'écriture, les auteurs pouvant par exemple choisir d'accentuer ou de gommer l'ancrage spatio-temporel, s'inscrire plutôt dans l'espace de la littérature universelle que dans la tradition nationale ou vice-versa ; celui de la réception, qui nous intéresse ici.

Sous ce rapport, il faut distinguer deux modes d'universalisation : l'assignation identitaire, qui tend, parfois de manière abusive, à faire de la littérature l'expression d'une tradition culturelle nationale ou locale, lui conférant ainsi une valeur quasi ethnographique ; la stratégie relevant de la logique autonome, qui consiste à «dénationaliser» la littérature, selon l'expression de Sartre, pour l'inscrire dans la tradition spécifiquement littéraire de la République mondiale des lettres.

Dans le domaine des sciences humaines et sociales, le caractère « dénationalisé » de la production est un présupposé qui masque au contraire l'inscription, variable selon les disciplines, dans des traditions nationales bien réelles. Or, associée au fait que les textes circulent – dans l'espace comme dans le temps – sans leur contexte, cette logique de dénégation peut favoriser les malentendus dans la réception internationale de certaines œuvres.

Comme pour la littérature, il faut distinguer ici deux modes d'universalisation pour les ouvrages dont les auteurs n'ont pas encore accumulé de capital symbolique sur la scène internationale : d'un côté, la généralisation qui caractérise bien sûr les écrits les plus théoriques, mais aussi les études empiriques qui parviennent à dégager leur exemplarité (comme celle de Norbert Elias sur la société de cour), de l'autre, la valeur informative d'une recherche sur une réalité donnée, qui suscitera l'intérêt, au-delà des spécialistes, en fonction de l'actualité notamment.

À la différence des transferts littéraires, pour lesquelles on commence à disposer de solides enquêtes quantitatives et qualitatives, les échanges internationaux dans le domaine des sciences humaines et sociales ont été peu étudiés, et nécessiteraient la mise en place d'un vaste programme de recherche. Qui plus est, l'analyse des relations entre ces deux domaines et de la façon dont ils s'articulent dans les champs intellectuels nationaux contribuerait à une étude plus générale de la circulation internationale des idées.

Bibliographie indicative

pour une approche socio-historique de la traduction

Numéros spéciaux de revues

« *Transferts, voyages, transactions* », SCHÖTTLER, Peter et Michael WERNER (eds.), 1994, *Genèses*, n° 14, 2-82.

« Translation in a Global Market », Emily APTER (ed.), 2001, *Public Culture*, vol. 13, n° 1.

« Traduction : les échanges littéraires internationaux », Johan HEIL-BRON et Gisèle SAPIRO (dir.), 2002, *Actes de la recherche en sciences sociales*, n° 144.

« La circulation internationale des idées », Johan HEILBRON et Gisèle SAPIRO (dir.), 2002, *Actes de la recherche en sciences sociales*, n° 145.

« Traduction et mondialisation », Joanna NOWICKI et Michaël OUSTI-NOFF (dir.), 2007, *Hermès*, 49.

Ouvrages et articles

ALLEN, Esther, 2007. *To be translated or not to be*, Pen/IRL report on the international situation of literary translation, Institut Ramon Lull.

APTER, Emily, 2005. *The Translation Zone. A New Comparative Literary History*, Princeton, Princeton UP.

BAKER, Mona, 2006. *Translation and Conflict : A Narrative Account*, New York and London, Routledge.

BAKER, Mona (dir.), 1998. *Routledge Encyclopedia of Translation Studies,* London, Routledge.

BAKER, Mona (ed.), 2008 (à paraître). *Critical Concepts : Translation Studies*, London, New-York, Routledge.

BARRET-DUCROCQ, Françoise (dir.), 1992. *Traduire l'Europe*, Paris, Payot.

BASSNETT, Susan, LEFEVRE, André (dir.), 1998 *Constructing Cultures : Essays on Literary Translation*, Clevedon, Multilingual Matters.

BERMAN, Antoine, 1984. *L'Épreuve de l'étranger : culture et traduction dans l'Allemagne romantique*, Paris, Gallimard.

BOKOBZA, Anaïs, 2004. *Translating literature. From Romanticized Representations to the Dominance of a Commercial Logic : the Publication of Italian Novels in France (1982-2001)*, thèse de doctorat, Institut Universitaire Européen de Florence.

BONAVITA, Riccardo, 2006. «Traduire pour créer une nouvelle position : la trajectoire de Franco Fortini, d'Eluard à Brecht», *Études de lettres* (Université de Lausanne), n° 1-2, 277-287.

BONNEFOY, Yves, 2000. *La Communauté des traducteurs*, Strasbourg, Presses universitaires de Strasbourg.

BOURDIEU, Pierre, 1999. «Une révolution conservatrice dans l'édition», *Actes de la recherche en sciences sociales*, n° 126/127, 3-28.

BOURDIEU, Pierre, 2002. «Les conditions sociales de la circulation internationale des idées», *Actes de la recherche en sciences sociales*, n° 145, 3-8.

BRANCHADELL, Albert and Margaret WEST LOVELL (eds.), 2005. *Less Translated Languages*, Amsterdam/Philadelphia, John Benjamins.

BUDICK, Sanford, ISER, Wolfgang (eds.), 1996. *The Translatability of Cultures. Figurations of the Space Between,* Stanford, Stanford University Press.

BUZELIN, Hélène, 2007. «Repenser la traduction à travers le spectre de la coédition», *Meta* LII (4), 688-723.

CACHIN, Marie-Françoise, 2007. *La Traduction*, Paris, Éditions du Cercle de la Librairie.

CALVET, Jean-Louis, 2002. *Le Marché aux langues. Essai de politologie linguistique sur la mondialisation*, Paris, Plon.

CASANOVA, Pascale, 1999. *La République mondiale des lettres*, Paris, Seuil.

CASANOVA, Pascale, 2002. «Consécration et accumulation de capital littéraire. La traduction comme échange inégal», *Actes de la recherche en sciences sociales*, n° 144, 7-20.

CHMATKO, Natalia, 1998. *Facteurs déterminants de la circulation des idées et des œuvres. Éditions et traductions de la littérature moderne et des sciences sociales en Russie contemporaine*, compte rendu de fin d'opération d'une recherche financée par l'Observatoire France Loisirs de la lecture, Paris, Maison des Sciences de l'Homme.

CONTAMINE, Geneviève (dir.) 1989. *Traduction et traducteurs au Moyen âge*, Paris, Éditions du CNRS.

CRONIN, Michael, 2003. *Translation and Globalization*, Routledge.

DINGWANEY, Anuradha and Carol MEIER, (eds.), 1995. *Between Languages and Cultures. Translation and Cross-Cultural Texts*, Pittsburgh/London, University of Pittsburgh Press.

ECO, Umberto, *Dire Presque la même chose. Expériences de traduction*, Paris, Grasset, 2003.

ESPAGNE, Michel, 1999. *Les Transferts culturels franco-allemands,* Paris, Presses Universitaires de France.

ESPAGNE, Michel et Michael WERNER, 1987. «La construction d'une référence culturelle allemande en France. Genèse et histoire (1750-1914)», *Annales*, n° 4, 969-992.

ESPAGNE, Michel, WERNER, Michael (dir.), 1990. *Philologiques,* Paris, Éditions de la Maison des Sciences de l'Homme.

ESPAGNE, Michel, WERNER, Michael, 1988. *Transferts. Relations interculturelles franco-allemandes (XVIIIᵉ-XIXᵉsiècle)*, Paris, Éd. Recherche sur les Civilisations.

EVEN ZOHAR, Itamar, 1990. «Polysystem Studies», *Poetics Today*, vol. 11, n° 1.

EVEN ZOHAR, Itamar, 1997. «The Making of Culture Repertoire and the Role of Transfer», *Target*, vol. 9, n° 1, 355-363.

GANNE, Valérie et Marc MINON, 1992. «Géographies de la traduction», in François BARRET-DUCROCQ (dir.), *Traduire l'Europe*, Paris, Payot.

GENTZLER, Edwin, 1993. *Contemporary Translation Theories,* Londres, New York, Routledge.

GOUANVIC, Jean-Marc, 2007. *Pratique sociale de la traduction. Le roman réaliste américain dans le champ littéraire français (1920-1960)*, Paris, Artois Presses Université.

GUTAS, Dimitri, 2005. *Pensée grecque, culture arabe. Le mouvement de traduction gréco-arabe à Bagdad et la société abbasside primitive*, trad. Abdessalam Cheddadi, Paris, Aubier.

HEILBRON, Johan, 1999. «Towards a Sociology of Translation. Book Translations as a Cultural World System», *European Journal of Social Theory*, vol. 2, n° 4, 429-444

HEILBRON, Johan, 2002. «Échanges culturels transnationaux et mondialisation: quelques réflexions», *Regards sociologiques*, n° 22, 141-154.

HEILBRON, Johan, «Responding to Globalization: the Development of Book Translations in France and the Netherlands», in Anthony Pym, Miriam Shlesinger, Daniel Simeoni (eds.), *Beyond Descriptive Translation Studies. Investigations in Homage to Gideon Toury*, Amsterdam/Philadelphia, John Benjamins, 2008, 187-197.

HEILBRON, Johan and Gisèle SAPIRO (2007) «Outline for a sociology of translation: current issues and future prospects», in Michaela WOLF & Alexandra FUKARI (eds.), *Construction a Sociology of Translation*, Amsterdam, John Benjamins, 93-107.

HEINRICH, Nathalie, 1984. «Les traducteurs littéraires: l'art et la profession», *Revue française de sociologie*, n° 25, 264-280.

HOLMES, James S., LAMBERT, José, LEFEVERE, André (dir.), 1978. *Literature and Translation: New Perspectives in Literary Studies*, Université Catholique de Louvain.

HOLMES, James S., 1988. *Translated!: Papers on Literary Translation and Translation Studies*, Amsterdam, Rodopi.

JACQUEMOND, Richard, 1992. « Translation and Cultural Hegemony : The Case of French-Arabic Translation », in Lawrence Venuti (ed.), *Rethinking Translation*, Londres, Routledge, 1992, 139-158.

JACQUEMOND, Richard, 2005 « Francophonie, bilinguisme et traduction dans l'espace littéraire arabe », *Les Cahiers de l'Orient,* n° 77, 87-101.

JURT, Joseph, 1999. « L'"intraduction" de la littérature française en Allemagne », *Actes de la recherche en sciences sociales*, n° 130, 86-89.

KALINOWSKI, Isabelle, 1999. *Une Histoire de la réception de Hölderlin en France*, thèse de doctorat de l'Université Paris XII.

KALINOWSKI, Isabelle, 2001. « Traduction n'est pas médiation », *Études de lettres*, n° 2, « Les contextes de la littérature », 29-49.

KALINOWSKI, Isabelle, 2002. « La vocation au travail de la traduction », *Actes de la recherche en sciences sociales*, n° 144, 47-54.

KREMNITZ, Georg, 1998. « Problèmes de la traduction littéraire. Prolégomènes à une sociologie historique de la traduction littéraire », *Lengas. Revue de sociolinguistique*, n° 44, 69-83.

LASSAVE, Pierre, 2006. « Sociologie de la traduction, l'exemple de la "Bible" des écrivains », *Cahiers internationaux de sociologie*, vol. CXX, pp. 133-154.

LEONAS, Alexis, 2007. *L'Aube des traducteurs. De l'hébreu au grec : traducteurs et lecteurs de la Bible des Septante (IIIe s. av. J.-C.-IVe s. ap. J.-C.)*, Paris, Éd. du Cerf.

LEONHARDT SANTINI, Maud, 2006, *Paris, librairie arabe*, Marseille, Éditions Parenthèses/Maison méditerranéenne des sciences de l'homme.

LOMBEZ C. et R. von KULESSA (dir.), 2007. *De la traduction et des transferts culturels*, Paris, L'Harmattan.

LUSEBRINK, Hans-Jürgen, RECHARDT, Rolf, 1999. « Histoire des concepts et transferts culturels. Note sur une recherche », *Genèses*, n° 14.

MALINGRET, Laurence 2002. *Stratégies de traduction. Les lettres hispaniques en langue francaise*, Arras, Presses Universitaires d'Artois.

MILTON, John et Paul BANDIA (eds.), 2008. *Agents of translation*, Amsterdam/Philadelphia, John Benjamins.

MILO, Daniel 1984, « La bourse mondiale de la traduction : un baromètre culturel », *Annales*, n° 1, 92-115.

MOLLOY, Sylvia, 1972. *La Diffusion de la littérature hispano-américaine en France au XXᵉ siècle*, Paris, PUF.

NIDA Eugene, 2003. *Towards a Science of Translating : With Special Reference to Principles and Procedures Involved in Bible Translating*, Leiden, Brill (1ᵉʳᵉ publication : 1964).

NYE, Fritz (dir.), 2004. *Les Enjeux scientifiques de la traduction. Échanges franco-allemands en sciences humaines et sociales,* Paris, Éditions de la Maison des Sciences de l'Homme.

POPA, Ioana, 2000. « Dépasser l'exil. Degrés de médiation et stratégies de transfert littéraire chez des exilés de l'Europe de l'Est en France », *Genèses*, n° 38, 5-32.

POPA, Ioana, 2002. « Un transfert littéraire politisé. Circuits de traduction des littératures d'Europe de l'Est en France 1947-1989 », *Actes de la recherche en sciences sociales*, n° 144, 55-59.

POPA, Ioana, 2002. « Le réalisme socialiste, un produit d'exportation politico-littéraire », *Sociétés & Représentations*, n° 15, 261-292.

POPA, Ioana, 2004. *La Politique extérieure de la littérature. Une sociologie de la traduction des littératures d'Europe de l'Est (1947-1989)*, thèse de doctorat en sociologie, EHESS.

POPA, Ioana, 2006. « Politisches Engagement und literarischer Transfer. Ein kommunistisches Netz von Übersetzern osteuropäischer Literaturen in Frankreich », in Ingrid Gilcher-Holtey (dir.), *Zwischen den Fronten. Positionskämpfe europäischer Intellektueller im 20. Jahrhundert*, Berlin, Akademie Verlag, 257-288.

POPA, Ioana, 2006. «Translation Channels. A Primer on Politicised Literary Transfer», *Target. International Review of Translation Studies*, vol. 18, n° 2, 205-228.

PYM, Anthony, 1992. *Translation and Text Transfer. An Essay on the Principles of Intercultural Communication*. Frankfurt/Berlin/Bern/New York/Paris/Wien, Peter Lang.

PYM, Anthony, Miriam SHLESINGER, and Daniel SIMEONI (eds.), 2008. *Beyond Descriptive Translation Studies, Investigations in homage to Gideon Toury*, Amsterdam, Benjamins Press.

PYM, Anthony, Miriam SHLESINGER and Zuzanna JETTMAROVÁ (eds.), 2006 *Sociocultural Aspects of Translating and Interpreting*, Amsterdam/Philadelphia, Johan Benjamins.

SAPIRO, Gisèle, 2002. «L'Importation de la littérature hébraïque en France : entre communautarisme et universalisme», *Actes de la recherche en sciences sociales*, n° 144, 80-98.

SAPIRO, Gisèle, 2007. «Traduction et globalisation des échanges : le cas du français», in Jean-Yves Mollier ed., *Où va le livre ?* nouvelle édition augmentée, Paris, La Dispute, chap. X.

SAPIRO, Gisèle, 2008. «Translation and the field of publishing. A commentary on Pierre Bourdieu's "A conservative revolution in publishing" from a translation perspective», *Translation Studies*, vol. 1, n° 2, 154-167.

SAPIRO, Gisèle, 2008. «Normes de traduction et contraintes sociales», in Anthony Pym, Miriam Shlesinger, and Daniel Simeoni ed., *Beyond Descriptive Translation Studies. Investigations in Homage to Gideon Toury*, Amsterdam, John Benjamins, 2008, 199-208.

SAPIRO, Gisèle, forthcoming 2009. «French literature in the World System of Translation», in Christie Mac Donald and Susan Suleiman (eds.), *French Global. A new approach to literay history*, NY : Columbia UP.

SAPIRO, Gisèle (dir.), 2007. *La Traduction comme vecteur des échanges culturels internationaux. Circulation des livres de littérature et de sciences sociales et évolution de la place de la France sur le marché mondial de l'édition (1980-2002)*, rapport de recherche, Paris : Centre de sociologie européenne.

SAPIRO, Gisèle (dir.), à paraître, *Les Contradictions de la globalisation éditoriale*, Paris, Nouveau Monde Éditions.

SCHIFFRIN, André, 1999. *L'Édition sans éditeurs*, Paris, La Fabrique.

SCHUTTLEWORTH, Mark and Moira COWIE, 1997. *Dictionary of Translation Studies,* Manchester, Saint Jerome.

SELA-SHEFFY, Rakefet, 2005. « How to Be a (Recognized) Translator : Rethinking Habitus, Norms, and the Field of Translation », *Target*, vol. 17, n° 1, 1-26.

SERRY, Hervé, 2002. « Constituer un catalogue littéraire. La place des traductions dans l'histoire des Éditions du Seuil », *Actes de la recherche en sciences sociales*, n° 144, 70-79.

SIMEONI, Daniel, 1989. « The Pivotal Status of the Translator's Habitus », *Target. International Journal of Translation Studies*, vol. 10, n° 1, 1-39.

SIMEONI, Daniel, 2001. *Traduire les sciences sociales. L'émergence d'un habitus sous surveillance : du texte support au texte-source*, thèse de doctorat en traductologie, EHESS.

SHAVIT, Zohar, 2002. « Fabriquer une culture nationale. Le rôle des traductions dans la constitution de la littérature hébraïque », *Actes de la recherche en sciences sociales*, n° 144, 21-32.

SORA, Gustavo, 1998. « Francfort : la foire d'empoigne », *Liber*, n° 34, 2-3.

SORA, Gustavo, 2002. « Un échange dénié. La traduction d'auteurs brésiliens en Argentine », *Actes de la recherche en sciences sociales*, n° 145, 61-70.

SORA, Gustavo, 2003. *Traducir el Brasil. Una antropologia de la circulacion internacional de ideas*, Buenos Aires, Libros del Zorzal.

SWAAN de, Abraham, 1993. « The Emergent World Language System », *International Political Science Review,* n° 3.

SWAAN de, Abraham, 2001. *Words of the World : The Global Language System*, Cambridge, Polity Press.

TORRES, Marie-Hélène 2004. *Variations sur l'étranger : cent ans de traduction francaise des lettres brésiliennes*, Arras, Presses Universitaires d'Artois.

TOURY, Gideon, 1995. *Descriptive Translation Studies and Beyond*, Amsterdam-Philadelphie, Benjamins.

VENUTI, Lawrence, 1995. *The Translator's Invisibility*, London, New York, Routledge.

VENUTI, Lawrence, 1998. *The Scandals of Translation. Towards an ethics of difference*, London, Routledge.

VENUTI, Lawrence (ed.), 1992. *Rethinking Translation*, London, New-York, Routledge.

VENUTI, Lawrence (ed.), 2000. *The Translation Studies Reader*, London, Routledge.

WERNER, Michaël, 1995. «Les usages de l'échelle dans la recherche sur les transferts culturels», *Cahiers d'études germaniques*, n° 28, 39-53.

WERNER, Michaël (dir.), 2007, *Politiques et usages de la langue en Europe*, Paris, Éditions de la Maison des sciences de l'homme.

WILFERT, Blaise, 2002. «Cosmopolis et l'homme invisible. Les importateurs de littérature étrangère en France, 1885-1914», *Actes de la recherche en sciences sociales*, n° 144, 33-46.

WILFERT, Blaise, 2003. *Paris, la France et le reste… Importations littéraires et nationalisme culturel en France, 1885-1930,* thèse de doctorat en histoire contemporaine, Université Paris I.

WOLF, Michaela (ed.), 2006. *Übersetzen-Translating-Traduire. Towards a «Social Turn»?* LIT Verlag, Wien-Berlin.

WOLF, Michaela and Alexandra FUKARI (eds.), 2007. *Construction a Sociology of Translation*, Amsterdam : John Benjamins.

Les auteurs ayant contribué à ce volume

Anaïs BOKOBZA a un doctorat en sociologie de l'Institut Universitaire Européen de Florence. Sa thèse portait sur les traductions des romans italiens en français entre 1982 et 2001. Depuis, elle a collaboré à plusieurs projets de recherche, dont l'enquête du Centre de Sociologie Européenne sur les traductions en français. Par ailleurs, elle a coordonné et co-rédigé des ouvrages dans différents domaines (sciences sociales, psychiatrie, santé publique), et elle est également traductrice de l'italien. Elle a traduit des articles de sciences sociales et aussi des romans, pour plusieurs maisons d'édition, notamment Calmann-Lévy, Métailié et Gallimard.

Yves GAMBIER, docteur en linguistique, est professeur et directeur du Centre de traduction et d'interprétation de l'Université de Turku (Finlande). Depuis 1990, il consacre une grande partie de ses activités à la traduction audiovisuelle. Néanmoins ses travaux (près de 160 publications dont près d'une vingtaine d'ouvrages édités ou coédités) portent aussi sur d'autres domaines (socio-terminologie, bilinguisme précoce, bilinguisme institutionnel, analyse du discours en particulier de spécialité). Il est membre de divers groupes pour promouvoir la recherche et la formation en traduction. Il est en outre éditeur général de *Translation Benjamins Library* et membre de comité de rédaction de 7 revues.

Johan HEILBRON est chargé de recherche au CNRS (Centre de sociologie européenne-Paris), et professeur associé à l'Université Erasme à Rotterdam. Spécialiste de l'histoire des sciences sociales, de la sociologie de la culture et de la sociologie économique, il a publié notamment *Naissance de la sociologie* (Agone, 2006). Il a en outre codirigé des ouvrages, *The Rise of the Social Sciences and the Formation of Modernity* (Kluwer, 1998/2001), *Pour une histoire des sciences sociales. Hommage à Pierre Bourdieu* (Fayard, 2004), et plusieurs numéros d'*Actes de la recherche en sciences sociales* : « Traduction : les échanges littéraires internationaux » (144, 2002), « La circulation internationale des idées » (145, 2002) et « Espaces de la finance » (146-147, 2003). Il a également dirigé un numéro spécial de la *Revue d'histoire des sciences humaines* (18, 2008) sur le thème « Traditions nationales en sciences sociales ».

Richard JACQUEMOND, maître de conférences (HDR) en langue et littérature arabes à l'Université de Provence, a longtemps résidé au Caire où il a notamment dirigé le programme de traduction de la mission culturelle française en Égypte (1988-1995). Auteur d'une thèse sur le champ littéraire égyptien depuis les années 1960, intitulé *Entre scribes et écrivains. le champ littéraire dans l'Égypte contemporaine* (Actes Sud Sindbad, 2003), il a également traduit de l'arabe de nombreux romans, récits et essais d'auteurs arabes contemporains, principalement égyptiens. Il est notamment le principal traducteur français du romancier égyptien Sonallah Ibrahim.

Ioana POPA est chargée de recherche au CNRS (Institut des sciences sociales du politique, UMR 8166). Elle travaille sur les transferts culturels et scientifiques Est-Ouest sous le communisme, sur l'engagement des scientifiques occidentaux en faveur des droits de l'homme pendant les années 1970 et 1980 et sur la structuration internationale des « études européennes ». Elle prépare un ouvrage issu de sa thèse de doctorat en sociologie (*La Politique extérieure de la littérature. Une sociologie de la traduction des littératures d'Europe de l'Est 1947-1989*, EHESS, 2004, à paraître chez CNRS Editions). Membre du comité de rédaction de la revue *Genèses. Sciences sociales et histoire*, elle enseigne à l'Université Paris X et dans le cadre du Consortium des Universités Emory, Duke et Cornell à Paris.

Sandra POUPAUD est titulaire d'un DEA en traductologie et études interculturelles de l'Université Rovira i Virgili de Tarragone, Espagne. Elle y prépare actuellement un doctorat sur la traduction de la littérature hispanique en France, en étudiant en particulier le rôle des différents intermédiaires (éditeurs, traducteurs, agents et institutions) dans les circuits de traduction. Elle est traductrice technique et réside à Barcelone.

Gisèle SAPIRO est directrice de recherche au CNRS (Centre de socio-logie européenne-Paris) et enseigne à l'EHESS. Spécialiste de socio-logie de la littérature, de la culture et des intellectuels, elle est l'auteure de *La Guerre des écrivains, 1940-1953* (Fayard, 1999). Elle a codirigé ou dirigé plusieurs ouvrages : *Pour une histoire des sciences sociales* (Fayard, 2004), *Pierre Bourdieu, sociologue* (Fayard, 2004), *Les Contra-dictions de la globalisation éditoriale* (Nouveau Monde, sous presse), ainsi que des numéros des revues *Actes de la recherche en sciences sociales* : « Traduction: les échanges littéraires internationaux » (144, 2002), « La circulation internationale des idées » (145, 2002), « Voca-tions artistiques » (168, 2007), « Politiques impérialistes » (171-172, 2008) ; *Sociétés & Représentations* : « Le réalisme socialiste en France » (15, 2002) ; le *Mouvement Social* : « L'organisation des professions intellectuelles » (214, 2006). Elle prépare un livre sur la *Responsabilité de l'écrivain* à paraître chez Albin Michel.

Liste des tableaux et graphiques

Chapitre 4

Chapitre 6

Chapitre 7

Chapitre 12

Chapitre 13

Chapitre 14

Table des matières

TROISIÈME PARTIE
La traduction comme vecteur des échanges culturels

Chapitre 11
L'évolution des échanges culturels entre la France
et les Pays-Bas face à l'hégémonie de l'anglais,

Chapitre 12
Entre littérature populaire et belles-lettres :
asymétrie des rapports franco-finlandais (1951-2000),

Chapitre 13
Les flux de traduction entre le français et l'arabe
depuis les années 1980 : un reflet des relations culturelles,

Achevé d'imprimer en août 2008
sur les presses de la Nouvelle Imprimerie Laballery
58500 Clamecy
Dépôt légal : août 2008
Numéro d'impression : 807245

Imprimé en France

La Nouvelle Imprimerie Laballery est titulaire du label Imprim'Vert®